BASTEI
LÜBBE

Von Dan Brown sind bei Bastei Lübbe Taschenbücher lieferbar:

14866 Illuminati
15055 Meteor
15485 Sakrileg – The Da Vinci Code

Über den Autor:

Dan Brown unterrichtete Englisch, bevor er sich ganz seiner Tätigkeit als Schriftsteller widmete. Als Sohn eines mehrfach ausgezeichneten Mathematikprofessors und einer bekannten Kirchenmusikerin wuchs er in einem Umfeld auf, in dem Wissenschaft und Religion keine Gegensätze darstellen. Seine Romane ILLUMINATI und SAKRILEG zählen zu den erfolgreichsten Büchern der letzten Jahrzehnte. Dan Brown ist verheiratet und lebt mit seiner Frau, einer Kunsthistorikerin, in Neuengland.

Dan Brown

Diabolus

Thriller

Aus dem Amerikanischen
von Peter A. Schmidt

BASTEI LÜBBE TASCHENBUCH
Band 15762

13. Auflage: August 2014

Vollständige Taschenbuchausgabe
der in Gustav Lübbe Verlag erschienenen Hardcoverausgabe

Bastei Lübbe Taschenbücher und Gustav Lübbe Verlag
in der Bastei Lübbe AG

Dieses Werk wurde im Auftrag von St. Martin's Press, L.L.C. durch
die Literarische Agentur Thomas Schlück GmbH,
30827 Garbsen, vermittelt

Textredaktion: Marco Schneiders
Titelillustration: Hilden Design, München
Umschlaggestaltung: Hilden Design, München
Satz: Bosbach Kommunikation & Design GmbH, Köln
Druck und Verarbeitung: GGP Media GmbH, Pößneck

Printed in Germany
ISBN 978-3-404-15762-4

Sie finden uns im Internet unter
www.luebbe.de
Bitte beachten Sie auch: www.lesejury.de

Für meine Eltern …
meine Mentoren und Vorbilder

Danksagung

Mein Dank gebührt: Thomas Dunne und der außergewöhnlich talentierten Melissa Jacobs, meinen Lektoren von St. Martin's Press; meinen New Yorker Agenten George Wieser, Olga Wieser und Jake Elwell; allen, die mein Manuskript gelesen und zu seinem Entstehen beigetragen haben; vor allem jedoch meiner Ehefrau Blythe für ihre Begeisterung und Geduld.

Und damit ich es nicht vergesse… ein diskretes Dankeschön den beiden Ex-NSA-Kryptographen, die mir über anonyme E-Mails unschätzbare Hinweise haben zukommen lassen. Ohne diese beiden freundlichen Herren hätte dieses Buch nicht geschrieben werden können.

Prolog

PLAZA DE ESPAÑA
SEVILLA, SPANIEN
11.00 Uhr

Es heißt, dass sich im Tode alles klärt. Ensei Tankado wusste jetzt, dass die Redensart stimmte. Im Fallen, die Hände an die schmerzende Brust gepresst, erkannte er seinen schrecklichen Fehler.

Besorgte Menschen tauchten in seinem Gesichtsfeld auf, beugten sich über ihn, bemühten sich, ihm zu helfen. Aber Ensei Tankado wollte keine Hilfe – dafür war es jetzt zu spät.

Bebend hob er die linke Hand und streckte die Finger aus. *Schaut auf meine Hand!* Neugierige Blicke trafen ihn, doch er spürte, dass ihn keiner verstand.

An seinem Finger steckte ein gravierter goldener Ring. Die Schriftzeichen blitzten in der andalusischen Sonne. Es war das letzte Licht, das Ensei Tankado in seinem Leben sah.

Kapitel 1

Sie waren in den Smoky Mountains und lagen in einem Himmelbett ihrer Lieblingspension. David lächelte. »Was meinst du, Liebling? Würdest du mich heiraten?«

Sie blickte zu ihm hoch und wusste, dass er der Richtige war. Für immer und ewig. Während sie in seine tiefgrünen Augen schaute, erhob sich irgendwo in der Ferne ein nervtötendes Gebimmel. Er strebte von ihr fort. Sie streckte die Arme nach ihm aus und griff ins Leere.

Das Geklingel des Telefons riss Susan Fletcher endgültig aus ihrem Traum. Sie holte tief Luft, setzte sich auf und tastete nach dem Hörer. »Hallo?«

»Susan, hier ist David. Habe ich dich geweckt?«

Sie lächelte und drehte sich auf die Seite. »Ich habe gerade von dir geträumt. Komm rüber! Lass uns ein paar hübsche Sachen miteinander machen.«

Er lachte. »Draußen ist's noch dunkel.«

»Hmmm.« Sie stöhnte verführerisch. »Dann musst du erst recht rüberkommen. Bevor wir losfahren, ist noch genug Zeit zum Ausschlafen.«

David stieß einen frustrierten Seufzer aus. »Wegen der geplanten Fahrt rufe ich ja an! Wir müssen sie leider verschieben.«

Susan war mit einem Schlag hellwach. »Wie bitte?«

»Es tut mir leid, aber ich muss verreisen. Morgen bin ich wieder da. Wenn wir uns gleich in aller Herrgottsfrühe auf den Weg machen, haben wir immer noch zwei ganze Tage für uns.«

»Aber ich habe doch schon alles reserviert«, sagte Susan eingeschnappt. »Unser altes Zimmer im Stone Manor!«

»Ich weiß, aber …«

»Der heutige Abend sollte doch ein ganz besonderer Abend werden – zur Feier unserer ersten sechs Monate. Hast du schon vergessen, dass wir verlobt sind?«

Er seufzte. »Susan, ich kann dir jetzt nicht alles erklären. Draußen wartet ein Wagen auf mich. Ich rufe dich vom Flieger aus an und erkläre dir alles.«

»*Vom Flieger aus?*«, wiederholte sie ungläubig. »Was ist denn los? Wie kommt die Universität dazu, dich …?«

»Es hat mit der Uni nichts zu tun. Ich rufe dich später nochmal an und erkläre dir alles. Jetzt muss ich wirklich los, man ruft schon nach mir. Ich melde mich, versprochen!«

»David!«, schrie sie. »Was soll …?«

Aber David hatte schon eingehängt.

Sie lag noch stundenlang wach und wartete auf den Anruf. Doch das Telefon blieb stumm.

Susan Fletcher saß trübsinnig in der Badewanne. Es war Nachmittag geworden. Sie tauchte im Seifenwasser unter und versuchte, sich Stone Manor und die Smoky Mountains aus dem Kopf zu schlagen. *Wo steckt er nur? Warum meldet er sich nicht?*

Das heiße Wasser wurde allmählich lau und schließlich kalt. Sie hatte sich gerade entschlossen, aus der Wanne zu steigen, als ihr schnurloses Telefon summte. Susan schoss hoch und griff nach dem Hörer, den sie auf dem Waschbeckenrand abgelegt hatte. Wasser platschte auf den Boden.

»David?«

»Hier spricht Strathmore«, meldete sich eine Stimme.

Ernüchtert sank Susan zurück. »Ach, Sie sind's.« Es gelang ihr nicht, die Enttäuschung zu verbergen. »Guten Tag, Commander.«

»Sie hatten wohl mit dem Anruf eines Jüngeren gerechnet?« Die Stimme klang amüsiert.

»Keineswegs, Sir.« Die Situation war Susan peinlich. »Ich möchte nicht, dass ein falscher Eindruck entsteht …«

»Schon passiert.« Strathmore lachte. »David Becker ist ein prima Kerl. Den sollten Sie sich warmhalten.«

»Ja, Sir.«

Die Stimme des Commanders wurde unversehens ernst. »Susan, ich melde mich, weil ich Sie hier im Laden brauche. Pronto.«

Susan versuchte, sich einen Reim auf den Anruf zu machen. »Es ist Samstagnachmittag, Sir. Normalerweise haben wir …«

»Weiß ich«, sagte Strathmore ruhig. »Aber es handelt sich um einen Notfall.«

Susan saß senkrecht in der Wanne. *Ein Notfall?* Sie hatte dieses Wort noch nie über Commander Strathmores Lippen kommen hören. *Ein Notfall? In der Crypto?* Es war absolut unvorstellbar. »Ja. Ich komme, so schnell ich kann.«

»Kommen Sie ruhig ein bisschen schneller!«, sagte Strathmore und legte auf.

Als Susan sich ins Badetuch hüllte, fielen Tropfen auf die fein säuberlich zusammengefalteten Kleidungsstücke, die sie am Abend zuvor herausgelegt hatte – Shorts zum Wandern, einen Pullover für die kühlen Abende in den Bergen und die Dessous, die sie extra gekauft hatte. Niedergeschlagen ging sie zum Schrank und holte eine saubere Bluse und einen Rock heraus. *Ein Notfall in der Crypto?*

Auf der Treppe fragte sie sich, ob der Tag eigentlich noch beschissener werden könnte.

Die Antwort ließ nicht lange auf sich warten.

Kapitel 2

Neuntausend Meter über einem spiegelglatten Ozean starrte David Becker bedrückt aus dem kleinen ovalen Fenster des Learjet 60. Das Bordtelefon sei gestört, hatte man ihm gesagt – und damit war der Anruf bei Susan gestorben.

Was tust du hier eigentlich?, fragte er sich – aber die Antwort lag auf der Hand. Es gab eben Leute, denen man so leicht nichts abschlagen konnte.

»Mr Becker?«, knisterte es aus dem Bordlautsprecher. »Wir landen in einer halben Stunde.«

Großartig! Er nickte der unsichtbaren Stimme trübsinnig zu, zog die Jalousie herunter und versuchte, noch ein Nickerchen zu machen. Doch seine Gedanken kreisten um Susan.

Kapitel 3

Vor dem drei Meter hohen und von Stacheldrahtrollen gekrönten Stahlzaun ließ Susan den Wagen ausrollen. Der junge Wachmann trat an ihren Volvo und legte gebieterisch die Hand aufs Autodach.

»Ihren Ausweis, bitte.«

Susan tat wie ihr geheißen und machte sich auf die halbminütige Wartezeit gefasst. Der Wachbeamte zog ihre Ausweiskarte durch das elektronische Lesesystem. Schließlich sah er auf.

»Danke, Miss Fletcher.« Auf sein kaum wahrnehmbares Nicken schwang das Tor auf.

Einen knappen Kilometer weiter unterzog sich Susan an einem nicht minder abweisenden elektrisch gesicherten Zaun der gleichen Prozedur noch einmal. *Nun macht schon, Jungs. Ihr habt mich hier ja erst ein paar Tausend Mal durchkomplimentiert!* Sie fuhr am letzten Kontrollpunkt vor. Ein untersetzter Wachmann mit zwei scharfen Hunden und einer Maschinenpistole schaute auf ihr Nummernschild und winkte sie durch. Sie fuhr knapp zweihundertfünfzig Meter auf der Canine Road weiter und bog in den Personalparkplatz C. *Nicht zu fassen,* dachte sie. *Sechsundzwanzigtausend Mitarbeiter und ein Etat von zwölf Milliarden Dollar, aber sie schaffen es nicht, ein einziges Wochenende lang ohne dich zurechtzukommen?* Mit einem kurzen Tritt aufs Gaspedal ließ sie den Wagen auf ihren reservierten Parkplatz rollen und stellte den Motor ab.

Nachdem sie den Grünstreifen überquert hatte, betrat sie das Hauptgebäude, passierte zwei weitere Sicherheitskontrollen und gelangte schließlich an den fensterlosen Durchgang, der zu dem neuen Gebäude hinüberführte. Auf einem Hinweisschild stand zu lesen:

NATIONAL SECURITY AGENCY (NSA)
CRYPTO-ABTEILUNG
FÜR UNBEFUGTE KEIN ZUTRITT

Eine Kabine mit einem digitalen Stimmerkennungssystem versperrte den Zugang. Der bewaffnete Wachposten blickte auf. »Tag, Miss Fletcher.«

Susan lächelte matt. »Hallo, John.«

»Ich habe heute gar nicht mit Ihnen gerechnet.«

»Ich auch nicht.« Sie beugte sich zu dem im Brennpunkt einer kleinen Parabolschüssel angebrachten Mikrofon. »Susan Fletcher«, sagte sie klar und deutlich. Der Computer bestätigte das Frequenzspektrum ihrer Stimme, und die Sperrschranke sprang klickend auf.

Der Wachmann bedachte Susan mit einem bewundernden Blick. Er bemerkte, dass ihre ansonsten so fest dreinblickenden Augen etwas abwesend wirkten, aber ihre Wangen hatten eine rosige Frische, und ihr schulterlanges kastanienbraunes Haar wirkte frisch geföhnt. Ein zarter Duft von Johnson's Babypuder umwehte sie. Der Blick des Wachmanns glitt an ihrem schlanken Oberkörper herab, registrierte den BH unter ihrer weißen Bluse, den knielangen Khakirock und schließlich die Beine … Susan Fletchers Beine.

Kaum zu glauben, dass auf diesen Beinen ein IQ von 170 herumläuft, sinnierte er, während er Susan auf ihrem Weg durch die Betonröhre hinterherstarrte, bis sie in der Ferne verschwunden war. Mit einem ungläubigen Kopfschütteln riss er sich von dem Anblick los.

Als Susan das Ende des Tunnels erreicht hatte, blockierte eine kreisrunde Portalscheibe ihren Weg, auf der in gewaltigen Lettern CRYPTO angeschrieben stand.

Seufzend streckte sie die Hand nach dem in die Wand eingelassenen Tastenfeld aus und gab ihre PIN-Nummer ein. Sofort setzte sich die zwölf Tonnen schwere stählerne Türscheibe in Bewegung. Susan versuchte, sich auf die Gegenwart zu konzentrieren, aber ihre Gedanken glitten zurück zu David.

David Becker. Der einzige Mann, den sie je geliebt hatte. Als jüngster Inhaber einer Vollprofessur an der Georgetown Universität und Spezialist für Fremdsprachen war er in der akademischen Welt kein Unbekannter mehr. Mit seinem angeborenen fotografischen Gedächtnis und seiner Sprachbegabung hatte er sechs asiatische Idiome mühelos zu beherrschen gelernt, dazu noch Spanisch, Französisch und Italienisch. Seine mit Sachkunde und Begeisterung vorgetragenen Etymologie- und Linguistikvorlesungen waren stets überfüllt, wobei er sich hinterher noch weit über das Ende der Veranstaltung hinaus unverdrossen dem Kreuzfeuer der Fragen zu stellen pflegte. Die bewundernden Blicke der weiblichen Hörerschaft schienen ihm völlig zu entgehen.

Becker war ein eher dunkler, jugendlicher Typ von fünfunddreißig Jahren mit scharf blickenden grünen Augen und nicht minder scharfem Intellekt. Sein markantes Kinn und die straffen Gesichtszüge erinnerten Susan immer an eine antike Marmorstatue. Ungeachtet seiner Größe von weit über eins achtzig flitzte Becker mit einer seinen Kollegen unbegreiflichen Behändigkeit über den Squashcourt. Wenn er dem Gegner eine solide Niederlage verpasst hatte, pflegte er zur Abkühlung den Kopf in einen Trinkwasserspender zu halten, bis das Wasser aus seinem dichten schwarzen Haarschopf troff, um sodann dem geschlagenen Gegner einen Fruchtshake und einen Bagel auszugeben.

Wie alle Jungakademiker bezog auch David Becker kein besonders üppiges Dozentengehalt. Wenn wieder einmal der Mitgliedsbeitrag zum Squash-Club fällig war oder sein alter Dunlopschläger eine neue Bespannung mit Natursaiten nötig hatte, pflegte er von Zeit zu Zeit sein Gehalt mit Übersetzungsaufträgen für die Regierungsbehörden in und um Washington aufzubessern. Bei einem dieser Gelegenheitsjobs war er Susan begegnet.

Als er in den vergangenen Herbstferien an einem frischen Oktobermorgen von seiner regelmäßigen Joggingrunde in sein Dreizimmer-Apartment auf dem Universitätsgelände zurückgekehrt war, hatte der Anrufbeantworter geblinkt. Während er sich den üblichen Liter Orangensaft einverleibte, hatte er den Anruf abgehört. Die Botschaft unterschied sich in nichts von den zahlreichen früheren Anrufen – eine Regierungsbehörde wollte ihn für eine Übersetzungsarbeit im späteren Verlauf des Vormittags ein paar Stunden engagieren. Das einzig Auffallende war, dass Becker noch nie etwas von dieser Behörde gehört hatte.

»Der Verein heißt National Security Agency«, erläuterte Becker den Kollegen, die er Rat suchend angerufen hatte.

Die Antwort war stets die gleiche gewesen. »Du meinst wohl den National Security *Council*, den Nationalen Sicherheitsrat?«

Becker hatte sicherheitshalber den Anruf noch einmal abgehört. »Nein, sie haben sich mit National Security *Agency* gemeldet.«

»Noch nie was davon gehört!«

Becker hatte im Verzeichnis der Regierungsbehörden nachgesehen, aber auch dort war die NSA nicht aufgeführt. Schließlich hatte er einen alten Squash-Kumpel angerufen, einen früheren Politikwissenschaftler, der inzwischen eine Stelle bei der Forschungsabteilung der Kongressbibliothek innehatte. Die Ausführungen seines Bekannten hatten ihn ziemlich erschüttert.

Nicht nur, dass es die NSA tatsächlich gab, sie war sogar eine der einflussreichsten staatlichen Organisationen der Welt und hatte seit mehr als einem halben Jahrhundert auf elektronischem Wege nachrichtendienstliche Erkenntnisse gesammelt und gleichzeitig das geheimdienstliche Material der USA vor fremder Spionage geschützt. Lediglich zwei Prozent der amerikanischen Bevölkerung wussten, dass es diese Behörde überhaupt gab.

»NSA«, witzelte der Freund, »ist die Abkürzung von ›niemand soll's ahnen‹.«

Mit einer Mischung aus Neugier und Unbehagen hatte Becker den Auftrag der mysteriösen Behörde angenommen. Er war gut fünfzig Kilometer weit zu dem über dreieinhalbtausend Hektar großen NSA-Hauptquartier hinausgefahren, das sich diskret in den bewaldeten Hügeln von Fort Meade in Maryland verbarg. Nach schier endlosen Sicherheitskontrollen hatte man ihm einen auf sechs Stunden ausgestellten holographischen Besucherausweis ausgehändigt und ihn in eine üppig ausgestattete Forschungseinrichtung geführt. Dort wurde ihm eröffnet, die Kryptographen – ein Eliteteam von mathemathischen Genies, die sich salopp Codeknacker nannten – bräuchten ihn in den kommenden Mittagsstunden für eine »blinde Zuarbeit«.

Während der ersten Stunde schienen sie Beckers Anwesenheit nicht einmal wahrzunehmen. Um einen riesigen Tisch geschart, unterhielten sie sich in einem Becker völlig fremden Vokabular über Datenstromchiffren, selbstdezimierende Geber, Rucksackvariablen, Blindprotokolle und Eindeutigkeitspunkte. Becker spitzte die Ohren und verstand gar nichts. Man kritzelte Symbole auf Millimeterpapier, brütete über Computerausdrucken und deutete immer wieder auf das von einem Overheadprojektor an die Wand geworfene Textgewirr:

```
JHDJA3JKHDHMADO/ERTWTJLW+JGJ328
5JHALSFNHKHHHFAF0HHDFGAF/FJ37WE
OHI93450S9DJFD2H/HHRTYFHLF89303
95JSPJF2J0890IHJ98YHFI080EWRT03
JOJR845H0ROQ+JT0EU4TQEFQE//OUJW
08UY0IH0934JTPWFIAJER09QU4JR9GU
IVJP$DUW4H95PE8RTUGVJW3P4E/IKKC
MFFUERHFGV0Q394IKJRMG+UNHVS9OER
IRK/0956Y7U0POIKI0JP9F8760QWERQI
```

Irgendwann wurde Becker mitgeteilt, was er sich ohnehin schon längst gedacht hatte: Das Textgewirr war ein Code – ein verschlüsselter Text aus Zahlen und Buchstabengruppen, die für verschlüsselte Wörter standen. Die Kryptographen sollten den Code analysieren und die ursprüngliche Botschaft – den »Klartext« – wiederherstellen. Da man annahm, dass die ursprüngliche Botschaft in Mandarin-Chinesisch abgefasst war, hatte man Becker herbeigerufen, um die von den Kryptographen entzifferten Schriftzeichen ins Englische zu übertragen.

Zwei Stunden lang übersetzte Becker eine endlose Reihe von Mandarin-Schriftzeichen, aber die Kryptographen schüttelten jedes Mal entmutigt den Kopf und konnten offenbar keinen Sinn erkennen. Um den Leuten zu helfen, erklärte Becker schließlich, dass alle ihm bisher vorgelegten Schriftzeichen eines gemeinsam hätten – sie würden auch in der japanischen Kanji-Schrift benutzt. Schlagartig wurde es still. Der Leiter der Gruppe, ein schlaksiger Kettenraucher namens Moranti, sah Becker konsterniert an.

»Sie meinen, diese Schriftzeichen können zweierlei bedeuten?«

Becker nickte. Er erläuterte, Kanji sei ein japanisches Zeichensystem, das mit modifizierten chinesischen Schriftzeichen arbeite. Er habe allerdings auftragsgemäß bisher immer nur ins Mandarin-Chinesisch übersetzt.

»Ach du lieber Gott!«, schniefte Moranti. »Dann wollen wir es doch mal mit Kanji versuchen.«

Wie durch ein Wunder fiel auf einmal alles wie von selbst an seinen Platz.

Die Kryptographen waren tief beeindruckt – was sie jedoch keineswegs dazu veranlasste, Becker die Schriftzeichen in der richtigen Reihenfolge vorzulegen. »Zu Ihrer eigenen Sicherheit«, erläuterte Moranti. »Auf diese Weise wissen Sie nicht, was Sie für uns übersetzen.«

Becker lachte, aber außer ihm lachte keiner.

Als der Code komplett entschlüsselt war, hatte Becker keine Ahnung, welche dunklen Geheimnisse er ans Tageslicht zu fördern geholfen hatte, aber eines war gewiss – die NSA betrieb das Dechiffrieren nicht zum Spaß. Der Scheck in seiner Tasche war jedenfalls mehr wert als das Monatsgehalt eines Universitätsprofessors.

Auf dem Rückweg durch den Raster der Sicherheitskontrollen verstellte ihm im Hauptflur ein Wachmann, der soeben das Telefon aufgelegt hatte, den Weg. »Mr Becker, bitte warten Sie hier einen Augenblick.«

»Gibt es ein Problem?« Becker hatte nicht damit gerechnet, dass der Auftrag so lange dauern würde. Für sein regelmäßiges Squash-Match am Samstagnachmittag war er schon ziemlich spät dran.

Der Wachmann zuckte die Schultern. »Die Abteilungsleiterin der Crypto möchte Sie sprechen. Sie geht gerade nach Hause und ist schon unterwegs.«

»Eine *Frau*?«, wunderte sich Becker und grinste. Bei der NSA war ihm bislang noch keine Frau begegnet.

»Haben Sie damit ein Problem?«, fragte eine weibliche Stimme hinter ihm.

Becker drehte sich um. Er spürte das Blut jäh in seine Wangen schießen. Er starrte auf den an die Bluse der Frau gehefteten Hausausweis. Die Chefin der kryptographischen Abteilung war zweifellos eine Frau, und eine attraktive obendrein.

»Nein«, stammelte Becker, »ich habe nur …«

»Susan Fletcher«, stellte sich die Abteilungsleiterin lächelnd vor und streckte ihm eine schlanke Hand entgegen.

Becker nahm sie in die seine. »David Becker.«

»Meinen Glückwunsch, Mr Becker. Man hat mir von Ihrer beachtlichen Leistung berichtet. Ich würde mich mit Ihnen gern ein bisschen darüber unterhalten.«

Becker zögerte. »Um ehrlich zu sein, ich habe es im Moment leider etwas eilig.«

Er hoffte, dass es keine allzu große Dummheit war, einer leitenden Mitarbeiterin der mächtigsten Geheimdienstbehörde der Welt einen Korb zu geben, aber sein Squash-Match sollte in einer Dreiviertelstunde losgehen, und er hatte schließlich einen Ruf zu verlieren. Zum Squash kam David Becker niemals zu spät – zur Vorlesung vielleicht, aber zum Squash? Niemals!

»Es wird nicht lange dauern«, sagte Susan Fletcher lächelnd. »Wenn Sie mir bitte folgen wollen …?«

Fünf Minuten später saß Becker im Kasino der NSA der NSA-Chefkryptographin Susan Fletcher gegenüber und ließ sich einen Eierpfannkuchen mit Preiselbeersoße schmecken. Schnell wurde ihm klar, dass die Achtunddreißigjährige ihre hohe Stellung keineswegs irgendwelchen Kungeleien verdankte – sie war eine der intelligentesten Frauen, die er je kennen gelernt hatte. Becker bekam bei der Unterhaltung über Codes und Dechiffriermethoden die größten Schwierigkeiten, ihr zu folgen – für ihn eine völlig neue und durchaus anregende Erfahrung.

Eine Stunde später – Becker hatte unwiderruflich sein Squash-Match verpasst, und Susan Fletcher hatte dreimal ohne mit der Wimper zu zucken ihren piepsenden Pager ignoriert – mussten sie beide lachen. Da saßen sie nun, zwei hochgradig analytisch geschulte Köpfe, mit ihrer vor sich hergetragenen Immunität gegen die Anfechtungen des Irrationalen, aber irgendwie, während sie sich über linguistische Morphologie und die Fallstricke von Zufallsgeneratoren unterhielten, kamen sie sich vor wie zwei turtelnde Teenager.

Susan kam die ganze Zeit nicht dazu, David Becker den eigentlichen Grund zu nennen, weshalb sie ihn hatte sprechen wollen: um ihm eine Probeanstellung in der Abteilung für asiatische Kryptographie anzubieten. Bei der Begeisterung, mit der der junge Professor über seinen Lehrberuf sprach, war ohnehin klar, dass er der Universität nicht den Rücken kehren würde.

Susan wollte die unbeschwerte Atmosphäre nicht verderben, indem sie das Gespräch auf Berufliches lenkte. Nichts sollte die schöne Stimmung trüben. Und nichts trübte sie.

Das gegenseitige Näherkommen verlief langsam und romantisch, mit verstohlenen Ausbrüchen aus der Tagesroutine, wann immer ihre knapp bemessene Freizeit es zuließ, mit langen Spaziergängen auf dem Campus der Georgetown Universität, einem nächtlichen Cappuccino bei Merlutti und gelegentlichen Besuchen von Vorträgen und Konzerten. Susan bemerkte, dass sie mehr lachte, als sie es jemals für möglich gehalten hatte. Es gab anscheinend nichts, dem David nicht eine witzige Seite abzugewinnen vermochte. Sie genoss es als willkommene Abwechslung von der Beanspruchung, die ihr verantwortungsvoller Posten bei der NSA mit sich brachte.

An einem kühlen Herbstnachmittag saßen sie auf den Rängen des Fußballstadions und schauten zu, wie die Kicker von Rutgers die Mannschaft von Georgetown fertig machten.

»Was für einen Sport treibst du noch mal? Zucchini?«, neckte Susan.

David stöhnte auf. »Man nennt es *Squash*.«

Susan sah ihn verständnislos an.

»Es geht wie Zucchini, nur das Spielfeld ist etwas kleiner«, erläuterte David.

Susan boxte ihn in die Seite.

Der linke Verteidiger von Georgetown vergab einen Eckball. Die Menge buhte. Die Verteidiger rannten zurück in die eigene Hälfte.

»Und du?«, erkundigte sich David. »Was für einen Sport treibst du eigentlich?«

»Ich bin Weltmeisterin auf dem Hometrainer.«

David wand sich in gespieltem Abscheu. »Mir sind Sportarten lieber, bei denen man auch gewinnen kann.«

Susan grinste ihn an. »Du bist wohl ein Streber.«

Der Starverteidiger von Georgetown stoppte einen gegnerischen Querpass. Jubel erklang von der Tribüne. Susan beugte sich zu David. »Doktor«, flüsterte sie ihm ins Ohr.

David sah sie verständnislos an.

»Doktor«, wiederholte Susan. »Du musst mit dem ersten Wort antworten, das dir spontan in den Sinn kommt.«

David sah sie skeptisch an. »Ein Wortassoziationstest?«

»Standardprozedur bei der NSA. Ich muss wissen, mit wem ich es zu tun habe.« Sie sah ihn bedeutungsvoll an. »Also: ›Doktor‹.«

David hob die Achseln. »Doolittle.«

Susan runzelte die Stirn. »Okay, dann versuch's mal hiermit: ›Küche‹.«

»Schlafzimmer«, kam es wie aus der Pistole geschossen.

Susan hob leicht pikiert die Brauen. »Na gut. Und wie steht's damit: ›Natur‹.«

»Darm«, sagte David postwendend.

»Darm?«

»Na klar. Naturdarm. Die Schlägerbespannung der Squash-Cracks.«

»Ach, wie entzückend«, mokierte sich Susan.

»Und wie lautet nun deine Diagnose?«

Susan dachte kurz nach. »Du bist ein kindischer, sexuell frustrierter Squash-Fan.«

»Könnte hinkommen«, meinte David.

In diesem Stil ging es wochenlang weiter. Wenn sie in einem der vielen nachts geöffneten Schnellrestaurants beim Nachtisch saßen, pflegte David Susan Löcher in den Bauch zu fragen.

Wo hatte sie Mathematik studiert?

Wie war sie an den Job bei der NSA gekommen?

Wie kam es, dass sie so anziehend war?

Susan wurde rot und räumte ein, dass sie eine Spätentwicklerin sei. Während ihrer ganzen Teenagerzeit war sie ungelenk und dürr gewesen und hatte eine Zahnspange getragen. Ihre Tante Clara hatte einmal gesagt, zum Trost für ihre Unansehnlichkeit hätte ihr der liebe Gott einen schlauen Kopf gegeben. *Ein voreiliger Trost*, dachte David.

Susan erzählte ihm, dass ihr Interesse an der Kryptographie in der Junior High School erwacht war. Der Leiter des Computerclubs, ein riesiger Achtklässler namens Frank Gutmann, hatte ein Liebesgedicht für sie abgetippt und mit einer numerischen Verschiebechiffre verschlüsselt. Susan hatte ihn angebettelt, ihr zu verraten, was da stand, aber Frank hatte sich geweigert. Darauf hatte sie das Werk nach Hause mitgenommen und die ganze Nacht unter der Bettdecke beim Schein einer Taschenlampe daran herumgeknobelt, bis das Geheimnis gelüftet war. Jede Ziffer stand für einen Buchstaben. Sorgfältig entschlüsselte sie den Text und erlebte das Wunder, wie ein scheinbar zufälliges Zahlengewirr sich wie durch Hexerei in wundervolle Poesie verwandelte. In dieser Nacht hatte sie ihre Berufung entdeckt – Kryptographie und Verschlüsselungssysteme sollten ihr Lebensinhalt werden.

Zwanzig Jahre später, sie hatte an der Johns Hopkins Universität ihr Mathematikdiplom gemacht und mit einem Stipendium des MIT Zahlentheorie als Hauptfach studiert, legte sie ihre Doktorarbeit vor: *Kryptographische Methoden, Protokolle und Algorithmen für manuelle Anwendungen*. Offenbar war ihr Professor nicht der Einzige, der ihre Arbeit gelesen hatte, denn kurz darauf erhielt Susan einen Anruf und ein Flugticket von der NSA.

Wer sich mit Kryptographie beschäftigte, kannte auch die NSA, denn bei dieser Behörde arbeiteten die besten Kryptographen der Welt. Wenn sich die Privatwirtschaft jeden Frühling mit geradezu obszönen Gehaltsangeboten und Aktienoptionen auf die besten Köpfe der Studienabgänger stürzte, pflegte die NSA sorgfältig das Getümmel zu beobachten, sich ihre Schäfchen auszusuchen und schließlich mit dem Doppelten des höchsten Gebots auf den Plan zu treten. Wenn die NSA etwas haben wollte, kaufte sie es eben. Vor Aufregung bibbernd war Susan nach Washington geflogen, wo ein Wagen der NSA sie am Dulles Airport erwartet und nach Fort Meade verfrachtet hatte.

Außer Susan hatten in jenem Jahr einundvierzig weitere Bewerber den besagten Anruf erhalten. Susan war mit ihren achtundzwanzig Jahren die jüngste und obendrein die einzige weibliche Bewerberin gewesen. Die Sache erwies sich weniger als eine Informationsplattform, sondern zu weitaus größeren Teilen als PR-Veranstaltung mit einem intensiven Beiprogramm von Intelligenztests. Susan und sechs weitere Kandidaten wurden in den folgenden Wochen noch einmal eingeladen. Susan hatte zwar Bedenken, ging aber trotzdem hin. Die Bewerber wurden sofort voneinander getrennt und mussten sich Lügendetektor-Tests, Hintergrundbefragungen, graphologischen Analysen und nicht enden wollenden Interviews unterziehen, wobei die auf Tonträger dokumentierten Befragungen auch die sexuelle Orientierung und die sexuellen Praktiken nicht ausließen. Als der Interviewer Susan fragte, ob sie schon einmal Geschlechtsverkehr mit Tieren gehabt hätte, war sie drauf und dran gewesen, aufzustehen und zu gehen. Aber das Geheimnisvolle der ganzen Veranstaltung und die Aussicht, an der vordersten Front der kryptographischen Theorie mitmischen zu können, einen Arbeitsplatz im »Rätsel-Palast« zu beziehen und Mitglied des exklusivsten Clubs der Welt zu werden – der National Security Agency –, ließen sie auch diese Situation irgendwie überstehen.

David Becker war von ihren Erzählungen vollkommen fasziniert. »Sie haben dich tatsächlich gefragt, ob du schon einmal Geschlechtsverkehr mit einem Tier gehabt hättest?«

Susan hob hilflos die Schultern. »Es gehört eben zum Background-Check.«

»Und ...«, David versuchte ein Grinsen zu unterdrücken, »was hast du geantwortet?«

Sie trat ihn unter dem Tisch gegen das Schienbein. »Nein, natürlich! Und bis letzte Nacht hat das auch gestimmt!«

David hätte Susans Idealvorstellung von einem Mann nicht besser entsprechen können – bis auf eine unglückliche Eigenart. Wenn sie miteinander ausgingen, bestand er notorisch darauf, die Rechnung zu begleichen. Susan litt darunter, dass er für ein Dinner bei Kerzenschein einen ganzen Tagesverdienst hinblättern musste, doch David war unerbittlich. Susan gewöhnte sich an, auf Proteste zu verzichten, aber es störte sie dennoch. *Das Bezahlen wäre eigentlich deine Sache,* tadelte sie sich selbst. *Schließlich kriegst du jeden Monat mehr Geld aufs Konto, als du ausgeben kannst.*

Wie auch immer, ungeachtet seiner altmodischen Kavaliersvorstellungen war David für Susan der ideale Mann. Er war einfühlsam, klug, lustig, und vor allem, er interessierte sich aufrichtig für ihre Arbeit. Ob bei den Besuchen des Smithonian Institute, beim Radfahren oder beim Zerkochenlassen der Spaghetti in Susans Küche, seine Neugier ließ nie nach. Susan beantwortete seine Fragen nach bestem Vermögen und gab David Einblick in die National Security Agency – soweit es ihre Pflicht zur Geheimhaltung zuließ.

David war fasziniert von dem, was er da zu hören bekam.

Seit über fünfzig Jahren war die am vierten November 1952 um zwölf Uhr eins von Präsident Truman gegründete National Security Agency der mysteriöseste Nachrichtendienst der Welt. Die auf sieben Seiten niedergelegte ursprüngliche Doktrin der NSA gab ein klar umrissenes Aufgabengebiet vor: den umfassenden Schutz von sämtlichen hoheitlichen US-amerikanischen Kommunikationskanälen und deren Inhalten sowie das möglichst vollständige Abfangen der Kommunikationen fremder Mächte.

Das Dach des NSA-Hauptgebäudes war mit über fünfhundert Antennen bepflastert, darunter auch zwei voluminöse Antennenkuppeln, die wie zwei riesige Golfbälle wirkten. Die Dimensionen des Gebäudes selbst waren ebenfalls gigantisch. Mit seinen über 185 000 Quadratmetern Nutzfläche war es zweimal so groß wie das Hauptquartier der CIA. An die 2440 Kilometer Kommunikationsleitungen waren in seinem Inneren verlegt, die Fläche der versiegelten Fenster betrug zigtausend Quadratmeter.

Susan berichtete David von COMINT, der global arbeitenden Erkundungsabteilung der NSA – mit einem jede Vorstellung sprengenden Arsenal von Satelliten, Abhöranlagen, angezapften Leitungen und Agenten in aller Welt. Tag für Tag wurden Tausende von Kommunikees und Gesprächen abgefangen und den Analysten der NSA zugeleitet. Die Entscheidungsfindung des FBI, der CIA und der außenpolitischen Berater der US-Regierung stützte sich zu wesentlichen Teilen auf die nachrichtendienstlichen Erkenntnisse der NSA.

David Becker war völlig von den Socken. »Und das Dechiffrieren? Wo kommt deine Arbeit ins Bild?«

Susan erläuterte, dass häufig Nachrichten von Regierungen feindlich gesinnter Länder, von gegnerischen Gruppierungen und terroristischen Organisationen, die in zahlreichen Fällen sogar in den USA selbst tätig waren, abgefangen wurden. Die Absender sandten in der Regel verschlüsselte Botschaften – falls ihre Nachricht in die falschen Hände geraten sollte, was dank COMINT in der Regel auch geschah. Wie Susan erläuterte, hatte sie die Aufgabe, den jeweiligen Code zu knacken und die dechiffrierte Botschaft in die Kanäle der NSA zu leiten ... eine Darstellung, die allerdings nicht ganz stimmte.

Susan kam sich mies vor, weil sie ihren Geliebten belügen musste, aber etwas anderes blieb ihr gar nicht übrig. Vor ein paar Jahren noch wäre diese Version einigermaßen zutreffend gewesen, aber inzwischen wehte bei der NSA ein anderer Wind. Die Welt der Kryptographie hatte sich grundlegend geändert. In Susans Aufgabengebiet herrschte strengste Geheimhaltung, selbst gegenüber zahlreichen Inhabern höchster Machtpositionen.

»Wenn du nun so einen verschlüsselten Text vor dir hast«, wollte David wissen, »wie weißt du denn, wo du anfangen musst? Ich meine … wie kommst du dem Code bei?«

Susan lächelte. »Also, wenn überhaupt jemand, dann müsstest du das doch wissen. Es ist wie das Erlernen einer Fremdsprache. Anfangs sieht man nur lauter unverständliches Zeug, aber wenn man allmählich in die Struktur und Regeln des Textes eindringt, gibt er immer mehr von seiner Bedeutung preis.«

David nickte beeindruckt. Er wollte noch mehr erfahren.

Unter Benutzung der Servietten ihres Lieblings-Italieners und so mancher Konzertprogramme machte Susan sich daran, ihrem charmanten neuen Schüler eine Einführung in die Kryptographie zu geben. Sie begann mit dem Caesar-Code.

Julius Caesar, erläuterte sie, war unter anderem auch der Erfinder eines Kodierungssystems gewesen. Als seine Boten überfallen und ihnen die geheimen Botschaften entrissen wurden, überlegte er sich eine rudimentäre Methode zum Verschlüsseln seiner Befehle. Zuerst zerlegte er den Text seiner Botschaft nach einem bestimmten System, wodurch er sinnlos wirkte, was er natürlich nicht war. Die Zahl der Buchstaben, aus denen Caesar eine Botschaft zusammensetzte, entsprach dabei stets einer vollen Quadratzahl, also zum Beispiel sechzehn, fünfundzwanzig oder einhundert, je nachdem, wie viel Text er zu übermitteln hatte. Seine Offiziere wussten, dass sie beim Eintreffen einer unverständlichen Mitteilung die Buchstaben von links nach rechts in ein quadratisches Gitter einzutragen hatten. Wenn sie nun die Buchstabenkolonnen von oben nach unten lasen, erschien auf einmal der zuvor unlesbare geheime Text.

Im Lauf der Zeit übernahmen auch andere die von Caesar entwickelte Methode der Neuanordnung von Texten und modifizierten sie in einer weniger leicht durchschaubaren Weise. Der absolute Höhepunkt der nicht computergestützten Verschlüsselungsverfahren wurde im Zweiten Weltkrieg erreicht, als die Nazis eine Verschlüsselungsmaschine namens Enigma bauten. Dieser Apparat bestand aus riesigen ineinandergreifenden Walzen, die sich auf raffinierte Weise gegeneinander verdrehten und den Klartext in verwirrende und scheinbar völlig sinnlose Zeichengruppen zerlegten, die nur mit einer zweiten Enigma-Maschine wieder in die richtige Reihenfolge gebracht werden konnten.

David Becker hörte wie gebannt zu. Der Lehrer war zum Schüler geworden.

Eines Abends gab Susan ihm während einer Aufführung der »Nussknacker-Suite« zum ersten Mal einen einfachen Code zu knacken. Während der ganzen Pause rätselte er mit dem Kugelschreiber in der Hand an den zwölf Buchstaben der Botschaft herum:

HBG KHDAD CHBG

Als vor der zweiten Konzerthälfte die Lichter verlöschten, hatte er es geschafft. Susan hatte einfach die Buchstaben ihrer Botschaft gegen den jeweils vorangehenden des Alphabets ausgetauscht. Zur Entschlüsselung musste man lediglich jeden Buchstaben der Botschaft eine Position des Alphabets weiter rücken – aus A wurde B, aus B wurde C und so weiter. Schnell setzte David auch noch die restlichen Buchstaben an ihren richtigen Platz. Er hätte nie gedacht, dass ihn drei Wörter so glücklich machen könnten:

ICH LIEBE DICH

Eilends schrieb er seine Antwort nieder und hielt sie Susan hin.

HBG CHBG ZTBG

Susan las und strahlte.

David Becker musste lachen. Er war fünfunddreißig Jahre alt, und sein Herz schlug Purzelbäume. Noch nie in seinem Leben hatte er sich so intensiv zu einer Frau hingezogen gefühlt. Ihre feinen Gesichtszüge und ihre sanften braunen Augen erinnerten ihn an eine Kosmetikreklame von Estée Lauder. Susan mochte zur Teenagerzeit ungelenk und dürr gewesen sein, jetzt war sie es weiß Gott nicht mehr. Irgendwann hatte sie eine gazellenhafte Grazie entwickelt. Sie war groß und schlank, mit festen vollen Brüsten und einem wunderbar flachen Bauch. David witzelte oft, ihm sei noch nie ein Model für Bademoden mit einem Doktortitel in Zahlentheorie und angewandter Mathematik über den Weg gelaufen.

Die Monate gingen ins Land, und bei beiden verdichtete sich der Verdacht, dass sie es recht gut ein Leben lang miteinander würden aushalten können.

Sie waren schon fast zwei Jahre zusammen, als David bei einem Wochenendausflug in die Smoky Mountains Susan aus heiterem Himmel einen Heiratsantrag machte. Sie lagen in Stone Manor in einem großen Himmelbett. David hatte noch nicht einmal einen Ring dabei. Er platzte einfach so damit heraus. Das war es, was Susan so sehr an ihm liebte – seine Spontaneität. Er zog ihr das Negligee von den Schultern und schlang die Arme um sie.

Sie küsste ihn lang und innig.

»Ich werte das als ein Ja«, hatte er gesagt. In der behaglichen Wärme des Kaminfeuers hatten sie sich die ganze Nacht geliebt.

Diese magische Nacht war nun sechs Monate her. Inzwischen hatte man David überraschend zum Leiter des Instituts für Moderne Sprachen berufen.

Seitdem ging es mit ihrer Beziehung unaufhaltsam bergab.

Kapitel 4

Der Piepton der Türsteuerung der Crypto-Abteilung riss Susan aus ihrem trübsinnigen Tagtraum. Die rotierende Türplatte war bereits über die voll geöffnete Position hinausgefahren. In fünf Sekunden würde sie sich wieder geschlossen haben. Susan nahm sich zusammen und trat durch die Öffnung. Ein Computer registrierte ihren Eintritt.

Seit der Fertigstellung der Crypto-Abteilung vor zweieinhalb Jahren hatte Susan praktisch hier gelebt, doch der Anblick brachte sie immer noch zum Staunen. Der Hauptraum war eine gewaltige halbkugelförmige geschlossene Konstruktion, die fünf Stockwerke in die Höhe ragte. Der Mittelpunkt des lichtdurchlässigen Kuppeldachs lag gut sechsunddreißig Meter über dem Boden. Ein Schutzgewebe aus Polykarbonat, das einem Explosionsdruck von zwei Megatonnen TNT standhalten konnte, war in das Acrylglas eingebettet und ließ das Sonnenlicht in zarten filigranen Mustern auf den Wänden spielen.

Die in der Höhe stark vorkragende Wand verlief unten in Augenhöhe fast senkrecht. Sie wurde durchscheinend, dann schwarz und ging schließlich in den Boden über, eine weite schwarz geflieste Fläche von gespenstischem Hochglanz, die beim Besucher das beunruhigende Gefühl aufkommen ließ, auf durchsichtigem Grund oder über schwarzes Eis zu wandeln.

Durch die Mitte des Bodens stieß wie die Spitze eines riesigen Torpedos die Maschine, für die diese Kuppel erbaut worden war. Ihr schlanker schwarzer Umriss schwang sich fast sieben Meter empor, bevor er wieder in den schwarzen Boden zurücktauchte. Der Schwung und die Glätte der Hülle vermittelten den Eindruck eines mitten im Sprung in einen eisigen schwarzen Ozean eingefrorenen riesigen Killerwals.

Das war der TRANSLTR, der kostspieligste Computer der Welt – eine Rechneranlage, auf deren Nichtexistenz die NSA heilige Eide schwor.

Ähnlich einem Eisberg verbarg diese Maschine neunzig Prozent ihrer Masse und Kraft tief unter der Oberfläche. Ihr Geheimnis war in einen keramischen Silo eingeschlossen, der sich sechs Stockwerke tief senkrecht nach unten erstreckte – eine Hülle, an deren Innenwand ein Wirrwarr von Gitterlaufstegen, Kabeln und zischenden Ventilen des Kühlsystems montiert war. Das Generatoraggregat auf dem Grund des Silos erzeugte ein unablässiges fernes Wummern, das die Akustik in der Crypto-Kuppel ins Dumpfe und Gespenstische verfremdete.

Der TRANSLTR war wie alle großen technischen Fortschritte ein Kind der Notwendigkeit gewesen. In den achtziger Jahren erlebte die NSA jene Revolution der Telekommunikation, die die Welt der nachrichtendienstlichen Informationsbeschaffung für immer verändern sollte – den öffentlichen Zugriff aufs Internet und speziell die Einführung der E-Mail.

Kriminelle, Terroristen und Spione, des leidigen Anzapfens ihrer Telefone überdrüssig, stürzten sich sofort auf dieses neue globale Kommunikationsmittel. E-Mails waren so sicher wie konventionelle Briefsendungen und hatten zudem die Geschwindigkeit einer Telefonverbindung. Da die Übertragung auf optischem Weg durch unterirdisch verlegte Glasfaserkabel und an keiner Stelle über Funkstrecken durch die Luft erfolgte, waren E-Mails absolut sicher – glaubte man jedenfalls.

In Wirklichkeit war das Abfangen der durch das Internet sausenden E-Mails für die Techno-Gurus der NSA eine leichte Übung, war doch das Internet keineswegs die beispiellose Neuerung, für die es von PC-Nutzern gemeinhin gehalten wurde. Das US-Verteidigungsministerium hatte es schon vor drei Jahrzehnten eingerichtet – ein gewaltiges Computernetzwerk, das im Fall eines Atomkriegs die Kommunikation der Regierungsstellen aufrechterhalten und sichern sollte.

Die NSA konnte auf alte Internetprofis zurückgreifen, die sie als ihre Augen und Ohren einzusetzen wusste. Die Superschlauen, die illegale Geschäfte per E-Mail abwickeln wollten, mussten sehr schnell feststellen, dass ihre Geheimnisse keineswegs so geheim waren, wie sie geglaubt hatten. Von den erfahrenen Hackern der NSA tatkräftig unterstützt, konnten das FBI, die Drogenbekämpfungs-Behörde, die Steuerfahndung und andere Strafverfolgungsorgane der USA eine veritable Zahl von Festnahmen und Verurteilungen verzeichnen.

Als die Computernutzer herausfanden, dass die US-Regierung weltweit freien Zugriff auf ihre Mails hatte, erhob sich ein gewaltiger Schrei der Empörung. Selbst Leute, die lediglich ihre Urlaubsgrüße per E-Mail verschicken wollten, reagierten empfindlich auf den Mangel an Vertraulichkeit. Auf der ganzen Welt machte man sich in den Softwarefirmen Gedanken, wie man E-Mails sicherer machen könnte. Mit dem »Public-Key«-Verschlüsselungsverfahren hatten die Programmierer die Lösung schnell gefunden.

Die Public-Key-Chiffrierung war ein ebenso einfaches wie brillantes System. Es bestand aus einer auf jedem Heimcomputer leicht installierbaren Software, die die E-Mails des Absenders in einen sinnentleerten Zeichensalat verwandelte. Wenn der Anwender einen Brief geschrieben hatte, brauchte er ihn anschließend nur durch das Verschlüsselungsprogramm laufen zu lassen. Der Text, der beim Empfänger ankam, sah danach aus wie wirres Geschreibsel ohne Sinn und Zweck. Er war absolut unlesbar – ein Code. Wer diesen Brief abfing, bekam lediglich einen wirren Buchstabensalat auf seinen Bildschirm.

Nur durch Eingabe des »Private-Key« des Absenders – eine

geheime Zeichenfolge, die nur zum Entschlüsseln der mit dem entsprechenden Public-Key verschlüsselten Nachricht dient – konnte die Botschaft wieder lesbar gemacht werden. Der in der Regel sehr lange und komplexe Private-Key gab dem Dechiffrierungsprogramm des Empfängers die mathematischen Operationen vor, mit denen die Ursprungsform des Texts wiederhergestellt werden konnte.

Nun konnten die Anwender wieder unbesorgt vertrauliche E-Mails austauschen. Mochten die Mails auch abgefangen werden – entziffern konnte sie nur, wer den entsprechenden privaten Schlüssel besaß.

Die neue Lage machte sich bei der NSA sofort drastisch bemerkbar. Die Codes, mit denen sie es jetzt zu tun bekam, waren keine Substitutionscodes mehr, denen man mit Bleistift und Kästchenpapier zu Leibe rücken konnte – es waren computererzeugte Hash-Funktionen, die unter Anwendung von Zufallsfunktionen und multiplen symbolischen Alphabeten die Information in willkürliche Zeichenfolgen zerlegten.

Die anfangs benutzten Private-Keys waren noch so kurz, dass die Computer der NSA sie »erraten« konnten. Wenn ein gesuchter Private-Key zehn Stellen hatte, programmierte man einen Computer, jede mögliche Zeichenkombination zwischen 0000000000 und ZZZZZZZZZZ durchzuprobieren, wobei der Rechner früher oder später auf die richtige Zeichenfolge stoßen musste. Dieses Vorgehen nach dem Prinzip von Versuch und Irrtum war eine Holzhammermethode, die so genannte Brute-Force-Methode, zeitaufwändig zwar, aber der Erfolg war mathematisch gesichert.

Als sich herumsprach, dass verschlüsselte Botschaften mit der Brute-Force-Methode dechiffriert werden konnten, wurden die Private-Keys immer länger. Die für das »Erraten« des richtigen Schlüssels erforderlichen Rechenzeiten wuchsen auf Wochen, Monate und schließlich auf Jahre.

In den Neunzigerjahren waren die Private-Keys über fünfzig

Stellen lang geworden und verwendeten sämtliche Zeichen des aus Buchstaben, Zahlen und Symbolen bestehenden ASCII-Alphabets. Die Zahl der verschiedenen Kombinationsmöglichkeiten bewegte sich in der Gegend von 10^{125}, einer Zehn mit einhundertfünfundzwanzig Nullen. Das Erraten eines solchen Keys mit der Brute-Force-Methode war etwa so wahrscheinlich, wie an einem fünf Kilometer langen Strand ein bestimmtes Sandkorn zu finden. Es kursierten Schätzungen, dass die NSA mit ihrem schnellsten Computer – dem streng geheimen Cray/Josephson II – für einen erfolgreichen Brute-Force-Angriff auf einen gängigen vierundsechzigstelligen Private-Key, wie er überall im Handel war, neunzehn Jahre brauchen würde. Wenn der Computer endlich den Schlüssel erraten und den Code geknackt haben würde, war der Inhalt der Botschaft längst nicht mehr aktuell.

Unter dem Eindruck des drohenden nachrichtendienstlichen Blackouts verfasste die NSA ein streng geheimes Memorandum mit der Bewertung der Lage und Vorschlägen zu ihrer möglichen Bewältigung. Es fand die Unterstützung des Präsidenten der Vereinigten Staaten. Mit dem Geld des Bundes im Rücken und einer Blankovollmacht, alles zu unternehmen, was im Interesse der Lösung des Problems erforderlich war, machte sich die NSA daran, das Unmögliche zu ermöglichen: den Bau der ersten universell einsetzbaren Dechiffriermaschine der Welt.

Ungeachtet der Einschätzung vieler Experten, die den geplanten Super-Codeknacker zum Hirngespinst erklärten, hielt sich die NSA unbeirrbar an ihr bewährtes Motto: Alles ist möglich, Unmögliches dauert nur etwas länger.

Nach fünf Jahren hatte es die NSA unter Aufwendung einer halben Million Arbeitsstunden und 1,9 Milliarden Dollar wieder einmal geschafft: Der letzte der drei Millionen briefmarkengroßen Spezialprozessoren war eingesetzt, die interne Programmierung abgeschlossen und das keramische Gehäuse verschlossen. Der TRANSLTR war geboren.

Auch wenn die geheimen inneren Funktionszusammenhänge des TRANSLTR das Produkt vieler Köpfe waren und von keiner einzelnen Person in ihrer Gesamtheit verstanden wurden – das grundsätzliche Funktionsprinzip war sehr simpel: Je mehr anpacken, desto schneller geht es.

Die drei Millionen parallel arbeitender, auf die Entschlüsselung spezialisierter Prozessoren konnten mit unbeschreiblicher Geschwindigkeit jede nur denkbare Zeichenkombination durchprobieren. Man hoffte, dass die Zähigkeit des TRANSLTR auch Codes mit unvorstellbar langen Private-Keys in die Knie zwingen würde. Das Multimilliarden-Meisterstück machte sich beim Codeknacken die Kraft des Parallelrechners und einige streng geheime Fortschritte auf dem Gebiet der Klartexterstellung zu Nutze. Es zog seine Rechenkraft nicht nur aus der Schwindel erregenden Anzahl seiner Prozessoren, sondern ebenso aus neuen Entwicklungen der Quanten-Computertechnik – einer Technologie, die Informationen mittels quantenmechanischer Zustände und nicht als binäre Ladungszustände zu speichern gestattet.

Der Augenblick der Wahrheit kam an einem windigen Donnerstagmorgen im Oktober: der erste Probelauf. Bei aller Ungewissheit der Ingenieure, wie schnell ihre Maschine sein würde, war man sich doch über eines einig: Wenn alle Prozessoren schön parallel arbeiteten, würde der TRANSLTR einiges leisten können. Die Frage war, wie viel genau war »einiges«...

Die Antwort kam zwölf Minuten später, als das Geräusch des anlaufenden Klartext-Druckers in die gespannte Stille der handverlesenen kleinen Schar der Anwesenden platzte. Der TRANSLTR hatte soeben in kürzester Zeit einen vierundsechzigstelligen Schlüssel geknackt – fast eine Million mal schneller als die zwanzig Jahre, die der zweitschnellste Rechner der NSA dafür gebraucht hätte.

Unter Führung des stellvertretenden NSA-Direktors, Commander Trevor J. Strathmore, hatte die Fertigungsabteilung der

NSA triumphiert. Der TRANSLTR war ein Erfolg. Im Interesse der Geheimhaltung seines Erfolgs ließ Strathmore sofort durchsickern, das Projekt sei komplett in die Hosen gegangen. Die Geschäftigkeit in der Crypto-Kuppel sei nur ein verzweifeltes Bemühen, das Zwei-Milliarden-Fiasko noch irgendwie zu retten. Nur die oberste Führungsebene der NSA kannte die Wahrheit: Wie am Fließband knackte der TRANSLTR täglich Unmengen von Codes.

Während man sich draußen in Sicherheit wiegte und glaubte, computerverschlüsselte Botschaften seien sicher, liefen bei der NSA die entschlüsselten Geheimnisse in Massen auf. Drogenbarone, Terroristen und Wirtschaftskriminelle, die es leid waren, ihre Mobiltelefone abhören zu lassen, hatten sich begeistert auf das neue Medium der verschlüsselten E-Mail als weltweites verzögerungsfreies Kommunikationsmittel gestürzt. Nie mehr würden sie sich von einem Gericht die Tonbandaufnahme ihrer eigenen Stimme vorspielen lassen müssen, Beweis eines längst vergessenen belastenden Telefongesprächs, das ein Spionagesatellit der NSA aus dem Äther gefischt hatte.

Noch nie war das Sammeln von nachrichtendienstlichem Material so einfach gewesen. Die von der NSA abgefangenen verschlüsselten Texte wurden als unleserlicher Zeichensalat in den TRANSLTR geschaufelt, der sie Minuten später als einwandfrei lesbaren Klartext wieder ausspuckte. Mit den Geheimnissen war es vorbei.

Um den Mummenschanz ihrer Inkompetenz komplett zu machen, betätigte sich die NSA als eifrige Lobbyistin gegen jegliche neue Verschlüsselungssoftware für Heimcomputer, die auf den Markt kam. Sie klagte lauthals, diese Programme würden ihr die Hände binden und es den Strafverfolgungsbehörden unmöglich machen, Kriminelle zu enttarnen und vor Gericht zu bringen. Die Bürgerrechtsgruppen lachten sich ins Fäustchen und meinten, die E-Mails der Bürger gingen die NSA ohnehin nichts an. Verschlüsselungssoftware wurde nach wie vor massenweise auf den Markt geworfen. Die NSA hatte eine Schlacht verloren – genau wie geplant. Sie hatte es geschafft, der ganzen Welt Sand in die Augen zu streuen … so schien es jedenfalls.

Kapitel 5

Wo sind denn die anderen?, dachte Susan verwundert, während sie durch die verlassene Crypto-Kuppel ging. *Merkwürdiger Notfall!* Die meisten Abteilungen der NSA waren auch am Wochenende voll besetzt, aber in der Crypto herrschte samstags meistens Ruhe. Kryptographie-Mathematiker waren von Natur aus Workaholics. Deshalb gab es für sie die ungeschriebene Regel, am Samstag blauzumachen. Und daran mussten sie sich auch halten – falls nicht gerade eine Notsituation herrschte. Die Arbeitskraft der Codeknacker war für die NSA enorm wichtig und wertvoll. Man wollte nicht riskieren, dass die Leute ihre Arbeitskraft durch Überarbeitung vorzeitig ruinierten.

Rechts von Susan ragte übermächtig der TRANSLTR aus dem Boden. Das aus sechs Stockwerken Tiefe heraufdringende Generatorgebrumm hatte heute einen merkwürdig bedeutungsschwangeren Unterton. Susan hatte sich nie gern allein in der Crypto aufgehalten. Sie kam sich immer vor wie mit einem riesigen futuristischen Untier im selben Käfig zusammengesperrt. Sie beeilte sich, zum Büro des Commanders zu kommen.

Strathmores rundum verglastes Büro, das »Aquarium«, wie es wegen seines Aussehens bei geöffneten Vorhängen allenthalben hieß, hing wie ein Schwalbennest hoch an der hinteren Wand der Crypto-Kuppel. Als Susan über eine Treppe nach oben ging, fiel ihr Blick unwillkürlich auf das Wappen der NSA, das auf Strathmores schwerer Tür prangte – ein kahlköpfiger Adler mit einem altmodischen Bartschlüssel in den Klauen. Hinter dieser Tür saß einer der großartigsten Männer, denen sie je begegnet war.

Commander Strathmore, der sechsundfünfzigjährige Vizechef der NSA, war für Susan wie ein Vater. Ihm verdankte sie ihre Anstellung. Er hatte die NSA zu ihrer Heimat gemacht. Als Susan vor gut einem Jahrzehnt in die NSA eingetreten war, hatte Strathmore noch die Entwicklungsabteilung der Crypto geleitet, eine Pflanzstätte für junge Kryptographen – junge *männliche* Kryptographen. Strathmore, der Reibereien im Team seiner Mitarbeiter ohnehin in keiner Weise duldete, hielt die Hand ganz besonders über seine einzige weibliche Beschäftigte. Vorwürfe der Begünstigung entkräftete er mit der schlichten Wahrheit: Susan Fletcher war eine der fähigsten Anfängerinnen, die er je unter seinen Fittichen gehabt hatte. Er war nicht gewillt, sie wegen sexueller Belästigung am Arbeitsplatz zu verlieren.

Im ersten Jahr von Susans Anstellung hielt ein etwas älterer Kryptograph es für nötig, Strathmores Entschlossenheit auf die Probe zu stellen.

Susan hatte eines Morgens ein paar Unterlagen aus dem neuen Aufenthaltsraum der Abteilung holen wollen. Bei dieser Gelegenheit bemerkte sie auf dem schwarzen Brett ein Foto. Vor lauter Verlegenheit wäre sie am liebsten im Boden versunken. Mit nichts als einem knappen Slip bekleidet, lag sie da auf einem Bett.

Wie sich herausstellte, hatte der besagte Kryptograph mit dem Scanner Susans Kopf auf ein Foto aus einem Männermagazin montiert. Das Ergebnis wirkte ziemlich überzeugend.

Zum Leidwesen des Übeltäters fand Commander Strathmore die Sache überhaupt nicht witzig. Zwei Stunden später ging eine seither unvergessene Vollzugsmeldung durch die Abteilung:

MITARBEITER CARL AUSTIN
WEGEN UNGEBÜHRLICHEN VERHALTENS ELIMINIERT.

Von Stund an hatte Susan Fletcher Ruhe. Sie war Commander Strathmores »Golden Girl«.

Strathmores junge Kryptographen waren nicht die Einzigen, die ihn zu respektieren lernten. Schon früh in seiner Karriere hatte er sich seinen Vorgesetzten durch einige unorthodoxe, aber höchst wirkungsvolle nachrichtendienstliche Operationen empfohlen, die auf seinen Vorschlag hin durchgeführt wurden. Während Trevor Strathmore sich allmählich emporarbeitete, machte er sich für seine klugen und das Wesentliche kurz und bündig herausarbeitenden Analysen hochkomplexer Situationen einen Namen. Er schien eine nachgerade unheimliche Fähigkeit zu haben, ohne Gewissenskonflikte und unbelastet von der komplizierten moralischen Einbettung der schwierigen Entscheidungen der NSA, allein dem Gemeinwohl verpflichtet denken und handeln zu können.

An Strathmores Vaterlandsliebe bestand für niemand auch nur der geringste Zweifel. Seine Kollegen schätzten ihn als Patrioten und Visionär ... als einen Ehrenmann in einer Welt der Unaufrichtigkeit und Täuschungen.

In den Jahren vor Susans Eintritt in die NSA hatte Strathmore einen kometenhaften Aufstieg vom Abteilungsleiter zum stellvertretenden NSA-Direktor absolviert. Es gab nur noch einen Mann über ihm: Direktor Leland Fontaine, den geheimnisumwitterten, alles beherrschenden Hausherrn des Rätsel-Palasts – nie gesehen, selten gehört und allzeit gefürchtet. Er und Strathmore hatten wenig persönlichen Kontakt, aber wenn es doch einmal dazu kam, war es eher ein Zusammenprall von Giganten. Fontaine war ein Titan unter Titanen, aber das schien Strathmore wenig zu beeindrucken – er vertrat seine Vorstellungen vor seinem obersten Chef mit der Zurückhaltung eines Preisboxers. Noch nicht einmal der Präsident der Vereinigten Staaten nahm sich heraus, Fontaine in der Weise anzugehen, wie Strathmore es tat. Ein solches Verhalten konnte sich nur jemand leisten, der politisch immun war – oder absolut indifferent, wie Strathmore.

Susan war am Ende des Treppenaufgangs angekommen. Sie hatte noch nicht geklopft, als Strathmores Türöffner bereits summte. Die Tür schwang auf, und der Commander winkte sie herein.

»Vielen Dank, dass Sie gekommen sind. Sie haben jetzt bei mir einen Gefallen gut.«

»Keine Ursache.« Lächelnd nahm Susan vor seinem Schreibtisch Platz.

Strathmore war ein hoch gewachsener kräftiger Mann, dessen gleichmütiger Gesichtsausdruck seine unbeirrbare Effizienz und seinen Perfektionsdrang kaum ahnen ließ. Die grauen Augen, sonst ein Spiegel seines aus langer Erfahrung gewonnenen Selbstvertrauens und seiner Besonnenheit, blickten beunruhigt und unstet in die Welt.

»Sie sehen ziemlich fertig aus«, bemerkte Susan.

»Allerdings«, seufzte Strathmore. »Es ist mir schon mal besser gegangen.«

Das kann man aber laut sagen!, dachte Susan. Strathmore sah schlechter aus, als sie ihn je erlebt hatte. Sein dünner werdendes Haar war zerwühlt. Ungeachtet der voll aufgedrehten Klimaanlage standen Schweißperlen auf seiner Stirn. Er wirkte, als hätte er in den Kleidern geschlafen.

Strathmore saß an einem modernen Schreibtisch mit zwei in die Platte eingelassenen Keypads und einem Monitor. Der mit Computerausdrucken übersäte Tisch mitten in dem von den vorgezogenen Vorhängen abgeschirmten Raum sah aus wie ein futuristisches Cockpit.

»Harte Woche?«, erkundigte sich Susan.

»Das Übliche«, gab Strathmore achselzuckend zurück. »Die EFF macht mir wieder einmal mit ihrem ewigen Datenschutz die Hölle heiß.«

Susan lachte verständnisvoll. Die Electronic Frontier Foundation, oder kurz EFF, war eine weltweite Vereinigung von Computernutzern, die sich zu einer machtvollen Bürgerrechtslobby zusammengeschlossen hatten. Sie trat für das Recht auf freie Meinungsäußerung im Internet ein und versuchte der Öffentlichkeit die Gefahren einer durch die elektronischen Medien beherrschten Welt nahe zu bringen. Die EFF befand sich auf einem Dauerkreuzzug gegen die »in orwellsche Dimensionen ausufernden Abhörmöglichkeiten des Regierungsapparats«, speziell der NSA. Sie war ein Pfahl in Strathmores Fleisch.

»Klingt eigentlich, als wäre alles wie immer«, sagte Susan. »Worin besteht denn nun der schlimme Notfall, für den Sie mich aus der Wanne geholt haben?«

Strathmore saß regungslos da. Geistesabwesend befingerte er den in die Schreibtischplatte eingelassenen Trackball. Nach längerem Schweigen sah er Susan fest in die Augen. »Wie lange hat der TRANSLTR Ihres Wissens bei seinem bisher längsten Recheneinsatz an einem Code herumgerechnet?«

Strathmores Frage traf Susan völlig unvorbereitet. Sie konnte sich nicht vorstellen, worauf der Commander hinauswollte. *Dafür hat er dich antreten lassen?*

»Nun …« Sie zögerte. »Vor ein paar Wochen hat COMINT eine Mail abgefangen, für die wir ungefähr eine Stunde gebraucht haben. Aber sie hatte auch einen abartig langen Schlüssel …«

»Eine Stunde?«, grunzte Strathmore. »Und die Testprogramme für die Rechnerleistung, die bei uns gelaufen sind?«

Susan zuckte die Achseln. »Wenn Diagnoseprogramme mitlaufen, dauert es natürlich etwas länger.«

»*Wie viel* länger?«

Susan hatte immer noch keine Ahnung, in welche Richtung Strathmores Fragen zielten. »Im vergangenen März, Sir, habe ich einen Algorithmus mit einem segmentierten Mega-Bit-Schlüssel getestet. Dazu illegitime Schleifenfunktionen, Zellularautomaten, eben alles, was einem Rechner Mühe macht. Der TRANSLTR hat es trotzdem geschafft.«

»Und wie lang hat er gebraucht?«

»Drei Stunden.«

Strathmore hob die Brauen. »Drei Stunden? So lang?«

Etwas befremdet runzelte Susan die Stirn. Während der letzten drei Jahre war die Feinabstimmung des geheimsten Computers der Welt ihr Arbeitsgebiet gewesen. Der größte Teil der Programmierung, die ihn so schnell gemacht hatte, war auf ihr Konto gegangen. Ein Schlüssel mit einer Million Bit war wohl kaum ein realistisches Szenario.

»Okay«, sagte Strathmore. »Bisher hat also selbst unter extremen Bedingungen kein Code länger als drei Stunden im TRANSLTR überlebt?«

»So ist es.«

Strathmore machte eine Pause, als befürchte er, etwas preiszugeben, das er später bedauern könnte. Schließlich hob er den Blick. »Unser TRANSLTR ist auf etwas gestoßen …« Er verstummte.

Susan wartete ab. »Er rechnet schon länger als drei Stunden?«, erkundigte sie sich schließlich.

Strathmore nickte.

Susan schien sich keine Sorgen zu machen. »Vielleicht ein neues Diagnoseprogramm? Etwas von der System-Security-Abteilung?«

Strathmore schüttelte den Kopf. »Eine Datei von draußen.«

Susan wartete auf die Pointe, aber es kam keine. »Eine Datei von draußen? Das ist doch nicht Ihr Ernst!«

»Ich wünschte, es wäre so. Ich habe sie gestern Nacht gegen halb elf Uhr eingegeben. Die Dechiffrierung läuft immer noch.«

Susan blieb der Mund offen stehen. Sie schaute auf ihre Uhr und dann wieder zu Strathmore. »Sie läuft immer noch? Seit über fünfzehn Stunden?«

Strathmore beugte sich vor und drehte Susan den Monitor zu. Der Bildschirm war schwarz bis auf ein kleines gelbes Textfenster, das in der Mitte blinkte.

BISHERIGE RECHENZEIT: 15:09:33
VORAUSSICHTLICHE RECHENZEIT: ______

Susan starrte auf den Bildschirm. Sie konnte nur noch staunen. Der TRANSLTR arbeitete schon seit über fünfzehn Stunden an ein und demselben Code, und ein Ende war noch gar nicht abzusehen? Sie wusste, dass seine Prozessoren jede Sekunde dreißig Millionen mögliche Schlüsselkombinationen durchprobierten – das machte pro Stunde über hundert Milliarden! Wenn der TRANSLTR immer noch mit dem Durchzählen beschäftigt war, musste der Schlüssel gigantisch sein – über zwanzig Milliarden Stellen lang. Es war der absolute Wahnsinn.

»Das ist unmöglich!«, sagte sie entschieden. »Haben Sie schon nach Fehlermeldungen gesucht? Vielleicht hat der TRANSLTR eine kleine Macke und …«

»Er läuft absolut sauber.«

»Aber dann muss der Schlüssel riesig sein!«

Strathmore schüttelte den Kopf. »Es ist ein handelsüblicher Schlüssel. Ein Vierundsechzig-Bit-Key, nehme ich an.«

Susan schaute durch einen Spalt in den Vorhängen hinunter zum TRANSLTR. Diese Maschine konnte einen Vierundsechzig-Bit-Schlüssel erfahrungsgemäß in weniger als zehn Minuten knacken. »Es muss doch eine Erklärung geben!«

Strathmore nickte. »Die gibt es auch. Aber sie wird Ihnen nicht gefallen.«

Susan sah ihn unbehaglich an. »Ist mit dem TRANSLTR etwas nicht in Ordnung?«

»Er funktioniert tadellos.«

»Haben wir uns einen Virus eingefangen?«

Strathmore verneinte kopfschüttelnd. »Keinesfalls. Lassen Sie mich erklären.«

Susan war sprachlos. Der TRANSLTR hatte es noch nie mit einem Code zu tun bekommen, den er nicht in weniger als einer Stunde entschlüsselt hätte. Normalerweise spie Strathmores Druckermodul den Klartext schon innerhalb von Minuten aus! Sie warf einen Blick auf den Hochgeschwindigkeitsdrucker hinter Strathmores Schreibtisch. Der Ausgabeschacht war leer.

»Susan«, begann Strathmore ruhig, »Sie werden mir wahrscheinlich nicht glauben, aber bitte hören Sie mir jetzt eine Minute lang zu.« Er kaute auf seiner Unterlippe herum. »Dieser Code, an dem der TRANSLTR jetzt arbeitet – er ist einzigartig. Er ist mit nichts von dem zu vergleichen, was uns bisher begegnet ist.« Strathmore zögerte, als ob der nächste Satz nicht über seine Lippen kommen wollte. »Dieser Code ist nicht dechiffrierbar.«

Susan schaute ihn entgeistert an. Fast hätte sie laut losgeprustet. *Nicht dechiffrierbar? Was sollte* das *denn heißen?* Es gab keinen nicht dechiffrierbaren Code – bei dem einen dauerte es eben etwas länger als beim anderen, aber knacken konnte man sie alle. Der TRANSLTR *musste* früher oder später den richtigen Schlüssel erraten, das garantierte ein mathematisches Gesetz! »Habe ich Sie richtig verstanden?«

»Dieser Code ist unentschlüsselbar«, wiederholte Strathmore ungerührt.

Unentschlüsselbar? Susan konnte kaum glauben, dass einem Mann mit siebenundzwanzigjähriger Berufserfahrung in der Analyse von Verschlüsselungsverfahren ein solches Wort über die Lippen gekommen war.

»Unentschlüsselbar, Sir? Und was ist mit dem Bergofsky-Prinzip?«

Susan hatte schon ganz zu Anfang ihrer Karriere mit dem Bergofsky-Prinzip, dem Grundstein der Brute-Force-Technologie, Bekanntschaft gemacht. Schließlich hatte es Strathmore zum Bau des TRANSLTR inspiriert! Es sagte aus, dass ein Computer mit mathematischer Sicherheit den richtigen Schlüssel finden musste, wenn er nur eine ausreichende Zahl von Möglichkeiten durchprobierte. Die Sicherheit eines Code-

Schlüssels bestand nicht in seiner Unauffindbarkeit, sondern darin, dass die meisten Leute weder die Zeit noch die Mittel hatten, ihn zu suchen.

Strathmore schüttelte den Kopf. »Bei diesem Code ist es anders.«

»Inwiefern anders?« Susan musterte Strathmore verstohlen. *Ein unentschlüsselbarer Code ist mathematisch unmöglich. Das muss er doch wissen!*

Strathmores Hand glitt über seinen schweißnassen Schädel. »Dieser Code basiert auf einem völlig neuen Algorithmus. So etwas ist uns noch nie begegnet.«

Susans Skepsis wuchs. Verschlüsselungs-Algorithmen waren lediglich mathematische Formeln, Rezepte zur Verwandlung von Klartext in chiffrierten Text. Mathematiker und Programmierer entwickelten täglich neue Algorithmen. Sie waren zu Hunderten auf dem Markt – PGP, Diffie-Hellman, ZIP, IDEA, El Gamal. Der TRANSLTR knackte die mit ihrer Hilfe erzeugten Codes Tag für Tag ohne Probleme. Für diesen Megarechner sahen alle Codes gleich aus, egal, mit welchem Algorithmus sie geschrieben waren.

»Das verstehe ich nicht«, wandte Susan ein. »Wir reden hier nicht vom Aufdröseln einer komplexen mathematischen Funktion, wir reden hier von der Brute-Force-Methode. PGP, Lucifer, DSA – darauf kommt es doch gar nicht an! Der Algorithmus generiert einen Schlüssel, den er für unentschlüsselbar hält, und unser TRANSLTR probiert einfach so lange sämtliche Kombinationen durch, bis er den richtigen Schlüssel gefunden hat!«

Strathmore antwortete mit der schwer zu erschütternden Geduld eines guten Pädagogen. »Richtig, Susan, unser TRANSLTR wird den Schlüssel immer finden – egal, wie groß er ist.« Strathmore machte eine bedeutungsschwere Pause. »Es sei denn …«

Susan wollte etwas einwenden, aber es war klar, dass Strathmore gleich die Bombe platzen lassen würde. *Es sei denn … was?*

»Es sei denn, er merkt nicht, wann er es geschafft hat.«

»Wie bitte?« Susan wäre fast vom Stuhl gefallen.

»Ja, der Computer errät zwar den richtigen Schlüssel, rechnet dann aber trotzdem weiter, weil er nicht erkennt, dass er ihn schon hat.« Strathmore machte ein undurchdringliches Gesicht. »Ich glaube, dieser Algorithmus hat einen rotierenden Klartext.«

Susan blieb wieder einmal der Mund offen stehen.

Die Idee eines rotierenden Klartexts war zum ersten Mal 1987 in einem obskuren Artikel des ungarischen Mathematikers Josef Harne aufgetaucht. Da die nach der Brute-Force-Methode arbeitenden Computer den Text auf identifizierbare Wortmuster durchsuchten, mittels deren sie ihn Stück für Stück in Klartext zurückverwandeln konnten, schlug Harne einen Verschlüsselungs-Algorithmus vor, der zusätzlich zur üblichen Verschlüsselung bereits verschlüsselte Textbestandteile längs einer Zeitvariablen verschob. In der Theorie bewirkte diese kontinuierliche Mutation, dass der angreifende Computer nie auf erkennbare Muster stieß, anhand deren er feststellen konnte, wann er den richtigen Schlüssel gefunden hatte. Die Idee erinnerte ein wenig an die Kolonisierung des Mars – als intellektuelles Planspiel durchaus denkbar, aber praktisch noch weit außerhalb jeglicher Möglichkeiten.

»Wo haben Sie dieses Programm denn her?«, wollte Susan wissen.

»Ein kommerzieller Programmierer hat es geschrieben.«

»Wie bitte?« Susan war völlig perplex. »In unserem Laden arbeiten die besten Programmierer der Welt! Und keiner hat es bisher auch nur im Ansatz geschafft, ein Programm mit rotierender Klartextfunktion zu entwickeln. Wollen Sie mir etwa erzählen, irgendein kleiner Hacker mit einem PC hätte es zusammengebastelt?«

Strathmore senkte die Stimme, als gälte es, Susan zu beruhigen. »Einen kleinen Hacker würde ich diesen Urheber nicht unbedingt nennen.«

Susan hörte ihm gar nicht zu. Sie war überzeugt, dass es eine andere Erklärung geben musste: eine Macke im Rechner, einen Virus. Alles war wahrscheinlicher als ein nicht dechiffrierbarer Code!

Strathmore sah sie bedeutungsvoll an. »Diesen Algorithmus hat einer der brillantesten Kryptographen aller Zeiten entwickelt.«

Susans Zweifel wurden noch größer. Die brillantesten Kryptographen aller Zeiten saßen in ihrer Abteilung! Wenn einer von ihnen einen solchen Algorithmus entwickelt hätte, wäre sie längst im Bilde.

»Und wer?«, wollte sie wissen.

»Ich denke, Sie werden von alleine darauf kommen«, sagte Strathmore. »Es handelt sich um jemand, der uns nicht besonders wohl gesinnt ist.«

»Na, wer soll denn da noch übrig bleiben?«, sagte sie sarkastisch.

»Er hat am TRANSLTR-Projekt mitgearbeitet, aber sich nicht an die Regeln gehalten. Er hätte um ein Haar einen nachrichtendienstlichen Super-GAU losgetreten. Ich habe ihn in die Wüste schicken müssen.«

Susans anfangs noch ausdrucksloses Gesicht wurde schneeweiß. »Oh, mein Gott ...«

Strathmore nickte. »Er hat sich schon das ganze vergangene Jahr gebrüstet, er hätte einen Algorithmus in der Mache, dem mit Brute-Force nicht beizukommen sei.«

»A ... aber«, stammelte Susan, »ich habe immer gedacht, das wären alles nur Hirngespinste. Dann hat er es tatsächlich geschafft?«

»Das hat er. Unser guter Ensei Tankado hat sich als der absolut unschlagbare, ultimative Code-Programmierer erwiesen.«

Susan schwieg eine beträchtliche Zeit. »Aber … das bedeutet doch …«

Strathmore sah ihr tief in die Augen. »Jawohl, Susan. Tankado hat unseren TRANSLTR soeben zum alten Eisen gemacht.«

Kapitel 6

Auch wenn Ensei Tankado zur Zeit des Zweiten Weltkriegs noch nicht geboren war, hatte er sich eingehend mit diesem Thema beschäftigt – vor allem mit dem Ereignis, in dem der Krieg kulminiert war: die Atombombe, in deren Explosionsblitz hunderttausende seiner Landsleute zu Asche verbrannt waren.

Hiroschima, sechster August 1945, acht Uhr fünfzehn: ein schändlicher Akt der Zerstörung, die sinnlose Machtdemonstration eines Landes, das den Krieg längst gewonnen hatte. Ensei Tankado hätte sich mit alldem abfinden können, aber nicht damit, dass die Bombe ihn der Möglichkeit beraubt hatte, seine Mutter kennen zu lernen. Sie war bei seiner Geburt gestorben – an einer Komplikation, die der Verstrahlung zuzuschreiben war, die sie sich viele Jahre zuvor zugezogen hatte.

Im Jahre 1945, Ensei war noch nicht geboren, hatte sich seine Mutter wie viele ihrer Freundinnen und Bekannten bei einem der Hilfszentren für die verbrannten Strahlenopfer von Hiroschima als freiwillige Helferin gemeldet. Dort wurde sie selbst zur *Hibakusha*, zur Verstrahlten. Neunzehn Jahre später lag die nunmehr Sechsunddreißigjährige mit unstillbaren inneren Blutungen im Kreißsaal. Sie wusste, dass sie dem Tod geweiht war. Aber sie wusste nicht, dass ihr der vorzeitige Tod das ultimative Entsetzen ersparen würde: Ihr einziges Kind war missgebildet.

Enseis Vater schaute seinen Sohn kein einziges Mal an. Vom Verlust seiner Frau aus der Fassung gebracht und enttäuscht und beschämt über die Ankunft eines Sohnes, der nach Auskunft der Schwestern missgebildet war und vermutlich die Nacht nicht überleben würde, verschwand er aus der Klinik und ward nie mehr gesehen. Ensei Tankado kam in ein Waisenhaus.

Jede Nacht betrachtete der kleine Ensei seine verkrüppelten Fingerchen, mit denen er mühsam seine Schmusepuppe hielt. Er schwor Rache gegen das Land, das ihm die Mutter geraubt und seinen Vater dazu getrieben hatte, ihn aus schamvoller Verzweiflung zu verstoßen – ohne zu ahnen, dass das Schicksal in absehbarer Zeit intervenieren würde.

Im Februar vor Enseis zwölftem Geburtstag meldete sich ein Computerhersteller bei seinen Pflegeeltern und erkundigte sich, ob ihr Pflegekind an einem Test von speziellen Computertastaturen teilnehmen dürfe, die diese Firma für behinderte Kinder entwickelt hatte. Die Pflegeeltern stimmten zu.

Ensei Tankado hatte noch nie einen Computer gesehen, aber er schien instinktiv zu wissen, wie man mit diesem Gerät umging. Es öffnete ihm den Zugang zu einer Welt, die er sich nie erträumt hatte. Binnen kürzester Zeit wurde der Computer sein Leben. Schon als Heranwachsender verdiente er sich mit Computerunterricht etwas Geld und bekam schließlich ein Stipendium der Doshisha-Universität. Bald war Ensei Tankado in ganz Tokio als *fugusha kisai* bekannt – das verkrüppelte Genie.

Im Lauf der Zeit erfuhr Ensei aus seinen Büchern auch vom japanischen Angriff auf Pearl Harbor und den japanischen Kriegsverbrechen. Sein Hass auf Amerika verlor sich allmählich. Er vergaß den Racheschwur seiner Kindheit und wurde überzeugter Buddhist. Der einzige Weg zur Erleuchtung führte über die Vergebung.

Mit zwanzig war Ensei Tankado in Programmiererkreisen so etwas wie eine Kultfigur geworden. Die Firma IBM bot ihm eine Stellung in Texas samt dem erforderlichen Arbeitsvisum an. Ensei sagte mit Begeisterung zu. Drei Jahre darauf hatte er bei IBM aufgehört, lebte in New York und entwickelte eigene Software. Von der neuen Welle der Public-Key-Chiffrierung nach oben getragen, verdiente er mit seinen Chiffrierprogrammen ein Vermögen.

Wie viele andere Spitzenprogrammierer von Verschlüsselungs-Algorithmen wurde auch Tankado von der NSA umworben. Die Ironie der Situation entging ihm nicht, bot man ihm doch an, im Herzen des Staatswesens eben jenes Landes zu arbeiten, dem er einst Rache geschworen hatte. Er beschloss, sich dem Bewerbungsgespräch zu stellen. Seine Zweifel lösten sich in Wohlgefallen auf, als er auf Commander Strathmore traf. Sie unterhielten sich freimütig über Tankados Hintergrund, seine mögliche feindselige Haltung gegenüber den Vereinigten Staaten und über seine Pläne für die Zukunft. Ensei Tankado unterzog sich einem Lügendetektor-Test und einer rigorosen fünfwöchigen psychologischen Überprüfung. Er nahm alle Hürden. Sein Hass war der Hingabe an Buddha gewichen. Vier Monate später begann er in der kryptographischen Abteilung der National Security Agency zu arbeiten.

Ungeachtet seines großzügigen Gehalts kam Ensei auf einem klapprigen Moped zum Dienst und nahm mittags am Schreibtisch ein karges Mahl ein, anstatt mit dem Rest der Abteilung die Feinschmeckerküche des Betriebskasinos zu genießen. Seine Kollegen verehrten ihn. Er war brillant – der kreativste Programmierer, den sie je erlebt hatten. Man schätzte ihn als freundlichen, ruhigen und aufrichtigen Mitarbeiter, seine anständige Gesinnung war allseits über jeden Zweifel erhaben. Moralische Integrität war für ihn ein unverzichtbarer Wert. Der Schock, den seine Entlassung aus der NSA ausgelöst hatte, war enorm gewesen.

Wie alle anderen Mitarbeiter der Crypto-Abteilung hatte auch Ensei Tankado am TRANSLTR-Projekt in dem Glauben mitgewirkt, dass der Großrechner, sollte sein Bau gelingen, nur bei Vorliegen einer Genehmigung durch das Justizministerium zur Dechiffrierung von E-Mails herangezogen werden dürfe. Der Einsatz des TRANSLTR der NSA sollte auf ganz ähnliche Weise reguliert werden wie die Telefon-Abhörpraxis des FBI, das auch in jedem einzelnen Fall die Erlaubnis eines Bundesgerichts einzuholen hatte. Obendrein sollten dem TRANSLTR Passwörter einprogrammiert werden, die unter Verschluss des Bundesschatzamtes und des Justizministeriums zu halten waren, damit bestimmte Dateien ausschließlich durch diese Behörden eingesehen werden konnten. So sollte verhindert werden, dass die NSA unterschiedslos Einblick in vertrauliche Mitteilungen gesetzestreuer Bürger nehmen konnte.

Als die entsprechenden Programmierschritte vorgenommen werden sollten, hieß es auf einmal, man habe den Plan ändern müssen. Da die NSA in Fällen der Terrorismusbekämpfung häufig unter enormen Zeitdruck geriet, sollte der TRANSLTR ein frei verfügbares Dechiffriergerät bleiben, über dessen täglichen Einsatz einzig und allein die NSA zu entscheiden hatte.

Ensei Tankado war empört – denn das bedeutete, dass die NSA jedermanns E-Mails öffnen und ohne Wissen des Absenders darin herumschnüffeln konnte. Genauso gut hätte man in jedem Telefon der Welt eine Wanze installieren können. Strathmore versuchte beharrlich, Tankado den TRANSLTR als Instrument der Strafverfolgung schmackhaft zu machen, aber es war zwecklos. Tankado war nicht davon abzubringen, dass hier eine massive Verletzung von Bürger- und Menschenrechten vorlag. Er kündigte fristlos und setzte sich schon innerhalb der nächsten Stunden über den ungeschriebenen Ehrenkodex der NSA hinweg, indem er mit der Electronic Frontier Foundation Kontakt aufzunehmen versuchte. Tankado war im Begriff, die Computernutzer der ganzen Welt mit der Enthüllung aufzurütteln, dass die amerikanische Regierung die Öffentlichkeit mit einer geheimen Dechiffriermaschine auf die niederträchtigste Weise hinters Licht führe. Der NSA blieb keine andere Wahl, als ihn mundtot zu machen.

Tankados Schicksal fand in Online-Newsgroups ein ausgiebiges Echo. Es wurde für ihn zu einer fatalen öffentlichen Blamage. Die NSA hatte befürchtet, dass es ihm gelingen könnte, die Öffentlichkeit von der Existenz des angeblich gescheiterten TRANSLTR zu überzeugen. Die Schadensbegrenzungs-Experten der NSA hatten entgegen Strathmores ausdrücklichem Wunsch Gerüchte in Umlauf gesetzt, die Tankados Glaubwürdigkeit gründlich erschütterten, worauf er in Fachkreisen kein Bein mehr auf den Boden bekam. Niemand wollte etwas mit einem der Spionage verdächtigten Krüppel zu tun haben, schon gar nicht, wenn er sich mit absurden Behauptungen über eine geheime US-Dechiffriermaschine die Freiheit zu erkaufen suchte.

Das Merkwürdigste an der ganzen Sache war, dass Tankado für die gegen ihn in Gang gesetzte Verleumdungskampagne Verständnis aufzubringen schien. So lief das eben im nachrichtendienstlichen Milieu. Tankados Reaktion ließ weder Zorn noch Wut erkennen, nur eiserne Entschlossenheit. Als der Sicherheitsdienst ihn abführte, hatte er Strathmore mit stoischer Ruhe eine letzte Warnung zukommen lassen.

»Jedermann hat ein Recht auf Geheimnisse«, hatte Tankado erklärt. »Der Tag wird kommen, an dem ich dafür sorge, dass es dabei bleibt.«

Kapitel 7

In Susans Hirn ging es drunter und drüber – *Ensei Tankado hat ein Programm geschrieben, das unentschlüsselbare Codes erzeugt?* Die Vorstellung wollte ihr einfach nicht in den Kopf.

»Er hat es Diabolus genannt«, sagte Strathmore. »Es ist eine Art digitale Festung, das Nonplusultra der Spionageabwehr. Wenn dieses Programm auf den Markt kommt, kann jeder Volksschüler mit einem Modem verschlüsselte Nachrichten verschicken, an denen die NSA sich die Zähne ausbeißt. Dann können wir einpacken.«

Susans Überlegungen kreisten um etwas ganz anderes als die politischen Implikationen von Diabolus. Sie war immer noch nicht bereit zu glauben, dass ein solches Programm überhaupt möglich war. Sie hatte ihr ganzes Leben lang Codes dechiffriert, stets in der festen Überzeugung, dass es den ultimativen Code nicht geben konnte. *Jeder Code kann geknackt werden – so verlangt es das Bergofsky-Prinzip!* Sie kam sich vor wie eine Atheistin, der der liebe Gott erschienen war.

»Wenn dieser Code auf den Markt kommt«, flüsterte sie, »ist die Kryptographie als Wissenschaft erledigt.«

Strathmore nickte. »Mag sein, aber das ist noch unser geringstes Problem.«

»Können wir Tankado nicht mit Geld locken? Ich weiß, dass er Sie hasst – aber könnte man ihm nicht ein paar Millionen Dollar anbieten, damit er das Programm nicht auf den Markt bringt?«

Strathmore lachte auf. »Ein paar Millionen Dollar? Wissen Sie überhaupt, was so ein Programm wert ist? Die Regierungen der ganzen Welt werden sich gegenseitig überbieten! Stellen Sie sich doch mal vor, wir müssten unserem Präsidenten sagen, dass wir zwar immer noch in den Dateien von Terroristen herumschnüffeln, aber leider könnten wir ihre Nachrichten nicht mehr lesen! Es geht hier nicht bloß um die NSA, es geht um unser gesamtes nachrichtendienstliches System! Unser Laden ist der Lieferant für alle, das FBI, die CIA, die DEA! Sie werden alle in den Blindflug übergehen müssen. Man wird die Rauschgiftlieferungen der Drogenkartelle nicht mehr verfolgen können, die Steuerbehörde wird nur noch hilflos zusehen, wenn die großen Konzerne ohne einen Schnipsel Papier zu hinterlassen ihre Gewinne verschieben, und Terroristen werden demnächst völlig ungestört per Internet ein Schwätzchen halten – in kürzester Frist hätten wir das totale Chaos!«

»Für die EFF wird das ein Festtag«, sagte Susan, die blass geworden war.

»Die EFF hat keinen Schimmer, was wir hier eigentlich leisten«, schimpfte Strathmore ärgerlich. »Die würden anders reden, wenn sie wüssten, wie oft wir einen Angriff von Terrororganisationen nur deshalb vereiteln konnten, weil wir die Codes der Terroristen entziffern können!«

Susan sah die Sache genauso, aber sie kannte auch die Realitäten. Die EFF würde niemals erfahren, wie wichtig der TRANSLTR war. Dieser Computer hatte Dutzende von Angriffen zum Scheitern gebracht, aber das waren Informationen der höchsten Geheimhaltungsstufe, die auf keinen Fall an die Öffentlichkeit gelangen durften. Die Begründung war einfach. Die Regierung hätte mit der Veröffentlichung der Wahrheit eine Massenhysterie riskiert. Kein Mensch konnte vorhersagen, wie die Bevölkerung reagieren würde, wenn herauskam, dass die Vereinigten Staaten in der jüngsten Vergangenheit bereits zwei Mal nur knapp einem Nuklearanschlag durch fundamentalistische Gruppen entgangen waren.

Nuklearanschläge waren nicht die einzige Bedrohung. Vor nicht allzu langer Zeit hatte der TRANSLTR einen raffiniert eingefädelten Terroranschlag vereitelt. Eine regierungsfeindliche Organisation hatte einen Plan mit der Bezeichnung »Sherwood Forest« entwickelt, der zur »Umverteilung des Reichtums« gegen die New Yorker Börse ins Werk gesetzt worden war. Im Verlauf von sechs Tagen hatten Mitglieder der Organisation sieben Behälter mit Magnetbomben in den Gebäuden rings um die Börse platziert. Bei der relativ harmlosen Explosion dieser Behälter entsteht eine Welle von außerordentlich starken Magnetfeldern. Eine exakt zeitgleiche Explosion von sieben gut platzierten Bomben hätte ein Magnetfeld von solcher Intensität hervorgerufen, dass in der Börse sämtliche magnetischen Datenträger gelöscht worden wären – die Computerfestplatten, die riesigen MOD-Speicher, die Speicherbänder und sogar ganz normale Disketten. Sämtliche Belege, aus denen hervorging, wem was gehört, wären unwiederbringlich vernichtet worden.

Da die erforderliche absolut zeitgleiche Detonation eine haarfeine Koordination zur Voraussetzung hatte, waren die Magnetbomben per Internet miteinander vernetzt. Die eingebauten Uhren der Magnetbomben tauschten während des zweitägigen Countdowns zu ihrer Synchronisation endlose Datenströme aus. Die NSA registrierte zwar die Datenimpulse als Netzwerkanomalie, interpretierte sie aber als einen harmlosen Austausch von Datenmüll und maß dem Vorgang zunächst keinerlei Bedeutung bei. Nach der Dechiffrierung der Datenströme durch den TRANSLTR erkannten die Analysten jedoch sofort einen über das Internet synchronisierten Countdown. Erst knapp drei Stunden vor der geplanten Explosion gelang es, die Magnetbomben zu lokalisieren und unschädlich zu machen.

Susan wusste, dass die NSA ohne ihren TRANSLTR gegen progressiven elektronischen Terrorismus hilflos war. Sie warf einen Blick auf den Kontrollmonitor. Er zeigte inzwischen eine Rechenzeit von knapp sechzehn Stunden an. Selbst wenn Tankados Datei jetzt, in diesem Moment, geknackt wurde, war die NSA am Ende, denn es hätte die Crypto-Abteilung auf die Entschlüsselung von noch nicht einmal zwei Dateien pro Tag zurückgeworfen. Schon bei der gegenwärtigen Rate von einhundertfünfzig Dechiffrierungen pro Tag war ein beträchtlicher Rückstau unentschlüsselter Dateien aufgelaufen.

»Tankado hat mich letzten Monat angerufen«, sagte Strathmore. Seine Bemerkung riss Susan aus ihren Gedanken.

Sie blickte auf. »Tankado hat mit Ihnen telefoniert?«

Strathmore nickte. »Er wollte mich warnen.«

»Warnen? Er hasst Sie doch!«

»Er hat mich angerufen und verkündet, er sei drauf und dran, einen Algorithmus zur Erzeugung von unentschlüsselbaren Codes zu perfektionieren. Ich habe es ihm damals nicht abgenommen.«

»Aber wozu sollte er Sie überhaupt einweihen?«, fragte Susan. »Wollte er Ihnen den Algorithmus verkaufen?«

»Nein, es war eine Erpressung.«

Susan sah auf einmal klar. »Natürlich! Er wollte, dass Sie seinen Namen wieder salonfähig machen!«, sagte sie bewundernd.

»Keineswegs. Er wollte den TRANSLTR.«

»Den TRANSLTR?«

»Ja. Er hat von mir verlangt, öffentlich zu beichten, dass wir diese Maschine haben. Er hat gesagt, wenn wir zugeben, dass wir jedermanns E-Mails lesen können, würde er sein Programm vernichten.«

Susan sah ihn skeptisch an.

Strathmore zuckte die Achseln. »Wie auch immer, jetzt ist es zu spät. Er hat Diabolus auf seiner Website ins Internet gestellt. Jeder kann es sich herunterladen, auf der ganzen Welt.«

Susan wurde schneeweiß. »Er hat *was*?«

»Nur ein PR-Manöver, um auf sich aufmerksam zu machen.

Wir brauchen uns darüber keine grauen Haare wachsen zu lassen. Die Version im Internet ist verschlüsselt. Die Leute können sie zwar herunterladen, aber nicht aufmachen. Das ist schon raffiniert! Der Quellcode für Diabolus ist verschlüsselt.«

Susan staunte. »Genial! Jeder kann das Programm haben, aber keiner kann es öffnen.«

»Genau«, sagte Strathmore. »Es ist die Möhre, die Tankado allen vor der Nase baumeln lässt.«

»Haben Sie den Algorithmus schon gesehen?«

Der Commander sah sie überrascht an. »Natürlich nicht. Ich sagte doch, er ist verschlüsselt.«

Susan gab seinen Blick nicht weniger überrascht zurück. »Aber haben wir nicht den TRANSLTR? Warum entschlüsseln wir den Algorithmus nicht einfach?« Ein zweiter Blick in Strathmores Gesicht belehrte sie, dass sich die Spielregeln geändert hatten. »Oh, mein Gott!«, stöhnte sie und hatte auf einmal alles begriffen. »Diabolus ist mit sich selbst verschlüsselt!«

»Bingo«, sagte Strathmore trocken und nickte.

»Wie bei Biggleman's Safe«, flüsterte Susan beeindruckt.

Strathmore nickte. Biggleman's Safe war ein hypothetisches kryptographisches Szenario, bei dem ein Tresorfabrikant Pläne für einen einbruchsicheren Geldschrank entwirft. Um die Pläne geheim zu halten, baut er den Safe und schließt die Baupläne darin ein. Nichts anderes hatte Tankado mit Diabolus getan. Er hatte die Pläne durch die Verschlüsselung mit der in eben diesen Plänen niedergelegten Formel jedem Zugriff entzogen.

»Und die Datei ist jetzt im TRANSLTR?«, wollte Susan wissen.

»Wie alle anderen Interessenten habe auch ich sie von Tankados Website heruntergeladen. Die NSA ist jetzt stolze Besitzerin des Algorithmus von Diabolus, kann aber leider nichts damit anfangen.«

Susan konnte nicht umhin, Tankados Schlauheit zu bewundern. Ohne seinen Algorithmus preiszugeben, hatte er der NSA den Beweis geliefert, dass er nicht entschlüsselbar war!

Strathmore reichte Susan die Übersetzung eines Zeitungsausschnitts aus der »Nikkei Schinbun«, dem japanischen Äquivalent des »Wall Street Journal«, wo geschrieben stand, der japanische Programmierer Ensei Tankado habe eine mathematische Formel entwickelt, mit der er nach eigenen Angaben unentschlüsselbare Codes schreiben könne. Die Formel trage die Bezeichnung Diabolus und stehe über das Internet jedermann zur Begutachtung zur Verfügung. Sie werde von ihrem Entwickler gegen Höchstgebot versteigert. Im Folgenden wurde noch ausgeführt, in Japan rege sich bereits großes Interesse, einige amerikanische Softwarefirmen hätten ebenfalls von Diabolus Notiz genommen, Tankados Behauptungen jedoch als unseriös abgetan – ähnlich dem Ansinnen, Blei in Gold zu verwandeln. Sie bezeichneten das Gerede von der Formel als eine Ente, die man nicht weiter ernst zu nehmen brauche.

Susan sah auf. »Eine Versteigerung?«

Strathmore nickte. »Inzwischen hat sich jede japanische Software-Firma eine verschlüsselte Kopie von Diabolus heruntergeladen, und alle versuchen, sie aufzubekommen. Mit jeder Sekunde, in der sie es nicht schaffen, steigt das Gebot.«

»Das ist doch absurd«, wandte Susan heftig ein. »Alle neueren chiffrierten Dateien sind unentschlüsselbar, sofern man keinen TRANSLTR hat. Diese Firmen könnten Diabolus auch dann nicht knacken, wenn es lediglich ein üblicher marktgängiger Algorithmus wäre.«

»Aber ein brillanter Marketing-Schachzug ist es allemal«, meinte Strathmore. »Sehen Sie: Jedes ordentliche kugelsichere Glas kann eine Kugel aufhalten, egal, wer der Hersteller ist. Aber wenn eine Firma öffentlich dazu auffordert, ein Loch in ihr Glas zu schießen, will es auf einmal jeder eigenhändig versuchen.«

»Und die Japaner glauben wirklich, dass Diabolus etwas ganz Besonderes ist? Besser als alles, was bisher auf den Markt gekommen ist?«

»Ensei Tankado mag von allen geschnitten worden sein, aber schließlich weiß jeder, dass er ein Genie ist. In Hackerkreisen ist er praktisch eine Kultfigur. Wenn Tankado sagt, der Algorithmus sei unentschlüsselbar, dann ist er unentschlüsselbar.«

»Aber soweit die Öffentlichkeit weiß, sind doch alle Algorithmen unentschlüsselbar!«

»Ja, schon …«, sagte Strathmore nachdenklich. »Im Moment jedenfalls.«

»Was soll denn das nun wieder heißen?«

Strathmore seufzte. »Vor zwanzig Jahren hat noch kein Mensch damit gerechnet, dass man jemals verschlüsselte Datenströme von zwölf Bit knacken könnte. Aber vergessen Sie nicht den technischen Fortschritt. Den gibt es immer. Von einem gewissen Punkt ab werden die Softwarehersteller davon ausgehen, dass es Computer wie den TRANSLTR gibt. Die Technologie entwickelt sich exponentiell. Irgendwann werden unsere derzeit auf dem Markt erhältlichen Chiffrierprogramme nicht mehr als sicher gelten. Man wird bessere Algorithmen brauchen, wenn man der Leistung der Computer von morgen immer eine Nasenlänge voraus sein will.«

»Und Diabolus ist so ein Algorithmus?«

»Genau. Als Algorithmus, dem mit Brute-Force nicht beizukommen ist, kann das Programm nicht veralten, gleichgültig, wie stark die Entschlüsselungscomputer werden. Er würde über Nacht zum Weltstandard.«

Susan holte tief Luft. »Gott steh uns bei«, flüsterte sie. »Aber können wir nicht mitbieten?«

Strathmore schüttelte den Kopf. »Tankado hat uns unsere Chance gegeben. Das hat er deutlich genug gesagt. Außerdem wäre es zu riskant. Wenn wir dabei erwischt werden, haben wir praktisch zugegeben, dass wir vor seinem Algorithmus Angst haben. Es käme nicht nur dem öffentlichen Eingeständnis gleich, dass wir den TRANSLTR haben, wir würden auch zugeben, dass Diabolus immun ist.«

»Wie sieht denn unser Zeitrahmen aus?«

Strathmore runzelte die Stirn. »Tankado plant, das höchste Gebot morgen Mittag bekannt zu geben.«

Susan spürte, wie sich ihr Magen zusammenkrampfte. »Und wie geht es dann weiter?«

»Anschließend soll der Sieger den Private-Key erhalten.«

»Den *Private-Key*?«

»Das gehört zu Tankados Spiel. Da inzwischen jeder sein Programm hat, versteigert er den Schlüssel, mit dem man es öffnen kann.«

»Natürlich«, sagte Susan. Das Ganze war perfekt aufgezogen. Klar und einfach. Tankado hatte Diabolus verschlüsselt und besaß als Einziger den Private-Key, mit dem man das Programm öffnen konnte. Irgendwo da draußen – vielleicht auf einem Zettel in Tankados Hosentasche – befand sich ein vierundsechzigstelliger Schlüssel, der die Datenbeschaffung der amerikanischen Nachrichtendienste für immer lahm legen konnte. Unfassbar.

Als Susan sich die Lage in allen Einzelheiten ausmalte, wurde ihr fast schlecht. Tankado würde der höchstbietenden Firma den Schlüssel aushändigen, mit dem sie die Diabolus-Datei öffnen konnte. Anschließend würde das Unternehmen den Algorithmus beispielsweise in einem manipulationsgeschützten Chip speichern, und innerhalb von maximal fünf Jahren würde jeder neue Computer bereits mit einem Diabolus-Chip ausgerüstet auf den Markt kommen. Und Diabolus konnte nie veralten. Diesem Programm war wegen seiner rotierenden Klartext-Funktion mit der Brute-Force-Methode nicht beizukommen. Es war der neue Verschlüsselungsstandard, auf immer und ewig. Bankiers, Börsenmakler, Terroristen und Spione: Alle saßen in einem Boot. Eine globalisierte Welt – ein globaler Algorithmus.

Globale Anarchie.

»Was haben wir für Optionen?«, bohrte Susan. Sie war sich durchaus im Klaren, dass in einer verzweifelten Lage auch verzweifelte Maßnahmen in Betracht gezogen werden mussten.

»Eliminieren können wir Tankado nicht«, sagte Strathmore, »falls Sie das meinen.«

Genau das hatte Susan gemeint. In den Jahren bei der NSA hatte sie von losen Verbindungen der Behörde zu Profikillern munkeln hören – angeheuerte Spezialisten, die für den Nachrichtendienst die Schmutzarbeit erledigten.

Strathmore schüttelte den Kopf. »Tankado ist zu schlau, um uns diese Möglichkeit zu lassen.«

Susan fühlte sich seltsam erleichtert. »Hält er sich an einem geschützten Ort auf?«

»Nicht unbedingt.«

»Dann ist er wohl untergetaucht, oder?«

Strathmore hob die Schultern. »Tankado hat Japan verlassen. Er wollte die Angebote per Telefon verfolgen. Wir wissen aber, wo er sich aufhält.«

»Und Sie werden nichts unternehmen?«

»Nein. Tankado hat sich eine Rückversicherung zugelegt. Er hat einem anonymen Dritten ein Duplikat des Schlüssels anvertraut … falls ihm selbst etwas zustößt.«

Aber natürlich, dachte Susan, *ein Schutzengel.* »Und ich nehme an, wenn Tankado etwas zustößt, wird der geheimnisvolle Dritte den Schlüssel verkaufen.«

»Schlimmer noch. Wenn Tankado etwas passiert, wird sein Partner den Key *veröffentlichen.*«

»Er soll ihn *veröffentlichen?*«, sagte Susan verdutzt.

Strathmore nickte. »Ins Internet stellen, in der Zeitung abdrucken lassen, Plakate kleben, egal was – kurzum, er soll den Key *verschenken.*«

Susan riss die Augen auf. »Kostenlose Downloads?«

»Genau. Tankado muss sich gedacht haben, wenn er tot ist, nützt ihm das Geld sowieso nichts mehr. Warum also der Welt nicht ein kleines Abschiedsgeschenk machen?«

Eine lange Stille entstand. Susan holte tief Luft, als versuche sie, die furchtbare Wahrheit zu verdauen. *Ensei Tankado hat einen unknackbaren Algorithmus entwickelt und uns zu seinen Geiseln gemacht.*

Sie erhob sich jäh. »Wir müssen mit Tankado Kontakt aufnehmen«, sagte sie entschlossen. »Es muss doch möglich sein, ihn zu überzeugen, dass er den Schlüssel keinesfalls veröffentlichen darf. Wir können ihm das Dreifache des höchsten Gebots bieten, seine Rehabilitation! Alles!«

»Zu spät«, sagte Strathmore und sog tief die Luft ein. »Ensei Tankado lebt nicht mehr. Man hat ihn in Sevilla gegen Mittag Ortszeit tot aufgefunden.«

Kapitel 8

Der zweistrahlige Learjet 60 setzte auf der glühend heißen Landebahn auf. Die andalusische Landschaft, die draußen vor dem Fenster vorbeiraste, verringerte ihre Geschwindigkeit allmählich zum Kriechtempo.

»Mr Becker?«, knisterte es aus dem Bordlautsprecher. »Wir sind da.«

David Becker stand auf und streckte sich. Als er gewohnheitsmäßig nach dem Gepäckfach über seinem Kopf griff, fiel ihm ein, dass er gar kein Gepäck dabeihatte. Zum Packen war keine Zeit gewesen – aber wozu auch? Es war ja nur eine Stippvisite, hatte man ihm versichert. Rein und gleich wieder raus.

Die Maschine rollte mit auslaufenden Triebwerken aus dem Sonnenglast in einen verlassenen Hangar am Ende der Landebahn. Der Pilot tauchte aus dem Cockpit auf und betätigte den Ausstieg. Becker goss den Rest seines Preiselbeersafts hinunter, deponierte das Glas auf einer Theke und griff nach seinem Jackett.

Der Pilot stand schon draußen und half Becker auszusteigen. Er zog einen dicken braunen Umschlag aus der Fliegerkombination. »Das soll ich Ihnen geben«, sagte er und drückte Becker den Umschlag in die Hand. Vorne drauf standen mit blauem Kugelschreiber flüchtig hingeworfen die Worte:

Behalten Sie das Wechselgeld.

Becker griff hinein und ließ den dicken Packen Geldscheine durch die Finger gleiten. »Was ist … denn das?«

»Hiesiges Geld«, sagte der Pilot ungerührt.

»Das weiß ich selbst, aber es ist doch viel zu viel!«, stotterte Becker. »Ich brauche nur etwas Geld fürs Taxi.« Er überschlug den Gegenwert der Scheine. »Das sind mindestens zehntausend Dollar!«

»Ich habe meine Befehle, Sir.« Der Pilot drehte sich abrupt um und schwang sich wieder hinauf in die Kabine. Der Einstieg glitt hinter ihm ins Schloss.

Becker betrachtete das Flugzeug und dann wieder das Geld in seiner Hand. Er stand eine Weile unschlüssig in dem Hangar herum. Schließlich steckte er das Geld in die Brusttasche, warf sich das Jackett über die Schulter und machte sich die Landebahn entlang auf den Weg. Was für ein seltsamer Anfang! Becker versuchte, nicht mehr daran zu denken. Mit ein bisschen Glück war er zeitig genug zurück, um seinen Ausflug mit Susan nach Stone Manor wenigstens teilweise noch zu retten.

Rein und raus, dachte er frohgemut. *Rein und raus!*

Kapitel 9

Phil Charturkian, ein Techniker der für die Systemüberwachung und -wartung zuständigen Abteilung, wollte eigentlich nur kurz bei der Crypto vorbeischauen, um ein paar Unterlagen zu holen, die vom Vortag noch dort lagen. Er schlenderte durch die Kuppel und trat ins Laboratorium der Techniker der System-Security-Abteilung, die jeder nur Sys-Sec nannte. Schon beim Hereinkommen fiel ihm auf, dass etwas nicht stimmte. Das Kontrollterminal für die internen Abläufe des TRANSLTR war nicht besetzt, der Bildschirm abgeschaltet.

»Hallo? Jemand da?«

Keine Antwort. Alles wirkte aufgeräumt – als wäre schon lange keiner mehr da gewesen.

Charturkian gehörte erst seit relativ kurzer Zeit zum Sys-Sec-Team, aber ungeachtet seiner dreiundzwanzig Jahre war er bestens ausgebildet, und vor allem kannte er die Vorschriften: Im Crypto-Lab musste *immer* ein dienstbereiter Sys-Sec-Mann sitzen, besonders am Samstag, wenn von den Kryptographen keiner da war.

Er schaltete den Bildschirm an. Während er darauf wartete, dass der Monitor hell wurde, schaute er auf den Dienstplan an der Wand und ging die Namensliste durch. »Wer hat denn Wachdienst?«, fragte er laut. Nach Dienstplan hätte ein junger Hüpfer namens Seidenberg in der vorangegangenen Nacht um Mitternacht eine Doppelschicht antreten müssen. Charturkian sah sich in dem leeren Laboratorium um. »Wo zum Teufel steckt der Kerl?«

Während er auf den immer noch blinden Bildschirm starrte, fragte er sich, ob Strathmore wusste, dass die Sys-Sec-Abteilung unbesetzt war. Beim Hereinkommen war ihm aufgefallen, dass die Vorhänge von Strathmores Büro vorgezogen waren, was bedeutete, dass der Boss da war – samstags keineswegs ungewöhnlich. Ungeachtet seiner strikten Anweisung an die Mitarbeiter, am Samstag nicht zu arbeiten, schien er selbst dreihundertfünfundsechzig Tage im Jahr voll durchzuackern.

Eines stand für Charturkian zweifelsfrei fest: Wenn Strathmore dahinter kam, dass die Sys-Sec-Abteilung nicht besetzt war, würde der junge Spund hochkant fliegen. Mit einem Blick zum Telefon überlegte er, ob er den säumigen Kollegen anrufen sollte, um ihm unangenehme Konsequenzen zu ersparen. Sys-Secs deckten einander den Rücken, das verlangte ein ungeschriebenes Gesetz. Sie waren in der Crypto-Abteilung lediglich das Fußvolk, das mit seinen Gebietern im Dauerzwist lag. Es war ein offenes Geheimnis, dass die Kryptographen die eigentlichen Herren dieses Multi-Milliarden-Etablissements waren. Die Sys-Secs musste man dulden, weil sie für das reibungslose Funktionieren des teuren Spielzeugs der Herrschaften unentbehrlich waren.

Charturkian hatte sich entschieden. Er griff nach dem Telefon – aber der Hörer gelangte nicht bis an sein Ohr. Mitten in der Bewegung hielt er inne. Mit offenem Mund starrte er auf den Bildschirm vor seinen Augen, auf dem soeben ein kleines Anzeigefenster Gestalt annahm. Wie in Zeitlupe legte Charturkian den Hörer wieder auf.

In seinen acht Monaten als NSA-Sys-Sec hatte Phil Charturkian auf dem TRANSLTR-Kontrollmonitor noch nie eine Anzeige gesehen, die nicht mit zwei Nullen begann. Heute war es zum ersten Mal anders.

»Fünfzehn Stunden und siebzehn Minuten?«, keuchte er. »Das gibt es doch nicht!«

Mit einem Stoßgebet zum Himmel schaltete er den Bildschirm aus und ließ ihn gleich wieder hochfahren in der Hoffnung, dass es eine fehlerhafte Anzeige gewesen war. Das Ergebnis blieb unverändert.

Charturkian fröstelte. Als Sys-Sec für die Crypto hatte er vor allem eine Aufgabe: Den TRANSLTR »sauber« zu halten – frei von Viren.

Eine Rechenzeit von fünfzehn Stunden konnte nur eines bedeuten: Verseuchung. Eine verseuchte Datei war in den TRANSLTR gelangt und legte die Programmierung lahm. Charturkians Reflexe setzten ein. Das verlassene Sys-Sec-Lab und der abgeschaltete Bildschirm waren jetzt nebensächlich, nur das anstehende Problem zählte noch – der TRANSLTR. Er rief umgehend die Liste der in den letzten achtundvierzig Stunden eingegebenen Dateien auf und ging sie durch.

Sollte tatsächlich eine infizierte Datei durchgekommen sein?, rätselte er. *Ist den Sicherheitsfiltern etwas entgangen?*

Als Vorsichtsmaßnahme musste jede in den TRANSLTR eingegebene Datei zuerst im »Gauntlet«-Filter durch eine Reihe starker Circuit Level Gateways, Paketfilter und Antivirenprogramme sozusagen Spießruten laufen. Gauntlet filzte die ankommenden Dateien auf Computerviren und potenziell gefährliche Subroutinen. Wenn Dateien Programmierungen aufwiesen, die Gauntlet nicht kannte, wurden sie gnadenlos zurückgewiesen und mussten noch einmal von Hand überprüft werden. Wegen unbekannter Programmbefehle hatte Gauntlet auch schon völlig harmlose Dateien zurückgewiesen, die von der Sys-Sec-Abteilung anschließend im Handbetrieb eingehend überprüft und für harmlos befunden worden waren. Erst dann, und nur dann, wenn absolut sichergestellt war, dass eine Datei »sauber«

war, durfte sie unter Umgehung des Filtersystems direkt in den TRANSLTR eingegeben werden.

Computerviren standen in ihrer Vielfalt den natürlichen Viren in nichts nach. Wie ihre physiologischen Brüder kannten sie nur ein Ziel: in einen Wirt eindringen und sich vermehren. Im vorliegenden Fall war der Wirt der TRANSLTR.

Charturkian konnte nur darüber staunen, dass die NSA nicht schon längst Probleme mit Viren bekommen hatte. Das Gauntlet-System war bestimmt ein guter Wächter, aber die NSA war sozusagen ein Schlammfresser, der riesige digitale Informationsmengen aus allen möglichen und unmöglichen Quellen der ganzen Welt wahllos in sich hineinschaufelte. Die Datenschnüffelei hatte gewisse Ähnlichkeiten mit häufig wechselndem Geschlechtsverkehr – Schutz hin oder her, früher oder später fing man sich eben etwas ein.

Als Charturkian am Ende der Auflistung angekommen war, wunderte er sich noch mehr als zuvor. Jede Datei war überprüft worden. Gauntlet hatte nichts Auffälliges bemerkt. Die Datei im TRANSLTR war vollkommen sauber.

»Warum zum Teufel dauert es dann so lang?«, rätselte er in den leeren Raum hinein. Er spürte, wie ihm der Schweiß ausbrach. Ob er Strathmore stören sollte?

»Ein Antivirenprogramm«, sagte er laut und bestimmt. »Du musst ein Antivirenprogramm laufen lassen.«

Es wäre ohnehin das Erste gewesen, was Strathmore zu tun verlangt hätte. Mit einem Blick hinaus in die verlassene Crypto-Kuppel entschloss sich Charturkian, das Antivirenprogramm zu laden und in den Rechner zu schicken. Das Ergebnis würde ihm in etwa einer Viertelstunde vorliegen.

»Komm bloß schön sauber wieder zu Papi zurück!«, flüsterte er beschwörend.

Aber Charturkian fühlte, dass er sich nicht »vertan« hatte. Instinktiv wusste er, dass sich in den Eingeweiden des großen Dechiffrierungsungetüms etwas Außergewöhnliches tat.

Kapitel 10

Ensei Tankado ist tot? Man hat ihn also doch umbringen lassen? Ich dachte, Sie hätten gesagt ...« Susan wurde es flau im Magen.

»Wir haben ihn nicht angerührt«, sagte Strathmore beruhigend. »Er ist an einem Herzinfarkt gestorben. COMINT hat sich heute früh telefonisch gemeldet. Ihr Computer ist über Interpol in einem Verzeichnis der Polizei von Sevilla auf Tankados Namen gestoßen.«

»Herzinfarkt?« Susan sah Strathmore zweifelnd an. »Er war doch erst dreißig.«

»Zweiunddreißig«, verbesserte Strathmore, »und er hatte einen angeborenen Herzfehler.«

»Das habe ich gar nicht gewusst.«

»Es steht in unserem Befund über seinen Gesundheitszustand. Er hat nie viel Aufheben davon gemacht.«

Susan war nicht ganz überzeugt. Der Zeitpunkt von Tankados Tod kam einfach zu gelegen. »Ein Herzfehler soll ihn umgebracht haben – einfach so?«

Strathmore zuckte die Achseln. »Ein schwaches Herz ... die Hitze in Spanien ... dazu noch der Stress, den er sich mit der Erpressung der NSA eingebrockt hat ...«

Susan schwieg einen Moment. Ungeachtet der Umstände empfand sie den Tod des brillanten Kryptographen und ehemaligen Kollegen als betrüblichen Verlust. Strathmores ernste Stimme riss sie aus ihren Gedanken.

»Das einzig Tröstliche an diesem ganzen Fiasko ist die Tatsache, dass Tankado allein unterwegs war. Es kann gut sein, dass sein Partner bislang noch gar nicht weiß, dass er tot ist. Die spanischen Behörden haben uns versprochen, die Information so lang wie möglich zurückzuhalten. Wir haben es ja selbst nur erfahren, weil COMINT am Ball war.« Strathmore sah Susan eindringlich an. »Ich muss den Partner finden, bevor er erfährt, dass Tankado tot ist. Das ist auch der Grund, weshalb ich Sie gebeten habe, zu kommen. Ich brauche Ihre Hilfe.«

Susan verstand nicht ganz. Mit Tankados Tod schien für sie das Problem gelöst. »Commander«, meinte sie, »die Behörden sagen doch, dass er an einem Herzinfarkt gestorben ist. Damit sind wir aus dem Spiel, und der Partner wird wissen, dass die NSA nicht verantwortlich ist.«

»Nicht verantwortlich?« Strathmore riss ungläubig die Augen auf. »Da erpresst jemand die NSA und ist ein paar Tage später tot – und wir sind nicht dafür verantwortlich? Ich wette mein letztes Hemd, dass Tankados geheimnisvoller Freund das anders sieht! Egal, was passiert ist, wir werden als die Schuldigen dastehen! Vielleicht war es Gift, oder die Autopsie war getürkt – was weiß ich?« Strathmore hielt inne und sah Susan an. »Was war denn *Ihre* erste Reaktion, als ich Ihnen gesagt habe, dass Tankado tot ist?«

Susan runzelte verlegen die Stirn. »Ich habe natürlich gedacht, die NSA hätte ihn umgebracht.«

»Na, sehen Sie! Wenn die NSA fünf Satelliten über dem Nahen Osten in eine geostationäre Umlaufbahn schießen kann, dann dürften wir wohl auch in der Lage sein, ein paar spanische Polizisten zu bestechen!« Der Commander hätte es nicht klarer ausdrücken können.

Ensei Tankado ist tot. Die NSA steht als Täter da. »Können wir den Partner noch früh genug aufspüren?«, überlegte Susan.

»Ich denke, schon. Wir haben jedenfalls eine gute Spur. Tankado hat immer wieder öffentlich erklärt, er würde mit einem

Partner zusammenarbeiten. Er hat wohl darauf vertraut, dass das die Softwarekonkurrenz davon abhält, ihm ans Leder zu gehen oder seinen Key zu klauen. Er hat gedroht, bei unlauterem Spiel würde sein Partner sofort den Key veröffentlichen, und dann würden natürlich sämtliche Softwarefirmen alt aussehen, denn sie hätten die Konkurrenz einer Gratis-Software am Hals.«

Susan nickte. »Raffiniert!«

»Tankado hat den Namen seines Partners ein paar Mal erwähnt«, setzte Strathmore hinzu. »Er nannte ihn North Dakota.«

»North Dakota? Offenbar ein Tarnname.«

»Ja, aber ich habe sicherheitshalber eine Internet-Recherche mit North Dakota als Suchbegriff durchgeführt. Ich habe selbst nicht geglaubt, dass ich etwas finden würde, aber ich bin auf einen E-Mail-Account gestoßen.« Strathmore hielt inne. »Ich habe natürlich nicht gedacht, dass es der von mir gesuchte North Dakota wäre, aber ich habe mal auf Verdacht in dem Account herumgestöbert, und stellen Sie sich meine Überraschung vor: Er war voll mit E-Mails von Ensei Tankado!« Strathmore hob die Brauen. »Und in den Mails wimmelte es von Bezugnahmen auf Diabolus und Tankados Pläne, die NSA vorzuführen.«

Susan sah Strathmore skeptisch an. Sie war überrascht, dass der Commander sich so leicht an der Nase herumführen ließ. »Commander«, sagte sie, »Tankado weiß doch ganz genau, dass die NSA in E-Mails herumschnüffelt. Gerade er würde doch niemals Geheiminformationen über das Internet verschicken. Das ist eine Falle! Tankado hat Ihnen mit diesem *North Dakota* einen Bären aufgebunden. Er *wusste*, dass Sie eine Suche starten würden. Er *wollte*, dass Sie diese Informationen finden. Er hat eine falsche Fährte ausgelegt.«

»Vom Gefühl her richtig«, gab Strathmore bissig zurück, »wenn da nicht noch ein paar Kleinigkeiten wären. Ich habe nämlich anfänglich unter *North Dakota* nichts gefunden und deshalb den Suchbegriff leicht modifiziert. Der besagte Account fand sich unter der *Adresse NDAKOTA*.«

Susan schüttelte den Kopf. »Akronyme einzuführen ist doch ein Standardverfahren. Tankado konnte getrost davon ausgehen, dass Sie es mit Akronymen oder Permutationen probieren, wenn Sie nicht fündig werden. *NDAKOTA* ist doch viel zu simpel.«

»Vielleicht«, meinte Strathmore, während er hastig etwas auf einen Zettel schrieb, den er Susan reichte. »Aber sehen Sie sich das mal an.«

Susan las. Auf einmal begriff sie Strathmores Gedankengang. Auf dem Zettel stand die E-Mail-Adresse von North Dakota:

NDAKOTA@ARA.ANON.ORG

Susans Interesse galt den Buchstaben *ara* in der Adresse. Sie standen für American Remailers Anonymous, einen bekannten Provider für anonymen Service. Solche Gesellschaften schützten die Privatsphäre ihrer Kunden, indem sie sich gegen Gebühr als Mittelsmann für deren E-Mails zur Verfügung stellten. Es funktionierte ähnlich wie ein Nummernpostfach – der Inhaber kann Post empfangen, ohne je Namen oder Adresse preisgeben zu müssen. ARA nahm die an einen Decknamen adressierten E-Mails entgegen und leitete sie an die richtige Adresse weiter, wobei der Provider vertraglich verpflichtet war, Identität und Adresse des Kunden vertraulich zu behandeln.

»Das ist zwar kein Beweis«, sagte Strathmore, »aber ziemlich verdächtig ist es schon.«

Susan nickte. Das überzeugte sie schon eher. »Sie meinen also, Tankado konnte es egal sein, wenn jemand nach North Dakota sucht, weil ARA seinen Namen und seine Adresse schützt.«

»Genau.«

Susan dachte kurz nach. »ARA bedient vor allem Accounts in den Vereinigten Staaten. Halten Sie es für möglich, dass wir North Dakota irgendwo hier bei uns suchen müssen?«

Strathmore hob die Schultern. »Könnte sein. Mit einem

amerikanischen Partner hätte Tankado die beiden Schlüssel auch geographisch voneinander getrennt. Es wäre ein kluger Schachzug.«

Susan überlegte. Tankado dürfte den Schlüssel sinnvollerweise nur einem sehr guten Freund anvertraut haben, aber wie Susan sich erinnerte, hatte er in den Vereinigten Staaten kaum Freunde gehabt.

»North Dakota«, sinnierte sie. Ihr kryptographisch geschultes Gehirn versuchte dem Decknamen eine mögliche Bedeutung abzugewinnen. »Kennen wir auch den Inhalt der E-Mails dieses North Dakota an unseren Tankado?«

»Nein. COMINT hat nur Tankados abgehende Mails abgefangen. Zurzeit haben wir von North Dakota lediglich eine anonyme Adresse.«

Susan dachte nach. »Wäre es möglich, dass es wieder eine Finte ist?«

Strathmore hob die Brauen. »Wieso?«

»Tankado könnte doch mit Bedacht E-Mails an eine Scheinadresse geschickt haben, in der Hoffnung, dass wir sie abfangen, während er in Wirklichkeit alleine arbeitet. Wir würden denken, er sei geschützt, und er müsste sich nicht auf das Risiko einlassen, einem Partner seinen Private-Key preiszugeben.«

Strathmore lachte anerkennend auf. »Keine schlechte Idee, bis auf eines. Er benutzt nicht seine üblichen Privat- oder Geschäfts-Internetadressen. Er hat sich in den Großrechner der Doshisha-Universität eingeklinkt. Offenbar hat er dort einen Account, den er bislang geheim halten konnte. Er ist in der Tat sehr gut versteckt. Ich bin nur durch einen Zufall darüber gestolpert.« Strathmore hielt inne. »Wenn es also Tankados Absicht war, dass wir seine Mails abfangen – warum hat er dann einen geheimen Account benutzt?«

Susan dachte über das Problem nach. »Vielleicht, damit wir nicht Lunte riechen? Vielleicht hat er den Account mit Bedacht gewählt, sodass Sie mit ein bisschen Glück, über das Sie sich auch noch gefreut haben, darüber stolpern mussten. Es würde seine Pseudo-E-Mails doppelt glaubhaft machen.«

»An Ihnen ist eine Agentin verloren gegangen«, erwiderte Strathmore lachend. »Sie haben wirklich gute Ideen. Aber leider hat Tankado auf jede E-Mail auch eine Antwort bekommen. Tankado schreibt, und sein Partner antwortet.«

Susan runzelte die Stirn. »Na gut. Sie halten North Dakota also für echt.«

»Ich fürchte, mir bleibt nichts anderes übrig. Und wir müssen ihn finden. Aber ohne jedes Aufsehen. Wenn er Wind davon bekommt, dass wir hinter ihm her sind, ist alles vorbei.«

Jetzt hatte Susan begriffen, wozu Strathmore sie gerufen hatte. »Lassen Sie mich mal raten«, sagte sie. »Ich soll in den gut gesicherten Datenspeicher von ARA eindringen und Ihnen die wahre Identität von North Dakota liefern.«

Strathmore lächelte. »Miss Fletcher, Sie können Gedanken lesen.«

Für heimliche Internetrecherchen war Susan Fletcher die richtige Adresse. Vor ein paar Jahren waren einem hochrangigen Beamten im Weißen Haus per E-Mail Drohbriefe eines Schreibers mit einer anonymen E-Mail-Adresse zugegangen. Man hatte die NSA gebeten, den Täter aufzuspüren. Die NSA hätte zwar die Befugnis gehabt, vom Provider die Preisgabe des Verfassers der Briefe zu verlangen, aber man entschied sich für eine diskretere Methode – einen »Tracer«.

Susan hatte damals im Prinzip ein Suchprogramm geschrieben, das sie als E-Mail getarnt an die anonyme Adresse beim Provider schickte. Der Provider reichte die Mail vertragsgemäß an die richtige Adresse weiter. Dort angekommen, registrierte die entsprechend programmierte Mail ihre Position im Internet und benachrichtigte die NSA, um sich sodann spurlos in nichts aufzulösen. Zumindest für die NSA waren anonyme Accounts von diesem Tag an allenfalls noch ein lästiger Störfaktor.

»Können Sie ihn finden?«, erkundigte sich Strathmore.

»Sicher. Warum haben Sie mich eigentlich nicht schon längst gerufen?«, wollte Susan wissen.

»Um ehrlich zu sein …«, Strathmore legte die Stirn in Falten, »ich habe Sie ursprünglich überhaupt nicht rufen wollen. Ich wollte dieses Ding alleine durchziehen. Ich habe selbst versucht, Ihren Tracer loszuschicken, aber nachdem Sie das verdammte Ding in einer von diesen neuen hybriden Programmiersprachen geschrieben haben, konnte ich ihn nicht ans Laufen bekommen. Er hat zwar Daten geliefert, aber sie ergaben keinen Sinn. Schließlich ist mir nichts anderes übrig geblieben, als Sie zu rufen.«

Susan kicherte geschmeichelt. Strathmore war als kryptographischer Programmierer ein Genie, aber sein Repertoire beschränkte sich auf die Arbeit mit Algorithmen. In den Untiefen der weniger abgehobenen Alltagsprogrammiererei war er oft etwas hilflos. Zudem hatte Susan ihren Tracer in einer neuen Misch-Programmiersprache namens LIMBO verfasst. Dass Strathmore damit Probleme hatte, war verständlich. »Ich werde mich darum kümmern«, sagte sie und wandte sich lächelnd zum Gehen. »Sie finden mich an meinem Terminal.«

»Können Sie in etwa sagen, wie lange es dauern wird?«

Susan zögerte. »Nun … das kommt darauf an, wie prompt ARA die Mails weiterleitet. Wenn North Dakota hier in den Staaten bei einer Firma wie AOL oder Compuserve ist, kann ich an seine Kreditkartendaten heran, und die Adresse liegt uns in einer Stunde vor. Wenn er bei einer Universität oder bei einem großen Konzern ist, kann es ein bisschen länger dauern.« Sie lächelte befangen. »Der Rest liegt dann bei Ihnen.«

Susan wusste, der »Rest« bestand aus einem Einsatzkommando der NSA, das dem Betreffenden den Strom abstellte und Betäubungswaffen schwingend durch klirrende Fensterscheiben in sein Haus eindrang – vermutlich in dem Glauben, eine Verhaftung im Drogenmilieu vorzunehmen. Anschließend würde Strathmore zweifellos eigenhändig aus den Resten der

Einrichtung den Vierundsechzig-Bit-Schlüssel herausklauben. Und dann würde er ihn vernichten. Diabolus würde auf ewig im Internet herumspuken, unbenutzbar und für alle Zeiten gesperrt.

»Seien Sie vorsichtig mit Ihrem Tracer«, sagte Strathmore. »Wenn North Dakota in Erfahrung bringt, dass wir ihm auf der Spur sind, macht er sich vielleicht mit dem Key aus dem Staub, bevor unsere Leute vor Ort sein können.«

»Keine Sorge«, versicherte Susan. »Wenn das Programm den Account gefunden hat, löst es sich im selben Moment auch schon auf. Kein Mensch merkt, dass es überhaupt da gewesen ist.«

Der Commander nickte müde. »Danke, Susan.«

Susan lächelte ihm voll Mitgefühl zu. Sie war immer wieder erstaunt über die Ruhe, die der Commmander selbst angesichts einer drohenden Katastrophe bewahrte. Sie war überzeugt, dass seine Karriere, die ihn in die obersten Machtzentralen gelangen ließ, von dieser Eigenschaft getragen war.

Auf dem Weg zur Tür schaute Susan hinunter zum TRANSLTR. Die Vorstellung, dass es einen nicht zu entschlüsselnden Algorithmus geben sollte, wollte ihr immer noch nicht in den Kopf. Hoffentlich gelang es ihr, North Dakota schnell genug aufzuspüren.

»Wenn Sie sich beeilen«, rief Strathmore ihr nach, »können Sie bei Einbruch der Dunkelheit in den Smoky Mountains sein.«

Susan blieb wie angewurzelt stehen. Sie war absolut sicher, Strathmore gegenüber den geplanten Wochenendausflug mit keinem Wort erwähnt zu haben. *Hört die NSA jetzt schon deinen Privatanschluss ab?* Sie fuhr herum.

Strathmore lächelte sie schuldbewusst an. »David hat mir heute früh von Ihrem geplanten Ausflug erzählt. Er hat gesagt, dass Sie über die Verschiebung ganz schön sauer sein würden.«

Susan verstand gar nichts mehr. »Sie haben heute früh mit David gesprochen?«

»Natürlich.« Susans Reaktion schien Strathmore zu irritieren. »Ich musste ihm doch Instruktionen geben.«

»Instruktionen? Wofür?«

»Na, für seine Reise nach Spanien! David ist doch in meinem Auftrag nach Spanien geflogen!«

Kapitel 11

David ist in meinem Auftrag nach Spanien geflogen. Der Satz des Commanders haute Susan fast um.

»David ist in Spanien?« Susan konnte es kaum fassen. Zorn kam in ihr hoch. »Sie haben ihn nach Spanien geschickt? Wie kommen Sie dazu?«

Strathmore sah sie perplex an. Er war es nicht gewohnt, angepfiffen zu werden, selbst von seiner Chefkryptographin nicht. Er streifte Susan mit einem überraschten Blick. Fauchend wie eine Tigerin, die ihr Junges verteidigt, stand sie vor ihm.

»Susan«, sagte er, »haben Sie denn nicht mit David gesprochen? Hat er Ihnen denn nicht alles erklärt?«

Susan war zu schockiert, um zu antworten. *Spanien. Deshalb hat David unseren Ausflug nach Stone Manor verschoben!*

»Ich habe ihn heute früh mit einem Wagen abholen lassen. Er hat gesagt, er würde Sie vor der Abfahrt noch anrufen. Es tut mir wirklich leid, aber ich dachte …«

»Wozu haben Sie David nach Spanien geschickt?«

Strathmore sah sie verdutzt an. »Damit er den einen Key beschafft.«

»Welchen Key?«

»Na, den von Tankado!«

Susan blickte nicht mehr durch. »Wovon ist denn nun die Rede?«

Strathmore seufzte. »Als Tankado starb, hatte er bestimmt

seinen Schlüssel bei sich. Ich kann es mir bei Gott nicht leisten, dass der Key irgendwo in einer spanischen Leichenhalle herumliegt!«

»Und da ist Ihnen nichts Besseres eingefallen, als David Becker loszuschicken?« Susan war zu besorgt, um sich noch aufzuregen. Das Ganze war viel zu absurd. »Einen Mann, der noch nicht einmal für Sie arbeitet!«

Strathmore zuckte leicht zusammen. In diesem Ton hatte noch niemand mit dem Vizedirektor der NSA gesprochen. »Susan«, sagte er betont ruhig, »das ist es ja gerade. Ich brauchte jemanden …«

Die Tigerin schlug zu. »Sie haben zwanzigtausend Untergebene! Was gibt Ihnen das Recht, ausgerechnet meinen Verlobten loszuschicken?«

»Ich habe für diesen Kurierdienst einen Normalbürger gebraucht, jemand, der mit den Regierungsbehörden nicht das Geringste zu tun hat! Wenn ich den Dienstweg gewählt und jemand Wind davon bekommen hätte, dass …«

»Und David Becker ist wohl der einzige Normalbürger, den Sie kennen!«

»Nein! David Becker ist nicht der einzige Normalbürger, den ich kenne, aber heute früh um sechs Uhr musste leider alles ziemlich schnell gehen! David Becker spricht die Landessprache, er ist nicht auf den Kopf gefallen, ich kann ihm vertrauen, und außerdem habe ich gedacht, ich könnte ihm einen Gefallen tun.«

»Einen Gefallen?«, schnaubte Susan empört. »Hals über Kopf nach Spanien geschickt zu werden soll wohl ein Gefallen sein?«

»Jawohl! Schließlich bekommt er von mir für diesen einen Tag Arbeit zehntausend Dollar und muss dafür nichts weiter tun, als Tankados Habseligkeiten abholen und wieder nach Hause fliegen! Wenn das kein Gefallen ist!«

Susan verstummte. Sie hatte begriffen. Es ging wieder einmal nur ums liebe Geld. Ihre Gedanken glitten fünf Monate zurück zu jenem unseligen Abend, an dem David vom Rektor der Georgetown Universität die Beförderung zum Leiter des Fachbereichs für Sprachen angeboten worden war. Der Rektor hatte ihn darauf aufmerksam gemacht, dass er vermutlich seine Lehrtätigkeit würde einschränken müssen, weil mehr Verwaltungsarbeit auf ihn zukäme – aber dafür sei sein Gehalt natürlich um einiges höher. *David, lass die Finger davon,* hätte Susan am liebsten geschrien, *du wirst es bereuen! Wir haben doch Geld genug. Kann es denn so wichtig sein, wer von uns es nach Hause bringt?* Aber sie wollte David nicht bevormunden. Am Ende hatte sie sich kommentarlos mit seiner Entscheidung abgefunden. Als sie an diesem Abend einschliefen, versuchte Susan, sich für David zu freuen, aber eine innere Stimme hatte ihr gesagt, dass sie sich auf dem besten Weg in eine Katastrophe befanden. Sie hatte Recht behalten – aber niemals hätte sie geglaubt, wie sehr.

»Sie haben ihn mit zehntausend Dollar geködert?«, schimpfte sie. »Das ist ein gemeiner Trick!«

Strathmore wurde allmählich sauer. »Ein Trick? Ach was, über Geld ist überhaupt nicht gesprochen worden! Ich habe David lediglich gefragt, ob er mir einen Gefallen tun würde, und er hat sich aus völlig freien Stücken dazu bereit erklärt.«

»Natürlich hat er sich dazu bereit erklärt – schließlich sind Sie mein Chef und der Vizedirektor der NSA! Wie hätte er sich da weigern können?«

»Recht haben Sie!«, schoss Strathmore zurück. »Und genau aus diesem Grund habe ich ihn auch angerufen. Ich konnte mir nämlich nicht den Luxus leisten, zu riskieren ...«

»Weiß der Direktor, dass Sie einen behördenfremden Zivilisten losgeschickt haben?«

»Susan«, sagte Strathmore, dem offensichtlich langsam die Geduld ausging, »der Direktor hat mit dieser Sache überhaupt nichts zu tun, und darum weiß er auch nichts davon.«

Susan starrte Strathmore fassungslos an. Sie hatte das Gefühl, mit einem Unbekannten zu reden. Der Commander hatte ihren Verlobten – einen Universitätsdozenten – mit einer Geheimdienstmission der NSA betraut und es noch nicht einmal für nötig befunden, seinen Vorgesetzten von der größten Krise in der Geschichte dieser Behörde zu benachrichtigen!

»Sie haben Leland Fontaine *nicht* unterrichtet?«

Strathmore war am Ende seines Geduldsfadens angekommen. »Susan!«, explodierte er, »nun hören Sie mir mal gut zu! Ich habe Sie herbestellt, weil ich einen Bundesgenossen brauche und keinen Staatsanwalt! Ich habe einen mörderischen Vormittag hinter mir. Nachdem ich Tankados Datei letzte Nacht heruntergeladen hatte, habe ich stundenlang hier neben dem Drucker auf der Lauer gelegen und gebetet, dass der TRANSLTR sie endlich knackt. Am frühen Morgen habe ich schließlich meinen Stolz heruntergeschluckt und die Nummer unseres Direktors gewählt. Und da, das dürfen Sie mir glauben, hatte ich wieder einmal ein Gespräch von der Sorte vor mir, die ich ganz besonders liebe: ›Guten Morgen, Sir, entschuldigen Sie, dass ich Sie geweckt habe. Weshalb ich anrufe? Ach, wissen Sie, ich habe gerade gemerkt, dass wir den TRANSLTR auf den Müll schmeißen können. Da hat nämlich jemand ein Programm entwickelt, von dem meine Spitzenverdiener im Crypto-Team noch nicht einmal träumen können!‹« Seine Faust krachte auf die Schreibtischplatte.

Susan stand wie angewurzelt da und gab keinen Ton mehr von sich. In zehn Jahren hatte sie so gut wie nie erlebt, dass Strathmore die Beherrschung verlor – und schon gar nicht wegen ihr.

Zehn Sekunden vergingen. Keiner sagte ein Wort. Strathmore, der aufgesprungen war, setzte sich wieder hin. Susan hörte, wie sich sein Atem allmählich beruhigte. Als er schließlich wieder das Wort ergriff, sprach er mit gespenstisch ruhiger, kontrollierter Stimme.

»Es stellte sich jedoch heraus, dass unser Direktor wegen

einer Konferenz mit dem Präsidenten von Kolumbien in Südamerika weilt. Da er von dort aus absolut nichts unternehmen kann, hatte ich zwei Optionen – ihn zu bitten, seinen Besuch abzubrechen und herzukommen, oder allein mit der Situation fertig zu werden.« Wieder herrschte ein langes Schweigen, bis Strathmore endlich aufblickte und seinen müden Blick auf Susan richtete. Sein Gesichtsausdruck wurde weich. »Susan, es tut mir leid. Ich bin total erledigt. Das ist ein Albtraum, wie er im Buche steht. Ich kann verstehen, dass Sie wegen David aufgebracht sind. Es ist mir unangenehm, dass Sie auf diese Weise von seiner Reise erfahren haben. Ich dachte, Sie wüssten Bescheid.«

Susan bekam Gewissensbisse. »Ich habe überreagiert. Es tut mir leid. David war eine gute Wahl.«

Strathmore nickte abwesend. »Heute Abend ist er wieder zurück.«

Susan führte sich vor Augen, was der Commander alles am Hals hatte: die Verantwortung für den TRANSLTR, den endlosen Dienst und die vielen Konferenzen. Es wurde gemunkelt, dass die Frau, mit der er dreißig Jahre verheiratet war, ihn verlassen wollte. Und zu alldem kam jetzt auch noch Diabolus – für die NSA die größte Bedrohung der nachrichtendienstlichen Arbeit in ihrer ganzen Geschichte. Und der arme Mann musste damit ganz allein fertig werden. Kein Wunder, dass er am Rande des Nervenzusammenbruchs stand.

»In Anbetracht der Lage bin ich der Meinung, dass Sie vielleicht doch lieber den Direktor anrufen sollten«, riet Susan.

Strathmore schüttelte den Kopf. Ein paar Schweißperlen tropften auf seinen Schreibtisch herab. »Ich bin nicht bereit, mich auf das Risiko eines Informationslecks einzulassen und die Sicherheit unseres Direktors zu gefährden, indem ich ihn in einer Krise anrufe, an der er ohnehin nichts ändern kann.«

Susan musste zugeben, dass Strathmore Recht hatte. Selbst in Augenblicken wie diesem behielt er einen klaren Kopf. »Haben Sie schon daran gedacht, den Präsidenten anzurufen?«

Strathmore nickte. »Habe ich, aber ich habe den Gedanken verworfen.«

Susan hatte mit nichts anderem gerechnet. Leitende NSA-Beamte waren befugt, in nachrichtendienstlichen Ausnahmesituationen ohne Benachrichtigung der Exekutive zu handeln. Die NSA war der einzige Geheimdienst der Vereinigten Staaten, der völlige Immunität genoss und sich in keiner Weise vor der Gerichtsbarkeit zu verantworten hatte. Strathmore pflegte dieses Privileg gern in Anspruch zu nehmen. Er zog es vor, seine Wundertaten in völliger Isolation zu vollbringen.

»Commander, das ist eine Nummer zu groß, um allein damit fertig zu werden«, gab Susan zu bedenken. »Sie brauchen jemand an Ihrer Seite, der ebenfalls Bescheid weiß.«

»Susan, die Existenz von Diabolus wird sich entscheidend auf die Zukunft unserer Organisation auswirken. Ich habe nicht die Absicht, hinter dem Rücken unseres Direktors den Präsidenten anzurufen. Wir haben eine Krise, und ich werde allein mit ihr fertig werden.« Er sah Susan nachdenklich an. »Ich bin der Vizedirektor dieser Organisation.« Ein müdes Lächeln huschte über sein Gesicht. »Und außerdem – ich bin nicht allein. Ich habe Susan Fletcher an meiner Seite.«

Susan wurde bewusst, was sie an Trevor Strathmore so sehr schätzte. Seit zehn Jahren, durch dick und dünn, hatte er sich vor sie gestellt, standhaft und unerschütterlich. Sie bewunderte seine Hingabe und Einsatzbereitschaft, seine bedingungslose Treue zu seinen Grundsätzen, seinen Idealen und seinem Land. Komme, was da wolle, Trevor Strathmore war ein Leitstern in einer Welt der absurden Entscheidungszwänge.

»Sie *sind* doch an meiner Seite?«, vergewisserte er sich.

Susan lächelte. »Jawohl, Sir, das bin ich. Hundert Prozent.«

»Gut. Dann lassen Sie uns an die Arbeit gehen.«

Kapitel 12

Beerdigungen und die dazugehörigen Leichen waren für David Becker nichts Neues. Aber dieser Leichnam hatte etwas besonders Unheimliches an sich, handelte es sich doch keineswegs um einen schön zurechtgemachten und in einem mit Seide ausgeschlagenen Sarg ruhenden Verstorbenen.

Es war eine nackte Leiche, die man sang- und klanglos auf einem Aluminiumtisch abgeladen hatte. In den Augen des Toten war noch nicht der leere starre Blick eingekehrt, vielmehr glotzten sie in einem wie durch ein Blitzlicht eingefrorenen Ausdruck des Schreckens und Bedauerns unverwandt an die Decke.

»*¿Dónde están sus cosas?*«, erkundigte sich Becker in flüssigem kastilischen Spanisch. »Wo sind seine Sachen?«

»*Allí*«, antwortete der Polizeileutnant, wobei seine gelben Zähne zum Vorschein kamen. Er deutete auf einen Tisch, auf dem ein paar Kleidungsstücke und persönliche Gegenstände herumlagen.

»*¿Es todo?* Ist das alles?«

»*Sí.*«

Becker bat um einen Pappkarton. Der Leutnant machte sich auf die Suche.

Es war Samstagabend. Das Leichenschauhaus von Sevilla war eigentlich schon längst geschlossen. Der junge Polizeileutnant hatte Becker auf unmittelbaren Befehl des Chefs der Guardia Civil von Sevilla eingelassen – der Besucher aus Amerika schien einflussreiche Freunde zu haben.

Becker betrachtete das Häuflein Kleider. In die Schuhe hatte man Pass, Brieftasche und eine Brille gestopft. Außerdem lag da noch eine kleine Reisetasche, die von der Polizei aus dem Hotel des Toten abgeholt worden war. Becker hatte unmissverständliche Anweisungen: nichts anrühren, nichts lesen, einfach nur die Sachen einsammeln und zurückbringen. Restlos alles. Keinesfalls etwas liegen lassen.

Becker runzelte die Stirn. *Was will die NSA bloß mit diesem Krempel?*

Der Leutnant kam mit einem Karton wieder. Becker machte sich daran, die Sachen zu verstauen.

Der Polizist tippte mit dem Finger an das Bein des Toten. »*¿Quien es?* Wer ist das?«

»Keine Ahnung.«

»Sieht chinesisch aus.«

Japanisch, dachte Becker.

»Armes Schwein. Herzinfarkt, oder?«

Becker nickte vage. »Hat man mir jedenfalls gesagt.«

Der Leutnant seufzte und schüttelte teilnahmsvoll den Kopf. »Die Sonne von Sevilla kann grausam sein. Seien Sie morgen vorsichtig.«

»Danke«, sagte Becker, »aber morgen bin ich schon wieder zu Hause.«

Der Polizist sah ihn erstaunt an. »Sie sind doch gerade erst angekommen!«

»Weiß ich, aber der Mann, der mein Ticket bezahlt hat, wartet ungeduldig auf die Sachen.«

Der Leutnant sah gekränkt aus, wie nur ein in seinem Stolz verletzter Spanier gekränkt aussehen kann. »Soll das heißen, dass Sie unserer Stadt nicht die Ehre erweisen?«

»Ich bin früher schon einmal hier gewesen. Eine wunderschöne Stadt. Ich wünschte, ich könnte länger bleiben.«

»Dann haben Sie La Giralda also schon gesehen?«

Becker nickte. Er hatte den alten Turm aus maurischen Zeiten zwar nicht bestiegen, aber gesehen hatte er ihn.

»Und was ist mit dem Alcázar?«

Becker nickte noch einmal. Er erinnerte sich an den Abend, an dem er im Innenhof ein Gitarrenkonzert von Paco de Lucia gehört hatte – Flamenco unter dem Sternenhimmel, in einem Schloss aus dem fünfzehnten Jahrhundert. Hätte er nur Susan damals schon gekannt!

»Und natürlich Christoph Kolumbus!«, sagte der Polizist mit einem strahlenden Lächeln. »Er ruht in unserer Kathedrale.«

»Tatsächlich?« Becker blickte auf. »Ich dachte immer, er wäre in der Dominikanischen Republik begraben.«

»Ach was! Wer setzt denn solche Märchen in die Welt? Kolumbus ruht hier in Spanien. Haben Sie nicht gesagt, Sie hätten studiert?«

»An diesem Tag muss ich wohl gefehlt haben.«

»Die spanische Kirche ist sehr stolz auf die Reliquien von Kolumbus.«

Die spanische Kirche. Becker wusste, Spanien kannte nur eine Kirche – die römisch-katholische. In Spanien spielte der Katholizismus eine größere Rolle als im Vatikan.

»Wir haben natürlich nicht den ganzen Leichnam«, räumte der Leutnant ein. *»Solo los testículos.«*

Becker hielt inne und starrte den Leutnant an. Er bemühte sich, nicht zu grinsen. »Nur die Testikel?«

Der Polizist nickte stolz. »Jawohl. Wenn die Kirche in den Besitz der sterblichen Überreste eines großen Mannes kommt, wird er heilig gesprochen, und seine Körperteile werden als Reliquien auf die Kathedralen verteilt, damit jedermann am Glanz des Heiligen teilhaben kann.«

»Und Sie haben hier die …« Becker unterdrückte den Drang zu lachen.

»*¡Oye!* Das ist ein wichtiger Körperteil!«, beharrte der Leutnant. »Das ist nicht bloß eine lächerliche Rippe oder ein Knöchel wie bei diesen Kirchen in Galizien. Sie sollten wirklich hier bleiben und es sich ansehen!«

Becker nickte höflich. »Ich werde versuchen, auf meinem Weg aus der Stadt in der Kathedrale vorbeizuschauen.«

»*¡Mala suerte!*«, seufzte der Polizist. »Was für ein Pech! Die Kathedrale ist bis zur Frühmesse geschlossen.«

»Dann eben ein andermal«, erwiderte Becker lächelnd und nahm den Karton an sich. »Ich werde mich jetzt auf den Weg machen. Mein Flugzeug wartet.« Sein Blick glitt noch einmal prüfend durch den Raum.

»Soll ich Sie zum Flughafen bringen?«, fragte der Polizist. »Meine Moto Guzzi steht vor der Tür.«

»Vielen Dank. Ich nehme ein Taxi.« Becker war im College Motorrad gefahren und hatte sich damals um ein Haar selbst umgebracht. Er hatte keinerlei Bedürfnis, sich jemals wieder auf ein solches Gefährt zu setzen, gleichgültig, wer fuhr.

»Wie Sie meinen«, sagte der Polizist und ging zur Tür. »Ich mache das Licht aus.«

Becker klemmte sich den Karton unter den Arm. *Hast du auch wirklich alles?* Er musterte ein letztes Mal die Leiche auf dem Blechtisch, die splitternackt und mit dem Gesicht nach oben unter dem Licht der Leuchtstoffröhren lag. Die merkwürdig deformierten Hände zogen Beckers Blick auf sich. Er betrachtete sie lange.

Er wollte sie sich gerade genauer ansehen, als der Polizist das Licht ausschaltete. Der Raum lag im Dunkeln.

»Einen Moment!«, rief Becker. »Machen Sie doch bitte noch einmal das Licht an.«

Flackernd wurden die Leuchtstoffröhren wieder hell. Becker stellte die Schachtel auf dem Boden ab und trat zur Leiche. Über den Toten gebeugt, betrachtete er dessen linke Hand.

»Pah, wie hässlich!«, sagte der Polizist, der Beckers Blick gefolgt war.

Aber Beckers Aufmerksamkeit galt nicht der Missbildung. Etwas anderes war ihm aufgefallen. Er drehte sich zu dem Polizisten um. »Sind Sie sicher, dass alles, was dem Toten gehört, sich hier in meinem Karton befindet?«

Der Polizist nickte. »Na klar, mehr war hier nicht.«

Die Fäuste in die Hüften gestemmt, dachte Becker einen Moment lang nach. Er hob den Karton auf, trug ihn zum Tisch und kippte ihn aus. Sorgsam schüttelte er ein Kleidungsstück nach dem anderen aus. Dann leerte er die Schuhe und schlug sie gegeneinander, als wolle er ein Steinchen herausschütteln. Nachdem er die Prozedur wiederholt hatte, trat er stirnrunzelnd einen Schritt zurück.

»*¿Problema?*«, erkundigte sich der Polizist.

»*Si*«, sagte Becker. »Es fehlt etwas.«

Kapitel 13

Tokugen Numataka stand in seiner prachtvoll ausgestatteten Penthouse-Bürosuite und schaute hinaus auf die Skyline von Tokio. Seine Angestellten und seine Konkurrenten nannten ihn *hitokuizame* – der Killerhai. Seit drei Jahrzehnten hatte er seiner japanischen Konkurrenz mit schlauen Geschäftsmanövern, Dumpingpreisen und raffinierter Werbung das Leben schwer gemacht. Jetzt war er im Begriff, auch auf dem Weltmarkt ein Gigant zu werden.

Der Abschluss des größten Geschäfts seines Lebens stand unmittelbar bevor – eines Geschäfts, das aus seiner »Numatech Corporation« die Firma Microsoft der Zukunft machen würde. Das Adrenalin strömte belebend durch seine Adern. Konkurrenzkampf war Krieg – und Krieg war erregend.

Als vor drei Tagen das Telefon zum ersten Mal geklingelt hatte, war Tokugen Numataka noch äußerst skeptisch gewesen, aber inzwischen kannte er die Wahrheit. Er war mit *myōri* gesegnet – mit Glück. Er war ein Günstling der Götter.

»Ich habe den Schlüssel für Diabolus«, hatte eine Stimme mit amerikanischem Akzent gesagt. »Wollen Sie ihn kaufen?«

Numataka hätte beinahe laut gelacht. Er wusste, dass es nur ein Scheinangebot sein konnte. Die Numatech Corporation hatte Ensei Tankado für sein neues Programm ein überaus großzügiges Angebot gemacht. Und jetzt versuchte ein Konkurrenzunternehmen herauszufinden, wie hoch es gewesen war.

Numataka heuchelte Interesse. »Sie haben den Key?«, hatte er gesagt.

»Gewiss. Mein Name ist übrigens North Dakota.«

Numataka unterdrückte ein Lachen. Jeder war über North Dakota im Bilde. Da Tankado sich nicht sicher fühlen konnte, hatte er der Presse von seinem geheimen Partner erzählt. Es war ein durchaus gewitzter Zug, denn unlautere Geschäftspraktiken waren auch in Japan an der Tagesordnung.

Numataka nahm einen tiefen Zug von seiner Umami-Zigarre und ging auf das dumme Spielchen ein. »Sie wollen mir also Ihren Schlüssel verkaufen?«, sagte er. »Interessant. Und wie steht Mr Ensei Tankado dazu?«

»Mr Tankado interessiert mich nicht. Er war töricht genug, mir zu vertrauen. Der Key ist hundertmal mehr wert als der Betrag, den er mir für meine treuhänderischen Bemühungen bezahlt.«

»Tut mir leid«, sagte Numataka, »aber Ihr Key ist keinen Pfifferling wert. Wenn Ihnen Mr Tankado auf die Schliche kommt, wird er seinerseits den Schlüssel preisgeben, und der Fall ist erledigt.«

»Sie werden beide Schlüssel erhalten«, sagte der Anrufer. »Meinen *und* den von Mr Tankado.«

Numataka legte eine Hand über den Hörer und brach in lautes Gelächter aus. »Wie viel wollen Sie denn für die beiden Schlüssel?«, erkundigte er sich amüsiert.

»Zwanzig Millionen Dollar.«

Zwanzig Millionen entsprach fast haargenau Numatakas Angebot.

»Zwanzig Millionen?«, japste er in gespieltem Entsetzen. »Sie sind wohl verrückt geworden!«

»Ich habe das Programm gesehen. Sie können mir glauben, es ist diesen Betrag wert.«

Von wegen, dachte Numataka, *es ist das Zehnfache wert!* Er war das Spielchen leid. »Unglücklicherweise wissen wir beide«, sagte er, »dass Mr Tankado auf keinen Fall mitspielen wird. Vergessen Sie nicht die urheberrechtlichen Konsequenzen.«

Der Anrufer machte eine bedeutungsschwangere Pause. »Und falls Mr Tankado nicht mehr im Spiel wäre?«

Numataka wollte lachen, doch in der Stimme des Anrufers lag eine irritierende Entschlossenheit. »Wenn Mr Tankado nicht mehr im Spiel wäre?« Numataka dachte kurz nach. »Dann könnten wir vielleicht miteinander ins Geschäft kommen.«

»Sie hören von mir!«, sagte der Anrufer. Die Verbindung brach ab.

Kapitel 14

Becker betrachtete die Leiche. Auf dem Gesicht des Asiaten glühte selbst Stunden nach dem Tod noch das Rosa eines frischen Sonnenbrands. Der Rest des Mannes war blassgelb – bis auf eine violette Verfärbung direkt über dem Herzen.

Vielleicht von der Herzmassage, dachte Becker. *Schade nur, dass sie nicht gefruchtet hat.*

Er befasste sich wieder mit den Händen des Toten. Hände wie diese mit ihren jeweils nur drei verdreht abstehenden Fingern hatte er noch nie gesehen. Doch es war nicht die Missbildung, die sein Interesse erregte.

»Sieh mal einer an«, grunzte der Polizeileutnant. »Tatsächlich ein Japaner und kein Chinese.«

Becker sah auf. Der Beamte stand am Tisch und blätterte im Pass des Toten herum. »Es wäre mir lieber, wenn Sie das nicht tun würden«, sagte Becker. *Nichts anfassen, nichts anschauen.*

»Ensei Tankado, geboren am …«

»Bitte!« Becker versuchte höflich zu bleiben. »Legen Sie das wieder hin!«

Der Polizist löste sich zögernd von dem Dokument und warf es auf den Haufen zurück.

»Der Mann hat ein Dauervisum! Damit hätte er jahrelang hier bleiben können.«

Becker stippte mit dem Kugelschreiber an die Hand des Toten. »Vielleicht hat er hier gewohnt.«

»Nein. Das Einreisedatum war letzte Woche.«

»Er könnte gerade mit dem Umzug beschäftigt gewesen sein«, meinte Becker knapp.

»Ja, vielleicht. Beschissener Einstand. Erst ein Sonnenstich und zur Krönung der Herzinfarkt. Armes Schwein!«, sagte der Polizist.

Becker ging nicht mehr darauf ein. Er untersuchte die Hand. »Wissen Sie, ob der Mann bei seinem Tod einen Ring getragen hat?«, erkundigte er sich schließlich.

Der Beamte hob den Kopf. »Einen Ring?«

»Ja. Sehen Sie sich das mal an.«

Der Polizist trat neben Becker.

Tankados Linke war sonnenverbrannt bis auf ein schmales helles Band um den kleinsten der drei Finger.

Becker zeigte auf die helle Stelle. »Sehen Sie? Hier ist die Haut nicht gerötet. Sieht aus, als hätte er einen Ring getragen.«

»Einen Ring?«, wiederholte der Beamte ziemlich perplex. Er betrachtete eingehend den Finger der Leiche und wurde auf einmal verlegen. »*Mierda,*« stotterte er, »dann hat die Geschichte also doch gestimmt.«

Becker bekam plötzlich ein flaues Gefühl. »Bitte, welche Geschichte?«

Der Polizist schüttelte ungläubig den Kopf. »Ich hätte es Ihnen vielleicht schon früher sagen sollen … aber ich habe gedacht, der alte Knabe hätte einen Sprung in der Schüssel.«

Beckers Lächeln war erstorben. »Welcher alte Knabe?«

»Der Alte, der den Krankenwagen gerufen hat. Ein kanadischer Tourist. Er war ganz aus dem Häuschen und hat mir die Ohren voll gesabbelt wegen einem Ring. Im schlimmsten Spanisch, das ich je gehört habe.«

»Er hat also gesagt, Mr Tankado hätte einen Ring getragen?«

Der Beamte nickte. Er fischte eine Ducado-Zigarette aus

der Brusttasche, beäugte kurz das NO-FUMAR-Schild und steckte sich den Glimmstängel an. »Ich hätte es Ihnen besser gleich gesagt, aber ich habe gedacht, der Alte ist total *loco*.«

Becker runzelte nachdenklich die Stirn. Strathmores Worte klangen ihm noch in den Ohren. *Ich brauche alles, was Ensei Tankado bei sich hatte. Restlos alles. Lassen Sie nichts liegen, und wenn's nur ein Zettelchen ist.*

»Wo ist der Ring jetzt?«, wollte Becker wissen.

Der Polizist stieß eine Rauchwolke aus. »Das ist eine lange Geschichte.«

Becker hatte das unbestimmte Gefühl, dass das keine gute Nachricht war. »Erzählen Sie mir die Geschichte trotzdem.«

Kapitel 15

Susan Fletcher saß an ihrem Computerterminal in Node 3, wie der in Anlehnung an einen Netzwerkknoten benannte schalldichte private Arbeits- und Aufenthaltsraum der Kryptographen genannt wurde, der sich an den von der Kuppel überwölbten Hauptraum seitlich anschloss. Durch eine fünf Zentimeter starke geschwungene Panoramaverglasung aus Einwegspiegelglas hatten die Kryptographen ungehinderte Sicht auf das Geschehen draußen im Hauptraum der Kuppel, während sie selbst unsichtbar blieben.

Im hinteren Bereich des reichlich bemessenen Quartiers war ein Ring von zwölf Computerterminals aufgebaut. Die Kreisform sollte den intellektuellen Austausch unter den Kryptographen fördern und sie gleichzeitig daran erinnern, dass sie Teil eines großen Teams waren.

Im als »Laufstall« apostrophierten Node 3 war vom sterilen Ambiente der übrigen Crypto-Abteilung nichts zu spüren. Die Ausstattung des Raums war darauf angelegt, eine Art Wohnzimmeratmosphäre zu vermitteln – dicke Teppiche, eine hochwertige Stereoanlage, eine kleine Küche mit stets gefülltem Kühlschrank, sogar ein Basketballring. Die NSA betrieb die Crypto-Abteilung mit einer klaren Philosophie: Wer ein paar Milliarden in einen Dechiffriercomputer steckt, muss auch den Besten der Besten einen Grund geben, hierzubleiben und das Ding zu benutzen.

Susan schlüpfte aus ihren flachen Salvatore-Ferragamo-Slippern und ließ die bestrumpften Füße im dicken Flausch des Teppichs versinken. Besser bezahlten Regierungsbeamten wurde nahe gelegt, ihre Wohlsituiertheit nicht zur Schau zu stellen. Susan hatte damit keine Probleme. Mit einer konservativen Garderobe und ihrem schlichten zweitürigen Volvo war sie vollkommen zufrieden. Aber Schuhe waren etwas anderes. Schon im College hatte sie an den Schuhen nicht gespart und immer nur das Beste gekauft.

Wie willst du nach den Sternen greifen, wenn dir die Füße wehtun?, hatte ihre Tante einmal gesagt. *Und wenn du da oben ankommst, wo du hinwillst, dann sieh gefälligst zu, dass du auch blendend aussiehst!*

Susan gönnte sich den Luxus, sich kurz zu räkeln, und rief ihr Tracer-Programm auf. Sie betrachtete die E-Mail-Adresse, die Strathmore ihr gegeben hatte:

NDAKOTA@ARA.ANON.ORG

Sie begann mit der Konfiguration. Der Mann, der sich North Dakota nannte, hatte einen anonymen E-Mail-Account, aber nicht mehr lange. Der Tracer würde bei ARA auflaufen, an North Dakota weitergeleitet werden und von dort eine Reihe Informationen inklusive der wahren E-Mail-Adresse des Teilnehmers zurücksenden.

Wenn alles gut ging, war North Dakota schon bald dingfest gemacht, und Strathmore konnte dessen Schlüssel aus dem Verkehr ziehen. Dann war nur noch Tankados Key im Spiel. Wenn David ihn gefunden hatte, konnte auch dieser Schlüssel vernichtet werden, und damit war Tankados Zeitbombe entschärft – eine tödliche Sprengladung zwar, aber ohne Zünder.

Susan verglich noch einmal die in das Datenfeld eingegebene E-Mail-Adresse mit ihrem Zettel. Sie fand es amüsant, dass Strathmore es nicht geschafft hatte, den Tracer selbst loszuschicken. Offenbar hatte er bei zwei Versuchen jedes Mal Tankados Adresse zurückbekommen, statt der von North Dakota. *Er hat sich vermutlich vertan und die Datenfelder vertauscht,* dachte Susan, *und dann hat der Tracer nach dem falschen Account gesucht.*

Susan hatte die Konfiguration abgeschlossen. Sie wählte sich ins Internet ein und drückte die Enter-Taste. Der Computer piepste:

TRACER ABGESCHICKT

Jetzt begann das Warten.

Susan atmete tief aus. Ihre heftige Reaktion gegenüber dem Commander machte ihr zu schaffen. Wenn überhaupt jemand mit der bedrohlichen Lage im Alleinflug fertig werden konnte, dann war es Commander Trevor Strathmore – mit seiner geradezu unheimlichen Fähigkeit, jeden Herausforderer aufs Kreuz zu legen.

Als vor längerer Zeit die EFF mit der Geschichte hausieren ging, ein Unterseeboot der NSA würde transozeanische Telefonkabel anzapfen, lancierte Strathmore in aller Seelenruhe die Ente, das besagte U-Boot würde in Wirklichkeit illegal hochtoxische Abfälle verklappen. Die EFF und die Meeres-Umweltschützer gerieten sich daraufhin endlos darüber in die Haare, welche Version die richtige sei. Die Medien waren die Geschichte bald leid und gingen zu anderen Themen über.

Strathmore unternahm keinen Schritt, ohne ihn sorgfältig und bis ins letzte Detail durchzuplanen, wobei er sich beim Entwurf und bei der Überprüfung massiv auf seinen Computer stützte. Wie viele NSA-Beamte benutzte auch er eine von der NSA entwickelte Software namens BrainStorm – eine bewährte Methode, um »Was-wäre-wenn-Szenarien« risikolos auf dem Computer durchzuspielen.

BrainStorm war eine künstliche Spielwiese für das nachrichtendienstliche Milieu, das von seinen Entwicklern als Ursache-Wirkung-Simulator bezeichnet wurde. Ursprünglich war das Programm für Wahlkampagnen entwickelt worden, um Echtzeitmodelle von gegebenen politischen »Environments« zu berechnen. Das mit einer Unmenge von Daten gefütterte Programm erzeugte ein relationales Netz – ein hypothetisches Interaktionsmodell zahlreicher politischer Variablen, einschließlich der gegenwärtigen Politprominenz und ihrer Stäbe, der gegenseitigen Beziehungen, der heißen Themen und der Motivation der einzelnen Bewerber, gewichtet mit Variablen wie Geschlecht, ethnische Zugehörigkeit, finanzieller Rückhalt und Macht. Der Anwender konnte ein beliebiges hypothetisches Ereignis in das Programm eingeben, worauf BrainStorm die Auswirkung auf das »Environment« berechnete.

Commander Strathmore arbeitete hingebungsvoll mit diesem Simulationsprogramm, das generell eine zeitbezogene Abbildung von im Fluss befindlichen Ereignissen ermöglichte: ein äußerst effektives Werkzeug zur Planung komplexer Strategien und zur Vorhersage ihrer möglichen Schwächen. Susan hatte den Verdacht, dass in Strathmores Computer Pläne schlummerten, die geeignet waren, eines Tages die Welt zu verändern.

Ja, du bist zu heftig gewesen, dachte sie.

Das Zischen der pneumatischen Schiebetüren von Node 3 riss sie aus ihren Gedanken. Strathmore kam hereingeplatzt.

»Susan«, rief er, »David hat gerade angerufen. Es gibt eine Verzögerung.«

Kapitel 16

Es fehlt ein Ring?« Susan machte ein skeptisches Gesicht. »Tankados Ring ist abhanden gekommen?«

»Ja. Wir können von Glück sagen, dass David es gemerkt hat. Er hat aufgepasst wie ein Schießhund«, sagte Strathmore anerkennend.

»Aber Sie sind doch hinter einem Schlüssel her und nicht hinter einem Ring.«

»Das schon«, sagte Strathmore, »aber ich glaube, es könnte ein und dasselbe sein.«

Susan sah ihn verständnislos an.

»Das ist eine lange Geschichte.«

Susan zeigte auf das Tracer-Programm auf ihrem Bildschirm. »Bislang habe ich noch kein Ergebnis.«

Mit einem tiefen Seufzer begann Strathmore auf und ab zu gehen. »Es hat offenbar Zeugen von Tankados Tod gegeben. Laut Aussage des Polizisten, der im Leichenschauhaus war, hat heute Vormittag ein kanadischer Tourist völlig außer sich die Guardia Civil angerufen. Er sagte, in einem Park habe ein Japaner einen Herzanfall erlitten. Als der Polizist dort ankam, war Tankado schon tot, der Kanadier aber noch da. Der Beamte hat dann über Funk Krankenwagen und Notarzt gerufen. Der Krankenwagen hat Tankado umgehend ins Leichenschauhaus gebracht. Der Polizist hat versucht, aus dem Kanadier herauszubekommen, was passiert war. Der Tourist muss unentwegt von einem Ring gequasselt haben, den Tankado unmittelbar vor seinem Tod weggegeben hatte.«

Susan sah Strathmore zweifelnd an. »Tankado hat einen Ring *weggegeben?*«

»Ja. Offenbar hat er dem alten Kanadier mit dem Ring vor dem Gesicht herumgefuchtelt – wie um ihn anzuflehen, ihn an sich zu nehmen. Mir scheint, der alte Herr hat den Ring aus nächster Nähe sehen können.« Strathmore hörte auf, hin und her zu gehen. »Er hat gesagt, auf dem Ring sei etwas eingraviert gewesen – eine Inschrift.«

»Eine Inschrift?«

»Jawohl, und seinen Angaben zufolge war es keine englische Inschrift.« Strathmore hob viel sagend die Brauen.

»Japanisch?«

Strathmore schüttelte den Kopf. »Das war auch mein erster Gedanke. Aber hören Sie sich das an: Der Kanadier hat sich beschwert, dass die Buchstaben überhaupt keinen Sinn ergeben hätten. Buchstaben! Japanische Schriftzeichen und unsere lateinischen Buchstaben kann man wohl kaum miteinander verwechseln. Der Alte hat gesagt, die Inschrift hätte ausgesehen, als sei eine Katze über die Tastatur einer Schreibmaschine spaziert.«

Susan lachte ungläubig. »Commander, Sie glauben doch nicht etwa ...«

»Susan«, fiel Strathmore ihr ins Wort, »ist es denn nicht sonnenklar? Tankado hat den Key für Diabolus in diesen Ring eingravieren lassen! Gold ist dauerhaft. Ob er schläft, duscht, isst – er hat die Schlüsselsequenz immer bei sich, jederzeit griffbereit zur sofortigen Veröffentlichung.«

»Am Finger, einfach so, ganz offen?«, wandte Susan ein.

»Warum nicht? Spanien ist nicht unbedingt ein Tummelplatz für Kryptographen. Kein Mensch hätte sich einen Reim darauf machen können, was die Inschrift bedeutet. Und außerdem, selbst bei hellstem Tageslicht könnte niemand sämtliche

Zeichen fehlerfrei ablesen und sich dann auch noch komplett einprägen.«

»Und Tankado hat diesen Ring einen Augenblick vor seinem Tod einem ihm völlig fremden Menschen aufgedrängt? Aber warum denn?«, fragte Susan ratlos.

Strathmores Augen verengten sich. »Was würden Sie denken, warum?«

Es dauerte nur einen Moment, dann hatte Susan begriffen. Ihre Augen weiteten sich.

Strathmore nickte. »Tankado hat versucht, den Ring loszuwerden! Er hat gedacht, wir hätten ihn umgebracht. Als er merkte, dass es mit ihm zu Ende ging, hat er natürlich angenommen, dass wir dahinter stecken. Der Zeitpunkt konnte für ihn kein Zufall sein. Er hat geglaubt, wir hätten ihn aufgespürt und ihn vergiftet oder sonst was, vielleicht mit einem langsam wirkenden Herzlähmungsgift. Er muss geglaubt haben, dass wir North Dakota bereits aufgespürt hätten, denn sonst hätten wir uns nicht an ihn herangewagt.«

Susan fröstelte. »Natürlich!«, flüsterte sie. »Tankado dachte, wir hätten seine Rückversicherung neutralisiert, damit wir ihn ebenfalls liquidieren können.« Sie hatte alles begriffen. Der Herzanfall war zu einem der NSA so hervorragend ins Konzept passenden Zeitpunkt gekommen, dass Tankado die NSA einfach für verantwortlich halten *musste.* Sein letzter Impuls war Rache gewesen. Ensei Tankado hatte den Ring in einem verzweifelten letzten Aufbäumen verschenkt, damit der Schlüssel vielleicht doch noch öffentlich bekannt wurde. Und jetzt war ein ahnungsloser kanadischer Tourist im Besitz des Schlüssels für das wirksamste Chiffrierungs-Programm aller Zeiten. Es war kaum zu fassen.

Susan holte tief Luft. »Wo ist dieser kanadische Tourist jetzt?«, stellte sie die längst fällige Frage.

Strathmore blickte finster drein. »Da liegt das Problem.«

»Weiß der Polizist denn nicht, wo er ist?«

»Nein. Die Geschichte des alten Kanadiers war für den Polizisten so absurd, dass er gedacht hat, der Alte steht entweder unter Schock oder er ist senil. Er hat den Kanadier jedenfalls auf den Sozius seines Motorrads geladen, um ihn in sein Hotel zu fahren. Aber der alte Mann, der offenbar nicht wusste, dass man sich auf einem Motorrad ordentlich festhalten muss, ist schon nach ein paar Metern wieder heruntergefallen, hat sich den Schädel aufgeschlagen und außerdem das Handgelenk gebrochen.«

»Ach du liebe Zeit!«, rief Susan aus.

»Der Polizist wollte den Mann in ein Krankenhaus bringen, aber der alte Kanadier war fuchsteufelswild – er hat gesagt, eher würde er zu Fuß nach Kanada zurücklaufen, als sich noch einmal auf dieses verdammte Motorrad zu setzen. Da ist dem Polizisten nichts anderes übrig geblieben, als den Verletzten zu Fuß zu einer Klinik in der Nähe des Parks zu begleiten, wo er ihn abgeliefert hat, damit er versorgt wird.«

»Damit wäre auch die Frage beantwortet, wohin David jetzt unterwegs ist«, sagte Susan stirnrunzelnd.

Kapitel 17

David trat hinaus auf die glühende Plaza de España. Vor ihm erhob sich hinter Baumgruppen der Palacio de España aus einer über zwölftausend Quadratmeter großen Fläche weißblauer Fayencekacheln, den *Olambrillas*. Die arabischen Türmchen und die reich gestaltete Fassade gaben dem Bau eher das Aussehen eines Herrscherpalastes als eines öffentlichen Gebäudes. Das prächtige Bauwerk wurde von den Touristen vor allem deshalb besucht, weil das Fremdenverkehrsbüro damit warb, dass es in dem Film *Lawrence von Arabien* die Staffage für das Armee-Hauptquartier der Engländer abgegeben hatte. Für die Filmgesellschaft Columbia Pictures war es billiger gewesen, in Spanien zu drehen als in Ägypten, und außerdem war der maurische Einfluss im Stadtbild von Sevilla immer noch markant genug, um beim Zuschauer die Illusion zu wecken, er hätte Kairo vor sich.

Becker stellte auf seiner Seiko die Ortszeit ein – einundzwanzig Uhr dreißig, nach lokalen Vorstellungen immer noch so etwas wie Spätnachmittag. Ein echter Spanier nahm die Abendmahlzeit nie vor Sonnenuntergang ein, und die träge andalusische Sonne sank selten vor zehn Uhr abends hinter den Horizont.

Obwohl es so früh am Abend noch mächtig heiß war, strebte Becker im Eiltempo durch den Park. Strathmores Ton war weitaus ungeduldiger gewesen als am Morgen. Seine neuen Direktiven ließen für Interpretationen keinen Spielraum: *Machen Sie den Kanadier ausfindig, und beschaffen Sie sich den Ring. Egal, wie Sie es anstellen: Beschaffen Sie sich diesen Ring!*

Becker fragte sich, was es mit diesem buchstabenübersäten Ring auf sich hatte. Strathmore hatte keine Erklärung geliefert, und Becker hatte ihn nicht danach gefragt. *NSA,* dachte Becker, *niemand soll's ahnen.*

Die Klinik auf der anderen Seite der Avenida Isabela Católica war anhand des auf das Dach gemalten internationalen Erkennungszeichens inzwischen deutlich auszumachen: ein rotes Kreuz in einem weißen Kreis. Der Polizist hatte den Kanadier schon vor Stunden dort eingeliefert. Gebrochenes Handgelenk, Beule am Kopf – der Patient war bestimmt längst versorgt und nach Hause geschickt worden. Becker hoffte, dass die Klinik Entlassungspapiere ausgestellt hatte, aus denen ein Hotel in der Stadt oder eine Telefonnummer hervorging, wo man den Mann erreichen konnte. *Mit ein bisschen Glück,* dachte Becker, *hast du ihn schnell gefunden und kannst dich mit dem Ring in der Tasche auf den Heimflug machen.*

»Wenn es sein muss, nehmen Sie eben die zehn Riesen und kaufen dem Mann den Ring ab«, hatte Strathmore gesagt. »Das Geld bekommen Sie von mir zurück.«

»Das ist nicht nötig«, hatte Becker geantwortet. Er hätte das Geld ohnehin zurückgegeben. Er war nicht des Geldes wegen nach Spanien gefahren, sondern für Susan. Commander Trevor Strathmore war Susans Mentor und Schutzengel. Susan hatte ihm sehr viel zu verdanken. Einen Tag zu opfern, um für Strathmore etwas zu besorgen, war das Mindeste, was Becker tun konnte.

Unglücklicherweise hatte am Vormittag nicht alles geklappt wie von Becker geplant. Er hatte gehofft, Susan vom Flugzeug aus anrufen zu können, um alles zu erklären. Er hatte sogar erwogen, den Piloten zu bitten, über Funk eine Nachricht an

Strathmore abzusetzen, damit der Commander Susan unterrichten konnte, aber er wollte den stellvertretenden Direktor der NSA dann doch nicht mit seinen privaten Beziehungsproblemen belasten.

Becker hatte inzwischen drei Mal versucht, Susan anzurufen – zuerst vom Flugzeug aus mit einem nicht funktionierenden Bordtelefon, dann aus einer Telefonzelle am Flughafen und zuletzt noch einmal aus dem Leichenschauhaus. Susan war jedes Mal nicht zu Hause. David fragte sich, wo sie stecken mochte. Der Anrufbeantworter war angesprungen, aber Becker hatte keine Nachricht hinterlassen. Ein derartiges Gerät war nicht der geeignete Empfänger für das, was er zu sagen hatte.

Als er sich am Ende des Parks der Straße näherte, sah er eine Telefonzelle. Er lief hin, riss den Hörer von der Gabel, schob die Telefonkarte in den Schlitz und wählte. Es dauerte ewig, bis die Verbindung zustande kam. Schließlich hörte er es klingeln.

Nun mach schon! Und sei gefälligst zu Hause.

Nach fünf Klingelzeichen knackte es im Hörer.

»Hallo, hier spricht Susan Fletcher. Leider bin ich im Moment nicht zu Hause, aber wenn Sie Ihren Namen und …«

Becker hörte sich die Ansage an. *Wo zum Teufel steckt sie nur?* Susan war inzwischen wohl der Panik nahe. Ob sie vielleicht nach Stone Manor vorausgefahren war? Der Piepton kam.

»Hallo, hier ist David.« Er wusste nicht, was er sagen sollte, und verstummte. An Anrufbeantwortern hasste er am meisten, dass sie einen abwürgten, sobald man nicht mehr weiterwusste. »Tut mir leid, dass ich dich nicht anrufen konnte«, sagte er gerade noch so rechtzeitig, dass das Gerät nicht abschaltete. Er überlegte, ob er Susan sagen sollte, was los war, ließ es aber sein. »Ruf Commander Strathmore an. Er wird dir alles erklären.« Beckers Herz pochte. *Oh, wie verfahren das alles ist!*, dachte er. »Ich liebe dich!«, setzte er noch schnell hinzu und hängte ein. Susan nahm inzwischen bestimmt schon das Schlimmste an.

Es war überhaupt nicht seine Art, sich nicht zu melden, zumal wenn er es versprochen hatte.

Becker wartete eine Lücke im Verkehr ab, um die Avenida Borbolla zu überqueren. Er trat hinaus auf den vierspurigen Boulevard. *Rein und raus*, murmelte er vor sich hin. *Rein und raus.* Er war zu sehr mit seinen Gedanken beschäftigt, um den Mann mit der Nickelbrille zu bemerken, der ihn von der anderen Straßenseite aus beobachtete.

Kapitel 18

Tokugen Numataka stand vor dem riesigen Panoramafenster eines Wolkenkratzers in der Innenstadt von Tokio. Lächelnd nahm er einen tiefen Zug von seiner Zigarre. Unglaublich, wie sehr ihn das Glück begünstigt hatte! Er hatte inzwischen ein zweites Mal mit dem Amerikaner gesprochen. Wenn alles nach Plan verlaufen war, war Ensei Tankado schon eliminiert und sein Key geborgen.

Welch eine Ironie, dachte Numataka, dass das Schicksal ausgerechnet ihm am Ende Tankados Schlüssel zuspielen sollte. Vor vielen Jahren war er Ensei Tankado schon einmal begegnet, als sich der damals noch sehr junge Programmierer frisch vom College bei der Numatech Corporation beworben hatte.

Numataka hatte ihn nicht genommen. Tankados fachliche Kompetenz stand außer Frage, aber zu jener Zeit spielten noch andere Überlegungen eine Rolle. Japan befand sich zwar schon im Wandel, aber Numatako war in der alten Schule groß geworden und lebte noch nach dem Verhaltenscode des *menboku* – der Ehre und des Gesichtwahrens. Unvollkommenes konnte nicht geduldet werden. Einen Krüppel einzustellen hätte Schande über sein Unternehmen gebracht. Tankados Bewerbungsunterlagen hatte er beiseitegelegt, ohne einen Blick darauf zu werfen.

Numataka schaute wieder auf die Uhr. Der Anruf des Amerikaners, North Dakota, war inzwischen überfällig. Numataka spürte einen Anflug von Nervosität. Hoffentlich war nichts schiefgegangen.

Wenn Diabolus leistete, was man ihm versprochen hatte, würde er das begehrteste Produkt des Computerzeitalters erhalten – einen absolut unverwundbaren digitalen Verschlüsselungs-Algorithmus. Numataka würde damit einen manipulationsgeschützten, versiegelten hochintegrierten Mikroprozessor, einen VLSI-Chip, programmieren und weltweit massenweise vertreiben – an Computerhersteller, Zulieferindustrien, Regierungen und vielleicht sogar in dunkle Kanäle … den Markt des internationalen Terrorismus.

Numataka lächelte. Wie gewöhnlich schien er auch diesmal die Gunst der *shichifukujin* gefunden zu haben – der sieben Glücksgötter. Seine Numatech Corporation war drauf und dran, die alleinige Kontrolle über Diabolus zu bekommen. Zwanzig Millionen Dollar war enorm viel Geld – aber angesichts eines solchen Produkts war es der Spottpreis des Jahrhunderts!

Kapitel 19

Und wenn noch jemand anders hinter dem Ring her ist?«, fragte Susan, die plötzlich nervös geworden war. »Wäre das für David nicht gefährlich?«

Strathmore schüttelte den Kopf. »Kein Mensch weiß, dass es diesen Ring überhaupt gibt. Ich habe David ja gerade deswegen geschickt, weil mir daran gelegen ist, dass es auch so bleibt. Einem Lehrer sind normalerweise keine Schnüffler auf den Fersen.«

»David ist Professor!«, verbesserte Susan und bedauerte die Klarstellung noch im selben Atemzug. Leider hatte sie häufig das Gefühl, dass David dem Commander irgendwie nicht gut genug war. Strathmore schien zu glauben, Susan hätte etwas Besseres verdient als einen Pauker.

»Commander«, sagte sie, um beim ursprünglichen Thema zu bleiben. »Sie haben David heute früh doch per Autotelefon instruiert. Könnte da nicht jemand mitgehört …«

»Die Wahrscheinlichkeit ist eins zu eine Million«, fiel ihr Strathmore ins Wort. »Der Lauscher hätte sich im engsten Umkreis befinden und außerdem wissen müssen, worum es überhaupt geht.« Er legte Susan beruhigend die Hand auf die Schulter. »Ich hätte David niemals losgeschickt, wenn ich die Sache in irgendeiner Weise für gefährlich gehalten hätte.« Er lächelte. »Vertrauen Sie mir. Beim geringsten Anzeichen von Ärger schicke ich meine Profis ins Feld.«

Ein heftiges Pochen gegen die gläserne Schiebetür von Node 3 akzentuierte Strathmores Worte. Susan und Strathmore fuhren herum.

Draußen presste der System-Security-Techniker Phil Charturkian verzweifelt das Gesicht gegen das Spiegelglas der Schiebetür und versuchte etwas zu erkennen, wobei er wie wild gegen die dicken Scheiben hämmerte. Dass er aufgeregt etwas rief, war zwar zu sehen, aber durch die schalldichte Verglasung nicht zu hören. Charturkian sah aus, als wäre ihm ein Gespenst begegnet.

»Was zum Teufel hat der Mann hier zu suchen?«, brummte Strathmore ärgerlich. »Er hat doch heute keinen Dienst!«

»Das sieht nach Ärger aus«, meinte Susan. »Vermutlich hat er auf seinem Monitor die Kontrollanzeige gesehen.«

»Verdammt!«, fluchte Strathmore. »Ich habe den Sys-Sec vom Dienst gestern Nacht extra noch angerufen und ihm gesagt, dass er nicht zu kommen braucht!«

Susan war nicht überrascht – eine Sys-Sec-Schicht abzublasen war mehr als ungewöhnlich. Strathmore hatte natürlich ungestört sein wollen. Diabolus an die große Glocke zu hängen, weil ein nervöser Sys-Sec meinte, Lärm schlagen zu müssen, war das Letzte, woran ihm gelegen sein konnte.

»Wir sollten einen Programmabbruch vornehmen«, sagte Susan. »Dann fängt der Kontrollmonitor vom TRANSLTR wieder bei null an zu zählen, und wir können behaupten, Phil hätte sich etwas eingebildet.«

»Nein, noch nicht«, sagte Strathmore nach kurzem Nachdenken. »Der TRANSLTR fährt jetzt seinen Angriff seit fünfzehn Stunden. Ich möchte ihn volle vierundzwanzig Stunden durchlaufen lassen – um endgültig sicher zu sein.«

Susan musste ihm Recht geben. Diabolus war das erste Chiffrierprogramm mit rotierendem Klartext. Vielleicht hatte Tankado etwas übersehen. Vielleicht würde es der TRANSLTR nach vollen vierundzwanzig Stunden doch geschafft haben. Aber Susan wollte nicht so recht daran glauben.

»Der TRANSLTR läuft weiter«, entschied Strathmore. »Ich muss wissen, ob dieser Algorithmus unangreifbar ist.«

Charturkian hämmerte immer noch gegen die Schiebetür.

Strathmore holte tief Luft und machte sich auf zum Eingang. »Alsdann«, sagte er, »decken Sie mir den Rücken.« Der Fußkontakt sprach an, und die Scheiben fuhren zischend auseinander.

Charturkian kam praktisch hereingeflogen. »Commander, Sir… es tut mir leid, dass ich Sie störe, aber… der Kontrollmonitor… Ich habe schon ein Antivirenprogramm laufen lassen, aber…«

»Phil, Phil, Phil«, sagte der Commander beruhigend und legte dem jungen Techniker väterlich die Hand auf die Schulter. »Nun mal langsam. Wo drückt uns denn der Schuh?«

Dem Ton des Commanders war in keiner Weise anzuhören, dass um ihn herum die Welt zusammenbrach. Er trat einen Schritt beiseite und komplimentierte Charturkian in die heiligen Hallen von Node 3. Zögernd wie ein gut dressierter Hund, der weiß, was er darf und was nicht, trat der Techniker näher.

An Charturkians verblüfftem Gesichtsausdruck war deutlich abzulesen, dass er diesen Ort noch nie von innen gesehen hatte. Die Ursache seiner Panik trat vorübergehend in den Hintergrund. Neugierig sah er sich in dem gepflegten Ambiente um, registrierte den Kranz der Terminals, die Bücherregale, die Polstermöbel und die gedämpfte Beleuchtung. Als sein Blick auf Susan Fletcher fiel, die Statthalterin dieses Ortes, senkte er schnell den Blick. Susan Fletcher schüchterte ihn maßlos ein. Ihr Gehirn schien auf einer ihm unzugänglichen Ebene zu funktionieren, und außerdem war sie auf eine beklemmende Weise schön. Wenn er vor ihr stand, wollte ihm kein vernünftiger Satz mehr gelingen, und ihre legere Art machte alles noch schlimmer.

»Wo brennt's denn?«, sagte Strathmore und öffnete den Kühlschrank. »Möchten Sie was trinken?«

»Nein, äh … nein, danke, Sir.« Charturkian schien die Zähne nicht auseinanderzubekommen. Er war unsicher, ob er tatsächlich willkommen war. »Sir … ich glaube, es gibt ein Problem mit dem TRANSLTR.«

Strathmore machte den Kühlschrank wieder zu und streifte Charturkian leichthin mit einem Blick. »Ach, Sie meinen, wegen des Kontrollmonitors?«

Charturkian war perplex. »Dann … dann haben Sie es schon bemerkt?«, stotterte er.

»Aber sicher. Der TRANSLTR müsste jetzt seit ungefähr sechzehn Stunden laufen, wenn ich mich nicht irre.«

Charturkian schaute ratlos drein. »Jawohl, Sir, sechzehn Stunden. Aber das ist noch nicht alles, Sir. Ich habe ein Antivirenprogramm laufen lassen, und das Ergebnis war lauter komisches Zeug.«

»So, so.« Der Commander schien sich keine Sorgen zu machen. »Komisches Zeug also.«

Susan war beeindruckt, wie der Commander die Situation meisterte.

Charturkian versuchte es noch einmal. »Der TRANSLTR muss auf etwas gestoßen sein, das er noch nicht kennt, etwas, was das Filtersystem noch nicht gesehen hat. Ich fürchte, der TRANSLTR hat sich einen Virus eingefangen.«

»Einen Virus?« Strathmore lachte amüsiert auf, allerdings nicht ohne eine gewisse Herablassung. »Phil, ich weiß Ihre Besorgnis zu schätzen, ganz bestimmt. Aber Miss Fletcher und ich lassen gerade ein neues Diagnoseprogramm laufen, eine sehr fortschrittliche Entwicklung. Ich hätte Sie natürlich davon in Kenntnis gesetzt, aber es ist mir leider entgangen, dass Sie heute Dienst haben.«

Der Sys-Sec-Techniker versuchte verzweifelt, geschickt zu parieren. »Ich … ich habe mit dem Neuen getauscht. Ich habe seine Wochenendschicht übernommen.«

Strathmores Augen wurden schmal. »Das ist aber merkwürdig. Als ich gestern Nacht mit dem Mann telefoniert habe, um ihm zu sagen, dass er nicht zu kommen braucht, hat er von einem Tausch der Schichten überhaupt nichts erwähnt.«

Charturkian bekam einen Kloß im Hals, der immer dicker wurde. Eine peinliche Stille entstand.

»Na gut«, sagte Strathmore schließlich und seufzte. »Hier liegt wohl ein unglückliches Missverständnis vor.« Er legte dem Techniker den Arm um die Schulter und schob ihn sanft zur Tür. »Sie dürfen sich jetzt darüber freuen, dass Sie hier nicht mehr gebraucht werden. Miss Fletcher und ich werden den ganzen Tag hier sein und die Stellung halten. Machen Sie sich ein angenehmes Wochenende.«

Charturkian zögerte. »Commander, ich glaube wirklich, dass wir …«

»Phil«, sagte Strathmore nun schon etwas gereizt, »der TRANSLTR ist in Ordnung! Wenn Sie bei Ihrer Überprüfung auf etwas Merkwürdiges gestoßen sind, dann deshalb, weil Miss Fletcher und ich es so gewollt haben. Mehr gibt es dazu nicht zu sagen …« Strathmore verstummte. Charturkian verstand. Seine Zeit war abgelaufen.

Ein Diagnoseprogramm?, murmelte Charturkian vor sich hin, während er wütend in die Sys-Sec-Abteilung zurücktrottete. *Die wollen dich wohl verarschen! Eine Schleifenfunktion, an der drei Millionen Prozessoren sechzehn Stunden lang herumknacken!*

Charturkian überlegte, ob er seinen Abteilungsleiter anrufen sollte. *Verdammtes Kryptographenpack! Von Computertechnik keine Ahnung!*

Der Diensteid ging ihm durch den Kopf, den er zu Beginn seiner Anstellung in der Sys-Sec-Abteilung geleistet hatte. Er hatte gelobt, nach besten Kräften Können, Wissen und Instinkt zum Schutz der Milliardeninvestition der NSA einzusetzen.

Instinkt! Man braucht kein Hellseher zu sein, um zu wissen, dass das kein vermaledeites Diagnoseprogramm ist! Das sagt einem doch schon der Instinkt!

Charturkian stapfte trotzig zu seinem Terminal und rief alles auf, was er an Systemüberwachungs-Software auf Lager hatte.

Mein lieber Commander, Ihr Spielzeug ist in Gefahr!, schimpfte er vor sich hin. *Mein Instinkt ist Ihnen nicht seriös genug? Ich werd's Ihnen beweisen!*

Kapitel 20

La Clinica de Sanidad Pública war eigentlich eine zweckentfremdete Volksschule. Das lang gestreckte einstöckige Backsteingebäude mit großen Fenstern und rostigen Kinderschaukeln im Hof hatte mit der landläufigen Vorstellung von einem Krankenhaus wenig zu tun. Becker stieg die bröckelnden Stufen hinauf.

Drinnen war es düster und laut. Das Wartezimmer bestand aus einer Reihe von Klappstühlen, die in einem schmalen und endlos langen Korridor herumstanden. In einem hölzernen Bock klemmte ein Pappschild mit der Aufschrift OFICINA und einem Pfeil, der den Korridor hinunterwies.

Becker ging den spärlich beleuchteten Flur hinunter. Er kam sich vor wie in der Szenerie eines drittklassigen Horrorfilms. Es roch nach Urin, und auf den letzten zwölf bis fünfzehn Metern war auch noch der letzte Rest der Beleuchtung kaputt. Seine Wahrnehmung reduzierte sich auf schemenhafte Silhouetten – eine blutende Frau … ein heulendes Pärchen … ein betendes kleines Mädchen. Becker hatte das Ende des Korridors erreicht. Links war eine angelehnte Tür. Er stieß sie auf. Der Raum war vollkommen leer bis auf eine nackte Greisin, die mit ihrem Nachtgeschirr kämpfte.

Na prächtig! Becker schloss die Tür. *Wo zum Teufel ist die Aufnahme?*

Der Korridor machte einen Knick. Becker hörte laute Stimmen. Er folgte dem Geschrei und gelangte zu einer Milchglastür, hinter der ein Streit in Gang zu sein schien. Zögernd drückte er die Tür auf. Die Aufnahme. *Totales Chaos.* Wie schon befürchtet.

Drängelnd, schreiend und gestikulierend standen etwa zehn Personen an. Eine einzige Schwester saß hinter dem Empfangstresen und versuchte, der zeternden Patienten Herr zu werden. Spanien war nicht gerade für zügige Abfertigung bekannt. Bis Becker die Entlassungspapiere des Kanadiers zu Gesicht bekam, konnte er sich hier vermutlich die ganze Nacht die Beine in den Bauch stehen. Er stand unschlüssig zwischen Tür und Angel und überlegte, was er machen sollte. Gab es keine bessere Möglichkeit?

»*¡Con permiso!*«, schrie ein Pfleger, der im Eiltempo eine Krankenbahre herbeischob.

Becker fuhr herum und sprang aus dem Weg. »*¿Donde está el teléfono?*«, rief er dem bereits wieder entschwindenden Pfleger hinterher.

Ohne das Tempo im Geringsten zu verringern, deutete der Mann auf eine Schwingtür und war schon um die Ecke verschwunden. Becker ging zu der Tür und trat durch die wippenden Flügel.

Vor ihm lag ein riesiger Saal – die ehemalige Turnhalle. Der blassgrüne Boden verschwamm unter den summenden Leuchtstoffröhren vor seinen Augen. An der Wand hing ein schlapper Basketballkorb an seinem Brett. Ein paar Dutzend Patienten lagen auf niedrigen, willkürlich über den Raum verteilten Feldbetten. In der hintersten Ecke hing unter einer blind gewordenen Anzeigetafel ein alter Münzfernsprecher an der Wand. Becker konnte nur hoffen, dass er noch funktionierte.

In der Tasche wühlend, ging er darauf zu. Er fand das Wechselgeld vom Taxi – gerade genug für drei Ortsgespräche. Becker hob den Hörer von der Gabel und wählte die Auskunft. Dreißig Sekunden später hatte er die Nummer der Aufnahme dieser Klinik.

Weltweit schien es für öffentliche Dienststellen eine allgemeinverbindliche Regel zu geben: Ein Telefon darf nicht unbeantwortet klingeln! Stets wurde sofort abgehoben und alles andere stehen und liegen gelassen, gleichgültig, wie viele Leute auf ihre Abfertigung warteten.

Becker wählte die sechsstellige Nummer. Die Aufnahme der Klinik würde umgehend mit ihm sprechen. Heute war bestimmt nur ein einziger Kanadier mit gebrochenem Handgelenk und Gehirnerschütterung eingeliefert worden. Die Unterlagen mussten leicht zu finden sein. Becker rechnete zwar damit, dass man einem Unbekannten nur ungern den Namen des Patienten und die Entlassungsadresse nennen würde, aber er hatte einen Plan.

Das Telefon begann zu klingeln. Beckers Erwartung, dass man nach längstens fünf Klingelzeichen abheben würde, wurde herb enttäuscht. Es läutete neunzehn Mal.

»*¡Clinica de Sanidad Pública!*«, bellte die Stimme einer aufgebrachten Schwester aus dem Hörer.

»Hier spricht David Becker«, sagte Becker auf Spanisch mit schwerem franko-kanadischem Akzent. »Ich bin vom kanadischen Konsulat. Sie haben heute einen unserer Staatsbürger versorgt. Ich hätte gern seine Personalien, damit das Konsulat die Behandlungskosten übernehmen kann.«

»Sehr schön«, antwortete die Schwester. »Ich schicke Ihrem Konsulat gleich am Montag die Rechnung zu.«

»Es ist leider unerlässlich, dass ich sie sofort bekomme«, drängelte Becker.

»Unmöglich«, sagte die Schwester, »wir haben unheimlich viel zu tun.«

»Es handelt sich leider um eine außergewöhnlich dringliche Angelegenheit«, sagte Becker und bemühte sich um einen offiziellen Tonfall. »Der Mann hatte ein gebrochenes Handgelenk und eine Kopfverletzung. Er ist im Laufe des heutigen Vormittags von Ihnen versorgt worden. Seine Papiere müssten noch ganz obenauf liegen.«

Becker hatte seinem Akzent eine noch penetrantere Färbung gegeben. Sein Spanisch war gerade noch verständlich genug, um sein Anliegen vorzutragen, andererseits schon so miserabel, dass es der Schwester auf die Nerven gehen musste. Leute, denen man auf die Nerven ging, ließen oft fünf gerade sein, nur um Ruhe zu haben.

Nicht so diese Schwester. Sie warf ihm ein paar Grobheiten an den Kopf, beschimpfte ihn als eingebildeten Amerikaner und schmiss den Hörer hin.

Stirnrunzelnd legte Becker den Hörer wieder auf die Gabel. *Fehlanzeige.* Der Gedanke, womöglich stundenlang anstehen zu müssen, behagte ihm gar nicht. Die Uhr tickte. Der alte Kanadier konnte inzwischen sonst wo sein, möglicherweise bereits auf der Heimreise nach Kanada, und vielleicht hatte er den Ring sogar verkauft. Becker hatte nicht die Zeit, stundenlang Schlange zu stehen. Entschlossen griff er wieder zum Telefon und wählte die Nummer noch einmal. Den Hörer ans Ohr gepresst, lehnte er sich mit dem Rücken gegen die Wand. Es begann zu klingeln. Einmal … zweimal … dreimal …

Ein plötzlicher Adrenalinstoß jagte durch seinen Körper. Er legte den Hörer auf die Gabel zurück. In maßlosem Erstaunen glotzte er stumm in die Halle. Ein älterer Mann mit einem Stapel schmuddeliger Kissen im Rücken lag direkt vor ihm auf einem Feldbett. Sein Handgelenk steckte in einem frischen weißen Gipsverband.

Kapitel 21

Der Amerikaner am anderen Ende von Tokugen Numatakas Privatanschluss schien es eilig zu haben.

»Mr Numataka, ich habe nur einen Augenblick Zeit.«

»Gut. Ich darf wohl annehmen, dass Sie inzwischen über beide Schlüssel verfügen.«

»Es wird eine kleine Verzögerung geben.«

»Das ist inakzeptabel!«, zischte Numataka. »Sie haben gesagt, bis zum Ende des heutigen Tages seien beide Schlüssel in Ihrem Besitz!«

»Es gibt gewisse Schwierigkeiten.«

»Ist Tankado noch nicht ausgeschaltet?«

»Oh doch«, sagte die Stimme. »Mein Mann hat ihn liquidiert, aber leider den Key nicht bergen können. Tankado hat ihn kurz vor seinem Tod fortgegeben. An einen Touristen.«

»Das ist unerhört!«, brüllte Numataka. »Wie kommen Sie dazu, mir die exklusiven …«

»Beruhigen Sie sich«, sagte der Amerikaner. »Sie werden Ihre exklusiven Rechte bekommen. Das garantiere ich Ihnen. Diabolus wird Ihnen gehören, sobald der fehlende Schlüssel geborgen ist.«

»Aber er könnte inzwischen kopiert worden sein!«

»Jeder, der den Key zu sehen bekommt, wird eliminiert.«

Ein langes Schweigen entstand. Numataka ergriff schließlich das Wort. »Wo ist der Key jetzt?«

»Für Sie ist nur von Interesse, dass er gefunden werden wird.«

»Was gibt Ihnen diese Gewissheit?«

»Weil ich nicht als Einziger danach suche. Der amerikanische Geheimdienst hat von dem fehlenden Schlüssel Wind bekommen. Aus nahe liegenden Gründen ist ihm daran gelegen, dass Diabolus nicht auf den Markt kommt. Man hat einen Mann geschickt, der den Schlüssel beschaffen soll. Er heißt David Becker.«

»Woher wissen Sie das?«

»Das geht Sie nichts an.«

Numataka überging die Unverschämtheit. »Und wenn dieser Becker nun den Schlüssel findet?«

»Mein Mann wird sich von ihm den Schlüssel aushändigen lassen.«

»Wie das?«

»Das braucht Sie nicht zu kümmern«, sagte der Amerikaner kalt. »Wenn Mr Becker den Key gefunden hat, wird ihn mein Mann entsprechend belohnen.«

Kapitel 22

Nach wenigen Schritten stand David Becker bei dem alten Mann, der auf dem Feldbett schlief. Er betrachtete ihn. Der alte Herr mochte zwischen sechzig und siebzig sein. Sein schlohweißes Haar war auf der Seite ordentlich gescheitelt. Mitten auf seiner Stirn prangte ein dickes Veilchen, das sich bis zum rechten Auge zog. Sein rechtes Handgelenk war eingegipst.

Eine kleine *Beule?*, dachte Becker, dem die Worte des Polizisten noch in den Ohren klangen. Er betrachtete die Hände des Mannes. Nirgendwo ein goldener Ring. Becker bückte sich und rüttelte den alten Herrn leicht am Arm. »Sir? Entschuldigen Sie … Sir?«

Der Mann rührte sich nicht.

Becker versuchte es noch einmal, diesmal ein wenig nachdrücklicher. »Sir?«

Der Mann bewegte sich. »*Qu'est-ce … quelle heure est …*« Langsam schlug er die Augen auf und sah Becker an. Unwillig über die Störung, runzelte er die Stirn. »*Qu'est-ce-que vous voulez?*«

Aha, dachte Becker, *ein Franko-Kanadier*. Er lächelte den Mann an. »Haben Sie einen Augenblick für mich Zeit?«

Becker sprach zwar fließend Französisch, aber er benutzte bewusst die Sprache, die dieser Mann hoffentlich weniger gut beherrschte: Englisch. Einen völlig Unbekannten dazu zu bewegen, einen goldenen Ring herauszugeben, konnte schwierig werden. *Ein kleiner Heimvorteil kann da nicht schaden,* dachte Becker.

Eine lange Pause entstand. Der Mann kam allmählich zu sich. Er musterte seine Umgebung und zupfte mit einem langen Finger den kraftlos herabhängenden weißen Schnurrbart zurecht. »Was wollen Sie«, sagte er endlich. Sein Englisch hatte einen nasalen Unterton.

»Sir«, sagte Becker überdeutlich wie zu einem Schwerhörigen, »ich möchte Ihnen ein paar Fragen stellen.«

Der Mann sah ihn von unten herauf an. »Haben Sie irgendwie ein Sprachproblem?«, sagte er pikiert in makellosem Englisch.

Becker verfiel sofort in einen normalen Ton. »Sir, ich bedauere, Sie belästigen zu müssen, aber waren Sie heute vielleicht zufällig auf der Plaza de España?«

Die Augen des alten Herrn wurden eng. »Kommen Sie von der Stadtverwaltung?«

»Nein, ich bin …«

»Vom Fremdenverkehrsbüro?«

»Nein, von …«

»Sehen Sie, ich weiß sehr wohl, warum Sie hier sind.« Der Alte versuchte mühsam, sich aufzusetzen. »Aber ich werde mich nicht einschüchtern lassen! Auch Ihnen sage ich, was Ihresgleichen schon tausend Mal von mir zu hören bekommen haben – Pierre Cloucharde schreibt genau das, was er erlebt hat, und nichts anderes! Es mag Kollegen geben, die für einen lustigen Abend auf Kosten des Veranstalters so manches unter den Teppich kehren, aber ich bin Reisejournalist des ›Montreal Herald‹ und als solcher nicht zu bestechen! Nicht mit mir!«

»Es tut mir leid, Sir, aber ich glaube, Sie missverstehen …«

»Merde alors! Ich verstehe nur allzu gut!« Der Alte wackelte mit einem knochigen Finger vor Beckers Nase herum. »Sie sind nicht der Erste!« Seine Stimme schallte durch die Turnhalle. »Das Gleiche hat man schon im Moulin Rouge versucht, in Brown's Palace und im Golfigno in Lagos. Aber was wurde ge-

druckt? Die Wahrheit! Das zäheste Steak Wellington, das man mir je zu servieren gewagt hat! Die schmutzigste Badewanne, die man mir je zugemutet hat! Und der steinigste Strand, auf den ich je meinen Fuß setzen musste! Das bin ich meinen Lesern schuldig!«

In der Nähe wurde man aufmerksam. Ein paar Patienten setzten sich neugierig auf. Becker sah sich nervös nach einer allfälligen Krankenschwester um. Das Letzte, was er jetzt brauchen konnte, war ein Rausschmiss.

Cloucharde war richtig in Fahrt gekommen. »Diese miserable Karikatur eines Polizisten arbeitet für *Ihre* Stadt! Er hat mich genötigt, auf sein Motorrad zu steigen! Und nun sehen Sie sich *das* an!« Er versuchte, den Arm zu heben. »Wer soll denn jetzt meine Kolumne schreiben?«

»Sir, ich …«

»In meinen vierzig Jahren als Reisejournalist musste ich mir noch nie eine derartige Zumutung gefallen lassen! Sehen Sie sich diesen Stall an! Sie sollten wissen, dass meine Kolumne in über …«

»Sir, bitte!« Mit erhobenen Händen signalisierte Becker Waffenstillstand. »Ihre Kolumne interessiert mich nicht! Ich komme vom kanadischen Konsulat. Ich will mich nur vergewissern, dass es Ihnen an nichts fehlt.«

Schlagartig war Ruhe. Der alte Herr beäugte argwöhnisch den Eindringling.

»Ich bin hier«, fuhr Becker fast flüsternd fort, »weil ich wissen möchte, ob ich Ihnen vielleicht helfen kann.« *Zum Beispiel mit der Zwangsverabreichung von etwas Valium …*

Nach langer Pause meldete sich Cloucharde wieder zu Wort. »Sie sind vom Konsulat?« Er wirkte erheblich milder gestimmt.

Becker nickte.

»Sie sind also *nicht* wegen meiner Kolumne hier?«

»Aber nein, Sir.«

Es war, als hätte man aus Pierre Cloucharde die Luft herausgelassen. Langsam sank er wieder in seinen Kissenberg zurück. »Ich habe gedacht, Sie kämen von der Stadt … und wollten mich dazu bewegen …«, sagte er tief enttäuscht. Er verstummte und sah Becker an. »Wenn Sie nicht wegen meiner Kolumne gekommen sind, weshalb sind Sie dann überhaupt hier?«

Gute Frage, dachte Becker und stellte sich die Smoky Mountains vor. »Es ist nur ein informeller Besuch. Eine kleine Aufmerksamkeit auf diplomatischer Ebene«, log er.

Der Mann sah ihn überrascht an. »Eine Aufmerksamkeit auf diplomatischer Ebene?«

»Jawohl, Sir. Wie ein Mann in Ihrer Stellung gewiss weiß, ist die kanadische Regierung sehr darum bemüht, ihre Bürger vor den Unzulänglichkeiten dieser, äh … sagen wir, weniger zivilisierten Länder zu schützen.«

Clouchardes schmale Lippen teilten sich zu einem wissenden Lächeln. »Aber natürlich, wie freundlich.«

»Sie *sind* doch Kanadier?«

»Selbstverständlich, natürlich. Wie dumm von mir. Bitte, haben Sie Verständnis. Ein Mann in meiner Position wird oft mit gewissen Ansinnen konfrontiert, die … nun … Sie verstehen.«

»Aber ja, Mr Cloucharde, gewiss doch! Das ist nun mal der Fluch der Prominenz.«

»So ist es.« Cloucharde, ein unfreiwilliger Märtyrer des trostlosen Massengeschmacks, stieß einen tragischen Seufzer aus. »Was soll man zu einem so heruntergekommenen Ort wie diesem sagen?« Er verdrehte die Augen. »Es ist einfach unglaublich. Und man will mich auch noch über Nacht hier behalten!«

Becker ließ den Blick durch die Halle schweifen. »Ich weiß. Ein Affront geradezu! Es tut mir leid, dass es so lange gedauert hat, bis ich kommen konnte.«

Cloucharde sah ihn irritiert an. »Ich habe von Ihrem Kommen gar nichts gewusst!«

Becker wechselte das Thema. »Sie haben da eine böse Beule am Kopf. Haben Sie Schmerzen?«

»Eigentlich nicht. Ich hatte heute Vormittag einen Sturz vom Motorrad – der Dank dafür, dass ich mich als barmherziger Samariter betätigt habe. Dieser Idiot von einem spanischen Polizisten! Einem Mann meines Alters eine Fahrt auf dem Sozius eines Motorrads zuzumuten! Einfach verantwortungslos.«

»Kann ich irgendetwas für Sie tun?«

Cloucharde schien nachzudenken. Beckers Aufmerksamkeit tat ihm wohl. »Also, um ehrlich zu sein …« Er reckte den Nacken und drehte den Kopf ein paar Mal von rechts nach links. »Ich *könnte* noch ein Kissen gebrauchen, wenn es Ihnen nicht zu viel Mühe macht.«

»Überhaupt nicht.« Becker griff sich vom nächsten Feldbett ein Kissen und half Cloucharde, es sich bequem zu machen.

Der alte Mann seufzte behaglich. »Viel besser so! Ich danke Ihnen.«

»Pas de quoi«, gab Becker zurück.

»Ah!« Der Alte lächelte warmherzig. »Sie sprechen die Sprache der zivilisierten Welt!«

»Das war aber auch fast schon alles«, sagte Becker möglichst unbedarft.

»Kein Problem«, erklärte Cloucharde großzügig. »Meine Kolumne erscheint auch in den USA. Mein Englisch ist erstklassig.«

»Wie ich bereits feststellen konnte«, erwiderte Becker lächelnd und setzte sich auf den Rand von Clouchardes Feldbett. »Mr Cloucharde, wenn es Ihnen nichts ausmacht, möchte ich mir doch die Frage erlauben, weshalb ein Mann wie Sie einen solchen Ort aufsucht. Sevilla bietet weitaus bessere Krankenhäuser.«

Cloucharde wurde sichtlich böse. »Dieser Schwachkopf von einem Polizisten … erst hat er mich von seinem Motorrad abgeworfen, und dann wollte er mich blutend wie ein angestochenes Schwein auf der Straße liegen lassen! Ich musste mich zu Fuß hierher schleppen!«

»Hat er Ihnen denn nicht angeboten, Sie in eine bessere Klinik zu bringen?«

»Auf diesem Mordinstrument von einem Motorrad? Ich bitte Sie!«

»Was genau ist denn nun heute Vormittag passiert?«

»Aber das habe ich diesem Polizisten doch schon alles erzählt.«

»Ich hatte bereits Gelegenheit, mit ihm zu sprechen, und …«

»Ich hoffe, Sie haben ihm ordentlich die Meinung gesagt!«, warf Cloucharde ein.

Becker nickte. »Selbstredend. In schärfster Form. Meine Dienststelle wird noch ein Übriges tun.«

»Das steht zu hoffen!«

»Mr Cloucharde«, sagte Becker lächelnd und zog einen Kugelschreiber aus dem Jackett. »Ich halte es für geboten, bei der Stadtverwaltung formellen Protest einzulegen. Würden Sie mich dabei unterstützen? Die Zeugenaussage eines so prominenten Mannes wie Sie wäre mir eine wertvolle Stütze.«

Die Aussicht, zitiert zu werden, schien Cloucharde zu schmeicheln. Er setzte sich auf. »Aber ja, natürlich. Mit Vergnügen.«

Becker holte einen kleinen Notizblock aus der Tasche und sah Cloucharde auffordernd an. »Gut. Lassen Sie uns mit dem heutigen Vormittag beginnen. Erzählen Sie, wie es zu Ihrem Unfall gekommen ist.«

Der alte Herr seufzte. »Es war wirklich schlimm. Dieser arme Asiat ist einfach so zusammengebrochen. Ich habe noch versucht, ihm zu helfen, aber es hat nichts mehr genützt.«

»Sie haben bei ihm eine Herzmassage versucht?«

Cloucharde schaute Becker erstaunt an. »Ich fürchte, ich weiß gar nicht, wie man das macht. Nein, ich habe einen Krankenwagen gerufen.«

Becker hatte die bläulichen Verfärbungen auf Tankados Brust vor Augen. »Dann haben wohl die Sanitäter eine Herzmassage vorgenommen.«

»Himmel, nein!« Cloucharde lachte abwehrend auf. »Es hat doch keinen Sinn, einen toten Gaul mit der Peitsche zu traktieren. Als der Krankenwagen kam, war der Mann schon mausetot. Die Sanitäter haben seinen Puls überprüft und ihn sofort weggeschafft, worauf ich mich allein mit diesem gräßlichen Polizisten herumärgern musste.«

Das ist merkwürdig, überlegte Becker. *Wie kann es dann zu diesen Hämatomen gekommen sein?* Er schob das Problem beiseite und widmete sich wieder der Gegenwart. »Da war doch noch ein Ring«, sagte er so beiläufig wie möglich.

Cloucharde sah ihn überrascht an. »Der Polizist hat den Ring erwähnt?«

»Ja, gewiss doch.«

»Tatsächlich?«, wunderte sich Cloucharde. »Ich hatte den Eindruck, dass er mir die Geschichte nicht abnehmen wollte. Er war sehr beleidigend zu mir – als ob ich lügen würde. Aber meine Schilderung war absolut detailgenau. Ich darf sagen, dass ich mir auf meine Präzision etwas zugute halten kann.«

»Wo ist denn der Ring?«, wollte Becker wissen.

Cloucharde schien die Frage nicht zu hören. Er starrte mit leerem Blick ins Ungewisse. »Ein merkwürdiges Stück, dieser Ring – und all diese Buchstaben! Es war eine Sprache, die ich noch nie gesehen habe.«

»Vielleicht Japanisch?«, meinte Becker.

»Mit Bestimmtheit nicht.«

»Dann haben Sie die Inschrift wohl sehr gut erkennen können.«

»Aber ja! Als ich mich hingekniet habe, um dem Mann zu helfen, hat er mir unentwegt mit seinen drei Fingern vor dem Gesicht herumgefuchtelt. Er wollte mir den Ring aufdrängen. Es war bizarr, Furcht erregend geradezu – seine Hände haben ziemlich scheußlich ausgesehen.«

»Und dann haben Sie den Ring an sich genommen.«

Der Kanadier sah Becker erstaunt an. »Das hat Ihnen der Polizist erzählt? Dass ich den Ring genommen habe?«

Becker rutschte unbehaglich hin und her.

Cloucharde wurde zornig. »Ich hab's doch gewusst, dass der Kerl mir nicht zuhört! So kommt man ins Gerede! Ich habe zu ihm gesagt, der Japaner hätte den Ring weggegeben – aber doch nicht an *mich*! Ich würde doch niemals von einem Sterbenden etwas annehmen! Mein Gott, allein schon der Gedanke!«

»Sie haben den Ring also nicht?«, fragte Becker.

»Um Gottes willen, nein!«

Ein dumpfes Gefühl machte sich in Beckers Magengrube breit. »Aber wer hat ihn dann?«

Cloucharde schaute Becker ungnädig an. »Na, der Deutsche! Der Deutsche hat ihn!«

Becker glaubte, der Boden würde unter seinen Füßen nachgeben. »Der Deutsche? Welcher Deutsche?«

»Der Deutsche im Park! Ich habe es dem Polizisten doch genau erklärt! Ich habe den Ring nicht gewollt, aber dieses Schwein hat sofort zugegriffen.«

Becker legte Stift und Schreibblock beiseite. Die Schmierenkomödie war vorbei. Jetzt begann der Ärger. »Den Ring hat also ein Deutscher.«

»So ist es.«

»Wo ist er hingegangen?«

»Keine Ahnung. Ich bin fortgeeilt, um den Krankenwagen zu rufen. Als ich wiederkam, war er weg.«

»Wissen Sie, wer der Mann war?«

»Ein Tourist.«

»Sind Sie sicher?«

»Tourismus ist mein Beruf«, sagte Cloucharde ungnädig. »Ich rieche Touristen tausend Meter gegen den Wind. Der Mann und seine Begleiterin sind in dem Park spazieren gegangen.«

Die Geschichte wurde mit jedem Augenblick unübersichtlicher. »Seine Begleiterin? Der Deutsche hatte jemand dabei?«

Cloucharde nickte begeistert. »Eine Rothaarige. Großartiges Geschöpf, sage ich Ihnen. Mon Dieu! Eine begnadete Schönheit!«

Becker war platt. »Der Deutsche hatte eine … Prostituierte dabei?«

Cloucharde verzog das Gesicht. »Wenn Ihnen diese vulgäre Bezeichnung angemessen erscheint …«

»Aber davon hat der Polizist doch überhaupt nichts …«

»Natürlich nicht! Ihm gegenüber habe ich die Begleiterin ja auch bewusst nicht erwähnt.« Cloucharde bedachte Beckers Irritation mit einer väterlichen Geste. »Diese Frauen sind doch keine Kriminellen. Es ist absurd, dass man sie verfolgt, als wären sie Diebe und Einbrecher.«

Becker hatte sich von dem Schock immer noch nicht ganz erholt. »War sonst noch jemand da?«

»Nein, nur wir drei. Es war ja schon heiß.«

»Und Sie sind sicher, dass die Frau eine Prostituierte war?«

»Absolut. Eine gut aussehende Frau würde sich doch niemals mit einem solchen Kerl zeigen, es sei denn, sie wird gut dafür bezahlt. Mon Dieu, was war das für ein fettes Schwein! Ein unangenehmer, übergewichtiger, penetranter Kotzbrocken.« Cloucharde verlagerte sein Gewicht. Die Bewegung schien ihm Beschwerden zu machen. Er zuckte zusammen, was ihn aber nicht davon abhielt, seinem Ärger weiterhin Luft zu machen. »Ein Mann wie ein Mastochse – mindestens dreihundert Pfund Lebendgewicht. Er hielt das arme Wesen umklammert, als ob sie ihm davonrennen wolle – was ihr keiner hätte verübeln können! Er hat sie überall mit seinen fetten Pfoten betatscht und geprahlt, für dreihundert Dollar hätte er sie das ganze Wochenende. *Der* hätte tot umfallen sollen, nicht der arme Asiat!«

Cloucharde holte tief Luft. Becker nahm die günstige Gelegenheit wahr.

»Haben Sie zufällig seinen Namen mitbekommen?«

Cloucharde dachte nach, dann schüttelte er den Kopf. »Leider nicht.«

Becker seufzte. Der Ring hatte sich soeben vor seinen Augen in nichts aufgelöst. Commander Strathmore würde nicht begeistert sein.

Cloucharde tupfte sich die Stirn. Mit einer schmerzhaften Grimasse zuckte er zusammen und sank in die Kissen zurück. Er sah auf einmal elend aus.

Becker versuchte es auf anderem Wege. »Mr Cloucharde, ich hätte gerne eine Erklärung des Deutschen und seiner Begleiterin. Haben Sie eine Ahnung, wo er logiert?«

Cloucharde schloss die Augen. Die Kraft hatte ihn verlassen. Sein Atem wurde flacher.

»Fällt Ihnen zu den beiden noch irgendetwas ein?«, bohrte Becker eindringlich. »Der Name der Begleiterin vielleicht?«

Langes Schweigen.

Cloucharde rieb sich die rechte Schläfe. Er war auf einmal sehr blass. »Äh … nein. Ich glaube nicht …« Seine Stimme schwankte.

Becker beugte sich zu ihm. »Geht es Ihnen gut?«

Cloucharde nickte schwach. »Ja … gewiss … ich bin nur ein bisschen … vermutlich die Aufregung …« Er sackte weg.

»Mr Cloucharde, denken Sie nach!«, sagte Becker ruhig, aber bestimmt. »Es ist sehr wichtig.«

Cloucharde rappelte sich hoch. »Ich weiß nicht … die Frau … hat der Kerl sie nicht ein paar Mal …?« Er stöhnte auf und schloss die Augen.

»Wie hieß die Frau?«

»Ich bekomme es wirklich nicht mehr zusammen …« Cloucharde baute zusehends ab.

»Denken Sie doch nach«, beharrte Becker. »Es ist schließlich wichtig, dass das Konsulat möglichst vollständige Angaben machen kann. Ich muss Ihre Geschichte durch zusätzliche Zeugenaussagen erhärten können. Jede Information, durch die ich die Zeugen ausfindig machen kann … »

Aber Cloucharde hörte nicht mehr zu. Er fuhr sich mit dem Handrücken über die Stirn. »Es tut mir leid … morgen vielleicht …« Die Erschöpfung war ihm anzusehen.

»Mr Cloucharde, es ist unerlässlich, dass Sie sich *jetzt* an den Namen erinnern.« Becker merkte, dass er fast schrie. Ringsum saßen die Leute aufrecht in ihren Feldbetten und verfolgten neugierig das Geschehen. In der Schwingtür auf der anderen Seite der Turnhalle erschien eine Krankenschwester und kam eilends herbeigeschritten.

»Mr Cloucharde, versuchen Sie sich zu erinnern!«, drängte Becker. »An irgendetwas!«

»Der Deutsche nannte die Frau …«

Becker schüttelte Cloucharde ein bisschen, damit er nicht vollends einschlief. »Sie hieß …«

Nicht abnippeln, alter Knabe!

»Dew …« Die Augen fielen Cloucharde wieder zu. Die Krankenschwester kam wütend näher.

»Dew?« Becker rüttelte Cloucharde heftig am Arm.

Der Kanadier stöhnte auf. »Er nannte sie …«, murmelte er kaum noch vernehmbar.

Die Krankenschwester war keine drei Meter mehr entfernt. Sie schrie Becker wütend auf Spanisch an, aber er hörte sie gar nicht. Sein Blick lag wie gebannt auf den Lippen des alten Mannes. Er schüttelte ihn ein letztes Mal.

Die Krankenschwester packte Becker an der Schulter und zerrte ihn hoch. In diesem Augenblick teilten sich Clouchardes Lippen. Aus seinem Mund kam weniger ein Wort als ein leiser Seufzer … wie eine ferne sinnliche Erinnerung. »Dewdrop …«

Becker wurde unbarmherzig fortgerissen.

Dewdrop? Tautropfen? Das ist aber ein komischer Name! Becker machte sich aus dem Griff der Krankenschwester los und drehte sich ein letztes Mal zu Cloucharde um. »Dewdrop?«, rief er. »Sind Sie sicher?«

Aber Pierre Cloucharde war bereits eingeschlafen.

Kapitel 23

Susan saß allein im üppigen Ambiente von Node 3, nuckelte an einem Zitronen-Kräutertee herum und wartete auf die Rückmeldung ihres Tracers.

Als ranghöchster Kryptographin stand ihr das bestplatzierte Terminal zu: der Platz auf der Rückseite des Terminal-Rings, mit Blick hinaus in die Cryptokuppel. Von hier aus konnte sie ungehindert das Geschehen in Node 3 überblicken und den TRANSLTR beobachten, der jenseits der Einwegverglasung mitten aus dem Boden ragte.

Susan sah auf die Uhr. Sie hatte jetzt schon fast eine Stunde gewartet. American Retailers ließ sich mit der Weiterleitung der E-Mail an North Dakota offensichtlich mächtig Zeit. Sie seufzte. Ungeachtet ihres Bemühens, nicht an das frühmorgendliche Gespräch mit David zu denken, liefen die Worte wie eine Endlosschleife in ihrem Kopf. Sie hatte zu unwirsch reagiert. Hoffentlich stieß David in Spanien nichts zu.

Das Zischen der gläsernen Tür riss sie aus ihren Gedanken. Sie sah auf und stöhnte. Greg Hale! Der Kryptograph stand in der Türöffnung.

Greg Hale war groß und muskulös, mit dichtem blondem Haar und einem tiefen Grübchen im Kinn. Er war aufdringlich, völlig immun gegen kritische Untertöne und stets übertrieben gekleidet. Seine Kollegen hatten ihm den Spitznamen »Halit« verpasst – wie das Sedimentmineral. Hale war der Meinung, es handele sich um einen seltenen Edelstein – in Anspielung auf seinen stählernen Körper und seinen brillanten Intellekt. Da ihn seine Überheblichkeit daran hinderte, in einem Lexikon nachzuschlagen, konnte er nicht wissen, dass Halit ein ordinärer salziger Rückstand war, der beim Austrocknen von Meeresbecken entstand.

Wie alle Kryptographen der NSA bezog auch Greg Hale ein mehr als solides Gehalt. Es fiel ihm allerdings schwer, diese Tatsache für sich zu behalten. Er fuhr einen weißen Lotus mit Glasschiebedach und einer mörderischen Subwoofer-Anlage. Was es an technischem Spielzeug gab, musste er haben, und sein Auto war sein Paradestück. Er hatte sich ein stimmaktiviertes Schließsystem, ein Satelliten-Navigationssystem, ein Radarstörgerät vom Feinsten und eine mobile Telefon-Faxkombination installieren lassen, um nie den Kontakt zu seinem Ansagedienst zu verlieren. Als Kennzeichen prangte MEGABYTE auf dem von einer violetten Leuchtröhre umrahmten Nummernschild.

Das US-Marine-Corps hatte Greg Hale nach einer als Halbwüchsiger begonnenen Kriminellen-Karriere auf die rechte Spur gebracht, und dort hatte er auch die Bekanntschaft mit dem Computer gemacht. Er wurde zu einem der besten Programmierer, den die Marines je gehabt hatten. Er befand sich auf dem besten Wege zu einer steilen militärischen Karriere, als seine Zukunft zwei Tage vor Ablauf seiner dritten regulären Dienstzeit einen Knick bekam. Bei einer Kneipenschlägerei verursachte er unbeabsichtigt den Tod eines Kameraden. Die koreanische Selbstverteidigungskunst Taekwondo hatte sich nicht sosehr als Kunst, sondern vielmehr als tödliche Waffe erwiesen. Hale wurde umgehend seines Dienstes enthoben.

Nachdem er eine kurze Gefängnisstrafe abgesessen hatte, versuchte er als professioneller Programmierer Fuß zu fassen. Ohne je ein Geheimnis aus dem Zwischenfall beim Militär zu machen, pflegte Greg Hale sich möglichen Arbeitgebern mit dem Angebot anzudienen, einen Monat lang gratis für sie zu arbeiten, damit sie sehen konnten, was sie an ihm hatten. Er litt nie unter einem Mangel an Angeboten, und sobald die Firmen gemerkt hatten, was er draufhatte, ließ man ihn nur ungern wieder ziehen.

Parallel zu seinen wachsenden Fähigkeiten am Computer schaffte sich Hale über das Internet Kontakte in aller Welt. Er gehörte zu der neuen Generation von Cyberfreaks mit E-Mail-Bekanntschaften in allen Ländern der Erde und war ständiger Gast auf fragwürdigen Internetseiten und in Sex-Chat-Rooms. Zweimal wurde er gefeuert, weil er Freunden über den Internetanschluss seines Arbeitgebers Pornofotos zugemailt hatte.

Hale blieb auf der Schwelle stehen. »Was machst du denn hier?«, rief er und starrte Susan an. Er hatte offenbar damit gerechnet, Node 3 für sich allein zu haben.

Susan zwang sich, ruhig zu bleiben. »Es ist Samstag, Greg. Da könnte ich dir die gleiche Frage stellen.« Sie wusste allerdings sehr wohl, was Greg hierher getrieben hatte. Er war computersüchtig. Ungeachtet der ungeschriebenen Samstag-Regel kam er häufig am Wochenende hereingeschneit, um mittels der unschlagbaren Rechenkraft der NSA-Computer neue Programme durchzuprobieren, an denen er gerade herumtüftelte.

»Ich möchte nur ein paar Zeilen von meinem neuen Programm auf Vordermann bringen und meine E-Mails checken«, sagte Hale. Er schaute Susan auffordernd an. »Was hast du gesagt, warum du hier bist?«

»Ich habe gar nichts gesagt«, konterte Susan.

Hale hob betont überrascht die Brauen. »Du brauchst dich nicht zu zieren, Susan. Hier in Node 3 haben wir doch keine Geheimnisse voreinander! Hast du schon vergessen? Alle für einen und einer für alle!«

Susan ging nicht auf ihn ein und widmete sich ihrem Kräutertee. Hale machte sich achselzuckend auf den Weg in die kleine Küche von Node 3, stets seine erste Station. Auf halber Strecke schenkte er Susans Beinen einen langen anerkennenden Blick. Susan zog die Beine an, ohne ihre Arbeit zu unterbrechen. Hale grinste.

Susan hatte sich an Hales Unverschämtheiten gewöhnt. Sein Standardspruch lautete: *Wie wär's mit einem Interface, damit wir die Kompatibilität unserer Hardware checken?* Susan konnte Hale zwar nicht ausstehen, war aber zu stolz, sich bei Strathmore über ihn zu beschweren. Das Beste war, ihn einfach zu ignorieren.

Hale stieß die Gittertür der Küche auf wie ein anstürmender Bulle, fischte eine Dose mit Tofu aus dem Kühlschrank und stopfte sich ein paar Klumpen von dem weißen Glibberzeug in den Mund. An den kleinen Herd gelehnt, prüfte er die graue Designerhose und das sorgfältig gebügelte Hemd auf perfekten Sitz. »Hast du noch lange zu tun?«

»Die ganze Nacht«, sagte Susan ungerührt.

»Hmmm …«, schnurrte Hale mit vollem Mund. »Das wird ein gemütlicher Samstagabend im Laufstall, nur wir zwei …«

»Nur wir *drei!*«, korrigierte Susan. »Commander Strathmore ist oben in seinem Büro. Vielleicht verduftest du lieber, bevor er dich sieht.«

»Es scheint ihm offenbar nichts auszumachen, dass *du* hier bist. Er hält wohl viel von deiner Gesellschaft.«

Susan schluckte eine Erwiderung herunter.

Hale stellte feixend den Tofu weg, griff sich eine Flasche Olivenöl und trank einen Schluck Öl. Gesundheitsapostel war er auch noch! Das Olivenöl reinigte angeblich seinen unteren Verdauungstrakt. Wenn er den Kollegen nicht gerade Möhrensaft aufnötigte, pflegte er ihnen die gravierenden Vorzüge dickdarmschonender Kost zu predigen.

Er stellte die Ölflasche zurück und kam an sein Susan schräg gegenüber liegendes Computerterminal. Betäubende Schwaden seines Parfüms wehten über das weite Rund der Teminals. Susan rümpfte die Nase.

»Toller Duft, Greg! Hast dir wohl gleich die ganze Flasche drübergekippt.«

»Ausschließlich dir zuliebe, mein Schatz«, sagte Hale, warf seinen Monitor an und wartete darauf, dass er hell wurde.

Ein beunruhigender Gedanke beschlich Susan. Was ist, wenn er sich die Betriebsanzeige des TRANSLTR auf den Bildschirm holt? Grund dazu hatte er eigentlich nicht, aber er würde Susan niemals die halbgare Geschichte von dem Diagnoseprogramm abkaufen, das angeblich seit nunmehr sechzehn Stunden lief. Hale würde nicht locker lassen, bis er wusste, was wirklich los war. Und Susan hatte keinerlei Absicht, es ihm zu erzählen. Sie traute ihm nicht über den Weg. Hale war ein Fremdkörper. Susan war von Anfang an dagegen gewesen, ihn einzustellen, aber der NSA war damals keine andere Wahl geblieben. Hale verdankte seinen Job einer Schadensbegrenzungsaktion der NSA.

Dem Skipjack-Fiasko.

Vor mehreren Jahren hatte der Kongress in dem Bemühen, einen verbindlichen Standard der Public-Key-Chiffrierung zu schaffen, die besten Mathematiker des Landes, sprich der NSA, damit beauftragt, einen neuen Super-Algorithmus zu entwickeln. Der Kongress plante, diesen Algorithmus per Gesetz als landesweiten Standard vorzuschreiben, damit endlich Schluss war mit den durch nicht kompatible Verschlüsselungsverfahren entstandenen Problemen, die der Wirtschaft zu schaffen machten.

Die NSA zum Geburtshelfer eines verbesserten Public-Key-Verfahrens zu bestellen hieß natürlich in gewisser Weise, den Bock zum Gärtner zu machen. Der TRANSLTR existierte damals noch nicht einmal als Projekt. Ein Verschlüsselungsstandard konnte den Einsatz von Codierungsverfahren nur fördern und würde den ohnehin schwierigen Job der NSA noch schwieriger machen.

Die EFF erkannte den Interessenskonflikt sofort und verwies lautstark auf die Gefahr, die NSA könnte sich mit einem wenig wirkungsvollen Algorithmus aus der Affäre zu ziehen versuchen – mit einem Algorithmus, den sie leicht knacken konnte. Um diesen Befürchtungen entgegenzutreten, kündigte der Kongress an, man werde die Formel nach Beendigung der Arbeiten veröffentlichen und den Mathematikern der ganzen Welt zur Begutachtung vorlegen.

Unter Leitung von Commander Strathmore machten sich die Kryptographen der NSA wenig begeistert an die Arbeit. Sie entwickelten einen Algorithmus, der den Namen Skipjack bekam, und legten ihn dem Kongress zur Abnahme vor. Skipjack wurde von Mathematikern aus der ganzen Welt getestet. Sie waren durch die Bank davon beeindruckt. Einhellig wurde geäußert, Skipjack sei ein einwandfreier und leistungsfähiger Algorithmus, der sich ausgezeichnet zum Verschlüsselungsstandard eigne. Doch drei Tage vor der für die Zulassung des neuen Standards entscheidenden Abstimmung im Kongress schockierte ein junger Programmierer von den Bell Laboratories die Welt mit der Nachricht, er hätte ein in dem neuen Algorithmus eingebautes Hintertürchen entdeckt. Der Mann hieß Greg Hale.

Das Hintertürchen bestand aus einigen wenigen Programmzeilen, die Commander Strathmore in den Algorithmus hineingeschmuggelt hatte, und zwar so raffiniert, dass niemandem etwas aufgefallen war – außer Greg Hale. Strathmores heimlicher Zusatz hätte bewirkt, dass jeder mit Skipjack erzeugte Code durch ein nur der NSA bekanntes geheimes Passwort entschlüsselt werden konnte. Um ein Haar hätte Strathmore es geschafft, den geplanten nationalen Verschlüsselungsstandard in den grössten Coup der NSA umzumünzen. Die NSA hätte über den Masterkey für jeden in den USA geschriebenen Code verfügt.

Alle, die auch nur ein bisschen von Computern verstanden, waren empört. Für die EFF war der Skandal ein gefundenes Fressen. Sie zerriss den Kongress wegen seiner Gutgläubigkeit in der Luft und erklärte die NSA zur größten Bedrohung der freien Welt seit Adolf Hitler. Der Verschlüsselungsstandard war gestorben.

Als Greg Hale drei Tage darauf einen Job bei der NSA antrat, herrschte allgemeine Verblüffung – doch Commander Strathmore war der Ansicht, es sei besser, Greg Hale innerhalb der NSA für diese Behörde arbeiten zu lassen, als außerhalb gegen sie.

Strathmore hatte sich dem Skipjack-Skandal im Frontalangriff gestellt. Vor dem Kongress rechtfertigte er vehement sein Verhalten und warnte eindringlich, die Nation brauche jemand, der für sie den Wachhund spiele. Die NSA und deren uneingeschränkte Fähigkeit, verschlüsselte Nachrichten zu knacken, seien unverzichtbare Garanten von Frieden und Freiheit. Das Geschrei um die Wahrung der Privatsphäre werde besonders denen, die am lautesten schrien, noch im Halse stecken bleiben.

Die EFF und ähnliche Gruppen sahen die Sache natürlich anders.

Seitdem hatte Strathmore sie auf dem Hals.

Kapitel 24

David Becker stand gegenüber der Clinica de Sanidad Pública in einer Telefonzelle. Wegen Belästigung des Patienten Nummer 104, des Monsieur Cloucharde, hatte man ihn soeben hochkant hinausgeworfen.

Auf einmal war alles viel komplizierter, als er anfangs gedacht hatte. Die kleine Gefälligkeit für Commander Strathmore – ein paar persönliche Habseligkeiten abholen – war in eine Schnitzeljagd nach einem merkwürdigen Ring ausgeartet.

Soeben hatte er Strathmore von dem ominösen deutschen Touristen berichtet. Der Commander hatte sich zuerst über sämtliche Einzelheiten ins Bild setzen lassen und war dann längere Zeit verstummt. »David«, hatte er schließlich gesagt, »Sie müssen diesen Ring finden. Das ist eine Frage der nationalen Sicherheit! Ich verlasse mich auf Sie. Sie dürfen mich nicht enttäuschen.« Damit war die Verbindung abgebrochen.

David stand in der Telefonzelle und seufzte. Er griff nach dem zerfledderten *Guía telefónica* und fing an, im Branchenteil zu blättern. *Hoffentlich bringt das was*, murmelte er.

Es gab nur drei Einträge von Begleitagenturen – aber was hatte er sonst schon in der Hand? Er wusste lediglich, dass der Deutsche eine rothaarige Begleiterin gehabt hatte, und Rothaarige waren in Spanien glücklicherweise relativ selten. Sie hieß angeblich Dewdrop, wie sich Cloucharde in seinem Fieberanfall erinnert hatte. Becker verzog das Gesicht. Ein rechtschaffener katholischer Name war das jedenfalls nicht. Clouchardе hatte sich vermutlich geirrt.

Becker wählte die erste Nummer.

Eine freundliche Frauenstimme meldete sich. »*Servicio Socíal de Sevilla.*«

Becker gab seinem Spanisch einen deftigen deutschen Akzent. »*Hola. ¿Hablas Aleman?*«

»*No*, aber wir können miteinander Englisch sprechen.«

Becker schaltete um auf gebrochenes Englisch. »Ssänk juuh. Ich wundern, ob Sie mir helfen.«

»Und womit kann ich Ihnen behilflich sein?« Die Dame sprach betont langsam, um den potenziellen Kunden nicht zu verschrecken. »Möchten Sie vielleicht eine Begleiterin?«

»Yes pliehs. Heute mein Bruder Klaus, er hatte Girl, sehr schön. Rote Haare. Ich möchte Girl für morgen, bitte.«

»Ihr Bruder Klaus ist bei uns Kunde?« Die Stimme wurde plötzlich überschwänglich, als sei Becker ein alter Bekannter.

»Yes. Er sehr dick. Sie erinnern?«

»Er war heute hier bei uns, sagen Sie?«

Becker hörte die Dame in den Unterlagen rascheln. Sie würde natürlich keinen Klaus finden, aber es war ohnehin anzunehmen, dass die Kunden selten ihren richtigen Namen angaben.

»Hmmm … tut mir leid«, entschuldigte sich die Frau. »Ich finde hier keinen Klaus. Wie hieß denn das Mädchen, das Ihren Bruder begleitet hat?«

»Hat rote Haare«, antwortete Becker ausweichend.

»Rote Haare?« Eine Pause entstand. »Sie sprechen mit *Servicio Socíal de Sevilla.* Sind Sie sicher, dass Ihr Bruder hier bei uns gewesen ist?«

»Sicher, yes.«

»Señor, wir haben keine rothaarige Mitarbeiterin. Wir beschäftigen nur andalusische Schönheiten.«

»Girl rote Haare«, insistierte Becker.

»Tut mir leid, bei uns ist niemand mit roten Haaren, aber wenn Sie …«

»Heißt Dewdrop!«, hechelte Becker.

Der lächerliche Name sagte der Dame offenbar überhaupt nichts. Sie entschuldigte sich höflich und hängte mit der Bemerkung ein, hier müsse offenbar eine Verwechslung mit einer anderen Agentur vorliegen.

Erster Versuch.

Stirnrunzelnd wählte Becker die nächste Nummer. Es wurde augenblicklich abgehoben.

»*¡Mujeres España, buenas noches!* Was kann ich für Sie tun?«

Becker ließ wieder die Nummer von dem deutschen Touristen vom Stapel, der gegen erstklassige Bezahlung die Rothaarige haben wolle, mit der sich sein Bruder heute vergnügt habe.

Diesmal wurde ihm höflich auf Deutsch geantwortet, aber was die Rothaarige anging, war wieder Fehlanzeige. »Tut mir leid, bei uns ist niemand mit roten Haaren beschäftigt.« Die Dame am Telefon hängte ein.

Zweiter Versuch.

Becker betrachtete das Telefonbuch. Nur eine Nummer war noch übrig. Das Ende der Fahnenstange war schon in Sicht.

Er wählte.

»*Escortes Belén*«, meldete sich eine ölige Männerstimme.

Becker gab noch einmal seine Vorstellung zum Besten.

»*Sí, sí, Señor.* Sie sprechen mit Señor Roldán. Wir haben zwei Rothaarige. Sehr schöne Damen!«

Becker konnte sein Glück kaum fassen. »Schöne Damen?«, echote er in seinem besten deutschen Touristenspanisch. »Rote Haare?«

»Ja. Wenn Sie mir den Namen Ihres Bruders nennen, kann

ich Ihnen sagen, wer von den beiden Damen ihn heute begleitet hat. Dann können wir die Dame morgen zu Ihnen schicken.«

»Klaus Schmidt«, sagte Becker aufs Geratewohl. Er hatte sich an den Namen aus einem alten Lehrbuch erinnert.

Lange Pause. »Mein Herr… ich habe leider hier in meinen Büchern keinen Klaus Schmidt, aber es könnte ja sein, dass Ihr Bruder auf Diskretion bedacht war – wegen der Ehefrau zu Hause vielleicht…« Roldán lachte anzüglich.

»Ja, Klaus verheiratet. Er sehr dick. Seine Frau nicht mehr mit ihm schlafen.« Becker sah sein Spiegelbild in der Scheibe der Telefonzelle. Er verdrehte die Augen. *Wenn Susan dich jetzt sehen könnte!* »Ich auch dick und einsam. Möchte mit Rothaariger schlafen. Viel Geld bezahlen.«

Becker gab eine eindrucksvolle Vorstellung, aber er hatte den Bogen überspannt. Prostitution war in Spanien nun mal verboten, und Señor Roldán war auf der Hut. Er war schon einmal auf einen Beamten der Guardia hereingefallen, der sich als liebeshungriger Tourist ausgegeben hatte. *Möchte mit Rothaariger schlafen.* Roldán wusste, das konnte ins Auge gehen. Wenn er darauf einging, würde er sich womöglich eine saftige Geldstrafe einhandeln und außerdem wieder einmal eine seiner talentiertesten Damen dem Kommissariat für ein Gratis-Wochenende überlassen müssen.

»Sie sprechen mit Escortes Belén«, antwortete er, nun schon weitaus weniger freundlich. »Darf ich fragen, wer da spricht?«

»Äh… Siegmund Schmidt«, antwortete Becker.

»Woher haben Sie unsere Nummer?«

»Aus Branchenbuch, Guía telefónica.«

»Gewiss, Señor: Dort sind wir eingetragen. Als *Begleitagentur!*«

»Ja, ich wollen Begleiterin.« Becker spürte, dass etwas schiefgelaufen war.

»Señor, Escortes Belén ist ein Dienstleistungsunternehmen, bei dem Geschäftleute zum Lunch oder zum Dinner eine Begleiterin buchen können. Deswegen stehen wir ja auch im Branchenbuch. Unsere Dienstleistungen sind völlig legal. Was *Sie* suchen, nennt man eine *Prostituierte!*« Das Wort kam über Señor Roldáns Lippen, als handle es sich um eine ekelhafte Krankheit.

»Aber mein Bruder …«

»Señor, wenn Ihr Bruder heute im Park ein Mädchen geküsst hat, dann kann das keinesfalls eine Dame von unserer Agentur gewesen sein. Das Verhältnis unserer Damen zum Kunden ist durch absolut verbindliche gegenseitige Vereinbarungen vertraglich geregelt!«

»Aber …«

»Sie haben garantiert unsere Nummer mit einer anderen verwechselt. Immaculata und Rocío, unsere beiden rothaarigen Damen, würden es empört ablehnen, sich gegen Bezahlung mit einem Kunden auf Intimitäten einzulassen. Das wäre Prostitution, und Prostitution ist in Spanien verboten! Gute Nacht, Señor!«

»Aber …«

KLICK.

Leise fluchend schmiss Becker den Hörer auf die Gabel.

Dritter Versuch.

Aber er war sicher, dass Cloucharde gesagt hatte, der Deutsche hätte geprahlt, er hätte das Mädchen für das ganze Wochenende gebucht.

Becker trat aus der an der Kreuzung der Calle Salvado mit der Avenída Asuncíon gelegenen Telefonzelle. Trotz des dichten Verkehrs hing überall der Duft der Orangenbäume in der Luft. Die Abenddämmerung brach herein – die romantischste Stunde von Sevilla. Becker dachte an Susan, aber Strathmores Aufforderung verdrängte alles andere aus seinem Kopf. *Sie müssen diesen Ring finden!*

Entmutigt ließ er sich auf eine Bank fallen, um sich seinen nächsten Zug zu überlegen.

Welchen Zug überhaupt?

Kapitel 25

Die Besuchszeit der Clinica de Sanidad Pública war längst vorüber. In der zum Krankensaal umfunktionierten Turnhalle hatte man das Licht ausgeschaltet. Pierre Cloucharde schlief den Schlaf des Gerechten.

Cloucharde bemerkte nicht, dass sich eine Gestalt über ihn beugte. Die Nadel einer großen Injektionsspritze blitzte in der Dunkelheit auf und senkte sich zielstrebig in die Armvene des Schlafenden. Die Spritze enthielt dreißig Kubikzentimeter zweckentfremdeten Allesreiniger von einem Putzkarren des Reinigungspersonals. Ein kräftiger Daumen drückte den Spritzenkolben nieder und jagte die bläuliche Flüssigkeit in Clouchardes Vene.

Cloucharde erwachte, aber nur für wenige Sekunden. Er wollte vor Schmerz aufschreien, doch eine starke Hand presste sich auf seinen Mund. Ein unverrückbares Gewicht nagelte ihn auf sein Feldbett. Er fühlte eine Feuerblase in seinem Arm hochrollen. Ein unerträglicher Schmerz raste über die Achselhöhle in seine Brust und hoch in sein Gehirn, wo er wie ein Schrapnell aus Millionen Glassplittern explodierte. Cloucharde sah einen grellen Lichtblitz … dann nichts mehr.

Der nächtliche Besucher, ein Mann mit Nickelbrille, löste seinen Griff. Er entzifferte den Namen auf der Bettbelegungskarte und schlüpfte geräuschlos hinaus.

Draußen auf der Straße griff er nach einem winzigen Gerät an seinem Gürtel, ein rechteckiges flaches Kästchen vom

Format einer Scheckkarte. Es war der Prototyp der neuen Monocle Computergeneration. Das ursprünglich von der US Navy für elektrische Messzwecke in den beengten Raumverhältnissen von U-Booten entwickelte Gerät hatte sich zum Miniaturcomputer gemausert und enthielt neben den neuesten Schikanen der Mikrotechnologie auch ein Mobilfunk-Modem. Als Monitor diente ein in das linke Glas einer Brille integrierter Flüssigkristall-Bildschirm. Der Monocle stellte eine völlig neue Generation der PC-Technik dar, die es dem Anwender erlaubte, Daten und Umgebung simultan zu beobachten.

Der eigentliche Clou des Monocle war jedoch nicht sein Miniatur-Display, sondern das Daten-Eingabesystem. Der Benutzer gab die Befehle mittels winziger elektrischer Kontakte an den Fingerspitzen, die er nach bestimmten Abfolgen betätigte. Das Ergebnis war eine Art Kurzschrift wie bei den Schreibmaschinen der amerikanischen Gerichtsstenographen. Der Computer lieferte die Rückübersetzung der Kürzel in Langschrift.

Der Attentäter drückte einen Mikroschalter. In seiner Brille leuchtete der Bildschirm auf. Er ließ die Arme unverdächtig seitlich am Körper hängen. Seine Fingerspitzen begannen in schneller Folge gegeneinander zu trommeln. Vor seinem linken Auge leuchtete eine Meldung auf:

ZIELPERSON: P. CLOUCHARDE – ELIMINIERT

Er lächelte. Die Vollzugsmeldung der Mordaufträge war Bestandteil seines Vertrags. Aber die Meldung mit dem Namen des Opfers zu verbinden, dachte der Mann mit der Nickelbrille – das war Eleganz.

Ein weiteres Trommeln seiner Fingerspitzen aktivierte das Mobilfunk-Modem:

BOTSCHAFT ABGESCHICKT

Kapitel 26

Becker saß ratlos auf der Bank gegenüber der Klinik. Wie sollte es jetzt weitergehen? Seine Anrufe bei den Begleitagenturen hatten zu keinem Ergebnis geführt. Den Commander konnte er nicht anrufen. Strathmore hatte ihn wegen der Abhörgefährdung öffentlicher Telefone gebeten, sich erst wieder zu melden, wenn er den Ring hatte. Becker überlegte, ob er zur hiesigen Polizei gehen und sich nach einer rothaarigen Nutte erkundigen sollte, aber dem standen Strathmores strikte Anweisungen entgegen. *Bleiben Sie im Verborgenen! Niemand darf wissen, dass es diesen Ring gibt!*

Becker fragte sich, ob er das Vergnügungsviertel Triana nach der geheimnisvollen Frau abklappern oder sich lieber quer durch die Lokale auf die Suche nach dem deutschen Touristen machen sollte.

Alles nur Zeitvergeudung…

Strathmores Worte ließen ihn nicht los. *Es ist eine Frage der nationalen Sicherheit. Sie müssen diesen Ring finden!*

Eine leise Stimme im Hinterkopf sagte ihm, dass er etwas übersehen hatte – etwas Wichtiges –, aber selbst um den Preis seines Lebens hätte er nicht sagen können, was es war. *Du bist ein Pauker und kein Geheimagent, verdammt noch mal!* Er fragte sich allmählich, warum Strathmore nicht einen Profi losgeschickt hatte.

Becker stand auf und spazierte ziellos die Calle Delicias

hinunter. Welche Möglichkeiten gab es noch? Das Pflaster des Trottoirs verschwamm vor seinen Augen. Die Dunkelheit brach mit Macht herein.

Dewdrop.

Irgendetwas an diesem blödsinnigen Namen ließ ihn nicht los. *Dewdrop.* Die ölige Stimme des Señor Roldán von Escortes Belén lief als Dauerschleife in seinem Kopf. *Wir beschäftigen nur zwei rothaarige Damen … Immaculata und Rocío … Rocío … Rocío …«*

Becker schlug sich mit der Hand an die Stirn. Plötzlich hatte er begriffen. Wie konnte ihm das nur entgangen sein?

Rocío war einer der populärsten Mädchennamen Spaniens. In diesem Namen schwang alles mit, was sich für ein junges katholisches Mädchen ziemte – Reinheit, Jungfräulichkeit, Schönheit. Der Sinngehalt leitete sich aus der wörtlichen Bedeutung des Namens her – *Tautropfen*!

Becker hörte die Stimme des alten Kanadiers in seinem Kopf widerhallen. *Dewdrop.* Rocío hatte ihren Namen in die einzige Sprache übersetzt, in der sie sich mit ihrem Kunden verständigen konnte – ins Englische! Aufgeregt machte Becker sich auf die Suche nach einer Telefonzelle.

Auf der gegenüberliegenden Straßenseite folgte ihm knapp außer Sichtweite ein Mann. Er trug eine Nickelbrille.

Kapitel 27

In der Crypto-Kuppel wurden die Schatten erst länger und dann schwächer. Die automatisch geregelte Beleuchtung fuhr langsam hoch. Susan saß immer noch an ihrem Terminal und wartete schweigend auf die Rückmeldung ihres Tracers. Es dauerte länger als erwartet.

Ihre Gedanken waren auf Wanderschaft gegangen. David fehlte ihr, und Hale sollte endlich verschwinden. Er hatte sich nicht gerührt und zum Glück auch nichts gesagt. Er war völlig versunken in dem, was er an seinem Terminal trieb. Susan war egal, was es war, solange er sich nicht die Betriebsanzeige auf den Bildschirm holte. Offenbar hatte er es bislang nicht getan – sechzehn Stunden Rechenzeit hätten ihn laut und vernehmlich nach Luft schnappen lassen.

Susan war bei der dritten Tasse Tee angelangt, als sich endlich etwas tat: Ihr Terminal gab einen Pieps von sich. Ihr Puls wurde schneller. Auf ihrem Bildschirm erschien ein blinkender Briefumschlag zur Ankündigung einer E-Mail. Susan schaute schnell zu Hale hinüber. Er war tief in seiner Arbeit versunken.

Mit angehaltenem Atem machte sie einen Doppelklick auf den Umschlag. *North Dakota!*, flüsterte es in ihr, *dann wollen wir mal sehen, wer du bist!*

Die E-Mail bestand nur aus einer einzigen Zeile. Susan las. Und las noch einmal:

DINNER BEI ALFREDO'S? UM ACHT?

Auf der anderen Seite des Rings hörte sie Hale verstohlen kichern. Susan las den Rest der Mail:

VON: GHALE@CRYPTO.NSA.GOV

Susan wurde wütend, zwang sich aber, ruhig zu bleiben. »Reife Leistung, Greg.«

»Sie machen dort ein fantastisches Carpaccio.« Hale grinste. »Was hältst du davon? Und hinterher könnten wir ...«

»Vergiss es!«

»Eingebildet bist du gar nicht.« Hale wandte sich seufzend wieder seiner Arbeit zu. Mit Susan Fletcher gab es einfach kein Weiterkommen. Die brillante Kryptographin war für ihn ein Quell nicht nachlassender Frustration. Hale hatte sich oft ausgemalt, mit Susan Sex zu haben – gegen die geschwungene Schale des TRANSLTR würde er sie drängen und, an die warmen schwarzen Kacheln gepresst, in sie eindringen. Aber Susan wollte nichts von ihm wissen. Dass sie in einen Universitätsdozenten verliebt war, der für ein paar lächerliche Kröten endlos schuftete, machte die Sache nur noch schlimmer. Was für eine Vergeudung, dachte Hale. Ihren Spitzen-Genpool wird sie durch die Fortpflanzung mit irgend so einem Knallkopf verschleudern – wo sie doch *ihn* haben konnte! *Wir könnten perfekte Kinder zeugen*, dachte er.

»Woran arbeitest du gerade?«, erkundigte er sich, um eine andere Tour zu probieren.

Susan blieb die Antwort schuldig.

»Ich weiß ja, dass du nicht teamfähig bist, aber du hast doch nichts dagegen, wenn ich mal gucken komme?« Hale stand auf und kam um den Ring der Terminals herum auf sie zu.

Susan spürte, dass Hales Neugier an einem Tag wie heute schlimme Folgen haben konnte. »Es ist ein Diagnoseprogramm«, wiederholte sie kurz entschlossen Commander Strathmores Ausflüchte.

Hale blieb wie angewurzelt stehen. »Ein Diagnoseprogramm?« Er schien es ihr nicht abzunehmen. »Du hängst hier am Samstag herum und lässt ein Diagnoseprogramm laufen, anstatt mit deinem Prof einen draufzumachen?«

»Für dich immer noch Mr Becker.«

»Wie auch immer.«

Susan sah Hale strafend an. »Und du? Hast du denn nichts Besseres zu tun?«

»Du willst mich wohl loswerden.« Hale spielte den Gekränkten.

»Stimmt genau.«

»Aber Sue, du tust mir weh!«

Susan Fletchers Augen verengten sich. Sie konnte es nicht leiden, wenn Hale sie Sue nannte. Sie hatte im Prinzip nichts gegen die Kurzform ihres Namens, aber durchaus etwas dagegen, dass Hale sie benutzte.

»Lass mich doch ein bisschen helfen«, diente Hale sich an. Er kam näher. »Ich habe ein Händchen für Diagnoseprogramme. Außerdem sterbe ich vor Neugier, wie das Programm aussieht, das sogar an einem Samstag die tüchtige Susan Fletcher an ihren Arbeitsplatz ziehen kann.«

Susan spürte einen Adrenalinstoß. Sie blickte auf den Tracer auf ihrem Bildschirm. Hale durfte ihn nicht sehen – er würde zu viele Fragen stellen. »Greg, ich komme allein zurecht«, sagte sie.

Aber Hale kam trotzdem näher. Susan musste etwas tun, und zwar schnell. Hale war nur noch ein paar Schritte entfernt, als sie aufstand und sich ihm in den Weg stellte. Seine Parfümschwaden warfen sie fast um.

»Ich habe Nein gesagt!« Sie blickte Hale unerschrocken in die Augen.

Hale legte kokett den Kopf schief. Susans Geheimniskrämerei reizte ihn erst recht. Er tänzelte spielerisch näher. Auf das, was dann kam, war er nicht gefasst.

Eiskalt und ohne mit der Wimper zu zucken, setzte ihm Susan den Zeigefinger auf die gestählte Brust. Sein Vorwärtsdrang erstarb.

Hale trat erschrocken einen Schritt zurück. Susan Fletcher hatte es offenbar todernst gemeint. Sie hatte ihn noch nie zuvor angerührt. Hale hatte sich den ersten Körperkontakt bei Gott etwas anders vorgestellt, aber es war immerhin ein Anfang. Er streifte Susan mit einem langen irritierten Blick und trat zögernd den Rückzug zu seinem Terminal an. Als er sich wieder hinsetzte, war ihm eines klar: Die schöne Susan Fletcher hatte brisantes Material auf dem Bildschirm, und ein Diagnoseprogramm war das bestimmt nicht.

Kapitel 28

Señor Roldán saß an seinem Schreibtisch und gratulierte sich selbst zu der gelungenen Abfuhr, die er der Guardia bei ihrem jüngsten Versuch, ihn über den Tisch zu ziehen, erteilt hatte. Da hatte doch glatt einer von den Brüdern die krumme Tour versucht, mit falschem deutschem Akzent ein Mädchen für die Nacht aufzureißen! Was würde den Bullen wohl als Nächstes einfallen?

Das Telefon auf seinem Schreibtisch klingelte. Mit selbstbewusster Geste hob Señor Roldán den Hörer ab. »*Buenas noches, Escortes Belén.*«

»*Buenas noches*«, vernahm er eine nasale männliche Stimme, die ein rasantes Spanisch sprach. Der Sprecher klang, als sei er leicht erkältet. »Ist dort ein Hotel?«

»*No, Señor.* Welche Nummer haben Sie gewählt?« Roldán war nicht gewillt, sich an diesem Abend ein zweites Mal aufs Glatteis führen zu lassen.

»34-62-10«, sagte die Stimme.

Roldán runzelte die Stirn. Die Stimme kam ihm irgendwie bekannt vor. Er versuchte, die Färbung einzuordnen – Burgos vielleicht? »Das ist zwar unsre Nummer«, sagte Roldán vorsichtig, »aber wir sind eine Begleitagentur.«

Es wurde kurz still in der Leitung. »Oh … verstehe. Tut mir leid. Jemand hat mir diese Nummer gegeben. Ich dachte, es wäre die Nummer eines Hotels. Ich komme nämlich aus Burgos und bin hier nur zu Besuch. Entschuldigen Sie die Störung! Guten Abend …«

»*¡Espére!* Warten Sie!«, rief Roldán ins Telefon. Er war mit Leib und Seele Verkäufer und konnte einfach nicht anders. Rief der Mann etwa auf Empfehlung an? Ein neuer Kunde aus dem Norden? So verrückt war Roldán nun auch wieder nicht, dass er aus lauter Argwohn ein potenzielles Geschäft sausen ließ!

»Lieber Freund«, flötete er ins Telefon, »ich habe doch gleich einen leichten Zungenschlag von Burgos bei Ihnen herausgehört! Ich komme nämlich aus Valencia. Was führt Sie nach Sevilla?«

»Ich handele mit Tonwaren. Majolika.«

»Majolika? Ach, wie interessant. Da kommt man bestimmt viel herum.«

Am anderen Ende der Leitung wurde krächzend gehustet. »Ja, ich bin leider sehr viel auf Achse.«

»Und nun haben Ihre Geschäfte Sie nach Sevilla geführt?«, hakte Roldán nach. Dieser Mann war nie im Leben ein Lockvogel der Bullen, das war ein Kunde, wie er im Buche steht! »Lassen Sie mich raten – ein Bekannter hat Ihnen unsere Nummer gegeben und gesagt, Sie sollten doch einfach einmal bei uns anrufen, stimmt's?«

Der Anrufer schien verunsichert. »Aber nicht doch, Sie verstehen mich falsch.«

»Sie brauchen sich nicht zu genieren, Señor! Wir sind eine Begleitagentur, nichts, wofür man sich zu schämen braucht! Bei uns können Sie ein hübsches Mädchen buchen, das sie zum Dinner begleitet – das ist alles. Wer hat Ihnen denn unsere Nummer gegeben? Vielleicht ist es jemand, der regelmäßig bei uns bucht? Ich könnte Ihnen einen Sonderrabatt einräumen.«

»Nein, nein«, antwortete die Stimme nun schon etwas gereizt. »Ihre Nummer wurde mir keineswegs von jemand zugesteckt! Ich habe sie in einem Pass gefunden und versuche lediglich, den Verlierer ausfindig zu machen.«

Roldán schluckte. Das war mitnichten ein Kunde. »Sie haben unsere Nummer gefunden, sagen Sie?«

»Ja, in einem Pass, heute im Park. Im Pass lag ein Zettelchen, auf dem Ihre Nummer stand. Ich dachte, es könnte die Nummer des Hotels sein, wo derjenige, der den Pass verloren hat, abgestiegen ist. Dann hätte ich ihm nämlich den Pass vorbeibringen können. Leider ein Irrtum. Ich werde den Pass bei meiner Abreise bei der Polizei …«

»*Perdón*«, fiel Roldán dem Anrufer nervös ins Wort. »Darf ich Ihnen einen besseren Vorschlag machen?« Roldán hielt sich etwas auf seine Diskretion zugute, und die Einschaltung der Polizei konnte aus einem Kunden im Handumdrehen einen ehemaligen Kunden machen. »Da der Verlierer des Passes unsere Telefonnummer bei sich hatte, dürfte er einer unserer Kunden sein. Ich würde Ihnen gern die Mühe ersparen, extra zur Polizei gehen zu müssen.«

Der Anrufer zögerte. »Ich weiß nicht. Vielleicht sollte ich einfach …«

»Lieber Freund, ich möchte Sie nur vor einer möglicherweise übereilten Entscheidung bewahren. Es tut mir leid, das sagen zu müssen, aber die Polizei von Sevilla ist nicht immer so tüchtig wie die Polizei bei Ihnen im Norden. Es kann Tage dauern, bis der Mann seinen Pass wiederbekommt. Wenn Sie mir den Namen des Verlierers nennen, kann ich vermutlich dafür sorgen, dass er seinen Pass *sofort* zurückbekommt.«

»Nun gut, es wird wohl nichts schaden …« Roldán hörte Papier rascheln, dann war der Anrufer wieder am Apparat. »Es ist ein deutscher Name. Ich weiß nicht, wie man ihn ausspricht … Hoff … Hoffmann.«

Der Name sagte Roldán nichts, aber er hatte Kunden aus der ganzen Welt, und kaum einer hinterließ bei ihm den richtigen Namen. »Können Sie mir vielleicht sagen, wie der Mann auf seinem Passfoto aussieht? Das könnte mir vielleicht weiterhelfen.«

»Sein Gesicht ist … außerordentlich feist«, sagte die Stimme.

Roldán wusste sofort Bescheid. Er erinnerte sich an den Fettsack nur zu gut, den Mann, um den sich Rocío kümmern sollte. Seltsam, dachte Roldán, zwei Anrufe hintereinander wegen dieses Deutschen.

»Der Señor heißt Hoffmann?« Roldán unterdrückte ein Kichern. »Aber natürlich. Ich kenne den Herrn sehr gut. Wenn Sie mir den Pass vorbeibringen, werde ich dafür sorgen, dass er seine Papiere umgehend zurückbekommt.«

»Ich bin in der Innenstadt und habe kein Auto«, wehrte der Anrufer ab. »Könnten Sie nicht herkommen?«

»Leider kann ich das Telefon nicht unbeaufsichtigt lassen«, wandte Roldán ein. »Aber bis zu uns ist es wirklich nicht weit. Wenn Sie …«

»Bedauere, aber um Ihre Adresse zu suchen, fehlt mir die Zeit. Hier ist ganz in der Nähe ein Polizeirevier. Ich werde den Pass dort abgeben. Wenn Sie Señor Hoffmann sehen, können Sie ihm ja sagen, wo er seinen Pass abholen kann.«

»Nein, warten Sie«, schrie Roldán, »wir sollten die Polizei unbedingt aus dem Spiel lassen! Sie sind in der Innenstadt, sagen Sie? Kennen Sie das Hotel Alfonso XIII? Eines der besten Häuser unserer Stadt.«

»Ja, kenne ich. Es ist nicht weit von hier.«

»Wunderbar! Señor Hoffmann ist dort abgestiegen. Er müsste sich jetzt eigentlich im Hotel aufhalten.«

Der Anrufer zögerte. »Aha. Nun gut, dann muss ich mich wohl dort hinbemühen.«

»Ausgezeichnet! Señor Hoffmann wollte heute Abend im Hotelrestaurant mit einer unserer Gesellschafterinnen zu Abend speisen.« Vermutlich lag Hoffmann mit dem Mädchen schon im Bett, aber Roldán musste vorsichtig sein, um den spießigen Anrufer nicht zu verschrecken. »Geben sie den Pass einfach bei Manuel ab. Das ist der Portier. Sagen Sie, ich hätte Sie geschickt. Er möchte den Pass Rocío geben. Rocío ist heute Abend

Señor Hoffmanns Gesellschafterin. Sie wird dafür Sorge tragen, dass der Mann wieder in den Besitz seiner Papiere kommt. Sie können ja ein Kärtchen mit Ihrem Namen und Ihrer Adresse dazulegen, dann kann Señor Hoffmann Ihnen ein kleines Dankeschön zukommen lassen.«

»Eine gute Idee. Das Alfonso XIII also? Ich werde den Pass sogleich dort abgeben. Ich danke Ihnen für Ihre Hilfe!«

David Becker hängte ein. *Na also, das Alfonso XIII.* Er schmunzelte. *Man muss nur die richtigen Fragen stellen.*

Als er ein paar Augenblicke später die Calle Delicias hinunterging, folgte ihm geräuschlos eine stumme Gestalt.

Kapitel 29

Susan schaute durch die Glaswand von Node 3 in die verlassene Crypto-Kuppel hinaus. Der Zusammenstoß mit Hale ging ihr immer noch nach. Hale war wieder in seine Arbeit vertieft und hielt dankenswerterweise die Klappe. Wenn er nur endlich verduften würde!

Sie überlegte, ob sie Strathmore anrufen sollte. Der Commander konnte Hale problemlos vor die Tür setzen – schließlich war Samstag. Aber ein Rauswurf würde Hale erst recht argwöhnisch werden lassen. Kaum draußen, würde er bestimmt sämtliche Kollegen anrufen und sich erkundigen, was ihrer Meinung nach los sein könnte. Susan entschloss sich, Hale in Ruhe zu lassen. In absehbarer Zeit würde er wohl von selbst wieder verschwinden.

Ein nicht dechiffrierbarer Algorithmus. Susans Gedanken waren wieder bei Diabolus. Sie seufzte. Sie wollte einfach nicht glauben, dass es möglich sein sollte, einen solchen Algorithmus zu erzeugen – aber den Beweis, dass es doch möglich war, hatte sie unmittelbar vor Augen: Der TRANSLTR biss sich an dem Algorithmus seit vielen Stunden die Zähne aus.

Susan dachte an Strathmore, der wacker die Verantwortung trug und mit kühler Überlegung tat, was angesichts der Katastrophe getan werden musste.

Manchmal glaubte Susan, in Strathmore David wieder zu erkennen. Die beiden hatten eine ganze Reihe von gemeinsamen

Eigenschaften: Intelligenz, Zähigkeit, Engagement. Manchmal hatte sie den Eindruck, Strathmore wäre ohne sie verloren. Ihre unverbrüchliche Liebe zur Kryptographie schien für ihn ein Quell des Lebensmuts zu sein, der ihn das ewige Einerlei des politischen Tagesgeschäfts überstehen ließ und die Erinnerung an seine Jahre als Codeknacker in ihm wach hielt.

Susan brauchte Strathmore nicht minder. In einer Welt machtgieriger Männer war er ihr Rückhalt, ihr Beschützer, der Förderer ihrer Karriere und der Erfüllungsgehilfe ihrer Träume, wie er oft scherzhaft bemerkte. *Und ganz so Unrecht hat er damit ja nicht,* dachte Susan. Schließlich hatte Strathmore, natürlich ganz ohne jede Absicht, den schicksalsträchtigen Anruf getätigt, durch den David an jenem Nachmittag bei der NSA aufgetaucht war. Susans Gedanken flogen zurück zu David. Ihr Blick wanderte unwillkürlich zu dem kleinen Fax, das sie mit Tesafilm in die Lade für ihr Keyboard geklebt hatte.

Seit sieben Monaten prangte es schon da. Es war der einzige Code, den Susan Fletcher bislang noch nicht zu knacken vermocht hatte. Das Fax war von David. Sie las es zum fünfhundertsten Mal:

NIMM BITTE DIESES KLEINE FAX
ICH LIEBE DICH
GANZ OHNE WACHS
DAVID

Er hatte ihr das Fax nach einer kleinen Meinungsverschiedenheit geschickt. Seit Monaten schon lag sie ihm in den Ohren, er möge ihr verraten, was es bedeute, aber er hatte sich nicht erweichen lassen. *Ohne Wachs.* Es war Davids kleine Rache. Susan hatte ihm eine ganze Menge über die Kunst des Dechiffrierens beigebracht. Um ihn auf Trab zu halten, hatte sie angefangen, alle schriftlichen Mitteilungen mit einem leichten Code zu verschlüsseln. Ob Einkaufsliste oder Zettelchen mit

Liebesgeflüster – alles war codiert. Es war ein Spiel, das David zu einem recht guten Kryptographen gemacht hatte. Dann hatte er angefangen, sich zu revanchieren und alle seine Mitteilungen mit »Ohne Wachs, David« zu unterschreiben. Susan hatte inzwischen über zwei Dutzend Zettel von David, die alle auf diese Weise gezeichnet waren. *Ohne Wachs.*

Susan hatte David angefleht, ihr den geheimen Sinn zu verraten, aber er schwieg beharrlich. Jedes Mal, wenn sie davon anfing, lächelte er nur und sagte: »Die Kryptographin bist doch du!«

Die Chefkryptographin der NSA hatte alles versucht – Substitutionschiffren, Zahlenquadrate, sogar Anagramme. Sie hatte ihrem Computer den Befehl gegeben, die Buchstaben zu neuen Wörtern anzuordnen, aber außer dem wenig aufschlussreichen »HANS WOCHE« war nichts dabei herausgekommen. Anscheinend war Ensei Tankado doch nicht der einzige Mensch auf der Welt, der einen undechiffrierbaren Code schreiben konnte.

Das Zischen des pneumatischen Türmechanismus riss Susan aus ihren Gedanken. Commander Strathmore kam hereingeschritten. »Gibt's schon was Neues, Susan?«, rief er.

Strathmore bemerkte Greg Hale und blieb abrupt stehen. »Einen schönen guten Abend, Mr Hale«, sagte er und legte die Stirn in Falten. »Voller Einsatz, auch am Samstag! Was verschafft uns die Ehre?«

Hale grinste unschuldig zurück. »Wer viel verdient, muss auch viel arbeiten.«

»Verstehe«, grunzte Strathmore, der offenbar nicht wusste, wie er reagieren sollte – doch auch er schien Hale in Ruhe lassen zu wollen. Er wandte sich an Susan. »Miss Fletcher«, sagte er eher beiläufig, »ich möchte Sie einen Augenblick sprechen. *Aber draußen.*«

Susan zögerte. »Äh, jawohl, Sir.« Sie schaute beklommen auf ihren Monitor und dann hinüber zu Greg Hale. »Einen Moment noch, bitte.«

Sie tippte auf ein paar Tasten und lud das ScreenLock-Programm, das ihre Dateien vor fremdem Zugriff schützte. Sämtliche Terminals in Node 3 waren damit ausgerüstet. Da die Terminals rund um die Uhr liefen, konnten die Kryptographen mit ScreenLock dafür sorgen, dass sich niemand während ihrer Abwesenheit an ihren Dateien zu schaffen machte. Susan gab ihren Zugriffscode ein. Der Bildschirm wurde schwarz. Er würde dunkel bleiben, bis sie wieder zurückkam und erneut die richtige Zahlenfolge eintippte.

Sie schlüpfte in die Schuhe und folgte dem Commander nach draußen.

»Was zum Teufel macht Hale denn hier?«, schnaubte Strathmore, kaum, dass er mit Susan vor der Tür angekommen war.

»Was er immer macht«, gab Susan zurück. »Gar nichts.«

Strathmore wirkte besorgt. »Hat er etwas vom TRANSLTR gesagt?«

»Nein, aber wenn er auf den Kontrollmonitor zugreift und die sechzehn Stunden Laufzeit sieht, wird er zweifellos Krawall schlagen.«

»Einen Grund zum Zugreifen hat er eigentlich nicht«, meinte Strathmore.

Susan blickte den Commander an. »Wollen Sie ihn nicht lieber nach Hause schicken?«

»Nein. Wir werden ihn in Ruhe lassen.« Strathmore schaute hinüber zum Sys-Sec-Büro. »Ist Charturkian schon gegangen?«

»Ich weiß nicht. Gesehen habe ich ihn nicht.«

»Mein Gott!«, stöhnte Strathmore, »was für ein Affentheater!« Er fuhr sich mit der Hand über die dunklen Bartstoppeln, die in den letzten sechsunddreißig Stunden an seinem Kinn gesprossen waren. »Hat sich mit dem Tracer schon etwas getan? Es fällt mir schwer, tatenlos da oben in meinem Büro herumzusitzen.«

»Noch nicht. Gibt es etwas Neues von David?«

Strathmore schüttelte den Kopf. »Nein. Ich habe ihm gesagt, er soll sich erst wieder melden, wenn er den Ring an sich gebracht hat.«

Susan sah ihn überrascht an. »Warum das? Was ist, wenn er Hilfe braucht?«

»Von hier aus kann ich ihm nicht helfen«, sagte Strathmore achselzuckend. »Er ist auf sich selbst gestellt. Außerdem möchte ich keine ungesicherte Telefonverbindung riskieren. Es könnte jemand lauschen.«

Susans Augen weiteten sich besorgt. »Wie soll ich das verstehen?«

»David hat nichts zu befürchten«, sagte Strathmore mit beschwichtigender Miene und lächelte Susan aufmunternd zu. »Reine Vorsichtsmaßnahme.«

Durch die reflektierende Glaswand Susans und Strathmores Blicken entzogen, trat Greg Hale nur zehn Meter von ihnen entfernt an Susans Terminal. Der Bildschirm war schwarz. Mit einem sichernden Blick hinaus zu Strathmore und Susan griff Hale in die Brieftasche und holte ein kleines Karteikärtchen heraus, um eine Zahlenfolge abzulesen.

Nachdem er sich vergewissert hatte, dass die beiden immer noch miteinander redeten, drückte er behutsam fünf Tasten von Susans Keyboard. Der Monitor wurde hell.

»Bingo!«, sagte Hale grinsend.

Für Hale war es eine leichte Übung gewesen, sich die Zugriffscodes der Terminals von Node 3 zu beschaffen. Die Arbeitsplätze hatten identische Keyboards. Hale hatte einfach eines Abends sein Keyboard abgesteckt, mit nach Hause genommen und einen Chip installiert, der die gedrückten Tasten nacheinander speicherte. Am nächsten Tag war er ein bisschen früher zur Arbeit gekommen, um das präparierte Keyboard gegen das eines Kollegen auszutauschen. Am Ende des Tages hatte er den Tausch rückgängig gemacht und die auf dem Chip gespeicherten Daten heruntergelesen. Den Zugriffscode aufzuspüren war trotz der Millionen betätigter Tasten einfach, denn jeder Kryptograph gab morgens als Erstes seinen Code ein. Es war ein Kinderspiel: Hale brauchte sich nur die ersten fünf Zeichen auf der Liste zu notieren.

Welche Ironie, dachte Hale, während er auf Susans Monitor schaute. Er hatte sich den Zugriffscode eigentlich nur zum Spaß beschafft, aber jetzt war er froh, dass er ihn hatte. Das Programm auf Susans Bildschirm sah nach etwas Wichtigem aus.

Hale brauchte einen Moment, um durchzusteigen. Das Programm war in LIMBO geschrieben – nicht unbedingt seine Stärke –, aber ein Diagnoseprogramm war es nicht. Nur drei der auf dem Monitor angezeigten Wörter sagten ihm etwas, aber das genügte schon:

TRACER: SUCHE LÄUFT ...

»Tracer?«, murmelte er. »Suche läuft ... aber wonach?« Nachdem er sich hingesetzt und Susans Bildschirm studiert hatte, wusste er, was zu tun war.

Hale verstand von LIMBO immerhin genug, um zu wissen, dass es sich stark an zwei andere Programmiersprachen anlehnte, an C und Pascal, und die kannte er aus dem Effeff. Er hob kurz den Blick. Strathmore und Susan waren immer noch ins Gespräch vertieft. Hale begann zu improvisieren. Er gab ein paar leicht modifizierte Pascal-Befehle ein und drückte auf ENTER. Im Statusfenster des Tracers zeigte sich die erhoffte Reaktion:

SUCHE ABBRECHEN?

Schnell tippte er: JA

SIND SIE SICHER?

Wieder tippte er: JA

Gleich darauf piepste der Computer:

SUCHE ABGEBROCHEN

Hale grinste. Von Susans Terminal aus hatte er den Tracer vorzeitig zur Selbstzerstörung veranlasst. Was auch immer Susan suchte, ihre Suche war bis auf weiteres storniert.

Um keine Spuren zu hinterlassen, navigierte sich Hale geschickt in Susans System-Aktiväts-Protokoll und löschte sämtliche von ihm eingegebenen Befehle. Zum Abschluss drückte er die Tasten von Susans Zugriffscode.

Der Monitor wurde wieder schwarz.

Als Susan zurückkam, saß Greg Hale an seinem Terminal, als ob nichts geschehen wäre.

Kapitel 30

Das Vier-Sterne-Hotel Alfonso XIII lag von einem hohen schmiedeeisernen Gitter umgeben inmitten von Fliederbüschen etwas zurück von der Puerta de Jerez. David Becker stieg die marmornen Stufen des Eingangs hinauf. Als er nach dem Türknauf greifen wollte, tat sich die Tür wie von selbst vor ihm auf. Ein Page erschien, um ihn hineinzukomplimentieren.

»Ihr Gepäck, Señor? Kann ich Ihnen behilflich sein?«

»Danke, ich möchte nur den Portier sprechen.«

Das beleidigte Gesicht des Pagen verriet, dass ihre noch keine fünf Sekunden alte Bekanntschaft nicht zu seiner Zufriedenheit verlaufen war. »*Por aquí, señor,*« näselte er, »hier entlang«, und schritt Becker zum Empfang voraus. Er deutete auf den Portier, um sich sogleich wieder in nichts aufzulösen.

Der Eingangsbereich war erlesen – nicht allzu groß, aber elegant. Spaniens goldenes Zeitalter war zwar schon längst Vergangenheit, aber in der Mitte des sechzehnten Jahrhunderts hatte diese kleine Nation die Welt beherrscht. Die Räumlichkeit mit ihren Rüstungen, Radierungen von militärischen Begegnungen und dem Schaukasten mit Goldbarren aus der Neuen Welt bot eine stolze Reminiszenz dieser großartigsten Epoche der spanischen Geschichte.

Hinter dem Empfangstresen mit der Aufschrift CONSERJE stand ein gepflegter schlanker Mann. Nach der Intensität seines beflissenen Lächelns zu schließen, hatte er das ganze Leben auf diesen einen Augenblick gewartet, um seine Dienste anzubieten. »*¿En qué puedo servirle, señor?* Womit kann ich dienen?«, lispelte er affektiert, wobei er Becker von oben bis unten taxierte.

»Ich möchte Manuel sprechen«, antwortete Becker auf Spanisch.

Das Lächeln auf dem gebräunten Gesicht des Mannes wurde noch beflissener. »*Sí, sí, señor,* Sie sprechen mit Manuel. Was wünschen Sie?«

»Señor Roldán von Escortes Belén hat mir gesagt, Sie würden …«

Der Portier brachte Becker mit einer hastigen Geste zum Schweigen. Nervös schaute er sich in der Lobby um. »Wenn Sie sich bitte hier herüber bemühen wollen!«, lispelte er und wedelte Becker zum Ende der Empfangstheke. »Also«, nahm er den Faden fast im Flüsterton wieder auf, »womit kann ich Ihnen behilflich sein?«

Becker senkte die Stimme und begann von vorne. »Ich möchte eine von Señor Roldáns Damen sprechen, die, wie ich annehme, hier zu Abend speist. Es handelt sich um Señorita Rocío.«

Der Portier blies überwältigt die Backen auf. »Ah, Señorita Rocío! – ein wunderbares Geschöpf!«

»Ich muss sie unverzüglich sprechen.«

»Aber Señor, Señorita Rocío betreut zurzeit einen Kunden!«

Becker nickte verständnisvoll. »Gewiss. Leider ist es sehr wichtig.« *Eine Frage der nationalen Sicherheit.*

Der Portier schüttelte den Kopf. »Unmöglich. Aber wenn sie vielleicht eine …«

»Es dauert nur einen Moment. Befindet sich die Señorita denn nicht im Restaurant?«

Der Portier schüttelte den Kopf. »Das Restaurant hat vor einer halben Stunde geschlossen. Ich fürchte, Señorita Rocío und ihr Gast haben sich schon zurückgezogen. Wenn Sie so freundlich sind, eine Nachricht zu hinterlassen, kann ich sie

Señorita Rocío morgen früh überreichen.« Er deutete hinter sich auf die nummerierten Fächer an der Wand.

»Vielleicht könnte ich sie kurz auf dem Zimmer anrufen und …«

»Tut mir leid.« Die Geduld des Portiers näherte sich langsam ihrem Ende. »Im Alfonso XIII ist die Ungestörtheit des Gastes das oberste Gebot!«

Becker hatte nicht die Absicht, mindestens zehn Stunden zu warten, bis ein Fettwanst mit seiner Nutte zum Frühstück heruntergewatschelt kam.

»Verstehe«, sagte er. »Tut mir leid, dass Sie sich wegen mir bemühen mussten.« Er drehte sich um und ging zu einem Nussbaum-Rollpult, das ihm schon beim Hereinkommen aufgefallen war. Ein großzügiges Sortiment von Alfonso-XIII-Postkarten, Briefpapier, Schreibzeug und Umschlägen war darauf ausgelegt. Er steckte ein leeres Blatt in einen Umschlag. Vorne drauf schrieb er ein einziges Wort.

ROCÍO.

Er ging zum Empfang zurück.

»Wie dumm von mir, dass ich Sie noch einmal behelligen muss«, sagte er verlegen zum Portier. »Ich hätte Señorita Rocío gern persönlich gesagt, wie gut ich mich neulich mit ihr amüsiert habe, aber ich werde leider heute Nacht noch abreisen. Dann muss es eben mit diesen wenigen Zeilen ein Bewenden haben.« Er legte den Umschlag auf die Empfangstheke.

Der Portier blickte auf den Umschlag. *Wieder so ein liebeskranker Heterosexueller,* dachte er betrübt. *Welch eine Vergeudung.* Er blickte hoch und lächelte. »Aber selbstverständlich, Señor …?«

»Buisán«, ergänzte Becker. »Miguel Buisán.«

»Gewiss doch. Sie können sicher sein, dass Señorita Rocío Ihren Gruß gleich morgen früh erhält.«

»Vielen Dank.« Becker lächelte und wandte sich zum Gehen.

Nach einem diskreten Kennerblick auf Beckers Allerwertesten nahm der Portier den Umschlag und wandte sich den nummerierten Fächern in der Rückwand zu. Als seine Hand mit dem Umschlag in eines der Fächer glitt, fuhr Becker jäh herum zu einer letzten Frage.

»Bitte, wo bekomme ich ein Taxi?«

Das Timing war perfekt. Die Antwort des Portiers war Becker gleichgültig, aber er hatte das Kuvert in dem Fach mit der Aufschrift SUITE 301 verschwinden sehen.

Becker bedankte sich noch einmal und machte kehrt. Sein Blick suchte den Aufzug.

Rein und raus, murmelte er vor sich hin.

Kapitel 31

Susan begab sich wieder an ihren Arbeitsplatz. Das Gespräch mit Strathmore hatte ihre Sorge um Davids Sicherheit vertieft.

»Nun, was hat Strathmore denn gewollt? Ein romantisches Tête-à-Tête mit seiner Chefkryptographin?«, stichelte Hale hinter seinem Terminal.

Susan ignorierte die Spitze. Sie setzte sich an ihr Terminal und gab ihren Zugriffscode ein. Der Bildschirm wurde hell. Das Tracer-Programm hatte immer noch keine Rückmeldung über North Dakota geliefert.

Verdammt, was dauert denn da so lang?

»Du machst so ein wütendes Gesicht«, sagte Hale unschuldig. »Ärger mit deinem Diagnoseprogramm?«

»Nichts Ernstes«, gab sie zurück, aber sie war sich keineswegs sicher. Der Tracer war längst überfällig. Sie überlegte, ob sie sich bei der Eingabe vertan haben konnte, und begann, die langen LIMBO-Zeichenfolgen auf ihrem Bildschirm nach einem Grund für die Verzögerung zu durchsuchen.

Hale sah ihr schadenfroh zu. »Hey, ich wollte dich immer schon was fragen. Was hältst du eigentlich von dem unentschlüsselbaren Algorithmus, an dem Ensei Tankado angeblich herumdoktert?«

Susan fuhr hoch. Ihr Magen schlug einen Purzelbaum. »Ein unentschlüsselbarer Algorithmus?« Sie erlangte ihre Fassung wieder. »Ach so… Ich glaube, davon habe ich schon mal was gelesen.«

»Ziemlich überzogen, so eine Behauptung«, meinte Hale.

»Aber ja«, stimmte Susan zu. Warum fing Hale plötzlich davon an? »Ich glaube nicht daran. Schließlich weiß doch jeder, dass etwas Derartiges mathematisch unmöglich ist.«

Hale lächelte. »Sicher. Das Bergofsky-Prinzip.«

»Und der gesunde Menschenverstand!«, ergänzte Susan bissig.

»Aber, wer weiß…« Hale ließ einen theatralischen Seufzer los. »›Es gibt mehr Dinge im Himmel und auf Erden, als eure Schulweisheit sich träumt.‹«

»Wie bitte?«

»Shakespeare«, erläuterte Hale. »Hamlet.«

»Du hast im Knast wohl viel Zeit gehabt zum Lesen.«

Hale grinste unbeeindruckt. »Im Ernst, Susan, könntest du dir vorstellen, dass Tankado vielleicht wirklich einen unentschlüsselbaren Algorithmus geschrieben hat?«

Die Unterhaltung lief in eine ungute Richtung. »Also, wenn wir es nicht geschafft haben…«

»Vielleicht ist Tankado besser als wir.«

»Vielleicht«, sagte Susan achselzuckend und tat desinteressiert.

»Wir haben eine Zeit lang korrespondiert«, sagte Hale. »Hast du das gewusst?«

Susan fuhr hoch. Sie versuchte ihren Schreck zu verbergen. »Ach ja?«

»Ja. Nachdem ich damals das Hintertürchen im Skipjack-Algorithmus entdeckt hatte, hat er mir geschrieben – wir seien Brüder im globalen Kampf um die digitale Vertraulichkeit, hat er gesagt.«

Susan bemühte sich, ihr ungläubiges Erstaunen zu kaschieren. *Hale und Tankado kennen einander persönlich! Sie versuchte, Gleichgültigkeit zu heucheln.*

»Er hat mich beglückwünscht, weil ich das Hintertürchen

in Skipjack gefunden hatte«, fuhr Hale fort. »Er nannte den Vorgang einen Anschlag gegen die Persönlichkeitsrechte aller freien Bürger dieser Welt. Susan, du musst doch zugeben, dieses Hintertürchen war eine ausgemachte Schweinerei. Sich den weltweiten Zugriff auf E-Mails zu sichern! Strathmore hatte nichts anderes verdient, als damit auf die Schnauze zu fallen, wenn du mich fragst!«

»Also Greg!«, empörte sich Susan. Sie versuchte, ihren Ärger herunterzuschlucken. »Dieses Hintertürchen sollte der NSA die Möglichkeit geben, E-Mails aufzuspüren, die unsere nationale Sicherheit bedrohen!«

»Ach ja?« Hale seufzte in gespielter Verzweiflung. »Und da muss man eben das Herumschnüffeln in den E-Mails rechtschaffener Bürger in Kauf nehmen, oder?«

»Wir schnüffeln nicht in den E-Mails rechtschaffener Bürger, und das weißt du genau! Auch das FBI darf Telefone abhören, aber das heißt noch lange nicht, dass es *jedes* Telefonat abhört, das getätigt wird.«

»Wenn sie genügend Leute dafür hätten, würden sie es aber tun!«

Susan überging die Bemerkung. »Der Staat muss das Recht haben, zum Schutz des Gemeinwohls Informationen zu sammeln.«

»Ach du lieber Gott«, stöhnte Hale. »Man könnte meinen, Strathmore hätte dir eine Gehirnwäsche verpasst. Du weißt verdammt genau, dass das FBI nicht nach Lust und Laune abhören darf. Es braucht dazu einen Gerichtsbeschluss. Ein manipulierter Verschlüsselungsstandard hätte dagegen zur Folge, dass die NSA *jeden jederzeit und überall* ausspähen kann.«

»Das stimmt – und so sollte es auch sein!« Susans Stimme hatte einen harten Klang bekommen. »Und wenn du mit deiner Entdeckung dieses Hintertürchens nicht dazwischengepfuscht hättest, könnten wir jeden Code knacken, und nicht nur das bisschen, was der TRANSLTR schafft.«

»Wenn ich das Hintertürchen nicht gefunden hätte«, wandte

Hale ein, »dann wäre es eben ein anderer gewesen. Ihr solltet euch bei mir bedanken, dass ich es so früh schon entdeckt habe. Kannst du dir den Aufstand vorstellen, wenn es erst nach der Einführung von Skipjack bekannt geworden wäre?«

»Das mag sein wie es will«, schoss Susan zurück, »jedenfalls hast du erreicht, dass die paranoide EFF jetzt glaubt, wir würden in jeden unserer Algorithmen ein Hintertürchen einbauen!«

»Tun wir das denn nicht?«, fragte Hale hämisch.

Susan warf ihm einen bösen Blick zu.

»Na ja, von mir aus«, lenkte Hale ein. »Jetzt ist das sowieso egal. Ihr habt den TRANSLTR gebaut. Ihr könnt lesen, was ihr wollt, wann ihr wollt – kein Hahn kräht danach. Ihr habt gewonnen.«

»Wolltest du nicht sagen: *Wir* haben gewonnen? Soviel ich weiß, arbeitest du doch für die NSA.«

»Nicht mehr lange«, flötete Hale.

»Keine leeren Versprechungen!«

»Im Ernst. Eines nicht allzu fernen Tages werde ich von hier verschwinden.«

»Es wird mir das Herz brechen!« Susan merkte, dass sie wegen all der Dinge, die heute schiefgelaufen waren, Hale am liebsten lauthals angeschrien hätte. Sie wollte ihn fertig machen wegen Diabolus, wegen ihrer Probleme mit David, wegen der geplatzten Fahrt in die Smoky Mountains – lauter Dinge, für die er überhaupt nicht verantwortlich war. Das Einzige, was man ihm vorwerfen konnte, war seine Aufdringlichkeit, und darüber hätte sie eigentlich erhaben sein müssen. Als Abteilungsleiterin hatte sie die Aufgabe, für Frieden und Ausgleich zu sorgen, pädagogisch zu wirken. Schließlich war Hale noch jung und naiv.

Susan schaute zu ihm hinüber. Eigentlich schade, dachte sie. Hale hatte das Zeug zu einem hervorragenden Mitarbeiter der Crypto – sofern er endlich begriff, wie wichtig die Arbeit der NSA in Wirklichkeit war.

»Greg«, sagte Susan ruhig und kontrolliert. »Ich bin heute

ziemlich gestresst. Es regt mich einfach auf, wenn du über die NSA redest, als wären wir ordinäre Spanner auf High-Tech-Niveau. Diese Behörde ist nur zu einem Zweck ins Leben gerufen worden: zum Schutz der Sicherheit unseres Landes. Da müssen eben manchmal ein paar faule Äpfel aussortiert werden. Ich glaube, die meisten Bürger würden mit Freuden ein wenig von ihrer Freiheit opfern, wenn sie im Gegenzug dazu die Sicherheit hätten, dass Gesetzesbrecher nicht schalten und walten können, wie es ihnen passt.«

Hale schwieg.

»Früher oder später«, fuhr Susan fort, »müssen sich die Bürger unseres Landes für eine Richtung entscheiden. Es gibt viel Positives, aber eben auch eine ganze Menge von krummen Dingern. Es muss jemand geben, der das alles sichten und das Gute vom Schlechten trennen kann. Und das ist unser Job. Das ist unsere Pflicht. Ob es uns passt oder nicht, zwischen Demokratie und Anarchie liegt nur ein schmaler Grat. Und die NSA ist sein Wächter.«

Hale nickte nachdenklich. »*Quis custodiet ipsos custodes?*«

Susan sah ihn fragend an.

»Das ist Lateinisch, aus den Satiren des Juvenal. Es heißt: ›Wer überwacht die Wächter?‹«

»Das verstehe ich nicht«, sagte Susan.

»Aber es ist doch ganz einfach! Wenn *wir* uns als Wächter der Gesellschaft aufspielen, wer wacht dann über uns, damit nicht *wir* zur Gefahr werden?«

Susan sah ihn an. Sie wusste nicht, was sie darauf antworten sollte.

Hale lächelte. »Tankado hat alle seine Mails an mich mit diesem Spruch gezeichnet. Es war sein Lieblingsspruch.«

Kapitel 32

David Becker stand vor Suite 301 auf dem Etagenflur. Irgendwo hinter dieser Tür befand sich der Ring. *Eine Frage der nationalen Sicherheit.*

Becker vernahm, dass sich drinnen jemand bewegte. Eine gedämpfte Unterhaltung. Er klopfte.

»Ja?«, rief eine tiefe, unverkennbar deutsche Stimme.

Becker reagierte nicht.

Die Tür ging einen Spalt weit auf. Ein rundliches Gesicht schaute auf ihn herab.

Becker kannte den Namen des Mannes nicht. Er lächelte höflich. »Sind Sie Deutscher?«, fragte er.

Der Mann nickte etwas verunsichert.

»Kann ich Sie einen Moment sprechen?«, fuhr Becker in fließendem Deutsch fort.

Der Mann sah ihn unwirsch an. »Was wollen Sie?«

Becker ärgerte sich, dass er den Auftritt nicht besser geplant hatte. Er suchte nach den passenden Worten. »Sie haben etwas, das ich brauche.«

Es war augenscheinlich nicht die richtige Eröffnung. Die Augen des Deutschen verengten sich.

»Einen Ring«, sagte Becker. »Sie haben einen Ring.«

»Machen Sie, dass Sie fortkommen!«, knurrte der Deutsche und wollte die Tür zuschlagen. Becker setzte reflexhaft den Fuß in den Türspalt. Er bedauerte es sofort.

Der Deutsche brauste auf. »Was soll das?«

Becker wusste, dass er wieder einmal zu sehr auf die Tube gedrückt hatte. Nervös blickte er rechts und links den Flur hinunter. Er war bereits aus der Klinik hinausgeflogen, einen zweiten Rausschmiss konnte er sich nicht leisten.

»Nehmen Sie sofort den Fuß weg!«, brüllte ihn der Deutsche an.

Becker suchte an den Wurstfingern des Mannes nach einem Ring. Nichts. *Du bist so nah dran!*, dachte er. »Sie haben einen Ring!«, rief er.

Die Tür knallte ihm ins Gesicht.

David Becker stand eine geraume Zeit auf dem prächtigen Hotelflur. Die Reproduktion eines surrealistischen Bildes von Salvador Dalí hing nicht weit von ihm an der Wand. *Das passt,* stöhnte er, *du befindest dich mitten in einem absurden Albtraum!* Heute früh war er in seinem eigenen Bett aufgewacht, und jetzt war er im Begriff, auf der Suche nach einem geheimnisvollen Ring in das Hotelzimmer eines wildfremden Mannes einzudringen.

Strathmores ernste Stimme rief ihn in die Wirklichkeit zurück. *Sie müssen diesen Ring finden*!

Becker atmete tief durch. Er wäre am liebsten umgekehrt und nach Hause geflogen. Er betrachtete wieder die Tür mit der Nummer 301. Auf der anderen Seite wartete seine Rückfahrkarte – der goldene Ring. Er brauchte ihn nur zu holen.

Er stieß entschlossen die Luft aus, schritt zur Tür und pochte. Jetzt waren härtere Bandagen angesagt.

Der Deutsche riss die Tür auf und wollte protestieren, aber Becker schnitt ihm das Wort ab. Mit dem Ruf »Polizei!« hielt er ihm die Mitgliedskarte seines Squash-Clubs vor die Nase, drängte sich ins Zimmer und knipste das große Deckenlicht an.

Der Dicke fuhr herum und schaute Becker entgeistert an. »Was fällt Ihnen ein…?«

»Ruhe!« Becker schaltete um auf Englisch mit spanischem Akzent. »Sie haben eine Prostituierte auf Ihrem Zimmer!« Becker sah sich um. Das Zimmer war so nobel, wie ein Hotelzimmer nur sein konnte. Rosen, Champagner im Kühler, ein riesiges Himmelbett. Rocío war nirgendwo zu sehen. Die Tür zum Badezimmer war geschlossen.

»Eine Prostituierte?« Der Blick des Deutschen flog zur Badezimmertür. Der Mann war größer, als Becker gedacht hatte. Seine haarige Brust begann unmittelbar unter dem Dreifachkinn und wölbte sich vor bis zu seiner kolossalen Wampe. Die Kordel des Bademantels umspannte nur knapp seine Leibesfülle.

Becker starrte dem Riesen in die Augen. »Wie heißen Sie?«

Panik huschte über das feiste Gesicht. »Was wollen Sie?«

»Ich bin vom Touristendezernat der Guardia Civil von Sevilla. Haben Sie eine Prostituierte auf Ihrem Zimmer?«

Der Deutsche schaute wieder nervös zur Badezimmertür. »Ja«, räumte er schließlich ein.

»Wissen Sie, dass das in Spanien eine Straftat ist?«

»Nein«, log der Dicke, »das habe ich nicht gewusst. Aber ich werde die Dame sofort wegschicken.«

»Ich fürchte, dafür ist es jetzt zu spät«, erwiderte Becker. Er machte ein paar Schritte durch das Zimmer. »Aber ich könnte Ihnen einen Vorschlag machen.«

»Einen Vorschlag?«, sagte der Deutsche hoffnungsvoll.

»Ja. Ich könnte Sie jetzt sofort auf das Kommissariat mitnehmen, oder…« Becker legte eine dramatische Pause ein und ließ die Knöchel knacken.

»Oder was?« In die Augen des Dicken kroch die Angst.

»Oder wir machen ein kleines Geschäft.«

»Ein Geschäft?« Der Deutsche schien die Storys zu kennen, die über die Bestechlichkeit der spanischen Guardia Civil im Umlauf waren.

»Sie haben etwas, wofür ich mich interessiere.«

»Aber natürlich!« Der Dicke griff eilfertig nach seiner Brieftasche auf der Kleiderablage. »Wie viel?«

Beckers Kinnlade sackte in gespielter Empörung herunter. »Beabsichtigen Sie etwa, einen Hüter des Gesetzes zu bestechen?«, fragte er scharf.

»Aber nein, keinesfalls! Ich dachte nur ...« Der Dicke legte geflissentlich die Brieftasche wieder weg. »Ich ... ich ...« Er war völlig von der Rolle. Händeringend ließ er sich auf die Bettkante fallen. Das Bett ächzte unter seinem Gewicht. »Ich bedaure, dass ...«

Becker zog wie nebenbei eine Rose aus dem Bukett in der Mitte des Zimmers und roch daran, um sie dann achtlos auf den Boden fallen zu lassen. Unvermittelt fuhr er herum. »Was wissen Sie über den Mord?«

Der Deutsche wurde leichenblass. »Mord?«

»Jawohl. Der Asiat heute Vormittag. Im Park. Es war ein *heimtückischer Mord!*« Becker benutzte den deutschen Ausdruck. Er liebte ihn. Er war so Furcht einflößend.

»Ein Mord? Er ... er hatte doch ...«

»Ja, bitte?«

»Aber ... das ist unmöglich«, stieß der Deutsche hervor. »Ich war doch dabei. Der Japaner hatte einen Herzanfall. Ich habe es doch genau gesehen. Kein Schuss, kein Blut!«

Becker schüttelte herablassend den Kopf. »Die Dinge sind in Wirklichkeit oft anders, als sie zu sein scheinen ...«

Der Dicke wurde noch blasser. Becker lächelte, innerlich mit sich zufrieden. Die Lüge hatte gewirkt. Der Dicke schwitzte wie ein Schwein.

»Was ... was wollen Sie von mir?«, stotterte er. »Ich weiß gar nichts.«

Becker fing an, auf und ab zu gehen. »Das Mordopfer hat einen goldenen Ring getragen. Ich brauche diesen Ring.«

»Ich ... ich habe ihn nicht!«

Becker seufzte gönnerhaft und machte eine Geste zur Badezimmertür. »Und Rocío? Dewdrop?«

Die Farbe des Dicken wechselte von schneeweiß zu dunkelrot. »Sie kennen Dewdrop?« Er wischte sich den Schweiß mit dem Ärmel des Bademantels von der feisten Stirn. Er wollte gerade etwas sagen, als die Badezimmertür aufging.

Die beiden Männer blickten auf.

Eine himmlische Erscheinung bot sich ihren Blicken. Rocío Eva Granada stand in der Tür. Langes, fließendes rotes Haar, makellose iberische Haut, dunkelbraune Augen, eine hohe glatte Stirn. Sie trug den gleichen Frottee-Bademantel wie der Deutsche, die Kordel eng um die schmale Taille geschlungen, darunter ausladende Hüften. Die am Hals locker herabfallenden Schals des Bademantels umrahmten die Wölbungen eines leicht gebräunten, vollkommenen Busens. Sie trat ins Zimmer – das Selbstbewusstsein in Person.

»Kann ich etwas für Sie tun?«, erkundigte sie sich auf Englisch.

Becker schaffte es, die atemberaubende Frau auf der anderen Seite des Zimmers anzusehen, ohne mit der Wimper zu zucken. »Ich brauche den Ring«, sagte er kühl.

»Wer sind Sie?«

Becker schaltete um auf Spanisch mit andalusischem Akzent. »Guardia Civil.«

Rocío lachte auf. »Ach was, niemals!«, prustete sie auf Spanisch.

Becker spürte einen Kloß im Hals. Rocío war bei weitem nicht so auf den Kopf gefallen wie ihr Freier, aber Becker blieb ruhig. »Niemals?«, äffte er sie nach. »Sie möchten wohl, dass ich Sie aufs Kommissariat mitnehme, um es Ihnen zu beweisen?«

Rocío schien das nicht zu beeindrucken. »Ich möchte Sie nicht in eine peinliche Lage bringen, deshalb werde ich von Ihrem Angebot keinen Gebrauch machen. Nun, wer sind Sie also?«

Becker blieb bei seiner Geschichte. »Ich bin von der Guardia von Sevilla.«

Rocío kam drohend auf ihn zu. »Ich kenne jeden Polizisten in dem Verein! Die Bullen sind meine besten Kunden!«

Becker fühlte sich nackt unter ihren Blicken. Er versuchte eine andere Tour. »Ich gehöre zu einem Sonderdezernat für Touristen. Geben Sie mir jetzt den Ring, oder ich muss Sie aufs Kommissariat mitnehmen und …«

»Und was?«, fiel ihm Rocío ins Wort, die Brauen in gespielter Neugier hochgewölbt.

Becker verstummte. Er hatte das Spiel überreizt. Der Schuss war nach hinten losgegangen. *Verdammt noch mal, warum fällt sie nicht darauf herein?*

Rocío kam noch näher. »Ich weiß nicht, wer Sie sind und was Sie wollen, aber wenn Sie nicht augenblicklich verschwinden, rufe ich den Hoteldetektiv, und die *echte* Guardia Civil buchtet Sie ein wegen Amtsanmaßung!«

Becker wusste, dass Strathmore ihn im Nu wieder aus dem Gefängnis herausgepaukt haben würde, aber der Commander hatte strikt größte Diskretion verlangt. Beckers Verhaftung war in seinem Plan nicht vorgesehen.

Rocío stand inzwischen auf Armeslänge vor ihm und funkelte ihn an.

»Okay«, seufzte Becker in deutlich hörbarem Eingeständnis seiner Niederlage. Er ließ das Spiel mit dem spanischen Akzent sein. »Ich bin nicht von der spanischen Polizei. Ich suche im Auftrag einer US-Behörde nach diesem Ring. Ich bin befugt, viel Geld dafür zu bezahlen. Mehr kann ich Ihnen nicht sagen.«

Eine lange Stille entstand.

Rocío schien Beckers Kapitulation auszukosten. Ihre Lippen teilten sich zu einem spitzbübischen Lächeln. »Nun, das war doch gar nicht so schwer, oder?« Sie ließ sich in einen Sessel fallen und schlug die rassigen Beine übereinander. »Wie viel bieten Sie?«

Becker unterdrückte einen Seufzer der Erleichterung. Er kam sofort zum Geschäft. »Fünftausend amerikanische Dollar, das sind siebenhundertfünfzigtausend Peseten.« Es war die Hälfte dessen, was in seinem Umschlag steckte, aber vermutlich zehnmal mehr, als der Ring wert war.

Rocío hob eine Braue. »Das ist viel Geld.«

»Ja, das ist es. Also, abgemacht?«

Rocío schüttelte den Kopf. »Unglücklicherweise kann ich auf Ihr Angebot nicht eingehen.«

»Eine Million Peseten!«, legte Becker nach. »Mehr habe ich nicht bei mir.«

»Na, na!«, erwiderte Rocío mit einem Lächeln. »Wer so miserabel feilscht wie ihr Amerikaner, könnte sich auf dem Markt unserer Stadt keinen halben Tag lang halten.«

»Bargeld, auf die Hand!«, sagte Becker und griff nach dem Umschlag in seiner Tasche. *Ich will endlich nach Hause!*

Rocío schüttelte wieder den Kopf. »Ich kann es nicht annehmen.«

Becker wurde langsam sauer. »Und warum nicht?«

»Weil ich den Ring nicht mehr habe«, sagte Rocío. »Ich habe ihn schon verkauft.«

Kapitel 33

Tokugen Numataka ging wie ein Tiger im Käfig auf und ab. Sein Kontaktmann North Dakota hatte sich noch nicht gemeldet. *Verfluchte Amerikaner. Kein Empfinden für Pünktlichkeit!*

Er hätte North Dakota seinerseits angerufen, hatte aber keine Telefonnummer. Numataka hasste es, auf diese Weise Geschäfte zu machen – er hatte die Dinge lieber selbst in der Hand.

Numataka hatte von Anfang an die Befürchtung gehegt, die Anrufe dieses North Dakota könnten ein Täuschungsmanöver sein, mit dem ihn ein japanischer Konkurrent zum Narren halten wollte. Die alten Zweifel meldeten sich wieder. Mehr Informationen müssen her, beschloss er.

Er stürmte aus seinem Büro in den Hauptkorridor von Numatech. Die Angestellten verbeugten sich ehrerbietig vor ihrem vorbeieilenden Chef. Numataka wäre nicht auf die Idee gekommen, dass sie ihn tatsächlich verehrten – die Verbeugung war eine Höflichkeitsgeste, die japanische Angestellte auch dem verhasstesten Arbeitgeber zollten.

Numataka begab sich direkt zur Hauptvermittlung seiner Firma. Eine einzige Telefonistin bewältigte sämtliche Anrufe über eine Corenco 2000 Telefonkonsole mit zwölf ankommenden Leitungen. Sie war sehr beschäftigt, erhob sich aber bei Numatakas Eintreten sofort und verbeugte sich.

»Setzten Sie sich«, bellte Numataka.

Die Telefonistin gehorchte.

»Ich habe heute um sechzehn Uhr fünfundvierzig auf meinem Privatanschluss einen Anruf erhalten. Sagen Sie mir, woher das Gespräch gekommen ist!« Numataka hätte sich ohrfeigen können, dass er nicht schon längst nachgefragt hatte.

Die Telefonistin schluckte nervös. »Dieses Gerät registriert leider nicht die Nummern der Anrufer. Aber ich werde mich bei der Telefongesellschaft erkundigen. Ich bin sicher, dass sie Ihnen die gewünschte Auskunft geben kann.«

Für Numataka stand das außer Zweifel. Im digitalen Zeitalter war Vertraulichkeit ein Begriff von gestern geworden. Alles wurde inzwischen irgendwo gespeichert. Die Telefongesellschaften registrierten genauestens, wer wen wann angerufen und wie lange das Gespräch gedauert hatte.

»Tun Sie das!«, ordnete er an. »Unterrichten Sie mich sofort, wenn Sie etwas erfahren.«

Kapitel 34

Susan saß in Node 3 und wartete auf das Ergebnis ihres Tracers. Sie war allein. Hale war nach draußen gegangen, um etwas Luft zu schnappen – wofür sie ihm sehr dankbar war. Gleichwohl wirkte die Einsamkeit in Node 3 auf Susan deprimierend. Die neu entdeckte Verbindung zwischen Hale und Tankado ließ sie nicht mehr los.

Wer überwacht die Wächter?, sagte sie zu sich selbst. *Quis custodiet ipsos custodes?* Der Spruch spukte ihr pausenlos im Kopf herum, bis sie ihn endlich mit aller Macht aus ihrem Bewusstsein verdrängte.

Sie dachte an David. Hoffentlich ging es ihm gut. Sie hatte immer noch Schwierigkeiten mit der Vorstellung, dass er in Spanien war. Je schneller die Schlüssel gefunden wurden und die Sache zu Ende gebracht werden konnte, desto besser.

Susan hatte das Gefühl dafür verloren, wie lange sie schon hier saß und auf den Tracer wartete. Zwei Stunden? Oder drei? Sie schaute hinaus in die verlassene Crypto-Kuppel und wünschte sich, dass ihr Terminal endlich piepste, aber alles blieb still. Die Spätsommersonne war untergegangen. Die automatisch gesteuerten Leuchtstoffröhren an der Decke waren angesprungen. Susan spürte, dass ihr die Zeit allmählich davonlief.

Sie schaute auf ihren Bildschirm. »Nun komm schon, du hast genug Zeit gehabt«, murrte sie, nahm die Maus und klickte sich durch ins Statusfenster. »Wie lang bist du denn schon unterwegs?«

Sie öffnete das Fenster, in dem ähnlich wie bei der Betriebsanzeige des TRANSLTR eine digitale Uhr die Stunden und Minuten anzeigte, die der Tracer unterwegs war. In Erwartung der Zeitanzeige beobachtete Susan ihren Monitor. Aber sie bekam etwas völlig anderes zu sehen. Der Anblick ließ ihr das Blut in den Adern stocken:

TRACERPROGRAMM ABGEBROCHEN

»Programmabbruch?«, schrie sie auf. »Wie das?«

In plötzlicher Panik durchsuchte Susan ihre Daten nach einem Befehl, der irrtümlich einen Programmabbruch verursacht haben konnte. Der Programmabbruch schien von selbst geschehen zu sein. Susan wusste, dass das nur eines bedeuten konnte: Das Tracerprogramm hatte einen Fehler, einen »bug«, wie es auf Englisch so schön hieß.

Für Susan waren »bugs« das Lästigste, was beim Programmieren auftreten konnte. Da Computer sklavisch an eine präzise Abfolge von Operationen gebunden waren, konnten kleinste Programmierungsfehler zu massiven Störungen führen. Simple syntaktische Fehler, zum Beispiel ein Komma zu setzen, wo ein Punkt hingehört hätte, konnten ganze Systeme zum Absturz bringen. Susan musste über den Ursprung der Bezeichnung »bug« immer noch lächeln.

Sie entstand im Zusammenhang mit dem ersten Computer der Welt, einem zimmergroßen Gewirr von elektromechanischen Schaltkreisen, dem Mark 1, der im Jahr 1944 in einem Laboratorium der Harvard Universität zusammengebaut worden war. Eines Tages hatte der Computer plötzlich eine Macke, auf die sich niemand einen Reim machen konnte. Nach stundenlanger Suche hatte eine Laborhilfskraft das Problem endlich lokalisiert. Ein Käfer, eben ein »bug«, war auf eine Lötstelle des Computers gekrochen und hatte einen Kurzschluss verursacht. Von diesem Moment an hießen Computermacken im englischen Sprachraum »bugs«.

Die Suche nach einem »bug« in einem Computerprogramm konnte Tage dauern. Oft mussten Tausende von Programmzeilen nach einem möglicherweise winzigen Fehler durchsucht werden. Es war, als müsse man in einem vielbändigen Lexikon einen einzigen Druckfehler suchen.

Dazu hast du jetzt keine Zeit, schimpfte Susan. Somit blieb nur eine Möglichkeit – den Tracer auf Verdacht noch einmal losschicken. Sie wusste, dass sich dabei der gleiche Fehler erneut einstellen und zum Programmabbruch führen konnte, aber den Fehler zu eliminieren hätte Zeit gekostet, die sie und der Commander jetzt nicht hatten.

Während sie noch auf den Bildschirm starrte und herumrätselte, was sie falsch gemacht haben könnte, fiel ihr auf, dass etwas nicht zusammenpasste. Erst letzten Monat hatte sie eben jenes Tracerprogramm benutzt und keinerlei Schwierigkeiten damit gehabt. Wo sollte der Fehler so plötzlich hergekommen sein?

Strathmores Bemerkung fiel ihr auf einmal ein. *Ich habe selbst versucht, Ihren Tracer loszuschicken ... Er hat zwar Daten geliefert, aber sie ergaben keinen Sinn.*

Susan legte den Kopf schief und überlegte. War das möglich?

Wenn Strathmore Daten zurückerhalten hatte, musste der Tracer offenbar funktionieren. Dass die Daten keinen Sinn ergaben, mochte daran liegen, dass Strathmore einen falschen Suchpfad eingegeben hatte – aber der Tracer als solcher musste funktioniert haben.

Susan überlegte. *Für einen Programmabbruch kommen neben internen Programmierungsfehlern auch noch andere Ursachen infrage,* sagte sie sich. Manchmal waren es äußere Ursachen: plötzliche Spannungsspitzen in der Stromversorgung, Staubpartikel auf den Platinen, schlechte Verkabelung und so weiter. Bei der peniblen Wartung, die man der Hardware in Node 3 angedeihen ließ, hatte sie daran gar nicht gedacht.

Susan stand auf und ging zu einem großen Regal mit technischen Handbüchern, griff sich ein Manual mit der Aufschrift SYS-OP und fing an zu blättern. Schnell hatte sie gefunden, wonach sie suchte. Sie nahm das Handbuch mit zu ihrem Terminal und tippte ein paar Befehle ein. Sie musste einen Augenblick warten, während der Computer die Liste der in den letzten drei Stunden eingegebenen Befehle durchging. Sie hoffte, mit der Suche einer äußeren Einwirkung auf die Spur zu kommen: einem Abbruchbefehl, der durch einen Fehler in der Stromversorgung oder einen defekten Chip entstanden sein mochte.

Das Terminal gab einen Piepton von sich. Susans Puls wurde schneller. Mit angehaltenem Atem schaute sie auf den Bildschirm:

FEHLERNUMMER 22

Susan spürte Hoffnung aufkeimen. Das war eine gute Nachricht. Wenn die Sache eine Fehlernummer hatte, war der Tracer als solcher in Ordnung. Susan dachte angestrengt nach, wofür Nummer 22 stand. Hardwarefehler waren in Node 3 so selten, dass ihr die Bedeutung der einzelnen Nummern entfallen war.

Sie zog wieder das Handbuch zu Rate und ging die Liste der Fehlernummern durch:

19: DEFEKTE FESTPLATTE
20: GLEICHSTROM-ÜBERSPANNUNG
21: HARDWARESTÖRUNG

Bei Nummer 22 stutzte sie. Verblüfft überprüfte sie, ob auch wirklich diese Nummer auf ihrem Bildschirm stand, aber der Befund war eindeutig:

Stirnrunzelnd schaute sie wieder ins Handbuch. Die Fehlerbeschreibung ergab schlichtweg keinen Sinn. Dort hieß es:

22: MANUELLER PROGRAMMABBRUCH

Kapitel 35

David Becker starrte Rocío entsetzt an. »Sie haben den Ring *verkauft?*«

Rocío nickte. Das seidige rote Haar fiel wie ein Fächer über ihre Schultern.

Becker konnte es einfach nicht glauben. »¿*Pero* … aber …?«

Rocío zuckte die Achseln. »An ein Mädchen im Park«, sagte sie auf Spanisch.

Becker spürte seine Knie weich werden. *Das darf doch nicht wahr sein!*

Rocío lächelte scheu und wies auf den Deutschen. »*El queria que lo guardara.* Er wollte ihn behalten. Aber ich habe Nein gesagt. Ich habe das Blut einer Gitana in mir, wissen Sie, Zigeunerblut. Wir Zigeuner haben nicht nur rote Haare, wir sind auch sehr abergläubisch. Wenn einem ein Sterbender einen Ring schenken will, ist das ein böses Zeichen.«

»Haben Sie das Mädchen gekannt?«, bohrte Becker.

Rocío zog die Brauen in die Höhe. »¡*Vaya!* Ihnen liegt aber wirklich viel an diesem Ring!«

Becker nickte ernst. »Noch einmal: Wem haben Sie den Ring verkauft?«

Der Deutsche saß auf dem Bett und begriff überhaupt nichts. Sein romantischer Abend war im Eimer, und er wusste nicht, warum. »Was ist eigentlich hier los?«

Becker schenkte ihm keine Beachtung.

»Ich habe dem Mädchen den Ring streng genommen gar nicht verkauft«, sagte Rocío. »Ich habe es versucht, aber es war ja fast noch ein Kind und hatte kein Geld. Da habe ich dem jungen Ding den Ring am Ende so gegeben. Hätte ich gewusst, dass Sie mit Ihrem großzügigen Angebot daherkommen, hätte ich ihn natürlich für Sie aufgehoben.«

»Warum haben Sie den Park verlassen?«, wollte Becker wissen. »Ein Mensch war zu Tode gekommen! Warum haben Sie nicht auf die Polizei gewartet und den Ring dem Beamten ausgehändigt?«

»Señor Becker, ich bin für vieles zu haben, aber nicht für *Ärger*. Außerdem schien der alte Herr die Situation im Griff zu haben.«

»Der Kanadier?«

»Ja, genau. Er hat den Krankenwagen gerufen. Da sind wir kurz entschlossen gegangen. Ich habe keinen Grund gesehen, wieso ich oder mein Kunde sich mit der Polizei herumschlagen sollten.«

Becker nickte abwesend. Er war immer noch damit beschäftigt, diese grausame Wendung des Schicksals zu verdauen. *Sie hat den verfluchten Ring weggegeben!*

»Ich habe versucht, dem Sterbenden zu helfen«, verteidigte sich Rocío, »aber er schien gar nicht daran interessiert zu sein. Er hat immer nur diese Geste mit seinem Ring gemacht. Mit seinen drei verkrüppelten Fingern, die so merkwürdig nach oben standen, hat er uns den Ring förmlich ins Gesicht gestoßen. Immer wieder hat er uns die Hand entgegengestreckt in der Hoffnung, dass wir ihm den Ring abnehmen. Ich wollte nichts davon wissen, aber mein Bekannter hat den Ring schließlich doch genommen. Dann ist der Mann gestorben.«

»Und daraufhin haben Sie es mit einer Herzmassage versucht?«, mutmaßte Becker.

»Nein, wir haben den Mann überhaupt nicht angerührt. Mein Bekannter bekam es mit der Angst zu tun. Er ist zwar ein Riesenkerl, aber in Wirklichkeit ist er ein Schlappschwanz.« Rocío lächelte Becker verführerisch an. »Keine Bange, er versteht kein einziges Wort Spanisch.«

Becker runzelte die Stirn. Wieder fragte er sich, woher die Hämatome auf Tankados Brust gekommen waren. »Haben die Sanitäter eine Herzmassage durchgeführt?«

»Das weiß ich nicht. Als sie eingetroffen sind, waren wir ja schon fort.«

»Sie meinen, nachdem Sie den Ring *gestohlen* hatten«, sagte Becker finster.

Rocío sah ihn entwaffnend an. »Wir haben den Ring nicht *gestohlen.* Der Mann lag im Sterben. Seine Absicht war klar und deutlich zu erkennen. Wir haben ihm seinen letzten Willen erfüllt!«

Becker wurde wieder versöhnlich. Rocío hatte Recht. Vermutlich hätte er sich genauso verhalten. »Aber dann haben Sie den Ring einem wildfremden Mädchen gegeben.«

»Ich habe es Ihnen doch schon erklärt. Der Ring hat mich nervös gemacht. Das Mädchen war mit lauter Schmuck behängt. Da habe ich gedacht, der Ring würde ihm gefallen.«

»Und dem Mädchen ist das nicht irgendwie komisch vorgekommen, dass Sie *einfach so* einen Ring verschenken?«

»Nein. Ich habe gesagt, ich hätte den Ring im Park gefunden. Ich dachte, das Mädchen würde mir etwas dafür geben, doch das war ein Irrtum. Aber das war mir auch egal. Ich wollte den Ring einfach nur loswerden.«

»Wann haben Sie dem Mädchen den Ring gegeben?«

Rocío hob die Achseln. »Heute Mittag. Ungefähr eine Stunde, nachdem wir an den Ring gekommen waren.«

Becker sah auf die Uhr. Es war jetzt dreiundzwanzig Uhr achtundvierzig. Die Spur war inzwischen fast zwölf Stunden alt. Becker seufzte. *Was in drei Teufels Namen hast du eigentlich hier verloren? Du wolltest in den Smoky Mountains sein!* Er stellte die einzige Frage, die ihm noch einfiel. »Wie hat dieses Mädchen denn ausgesehen?«

»*Era un punki*«, antwortete Rocío.

Becker sah sie verwirrt an. »*¿Un punki?*«

»*Sí. Punki.*«

»Eine Punkerin?«

»Ja, eine Punkerin! *¡Con muchas joyas!* Mit lauter Glitzerzeug und Ketten behängt! An einem Ohr hatte sie so einen komischen Ohrhänger, einen Totenkopf, glaube ich.«

»Es gibt Punk-Rocker in Sevilla?«

Rocío lächelte. »*¡Todo bajo el sol!* Alles, was es unter der Sonne gibt!« Das war der Slogan des Fremdenverkehrsbüros von Sevilla.

»Hat das Mädchen Ihnen gesagt, wie es heißt?«

»Nein.«

»Hat es gesagt, wo es hin will?«

»Nein. Sein Spanisch war ganz miserabel.«

»Ach, es war gar keine Spanierin?«

»Nein, Engländerin, glaube ich. Mit ganz verrückten Haaren – rot, weiß und blau.«

Becker schauderte bei dem Gedanken an die groteske Farbkombination. »Könnte es vielleicht auch eine Amerikanerin gewesen sein?«, fragte er schließlich.

»Das glaube ich nicht«, widersprach Rocío. »Das T-Shirt des Mädchens sah aus wie die britische Flagge.«

Becker nickte stumm. »Okay, rot-weiß-blaue Haare, ein Union-Jack-T-Shirt, einen Totenkopf-Ohrhänger, was noch?«

»Nichts weiter. Nur eine ganz normale Punkerin.«

Eine ganz normale Punkerin! Becker war in der Welt der Colleges zu Hause, wo die jungen Leute Sweatshirts und ordentliche Frisuren trugen! Von dem, was diese Frau ihm beschrieb, hatte er noch nicht einmal eine vage Vorstellung. »Fällt Ihnen denn sonst nichts mehr ein?«, bohrte er.

Rocío dachte kurz nach. »Nein, das war schon alles.«

In diesem Augenblick krachte das Bett. Rocíos Kunde hatte sich bewegt. Becker sah ihn an. »Wissen Sie noch etwas?«, fragte er den Mann in perfektem Deutsch. »Irgendetwas, was mir dienlich sein könnte, um diese Punkerin mit dem Ring zu finden?«

Es gab eine lange Pause, als ob der schwabbelige Riese etwas sagen wollte, aber nicht wusste, wie. Seine Unterlippe bebte, dann sammelte er sich und sagte etwas. Durch seinen schweren deutschen Akzent entstellt, gab er vier englische Wörter von sich. »Fock off and die.«

Becker holte tief Luft. »Wie bitte?«

»Fock off and die!«, wiederholte der Dicke und patschte sich mit seiner fleischigen Linken auf den rechten Unterarm – eine ungeschickte Imitation der derben Geste für *fuck you.*

Für Empörung war Becker viel zu müde. *Fuck off and die?* Hau ab und verrecke? Was war in den Schlappschwanz gefahren? Becker wandte sich wieder an Rocío. »Klingt, als wäre ich hier nicht mehr willkommen«, sagte er auf Spanisch.

»Kümmern Sie sich nicht um ihn«, entgegnete Rocío mit einem Lächeln. »Er ist nur ein bisschen frustriert. Er bekommt schon noch, wofür er mich bezahlt.« Sie warf kokett die Locken und blinzelte Becker verführerisch zu.

»Gibt es sonst noch etwas?«, fragte Becker. »Irgendetwas, was mir weiterhelfen könnte?«

Rocío schüttelte den Kopf. »Das ist alles. Sie werden das Mädchen aber nicht finden. Sevilla ist eine große Stadt. Man kann sich hier ganz schön verlaufen.«

»Ich werde mein Bestes tun.« *Eine Frage der nationalen Sicherheit.*

»Wenn Sie kein Glück haben«, sagte Rocío mit einem Blick auf die Beule in Beckers Jackett, wo der Umschlag steckte, »dann kommen Sie doch wieder her. Mein Bekannter wird bestimmt schlafen. Klopfen Sie leise. Ich finde schon ein Zimmer für uns. Sie werden eine Seite von Sevilla erleben, die Ihnen unvergesslich bleiben wird.« Sie machte eine sinnliche Schnute.

Becker zwang sich zu einem höflichen Lächeln und entschuldigte sich bei dem Deutschen für die Unannehmlichkeiten. »Ich werde mich jetzt auf den Weg machen.«

Der schwabbelige Riese lächelte zaghaft. »Keine Ursache.«

Becker ging zur Tür. *Keine Ursache?*, wunderte er sich. *Und was war mit ›fock off and die‹?*

Kapitel 36

Manueller Programmabbruch? Susan starrte perplex auf ihren Bildschirm.

Sie war sicher, keinen Abbruchbefehl eingegeben zu haben, jedenfalls nicht absichtlich. War es möglich, dass sie irrtümlich die entsprechende Zeichenfolge getippt hatte?

»Unmöglich!«, murmelte sie. Laut Kopfzeile war der Abbruchbefehl vor noch nicht einmal zwanzig Minuten erfolgt. Aber in den letzten zwanzig Minuten hatte sie lediglich ihren Zugriffscode eingetippt, als sie mit dem Commander nach draußen gegangen war. Der Computer konnte die Zeichenfolge des Zugriffscodes unmöglich als Abbruchbefehl interpretiert haben.

Susan holte sich das ScreenLock-Protokoll auf den Bildschirm, auch wenn es reine Zeitverschwendung war. Sie überprüfte die eingegebene Zeichenfolge des Zugriffscodes auf seine Richtigkeit. Natürlich hatte sie den Code richtig eingetippt.

Wo kommt dann der Abbruchbefehl her?, sinnierte sie zornig.

Stirnrunzelnd schloss sie das ScreenLock-Fenster. In dem Sekundenbruchteil, in dem es vom Bildschirm verschwand, sah sie etwas. Sie öffnete das Fenster erneut und schaute sich die Daten genau an. Sie passten nicht zusammen. Es gab einen korrekten »Bildschirm-löschen«-Eintrag für die Zeit, zu der sie Node 3 verlassen hatte, aber der Zeitpunkt der folgenden Bildschirmaktivierung war merkwürdig. Zwischen den beiden

Eintragungen lagen nur ein paar Minuten, aber Susan war sicher, dass sie mit dem Commander länger als nur ein paar Minuten gesprochen hatte.

Sie fuhr die Eintragungen nach unten ab und konnte nur staunen. Drei Minuten später war wieder ein »Bildschirm-löschen«-Befehl registriert. Dem Protokoll zufolge hatte jemand ihr Terminal in Betrieb genommen und wieder abgeschaltet, während sie draußen war.

»Das ist doch nicht möglich!«, keuchte Susan. Als einziger Kandidat für einen Zugriff kam Greg Hale in Frage, aber Susan wusste mit Bestimmtheit, dass sie ihm ihren Zugriffscode nicht gegeben hatte. In bester kryptographischer Tradition hatte sie sich einen vollkommen willkürlichen Code ausgedacht und ihn auch nicht niedergeschrieben. Es war völlig undenkbar, dass Hale den aus fünf alphanumerischen Zeichen bestehenden Code erraten haben konnte. Die Wahrscheinlichkeit dafür lag bei sechsunddreißig hoch fünf – über einhundertzwölftausend Möglichkeiten.

Aber das Protokoll der ScreenLock-Befehle war eindeutig. Hale hatte sich in Susans Abwesenheit an ihrem Terminal zu schaffen gemacht. Er hatte ihrem Tracer einen Abbruchbefehl hinterhergejagt. Für Susan wich die Frage nach dem *Wie* schnell der Frage nach dem *Warum*. Für einen Einbruch in ihr Terminal fehlte Hale jedes Motiv. Er hatte ja noch nicht einmal gewusst, dass sie einen Tracer losgeschickt hatte. Und selbst wenn er es gewusst hätte, dachte Susan, wieso sollte er etwas gegen ihre Suche nach der Adresse eines North Dakota haben?

Die ungelöste Frage schien sich in ihrem Kopf zu verselbstständigen und zu vervielfachen. »Das Wichtigste zuerst!«, ermahnte sie sich laut. Mit Hale würde sie sich später beschäftigen. Konzentriert konfigurierte sie den Tracer noch einmal und drückte auf die Entertaste. Ihr Terminal piepste:

TRACER ABGESCHICKT

Es mochte Stunden dauern, bis die Rückmeldung kam. Susan verfluchte Hale und fragte sich, wie um alles in der Welt er an ihren Zugriffscode gelangt sein und welches Interesse er an dem Tracer haben konnte.

Sie stand auf und ging schnurstracks zu Hales Terminal. Der Bildschirm war dunkel, aber zugriffsgeschützt war das Terminal nicht, wie sie an dem schwachen Flimmern der Bildschirmränder erkennen konnte. Die Kryptographen verriegelten ihr Terminal nur abends, wenn sie Node 3 verließen, ansonsten stellten sie lediglich die Helligkeit des Bildschirms auf null – ein allgemein gültiges und durch einen Ehrenkodex geschütztes Signal, dass an diesem Terminal niemand etwas zu suchen hatte.

Susan setzte sich an Hales Tastatur. »Pfeif auf den Ehrenkodex!«, sagte sie. »Was zum Teufel geht hier vor?«

Mit einem kurzen Blick über die Schulter hinaus in die verlassene Crypto-Kuppel fuhr Susan die Helligkeit des Monitors hoch. Er wurde hell, war aber völlig leer. Susan runzelte die Stirn. Was jetzt? Sie rief ein Suchprogramm auf und tippte:

SUCHE: TRACER

Es war ein Schuss ins Dunkle, aber wenn in Hales Computer irgendwelche Bezüge zu Susans Tracer gespeichert waren, würde das Suchprogramm sie finden. Das würde Rückschlüsse erlauben, weshalb Hale Susans Programm durch seinen Eingriff abgebrochen hatte. Schon Sekunden später kam eine Meldung:

SUCHBEGRIFF NICHT GEFUNDEN

Susan überlegte einen Moment. Sie wusste noch nicht einmal genau, wonach sie suchen sollte. Sie machte einen neuen Versuch:

SUCHE: SCREENLOCK

Auf dem Monitor erschien eine Hand voll unverdächtiger Meldungen, aber keinerlei Hinweis darauf, dass Hale Susans Zugriffscode in seinem Computer gespeichert haben könnte.

Susan stieß einen lauten Seufzer aus. *Mit welchem Programm hat er denn heute gearbeitet?* Sie ging in Hales Menü mit den letzten Anwendungen. Er hatte zuletzt das E-Mail-Programm benutzt. Sie suchte Hales Festplatte durch und stieß schließlich auf seinen E-Mail-Ordner, der diskret in einem anderen Verzeichnis versteckt war. Als sie den Ordner öffnete, erschienen etliche Unterverzeichnisse – Hale hatte offenbar zahllose E-Mail-Identitäten und eine Vielzahl von Accounts. Einer davon war anonym, was Susan wenig überraschte. Sie ging in den anonymen Account und klickte auf eine alte Mail. Was sie da zu lesen bekam, verschlug ihr den Atem:

AN: NDAKOTA@ARA.ANON.ORG
VON: ET@DOSHISHA.EDU
GROSSER DURCHBRUCH! DIABOLUS IST FAST FERTIG.
DAS WIRD DIE NSA UM JAHRZEHNTE
ZURÜCKWERFEN!

Wie im Traum las Susan die Nachricht wieder und wieder. Zitternd öffnete sie eine andere Mail.

AN: NDAKOTA@ARA.ANON.ORG
VON: ET@DOSHISHA.EDU
DER ROTIERENDE KLARTEXT FUNKTIONIERT!
MUTATIONSKETTEN SIND DIE LÖSUNG!

Es war unfassbar, und doch war es Realität. E-Mails von Ensei Tankado! Er hatte an Greg Hale geschrieben. Die beiden arbeiteten zusammen. Susan war wie erschlagen von der ungeheuerlichen Wahrheit, die ihr vom Bildschirm entgegenflimmerte.

Greg Hale ist NDAKOTA!

Susans Augen saugten sich an dem Bildschirm fest. Verzweifelt durchforstete sie ihr Gehirn nach einer anderen Erklärung, aber es gab keine. Hier hatte sie den schlagenden Beweis, unvermutet und über jeden Zweifel erhaben. Tankado hatte Mutationsketten benutzt, um eine rotierende Klartextfunktion zu erzeugen, und Greg Hale hatte mit ihm konspiriert, um die NSA zu ruinieren!

»Das ... das ... gibt es einfach nicht!«

Als wollte Hale widersprechen, hörte Susan das Echo seiner Stimme in ihrem Kopf: *Wir haben eine Zeit lang korrespondiert ... Strathmore hatte nichts anderes verdient ... Eines nicht allzu fernen Tages werde ich von hier verschwinden ...*

Dennoch konnte Susan noch immer nicht akzeptieren, was ihre Augen sahen. Gewiss, Greg Hale war eine Pest, und arrogant war er auch – aber er war kein Verräter. Er konnte einschätzen, wie katastrophal sich Diabolus auf die NSA auswirken musste. Es war einfach undenkbar, dass er sich an einem Komplott zur Vermarktung dieses Programms beteiligt hatte.

Und doch, dachte Susan, was hätte ihn davon abhalten sollen, was außer Ehrgefühl und Anstand? Das Skipjack-Fiasko fiel ihr ein. Greg Hale hatte der NSA schon einmal einen Strich durch die Rechnung gemacht. Was sollte ihn daran hindern, es ein zweites Mal zu versuchen?

Aber Tankado ..., rätselte Susan, *wieso vertraut ein Paranoiker wie Tankado ausgerechnet einem so unsicheren Kantonisten wie Greg Hale?*

Doch das zählte jetzt alles nicht mehr. Jetzt galt es, Strathmore ins Bild zu setzen. Ein ironischer Schlenker des Schicksals hatte ihnen Tankados Partner direkt vor die Nase gewedelt. Sie hätte nur zu gern gewusst, ob Hale bereits erfahren hatte, dass Tankado nicht mehr lebte.

Susan schloss Hales E-Mail-Verzeichnis. Sie beabsichtigte, das Terminal genau so zu hinterlassen, wie sie es vorgefunden hatte. Hale würde nicht das Geringste merken – noch nicht jedenfalls. Nicht ohne Erstaunen wurde Susan klar, dass der Key für Diabolus womöglich irgendwo in diesem Terminal schlummerte.

Als Susan den letzten Ordner schloss, huschte draußen ein Schatten über die Glaswand von Node 3. Sie fuhr hoch und sah Greg Hale näher kommen. Susan schwamm in Adrenalin. Greg war auf dem Weg zur Schiebetür!

Sie kalkulierte die Entfernung zu ihrem Platz. »Verdammt«, zischte sie zwischen den Zähnen. Der Rückweg war nicht mehr zu schaffen. Hale war schon fast an der Tür.

Susan fuhr herum und suchte Node 3 verzweifelt nach einem Ausweg ab. Der Fußschalter der Schiebetür hinter ihr klickte, der Öffnungsmechanismus sprach an. Susan reagierte rein instinktiv. Ihre Sohlen gruben sich in den Teppich. Mit wenigen Sprüngen schnellte sie in die Küche. Als die Scheiben der Schiebetür zischend auseinanderfuhren, kam Susan schlitternd vor dem Kühlschrank zum Stehen und riss ihn auf. An der Kante des obersten Fachs schaukelte gefährlich ein Glaskrug, blieb aber zum Glück wackelnd stehen.

»Hungrig?«, erkundigte sich Hale, der quer durch den Raum auf die Küche zukam. Seine Stimme war ruhig mit einem neckischen Unterton. »Leistest du mir auf einen Happen Tofu Gesellschaft?«

Susan atmete tief durch, dann drehte sie sich um und schaute nach draußen zu Greg. »Ach, danke, ich glaube, ich werde nur …« Der Rest des Satzes blieb ihr im Hals stecken. Sie erbleichte.

Hale sah sie kühl an. »Ist was?«

Susan biss sich auf die Lippen und schaute Hale geradewegs in die Augen. »Nein, gar nichts«, sagte sie nonchalant, aber eine größere Unwahrheit hätte sie gar nicht von sich geben können. Auf der anderen Seite des Raums leuchtete der Bildschirm von Hales Terminal! Sie hatte vergessen, die Helligkeit herunterzufahren!

Kapitel 37

Erschöpft ging Becker an die Bar im Erdgeschoss des Alfonso XIII. Ein zwergenhafter Barkeeper breitete eine Platzserviette vor ihm aus. »*¿Qué quiere tomar usted?* Was möchten Sie trinken?«

»Danke, nichts«, sagte Becker. »Ich wollte mich bei Ihnen nur erkundigen, ob es hier in der Stadt irgendwo einen Club für Punk-Rocker gibt.«

Der Barmann sah ihn befremdet an. »Einen Club für *punki*?

»Ja! Gibt es in dieser Stadt einen Schuppen, wo solche Jugendliche rumhängen?«

»*No lo sé, señor*. Das weiß ich nicht. Hier jedenfalls nicht!« Er lächelte. »Wie wär's mit einem Drink?«

Becker hätte den Kerl am liebsten am Kragen gepackt und geschüttelt. Heute lief aber auch nichts wie geplant.

»Was darf es sein?« wiederholte der Barkeeper. »*¿Fino? ¿Jerez?*«

Sanfte Klänge klassischer Musik rieselten aus den Deckenlautsprechern. *Bach*, dachte Becker, *das vierte Brandenburgische Konzert*. Letztes Jahr hatte er mit Susan an der Universität eine Aufführung der Brandenburgischen Konzerte mit der *Academy of St. Martin in the Fields* gehört. Er wünschte sich auf einmal, Susan wäre hier. Aus den Schlitzen der Klimaanlage fächelte eine kühle Brise. Die Temperatur draußen auf der Straße kam ihm jäh in den Sinn. Er sah sich schon auf der schweißtreibenden Suche nach einem Punk-Mädchen mit der britischen Flagge als T-Shirt die tristen Staßen von Triana abklappern. Er musste wieder an Susan denken. »*Zumo de arándano*«, hörte er sich sagen. »Preiselbeersaft.«

Der Barkeeper sah ihn fassungslos an. »*¿Solo?*« Preiselbeersaft wurde in Spanien gern getrunken, aber pur? Einfach unvorstellbar.

»*Sí*«, sagte Becker. »*Solo.*«

»*¿Echo un poco de Smirnoff?*«, erkundigte sich der Barmann. »Mit einem kleinen Schuss Wodka?«

»*No, gracias.*«

»*¡Gratis!*«, offerierte der Zwerg. »Auf Kosten des Hauses!«

Becker brummte der Schädel. Er stellte sich das Elend von Triana vor, die drückende Hitze und die lange Nacht, die er noch vor sich hatte. Er nickte. »*Sí, échame un poco de vodka.*«

Der Barmann wirkte erleichtert. Emsig machte er sich an die Zubereitung des Getränks.

Becker schaute sich in der prunkvollen Bar um. Er kam sich vor wie im Traum. Alles hätte mehr Sinn ergeben als die Wahrheit. *Du bist Universitätsprofessor,* dachte er, *und jetzt spielst du James Bond!*

Der Barkeeper kam geschäftig herbei und servierte Becker schwungvoll das Getränk. »*A su gusto, señor.* Preiselbeersaft mit einem kleinen Schuss Wodka.«

Becker bedankte sich und nahm einen Schluck. Er bekam prompt einen Erstickungsanfall. *Das soll ein kleiner Schuss gewesen sein?*

Kapitel 38

Hale blieb auf halbem Weg zur kleinen Küche von Node 3 stehen und starrte Susan an. »Sue, was ist mit dir? Du siehst ja furchtbar aus!«

Susan kämpfte ihre aufsteigende Panik nieder. Fünf Meter entfernt leuchtete Hales Monitor hell vor sich hin. »Ich … es ist nichts weiter«, stieß sie hervor. Ihr Herz pochte wie wild.

Hale sah sie verwundert an. »Möchtest du ein Glas Wasser?«

Susan war zu keiner Antwort fähig. Sie hätte sich selbst in den Hintern treten können. *Wie konntest du nur vergessen, diesen verdammten Monitor wieder dunkel zu stellen?* Wenn Hale merkte, dass sie an seinem Rechner gearbeitet hatte, würde er sich ausrechnen können, dass sie seine Identität mit North Dakota kannte. Und Susan musste befürchten, dass Hale zu allem im Stande war, damit diese Information Node 3 nicht verließ.

Sie überlegte, ob sie einen Sprung zur Tür wagen sollte. Aber dazu bekam sie keine Gelegenheit. Plötzlich wurde wieder von draußen an die Glaswand gehämmert. Hale und Susan fuhren herum. Es war Charturkian. Schweißnass hieb er wieder einmal mit den Fäusten gegen die Glaswand. Er sah aus, als hätte er den Weltuntergang erlebt.

Hale bedachte den Sys-Sec-Mann mit einem verwunderten Blick. Er wandte sich wieder an Susan. »Ich bin gleich wieder da. Trink inzwischen ein Glas Wasser!« Er machte kehrt und verschwand nach draußen.

Susan flog zu Hales Terminal und stellte den Monitor schwarz. Sie spürte ihren Herzschlag bis unter die Schädeldecke. Sie drehte sich um und beobachtete das aufgeregte Gespräch, das in der Kuppel vonstatten ging.

Charturkian war augenscheinlich doch nicht nach Hause gegangen. In regelrechter Panik überschüttete er Greg mit seinen Entdeckungen, aber das zählte jetzt nicht mehr. Hale wusste ohnehin alles, was es zu wissen gab.

Du musst zu Strathmore, dachte Susan. *Und zwar schnell!*

Kapitel 39

Zimmer 301. Rocío Eva Granada stand nackt vor dem Badezimmerspiegel. Der Moment, vor dem ihr den ganzen Tag gegraust hatte, war gekommen. Der Deutsche, der größte und unförmigste Mann, mit dem sie je zu tun gehabt hatte, lag schon im Bett und erwartete sie.

Zögernd holte sie einen Eiswürfel aus dem Sektkühler und rieb sich damit über die Brustwarzen. Schnell wurden ihre Knospen hart. Das war ihr Willkommensgeschenk. Die Männer sollten sich bei ihr willkommen fühlen. Sie strich mit den Händen über ihren geschmeidigen wohl gebräunten Körper und hoffte, dass er noch vier bis fünf Jahre mitspielte, bis sie genug Geld beisammen hatte, um sich zur Ruhe zu setzen. Señor Roldán knöpfte ihr zwar den Großteil von dem, was sie anschaffte, wieder ab, aber ohne ihn hätte sie sich mit den Besoffenen von Triana abgeben müssen. So bekam sie es wenigstens mit Freiern zu tun, die Geld hatten. Diese Männer verprügelten sie nicht und waren leicht zu befriedigen. Rocío schlüpfte in ihre Reizwäsche, holte tief Luft und öffnete die Badezimmertür.

Dem Deutschen fielen fast die Augen aus dem Kopf, als sie in dem schwarzen Spitzen-Negligee ins Zimmer trat, unter dem ihre Brüste deutlich zum Vorschein kamen. Ihre kupferne Haut schimmerte in der gedämpften Beleuchtung.

»Komm her!«, murmelte der Dicke, warf den Bademantel ab und wälzte sich auf den Rücken.

Rocío zwang sich zu einem Lächeln. Sie trat ans Bett und betrachtete den riesigen Teutonen. Sie kicherte erleichtert. Zwischen seinen Schenkeln regte sich ein recht winziges Organ.

Er griff nach ihr und zerrte ihr ungeduldig das Negligee vom Leib. Seine Wurstfinger betatschten jeden Zoll ihres nackten Körpers. Sie ließ sich auf ihn fallen und wand sich stöhnend in gespielter Ekstase. Als er sie auf den Rücken drehte und sich auf sie wälzte, hatte sie das Gefühl, zerquetscht zu werden. Das Gesicht an seinen schwabbeligen Hals gepresst, rang sie nach Luft und hoffte, dass es schnell vorbei sein würde.

»¡Sí, sí!«, stöhnte sie und grub die Fingernägel anfeuernd in seinen feisten Rücken.

Allerlei Bilder schossen ihr durch den Kopf – Gesichter der unzähligen Männer, die sie befriedigt hatte, Zimmerdecken, die sie in der Dunkelheit stundenlang angestarrt hatte, Träume vom eigenen Kindersegen …

Plötzlich und ohne jede Warnung bäumte sich der Deutsche auf, wurde starr und fiel in sich zusammen. *War's das schon?*, dachte sie ebenso überrascht wie erleichtert.

Sie wollte unter dem Dicken hervorkriechen. »Liebling«, flüsterte sie, »ich möchte mich auf dich setzen.« Aber der Dicke rührte sich nicht.

Sie versuchte, seine gewaltigen Schultern beiseitezuwuchten. »Liebling, ich … ich kriege keine Luft!« Es wurde ihr mulmig. Sein Gewicht drohte ihr den Brustkorb einzudrücken. *»¡Despiertate!* Aufwachen!« Sie riss an seinen verfilzten Haaren.

Sie fühlte etwas Warmes, Klebriges herabfließen – auf ihre Wangen, in ihren Mund. Es schmeckte salzig. Rocío versuchte verzweifelt, sich von ihrer unförmigen Last zu befreien. Ein merkwürdiger Lichtschein fiel auf das verzerrte Gesicht des Deutschen. Aus einem Loch in seiner Schläfe troff Blut auf sie herab. Rocío wollte schreien, aber sie hatte keine Luft in den Lungen. Der Dicke zerquetschte sie. Halb ohnmächtig reckte sie die Arme dem Lichtschein entgegen, der von der Tür herüberfiel. Sie sah eine Hand. Eine Pistole mit Schalldämpfer. Einen Blitz. Und dann nichts mehr.

Kapitel 40

Am Ausgang von Node 3 redete der völlig aufgelöste Systemtechniker mit Händen und Füßen auf Greg Hale ein, um ihn zu überzeugen, dass der TRANSLTR in Gefahr war.

Susan hatte nur einen Gedanken: *Du musst zu Strathmore!* Als sie zur Tür hinauslief, packte Phil Charturkian sie an der Schulter. »Miss Fletcher, wir haben einen Virus! Ich bin absolut sicher! Sie müssen …«

Susan riss sich los und funkelte den Mann an. »Ich dachte, der Commander hat Sie nach Hause geschickt!«

»Aber der Kontrollmonitor! Er zeigt achtzehn Stunden …«

»Commander Strathmore hat Sie nach Hause geschickt!«

»STRATHMORE SOLL MICH AM ARSCH LECKEN!«, kreischte Charturkian, dass es in der Kuppel widerhallte.

»Mr Charturkian?«, ertönte von oben eine sonore Stimme. Hoch über den Streitenden stand Strathmore vor seinem Büro am Geländer.

Die drei erstarrten.

Einen kurzen Moment lang war in der Crypto-Kuppel nur das ungleichmäßige Generatorbrummen zu vernehmen. Susan versuchte verzweifelt, Strathmores Blick zu erhaschen. *Commander, Hale ist North Dakota!*

Aber Strathmore hatte nur Augen für den jungen Systemtechniker. Den Blick unverwandt auf Charturkian gerichtet, kam er langsam die Treppe herunter, durchquerte die Kuppel und blieb schließlich zwei Handbreit vor dem zitternden Techniker stehen. »Bitte, was wollten Sie sagen?«

»Sir«, keuchte Charturkian, »der TRANSLTR ist in Gefahr.«

Susan versuchte, zu Wort zu kommen. »Commander, wenn ich Sie bitte einen …«

Ohne den Blick von dem Techniker zu wenden, brachte Strathmore sie mit einer Handbewegung zum Schweigen.

»Sir, wir haben eine infizierte Datei. Ich bin absolut sicher!«, sagte Charturkian.

Strathmores Gesicht nahm eine dunkelrote Färbung an. »Mr Charturkian, das haben wir nun zur Genüge durchdiskutiert. Im TRANSLTR ist *keine* infizierte Datei!«

»Doch!«, kreischte Charturkian. »Und wenn die Datei in die zentrale Datenbank gerät …«

»Wo zum Teufel soll diese verdammte infizierte Datei denn sein?«, brüllte Strathmore. »Zeigen Sie sie mir!«

»Das kann ich nicht«, sagte Charturkian kleinlaut.

»Natürlich können Sie das nicht! Weil es keine infizierte Datei gibt!«

»Commander, ich muss Sie …«, versuchte Susan erneut, sich einzuschalten, doch wieder prallte sie an einer Handbewegung Strathmores ab.

Sie sah Hale nervös an. Er wirkte kühl und distanziert. *Genau wie zu erwarten,* dachte Susan. *Hale braucht sich über einen Virus nicht zu beunruhigen. Er weiß ja genau, was im TRANSLTR vorgeht.*

Charturkian ließ nicht locker. »Sir, die verseuchte Datei existiert aber. Gauntlet hat sie nur nicht erkannt.«

»Wenn Gauntlet sie nicht erkannt hat, wie wollen ausgerechnet Sie dann erkannt haben, dass es sie gibt?«

Charturkians Ton gewann an Zuversicht. »Mutationsketten, Sir. Ich habe eine Rundum-Analyse gefahren und Mutationsketten festgestellt!«

Susan begriff, warum Charturkian so von der Rolle war.

Mutationsketten. Sie wusste, dass derartige Programmsequenzen die Daten auf extrem komplexe Weise durcheinanderbringen konnten. Sie kamen in Computerviren sehr häufig vor, besonders in Viren, die große Datenblöcke auf einmal angreifen und verändern konnten. Aus Tankados E-Mails wusste sie natürlich, dass die Mutationsketten, die Charturkian gesehen hatte, völlig anderer Natur waren – sie waren ein Teil von Diabolus.

»Als ich die Ketten gesehen habe, Sir, habe ich anfangs gedacht, die Gauntlet-Filter hätten versagt. Aber dann habe ich ein paar Tests gefahren und festgestellt …« Er zögerte und machte plötzlich ein ängstliches Gesicht. »Ich habe festgestellt, dass jemand die Gauntlet-Filter umgangen hat.«

Es wurde mucksmäuschenstill. Die Rötung von Strathmores Gesicht vertiefte sich bedenklich. Es war völlig klar, wem der Vorwurf galt. Strathmore hatte das einzige Terminal in der ganzen Abteilung, von dem aus ein Umgehen des Gauntlet-Filtersystems möglich war.

»Mr Charturkian«, sagte Strathmore eisig, »es geht Sie zwar in keiner Weise etwas an, aber *ich* habe die Gauntlet-Filter umgangen.« Strathmore stand kurz vor der Explosion. »Wie ich Ihnen zuvor schon erläutert habe, lasse ich ein hoch entwickeltes Diagnoseprogramm laufen. Die Mutationsketten, die Sie im TRANSLTR festgestellt haben, sind dort, weil *ich* sie eingegeben habe. Sie sind Teil dieses Programms. Das Gauntlet-System hat die Annahme der Daten verweigert, darum habe ich die Filter umgangen. Haben Sie sonst noch etwas auf dem Herzen, Mr Charturkian, bevor Sie uns verlassen?«

In einem Sekundenbruchteil sah Susan klar. Als Strathmore den verschlüsselten Diabolus-Algorithmus aus dem Internet heruntergeladen hatte, um dem TRANSLTR anschließend die Entschlüsselung zu überlassen, hatte das Gauntlet-System auf die Mutationsketten angesprochen. Da Strathmore unbedingt wissen wollte, ob Diabolus zu knacken war, hatte er die Datei am Filtersystem vorbei eingegeben.

Das Gauntlet-System zu umgehen war normalerweise undenkbar. In diesem Fall jedoch musste es unbedenklich erscheinen, denn der Commander wusste ja, worum es sich bei dieser Datei handelte, und kannte ihren Autor.

»Bei allem gebotenen Respekt, Sir«, beharrte Charturkian, »von einem Diagnoseprogramm mit Mutationsketten habe ich bislang weder etwas gehört noch ge ...«

Susan konnte keine Sekunde mehr an sich halten. »Commander«, platzte sie heraus, »ich muss Sie wirklich unbedingt ...«

Diesmal war es das schrille Piepsen von Strathmores Handy, das sie unterbrach. Der Commander riss das Mobiltelefon ans Ohr. »Was ist los?«, bellte er, um sogleich zu verstummen und schweigend zuzuhören.

Susan vergaß Hale einen Moment. Inbrünstig wünschte sie, der Anrufer möge David sein. *Sag mir, dass ihm nichts passiert ist*, dachte sie. *Sag mir, dass er den Ring gefunden hat!* Aber als sich ihre Augen mit denen Strathmores trafen, runzelte Strathmore die Stirn. Er hatte nicht David am Apparat.

Susan wurde es eng um die Brust. Sie wollte ja nur wissen, ob der Mann, den sie liebte, in Sicherheit war. Strathmores Ungeduld hatte ganz andere Gründe, das war ihr klar. Wenn David nicht bald fündig wurde, musste der Commander Unterstützung schicken, Feldagenten der NSA – ein Spiel, das er lieber vermieden hätte.

»Commander«, drängte Charturkian, »ich glaube wirklich, wir sollten überprüfen, ob ...«

»Einen Moment bitte«, sagte Strathmore entschuldigend ins Telefon, bevor er die Sprechmuschel zuhielt und einen zornigen Blick auf seinen jungen Systemtechniker abschoss. »Mr Charturkian«, knurrte er, »das Gespräch ist beendet. Sie werden jetzt die Crypo-Abteilung verlassen. Und zwar a*ugenblicklich!* Das ist ein Befehl!«

Charturkian stand wie vom Donner gerührt. »Sir, aber die Mutations ...«

»AUGENBLICKLICH!«, brüllte Strathmore.

Charturkian starrte ihn einen Moment lang sprachlos an, dann stürmte er zum Sys-Sec-Lab davon.

Strathmore drehte sich um und musterte Hale mit einem verwunderten Blick. Susan konnte sein Erstaunen gut verstehen. Hale war die ganze Zeit ruhig gewesen. Viel zu ruhig. Hale wusste nur zu gut, dass es kein Diagnoseprogramm mit Mutationsketten gab, erst recht keines, das den TRANSLTR achtzehn Stunden lang auf Trab gehalten hätte – gleichwohl hatte er kein Wort gesagt. Die ganze Aufregung schien ihn nicht zu berühren. Strathmore hätte offensichtlich gern den Grund gewusst. Susan kannte ihn.

»Commander«, sagte sie eindringlich, »wenn ich Sie bitte kurz ...«

»Gleich«, unterbrach er sie, den Blick immer noch fragend auf Hale gerichtet. »Ich muss erst dieses Telefonat beenden.« Er drehte sich auf dem Absatz um und strebte zu seinem Büro.

Susan öffnete den Mund, aber die Worte blieben ihr im Halse stecken. *Hale ist North Dakota!* Unfähig zu atmen, stand sie stocksteif da. Sie spürte Hales starren Blick.

Mit einer galanten, einladenden Geste zur Schiebetür von Node 3 trat Hale an ihre Seite. »Bitte nach dir, Sue!«

Kapitel 41

In einer Wäschekammer auf der dritten Etage des Alfonso XIII lag ein Zimmermädchen bewusstlos auf dem Boden. Der Mann mit der Nickelbrille steckte das Passepartout in ihre Schürzentasche zurück. Als er sie niederschlug, hatte er ihren Aufschrei nicht wahrgenommen. Wie auch – er war seit seinem zwölften Lebensjahr taub.

Mit einer gewissen Ehrfurcht griff er nach dem batteriegespeisten Minigerät an seinem Gürtel, das Geschenk seines Auftraggebers. Es hatte ihm ein neues Leben geschenkt. Er konnte seine Aufträge jetzt überall in der Welt entgegennehmen. Die Kommunikation erfolgte verzögerungsfrei und ohne jede Möglichkeit der Ortung.

Eifrig betätigte er den Schalter. Der Monitor in seiner Brille leuchtete auf. Wieder einmal trommelten seine Finger gegeneinander. Wie immer hatte er sich auch diesmal die Namen seiner Opfer beschafft – eine kurze Durchsuchung der Brief- beziehungsweise Handtasche hatte genügt. Die Kontakte an seinen Fingerspitzen wirbelten. Wie von Geisterhand erschienen Buchstaben in seinem Brillenglas.

ZIELPERSON: HANS HUBER – ELIMINIERT
ZIELPERSON: ROCÍO EVA GRANADA – ELIMINIERT

Drei Etagen tiefer hatte David Becker seine Zeche bezahlt und wanderte mit dem Glas in der Hand durch die Lobby. Er wandte sich zur offenen Hotelterrasse, um Luft zu schnappen. *Von wegen, rein und raus,* dachte er. Die Sache hatte sich völlig anders entwickelt als geplant. Er musste eine Entscheidung treffen. Sollte er nicht lieber alles hinschmeißen und zusehen, dass er zum Flughafen kam? *Eine Frage der nationalen Sicherheit*? Er fluchte leise vor sich hin. Warum hatte man dann, verdammt noch mal, einen Pauker geschickt?

Becker manövrierte sich aus dem Blickfeld des Barkeepers und kippte den Rest seines Drinks in einen Blumentopf mit Jasmin. Der Wodka hatte ihn benommen gemacht. *Die preiswerteste Schnapsleiche aller Zeiten*, hatte Susan ihn oft im Scherz genannt. An einem Trinkwasserspender füllte er den schweren Kristallbecher mit Wasser und gönnte sich einen kräftigen Schluck.

Er stellte das Glas ab. Um einen klaren Kopf zu bekommen, streckte er sich ein paar Mal, dann durchquerte er die Lobby.

Als er am Aufzug vorbeikam, ging die Tür auf. Der Mann, der im Fahrstuhl stand, führte hastig das Taschentuch an die Nase, um sich zu schnäuzen. Lediglich seine dicke Nickelbrille war zu erkennen. Becker lächelte ihm höflich zu und ging seiner Wege … hinaus in die stickige Nacht von Sevilla.

Kapitel 42

Susan ertappte sich dabei, dass sie erregt in Node 3 auf und ab tigerte. Sie hätte Hale bloßstellen müssen, als es noch möglich gewesen war!

Greg Hale saß an seinem Terminal. »Sue, hast du etwas auf dem Herzen, das du gerne loswerden möchtest? Stress ist ein Killer!«, sagte er.

Susan zwang sich, Platz zu nehmen. Sie hatte gehofft, Strathmore würde nach Beendigung seines Telefonats wiederkommen, um mit ihr zu sprechen, doch er ließ sich nicht blicken. Um der inneren Unruhe Herr zu werden, schaute sie auf ihren Bildschirm. Der Tracer war noch unterwegs – zum zweiten Mal –, aber die Suche war gegenstandslos geworden. Die Adresse, die das Suchprogramm melden würde, kannte sie bereits: GHALE@crypto.nsa.gov.

Susan schaute hinauf zu Strathmores Büro. Sie hielt es nicht mehr aus. Es war an der Zeit, das Telefonat des Commanders zu unterbrechen. Sie stand auf und ging zur Tür.

Hale schien auf einmal unruhig zu werden. Susans merkwürdiges Verhalten musste ihm aufgefallen sein. Er sprang auf. Mit ein paar schnellen Schritten war er am Ausgang. Er verschränkte die Arme vor der Brust und verstellte Susan den Durchgang.

»Ich will wissen, was los ist«, verlangte er. »Hier geht etwas vor. Was ist los?«

Susan merkte, dass es langsam gefährlich wurde. »Lass mich gefälligst durch«, sagte sie so ungerührt wie möglich.

»Nun sag schon«, drängte Hale. »Strathmore hat Chartukian praktisch gefeuert, nur weil er seinen Job gemacht hat. Was läuft da im TRANSLTR? Wir haben keine Diagnoseprogramme, die achtzehn Stunden lang laufen. Du weißt selbst, dass das völliger Blödsinn ist. Nun sag schon, was ist los?«

Susans Augen wurden eng. *Du weißt ganz genau, was los ist!* »Lass mich vorbei, Greg. Ich muss mal zur Toilette.«

Hale grinste. Er ließ sich viel Zeit, bis er endlich ein kleines Stück beiseitetrat. »Nichts für ungut, Sue. Ich mag dich eben.«

Susan drängte sich an Hale vorbei zur Tür hinaus. Noch durch das Spiegelglas hindurch spürte sie seinen bohrenden Blick in ihrem Rücken.

Zögernd trottete sie zur Toilette. Hale sollte keinen Verdacht schöpfen. Dieser Umweg musste vor dem Gang zum Commander eben sein.

Kapitel 43

Der forsche Mittvierziger Chad Brinkerhoff war gut in Form, gut gekleidet und gut informiert. Nicht der Anflug eines Fältchens verunzierte seine wohlgebräunte Haut und seinen leichten Sommeranzug. Sein Haar war dicht, sandfarben und vor allem sein eigenes. Seine Augen glänzten in einem strahlenden Blau, was er nicht zuletzt farbigen Kontaktlinsen verdankte.

Bei Betrachtung seines holzgetäfelten Büros musste er sich eingestehen, dass er es bei der NSA nicht mehr weiter bringen konnte. Er saß im neunten Stock, der Mahagoni-Etage. Büro 9 A 197. Das Chefbüro.

Es war Samstagabend. In der Mahagoni-Etage war praktisch keiner mehr da. Die Riege der leitenden Beamten war komplett ausgeflogen und trieb, was einflussreiche Männer am Wochenende eben so trieben. Chad Brinkerhoff hatte immer davon geträumt, in dieser Behörde eines Tages auf einem »richtigen« Posten zu landen, aber irgendwie hatte er es nur zum »persönlichen Referenten« gebracht – das offizielle Abstellgleis für die Verlierer im politischen Ämterschacher. Er arbeitete zwar Seite an Seite mit dem mächtigsten Mann des amerikanischen Geheimdienstes, aber das war auch kein Trost für Brinkerhoff, der mit Auszeichnung von einer prominenten Universität abgegangen war. Da saß er nun – ein Mann in den besten Jahren, aber ohne wirklichen Einfluss, ohne wirkliche Macht, und verbrachte seine Tage damit, einem anderen den Terminkalender zu führen.

Der Job als persönlicher Referent des Chefs war für Brinkerhoff natürlich mit bestimmten Annehmlichkeiten verbunden: ein schönes Büro auf der Chefetage, ungehinderten Zugang zu allen Abteilungen der NSA und ein gewisses Flair, das von dem noblen Umfeld auf ihn abfärbte. Er war der Laufbursche der Mächtigen. Brinkerhoff wusste tief in seinem Inneren, dass er der geborene Referent war – aufgeweckt genug, um Notizen aufzunehmen, attraktiv genug, um Pressekonferenzen zu geben, und faul genug, um es dabei zu belassen.

Der Glockenschlag seiner Kaminsims-Uhr akzentuierte das Ende eines weiteren Tages seiner unbefriedigenden Existenz. *Mist*, dachte er, *fünf Uhr nachmittags an einem Samstag. Wozu sitzt du überhaupt noch hier herum?*

»Chad?« Eine Frau stand in seiner Bürotür.

Brinkerhoff hob den Blick. Es war Midge Milken, Leland Fontaines Analystin für behördeninterne Sicherheit. Sie war über fünfzig, etwas vollschlank und – sehr zu Brinkerhoffs Überraschung – durchaus attraktiv. Die einem Flirt durchaus nicht abgeneigte Analystin, die drei Ehen hinter sich hatte, bewegte sich mit kerniger Autorität durch die Chefbüros. Sie war hochintelligent, intuitiv begabt, bewältigte ein übermenschliches Arbeitspensum und kannte die Feinheiten des inneren Gefüges der NSA angeblich besser als der liebe Gott persönlich.

Verdammt, dachte Brinkerhoff und beäugte die Frau in ihrem fließenden steingrauen Kaschmir-Strickkleid mit dem V-Ausschnitt, *entweder wirst du älter, oder sie wird laufend jünger.*

»Die Berichte von dieser Woche.« Midge wedelte lächelnd mit einem Packen Papier. »Sieh dir die Werte mal an.«

Brinkerhoff betrachtete anerkennend Midges Figur. »Die Werte stimmen, das kann ich von hier aus sehen.«

»Also, wirklich, Chad«, erwiderte sie mokant, »ich könnte deine Mutter sein!«

Erinnere mich bloß nicht daran, dachte Brinkerhoff.

Midge stöckelte herein und platzierte eine wohlgerundete

Pobacke auf Brinkerhoffs Schreibtisch. »Ich bin schon auf dem Weg nach Hause, aber wenn dein Chef aus Südamerika zurückkommt, möchte er die Zusammenstellung dieser Zahlen sehen. Und das ist Montag in aller Herrgottsfrühe.« Sie knallte Brinkerhoff die Ausdrucke auf den Schreibtisch.

»Wer bin ich denn, ein Buchhalter?«

»Nein, mein Süßer, du bist einer, der nichts anbrennen lässt. Ich dachte, das wüsstest du.«

»Und wie komme ich dann dazu, mich mit Schnee von gestern zu befassen?«

Sie griff sich ordnend ins Haar. »Du wolltest doch immer schon mehr Verantwortung. Da hast du sie.«

Er sah mit einem Hundeblick zu ihr auf. »Midge ... ich habe überhaupt nichts vom Leben.«

Sie blickte auf ihn herunter und tippte mit dem Finger auf den Papierstapel. »Chad Brinkerhoff, das ist dein Leben!« Sie wurde versöhnlich. »Kann ich noch etwas für dich tun, bevor ich mich empfehle?«

Er schaute sie flehend an und rollte die Schultern. »Mein Nacken ist ganz verspannt.«

Midge biss nicht an. »Nimm eine Tablette.«

»Keine Rückenmassage?«, schmollte er.

»Im *Cosmopolitan* steht, zwei Drittel aller Rückenmassagen enden im Bett.«

»Bei uns aber nie!«, jammerte Brinkerhoff.

»Genau.« Midge zwinkerte ihm zu. »Da liegt ja auch das Problem.«

»Midge ...«

»Gute Nacht, Chad.« Sie strebte zur Tür.

»Du willst schon gehen?«

Midge hielt unter dem Türrahmen inne. »Ich würde ja bleiben«, sagte sie, »aber ich habe immerhin noch ein bisschen Stolz im Leib. Ich bin nicht bereit, die zweite Geige zu spielen – schon gar nicht neben einem Teenager.«

»Meine Frau ist kein Teenager«, verteidigte sich Brinkerhoff. »Sie benimmt sich nur so.«

Midge sah ihn erstaunt an. »Von deiner Frau ist überhaupt nicht die Rede.« Sie klimperte unschuldig mit den Wimpern. »Ich meine *Carmen.*« Sie gab dem Namen einen rollenden puertoricanischen Akzent.«

»Wen?« Brinkerhoffs Stimme schwankte leicht.

»Carmen! Vom Küchenpersonal!«

Brinkerhoff spürte, wie er rot wurde. Carmen Huerta war eine neunzehnjährige Konditorin, die im Kasino der NSA beschäftigt war. Brinkerhoff hatte mit ihr nach Dienstschluss ein paar Techtelmechtel im Vorratsmagazin gehabt.

Midge blinzelte ihm schelmisch zu. »Chad, denk dran ... Big Brother is watching you!«

Big Brother? Brinkerhoff schnappte ungläubig nach Luft. *Im VORRATSMAGAZIN auch?*

Big Brother, oder Brother, wie Midge meist sagte, war ein Centrex 333, der in einem kleinen Kabinett neben dem Hauptraum der Bürosuite untergebracht war. Brother war Midges Augapfel. Der Computer empfing Daten von 148 Videoüberwachungskameras, 377 angezapften Telefonleitungen und 212 Wanzen, die im NSA-Komplex verstreut angebracht waren.

Die Direktoren der NSA hatten erst aus Erfahrung klug werden müssen, um zu lernen, dass 26.000 Mitarbeiter nicht nur eine große Hilfe, sondern auch eine große Gefahr waren. Jeder nennenswerte Geheimnisverrat in der Geschichte der NSA war von innen gekommen. Als Analystin der internen Sicherheit hatte Midge die Aufgabe, alles zu verfolgen, was innerhalb der Mauern der NSA vor sich ging – wozu offenbar auch die Vorgänge im Vorratsmagazin des Kasinos gehörten.

Brinkerhoff stand auf. Er wollte sich rechtfertigen, aber Midge war schon unterwegs nach draußen. »Die Hände immer hübsch *über* der Bettdecke«, rief sie ihm über die Schulter zu.

»Und keine Spielereien, wenn ich nicht da bin! Die Wände haben Augen und Ohren.«

Brinkerhoff sank wieder in seinen Schreibtischsessel und lauschte dem Klacken ihrer Absätze hinterher, das sich den Gang hinunter entfernte. Aber er konnte sich wenigstens darauf verlassen, dass Midge dichthielt. Selbst nicht frei von Schwächen hatte sie sich auf ein paar Unbesonnenheiten eingelassen – in erster Linie Rückenmassagen mit Beiprogramm bei Brinkerhoff.

Brinkerhoffs Gedanken weilten wieder bei Carmen. Er stellte sich ihren geschmeidigen Körper vor, ihre schokoladefarbenen Schenkel und die Begleitmusik des Mittelwellensenders, der in voller Lautstärke Salsa aus San Juan geschmettert hatte. Er lächelte. *Wenn du fertig bist, könntest du ja noch auf einen Imbiss bei ihr vorbeischauen.*

Er entfaltete den ersten Ausdruck.

CRYPTO – KOSTEN/NUTZEN-RECHNUNG

Seine Stimmung verbesserte sich schlagartig. Die Hausaufgaben, die Midge ihm gebracht hatte, waren ein Klacks. Der Rechnungsbericht der Crypto war stets eine leichte Übung. Von Rechts wegen hätte Brinkerhoff sämtliche Positionen einzeln addieren müssen, aber die einzige Zahl, für die sich die Direktoren je interessiert hatten, waren die DKD – die Durchschnittskosten pro Dechiffrierung. Solange sich diese Zahl unter tausend Dollar hielt, war Fontaine vollauf zufrieden. *Ein Tausender pro Entschlüsselung*, kicherte Brinkerhoff. *Die Steuermittel im Einsatz.*

Während er sich zügig durch die Unterlagen arbeitete und die täglichen DKDs überprüfte, schlichen sich Bilder von Carmen Huerta in sein Gehirn... wie sie sich selbst mit Honig und Puderzucker bekleckerte. Kurze Zeit später war er mit der Arbeit so gut wie durch. Die Crypto-Daten waren perfekt – wie immer.

Als er den Bericht schon weglegen wollte, um nach dem nächsten zu greifen, stach ihm der letzte DKD-Wert am Ende des Blattes ins Auge. Er fiel total aus dem Rahmen. Die Zahl war so groß, dass sie in die nächsten Spalten hinüberlief und die ganze Seite verunzierte. Brinkerhoff betrachtete sie fassungslos.

999 999 999. Er holte tief Luft. *Eine Milliarde Dollar?* Die Bilder von Carmen zerplatzten wie eine Seifenblase. *Ein Milliarden-Dollar-Code?*

Brinkerhoff saß einen Augenblick lang wie gelähmt, um dann in den Flur hinauszustürzen, als sei der Leibhaftige hinter ihm her.

»Midge! Midge! Komm zurück!«

Kapitel 44

Phil Charturkian stand kochend vor Wut im Sys-Sec-Lab. Strathmores Befehl hallte in seinem Kopf wider. *Sie werden jetzt die Crypto-Abteilung verlassen. Und zwar augenblicklich!* Fluchend kickte er den Abfallbehälter durch das Laboratorium.

»Ein Diagnoseprogramm! Beim Arsch des Propheten! Seit wann darf der Vizedirektor einfach die Gauntletfilter umgehen?«

Die Sys-Sec-Leute wurden sehr gut bezahlt, damit sie die Computersysteme der NSA vor Schaden bewahrten. Phil Charturkian hatte begriffen, dass man für diesen Job lediglich zwei Voraussetzungen brauchte, diese allerdings in hohem Grade: Sachverstand und einen paranoiden Hang, die Flöhe husten zu hören.

Zum Teufel aber auch, du hörst keine Flöhe husten! Der verdammte Betriebsmonitor zeigt achtzehn Stunden an!

Das war ein Virus. Charturkian hatte es im Urin. Für ihn war sonnenklar, was hier los war: Strathmore hatte Mist gebaut, weil er die Gauntlet-Filter umgangen hatte, und jetzt versuchte er sich mit der windigen Geschichte von einem Diagnoseprogramm herauszureden.

Charturkian wäre nicht ganz so aufgebracht gewesen, wenn der TRANSLTR das Einzige gewesen wäre, worum er sich Sorgen machen musste. Aber so war es eben nicht. Das riesige Dechiffrierungsmonster war keineswegs eine einsame Insel, auch wenn man diesen Eindruck haben konnte. Die Kryptographen glaubten zwar, der einzige Zweck von Gauntlet bestünde im Schutz ihres Lieblingsspielzeugs, aber jeder Sys-Sec-Techniker hätte sie eines Besseren belehren können. Die Gauntlet-Virenfilter dienten einem viel höheren Zweck: dem Schutz der zentralen Datenbank der NSA.

Die Geschichte des Aufbaus dieser Datenbank hatte Charturkian schon immer fasziniert. Trotz der Bemühungen des Verteidigungsministeriums in den späten Siebzigerjahren des vergangenen Jahrhunderts, das Internet unter eigener Regie zu halten, war dieses Netzwerk einfach ein viel zu nützliches Instrument, um nicht das größte Interesse und die Begehrlichkeit der Öffentlichkeit zu erregen. Zuerst erzwangen sich die Universitäten den Zugang. Kurz danach kamen die kommerziellen Server. Dann brachen alle Dämme, und jedermann konnte ins Internet. Zu Beginn der Neunzigerjahre war das einst so wohl behütete »Internet« der Regierung zu einem undurchdringlichen Dschungel von E-Mails jeglicher Provenienz bis hin zur Cyber-Pornographie geworden.

Nach einer Serie von nicht öffentlich bekannt gewordenen, aber nichtsdestoweniger höchst schädlichen Hacker-Einbrüchen in die Computer des Marine-Geheimdienstes führte kein Weg mehr an der Erkenntnis vorbei, dass Regierungsgeheimnisse in Computern, auf die man über das wuchernde Internet zugreifen konnte, nicht mehr sicher waren.

Der Präsident erließ in Zusammenarbeit mit dem Verteidigungsministerium eine Geheimverordnung zur Finanzierung eines neuen, völlig abgeschotteten Regierungs-Computernetzwerks, das an die Stelle des unbrauchbar gewordenen Internets treten und die Verbindung zwischen den US-Nachrichten- und Geheimdiensten und der Regierung garantieren sollte. Um Staatsgeheimnisse in Zukunft vor Hackern zu schützen, sollten sämtliche sensiblen Daten an einem einzigen, hochgradig gesicherten Ort zusammengefasst werden: in der neu entworfenen zentralen Datenbank der NSA, dem Fort Knox der Geheimdiensterkenntnisse der USA.

Buchstäblich Millionen von Fotos, Tonbändern, Videos und Dokumenten der höchsten Geheimhaltungsstufe wurden digitalisiert und in die unersättlichen Speicher überspielt, worauf die Originaldokumente vernichtet wurden. Die Datenbank wurde durch eine dreifach abgesicherte Stromversorgung und ein mehrstufiges digitales Datensicherungssystem geschützt. Zum Schutz vor magnetischer Strahlung und der Einwirkung von Explosionen hatte man sie fünfundsechzig Meter tief unter die Erde verlegt. Alles, was im Kontrollraum vor sich ging, war prinzipiell *Top Secret Umbra* – Gegenstand der höchsten Geheimhaltungsstufe der USA.

Nie zuvor waren die Geheimnisse des Landes sicherer aufgehoben gewesen. Die uneinnehmbare Datenbank beherbergte Baupläne von modernsten Waffensystemen, Namenlisten des Zeugenschutz-Programms, die Deckidentitäten von Feldagenten, detaillierte Analysen und mögliche Strategien für verdeckte Operationen und vieles andere mehr. Die Liste war endlos. Mit Einbrüchen in US-Geheimdienstarchive war es vorbei.

Die Führungskräfte der NSA wussten natürlich genau, dass gespeicherte Daten nur dann etwas nützen, wenn man auch auf sie zugreifen kann. Der eigentliche Clou der Datenbank war weniger, dass alle Daten durch die Speicherung aus dem Verkehr gezogen waren, sondern dass sie jeweils nur den befugten Personen zur Verfügung standen. Jede gespeicherte Information hatte eine Sicherheitseinstufung und war nur in einem vom Tätigkeitsfeld des jeweiligen Regierungsbeamten abhängigen Umfang verfügbar. Ein U-Boot-Kommandant zum Beispiel konnte sich die neuesten Satellitenaufnahmen russischer Häfen aus dem Speicher holen, hatte aber keinen Zugriff auf eine Antidrogenkampagne in Südamerika. CIA-Analysten konnten die Biografien bekannter und mutmaßlicher Attentäter einsehen, nicht jedoch die Codes zum Abfeuern von Atomraketen, die wiederum nur dem Präsidenten zugänglich waren.

Die Sys-Sec-Techniker hatten natürlich keinerlei Zugriff auf die Informationen der Datenbank, aber sie waren für ihre Sicherheit verantwortlich. Wie alle großen Datenbanken – von Versicherungsgesellschaften bis zu Universitäten – stand auch diese Einrichtung der NSA unter dem ständigen Beschuss von Computerhackern, die gern einen Blick in die dort schlummernden Geheimnisse geworfen hätten. Aber die NSA hatte die besten Sicherheitsprogrammierer der Welt. Nie war es jemandem auch nur ansatzweise gelungen, die Datenbank der NSA zu infiltrieren – und die NSA hatte keinerlei Grund zu der Befürchtung, dass es jemals gelingen könnte.

Phil Charturkian saß im Sys-Sec-Lab und überlegte fieberhaft, ob er verschwinden sollte oder nicht. Strathmores Unbekümmertheit war für ihn mehr als beunruhigend, denn Probleme im TRANSLTR zogen Probleme in der zentralen Datenbank nach sich.

Es musste doch jedem klar sein, dass der TRANSLTR und die Datenbank unlösbar miteinander verbunden waren! Jeder neue Code wurde sofort nach der Dechiffrierung durch vierhundertfünfzig Meter Glasfaserkabel von der Crypto-Abteilung zur sicheren Aufbewahrung in die Datenbank geschossen. Das geheiligte Speicherwerk hatte nur wenige Zugänge – und der TRANSLTR besaß einen davon. Der Gauntlet-Filter sollte der unüberwindliche Wächter dieser Pforte sein. Und Strathmore hatte Gauntlet einfach umgangen!

Charturkian konnte sein Herz pochen hören. *Der TRANSLTR hat die achtzehn-Stunden-Marke überschritten!* Die Vorstellung, dass ein Virus in den TRANSLTR gelangt war und bald in den Kellern der NSA Amok laufen würde, war zu viel für ihn. »Das musst du melden!«, brach es aus ihm heraus.

In einer Situation wie dieser hatte Charturkian einen bestimmten Mann anzurufen: Seinen Sys-Sec-Abteilungsleiter mit dem Spitznamen Jabba, den äußerst kurz angebundenen, vierhundert Pfund schweren Computer-Guru, der das Gauntlet-System konstruiert hatte. Bei der NSA war er ein Halbgott – stets allgegenwärtig, löschte er virtuelle Feuersbrünste unter hemmungslosen Flüchen auf die Unfähigkeit und Ignoranz der verantwortlichen Idioten, denen es offensichtlich an jeglicher Vorstellungskraft fehlte. Wenn Jabba erfuhr, dass Strathmore das Gauntlet-System umgangen hatte, würde der Teufel los sein. *Tut mir leid*, dachte Charturkian, *aber du hast hier einen Job zu erledigen.* Er griff nach dem Telefon und wählte die Nummer des Mobilanschlusses, auf dem Jabba rund um die Uhr erreichbar war.

Kapitel 45

David Becker wanderte ziellos die Avenida el Cid hinunter und versuchte, seine Gedanken zu ordnen. Auf dem Kopfsteinpflaster spielten verschwommene Schatten um seine Füße. Er war immer noch benebelt von dem Wodka. Er dachte wieder an Susan. Ob sie seine Nachricht schon abgehört hatte?

Ein Stück weiter vorne hielt quietschend ein Bus. Die Türen gingen auf, aber niemand stieg aus. Als der Bus anfahren wollte, kamen drei Teenager aus einer Bar gestürmt und rannten schreiend und gestikulierend hinterher. Das Motorgeräusch erstarb wieder.

Becker war noch etwa dreißig Meter entfernt. Sein getrübter Blick wurde schlagartig wieder glasklar, aber er wollte seinen Augen nicht trauen. Was er da sah, war einfach unmöglich. Die Chancen dafür standen eins zu einer Million.

Du hast Halluzinationen.

Als die Türen für die jungen Leute noch einmal aufgingen und sie sich im Einstieg drängten, sah Becker es wieder. Diesmal war er hundertprozentig sicher. Im Licht der Straßenlampe an der Ecke hatte er es deutlich erkannt.

Die jungen Leute stiegen ein. Als der Motor langsam auf Touren kam, rannte Becker bereits im vollen Lauf auf den Bus zu. Das bizarre Bild hatte sich in sein Hirn eingebrannt – schwarzer Lippenstift, wilder Lidschatten und die Haare … zu drei abstehenden rot-weiß-blauen Spitztüten hochgedreht.

Der Bus setzte sich in Bewegung. Becker stürmte in eine Auspuffwolke aus Kohlenmonoxid.

»*¡Espera!*«, schrie er aus vollem Halse. Seine feinen Lederslipper flitzten über das Pflaster, aber die Squash-erprobte Sprungkraft fehlte. Becker verfluchte den Barkeeper und den Jetlag. Der Bus war zum Glück ein älteres Modell und musste die anstehende Steigung im ersten Gang nehmen. Becker spürte, dass er langsam aufholte. Er musste den Bus erreicht haben, bevor der Fahrer den zweiten Gang einlegte.

Der Fahrer trat die Kupplung, um hochzuschalten. Die beiden Auspuffrohre spien Becker eine Wolke schwarzen Dieselqualm ins Gesicht, aber er legte noch einen Zahn zu. Er war schon neben dem Bus, der Heckeinstieg zum Greifen nahe. Wie bei allen Bussen von Sevilla stand er als billiger Ersatz einer Klimaanlage weit offen.

Becker ignorierte das Brennen in den Beinmuskeln. Seine Augen fixierten den Einstieg. Neben ihm rollten schulterhohe Reifen. Er versuchte aufzuspringen, verfehlte aber die Haltestange und wäre fast gestürzt. Er mobilisierte seine letzten Reserven. Unter dem Bus hörte er die Kupplung arbeiten.

Er schaltet! Du schaffst es nicht!

Aber bis die Zahnräder des höheren Gangs endgültig ineinandergriffen, verlor der Bus minimal an Fahrt. Becker sprang. Seine Finger krallten sich um die Haltestange. Der Bus zog an. Becker wurde nach oben katapultiert. Er dachte, der Arm würde ihm aus dem Schultergelenk gerissen.

Becker lag völlig erschöpft im Einstieg. Das Pflaster raste nur wenige Handbreit unter ihm vorbei. Er war wieder vollkommen nüchtern. Schulter und Beine taten ihm weh. Halt suchend richtete er sich auf und zog sich schwankend in den abgedunkelten Bus. Wenige Sitzreihen vor ihm ragten aus den Silhouetten der Fahrgäste drei unverkennbare Spitztüten aus Haar in die Luft.

Rot, weiß und blau. Du hast es geschafft!

In Beckers Kopf tanzten allerlei Bilder – der Ring, der wartende Learjet 60 und zu guter Letzt Susan.

Becker war auf Höhe der Sitzreihe des Mädchens. Er überlegte, wie er es ansprechen sollte. Der Lichtschein einer Straßenlaterne huschte über das Gesicht der Punkerin.

Becker erstarrte. Die Schminke war über einen kräftigen Stoppelbart geschmiert. Es war kein Mädchen, sondern ein junger Bursche mit einer schwarzen Lederjacke, die er auf dem nackten Oberkörper trug. Ein silberner Knopf war durch seine Oberlippe gepierct.

»Eh, Alter, was liegt an?«, stieß der Punker heiser hervor. Er hatte einen New Yorker Akzent.

Wie ein Stürzender im freien Fall schaute Becker in die Gesichter der Fahrgäste, die ihn ihrerseits anstarrten. Es waren ausschließlich Punks. Mindestens die Hälfte hatte rot-weißblaue Haare. Er erlebte die Szene wie in Zeitlupe.

»*¡Siéntate!*«, brüllte der Fahrer.

Becker war zu benommen, um darauf zu achten.

»*¡Siéntate!*«, brüllte der Fahrer noch einmal. »Hinsetzen!«

Becker blickte geistesabwesend in das aufgebrachte Gesicht im Rückspiegel, aber zu spät.

Der Busfahrer trat kräftig auf die Bremse. Vergeblich suchte Becker an einer Sitzlehne Halt. Er verlor das Gleichgewicht. Nach einem unfreiwilligen Purzelbaum knallte er hart auf den rauen Boden.

An der Avenida el Cid löste sich eine Gestalt aus dem Halbdunkel. Der Mann rückte seine Nickelbrille zurecht und schaute dem davonfahrenden Bus hinterher. David Becker war entwischt, aber nur vorübergehend. Unter allen Bussen von Sevilla war er ausgerechnet in die berüchtigte Linie 27 geraten.

Die Nummer 27 fuhr ohne Zwischenhalt durch bis zur Endstation.

Kapitel 46

Phil Charturkian knallte den Hörer hin. Jabbas Anschluss war besetzt. Jabba hielt nichts von der Anklopf-Funktion. Für ihn war das nur eine weitere Beutelschneiderei der Telefongesellschaft AT&T, weil sie dann jeden Anruf durchstellen konnte. Der schlichte Satz: »Mein Anschluss ist leider besetzt, ich rufe Sie gleich zurück«, spülte jährlich Millionen in die Kassen der Telefongesellschaften. Jabbas Weigerung, die Anklopf-Funktion in Anspruch zu nehmen, war sein stiller Protest gegen die NSA-Vorschrift, im Notfall immer und überall über Handy erreichbar zu sein.

Charturkian drehte sich um und schaute in die leere Crypto-Kuppel hinaus. Das Generatorbrummen schien mit jeder Minute lauter von unten emporzudringen. Er spürte, dass ihm allmählich die Zeit davonlief. Er wusste aber auch, dass er eigentlich zu verschwinden hatte, doch das Brummen aus dem Untergrund mutierte mehr und mehr zum Mantra eines Sys-Sec-Technikers: *Erst handeln, dann erklären.*

In der Welt der Computersicherheit entschieden oft Minuten darüber, ob ein System gerettet werden konnte oder den Bach hinunterging. Nur selten reichte die Zeit, eine rettende Maßnahme zu erklären, bevor man sie ergriff. Ein Sys-Sec-Techniker wurde für seine Sachkenntnis bezahlt – und für seinen Instinkt.

Erst handeln, dann erklären. Charturkian wusste, was er zu tun hatte. Wenn der Staub sich gelegt hatte, würde er entweder ein Held der NSA oder arbeitslos sein.

Das große Dechiffrierungsungeheuer hatte einen Virus, daran bestand für ihn kein Zeifel. Es gab nur eine einzige verantwortungsbewusste Maßnahme: abschalten. Dafür gab es zwei Möglichkeiten. Einmal vom Terminal im Büro des Commanders aus, was völlig ausgeschlossen war. Und dann war da noch der Notschalter auf einer der unteren Etagen des Wartungssilos unter der Crypto-Kuppel.

Charturkian schluckte. Er hasste diesen Silo. Er war nur ein einziges Mal unten gewesen, während seiner Ausbildung. Es war dort wie in einer Welt der Aliens, mit dem Gewirr der Gitterlaufstege und Kühlmittelröhren und dem Schwindel erregenden Blick vierzig Meter hinunter zu dem dröhnenden Stromaggregat.

Es war der letzte Ort, den er freiwillig aufgesucht hätte, und Strathmore war der Letzte, dem er zu begegnen wünschte – aber Pflicht war nun einmal Pflicht. *Eines Tages wird man dir dafür dankbar sein*, dachte er, ohne so recht daran zu glauben.

Er holte tief Luft und öffnete den Spind seines Vorgesetzten. In einem Fach mit Computerbauteilen stand hinter einem LAN-Tester und allerlei Messgeräten für Netzwerke ein Kaffeebecher mit dem Logo der Stanford Universität. Charturkian griff hinein und zog einen Sicherheitsschlüssel heraus.

Es ist schon erstaunlich, was Vorgesetzte alles nicht wissen, dachte er.

Kapitel 47

Ein Milliarden-Dollar-Code?«, spottete Midge, während sie mit Brinkerhoff den Flur zurückkging. »Du hast schon bessere Witze gemacht.«

»Ich schwör's dir!«, beharrte er.

Sie sah ihn von der Seite her an. »Ich warne dich! Wenn das eine Masche ist, mit der du mich um den Finger wickeln willst, dann …!«

»Midge, das würde ich mir niemals …«

»Geschenkt, Chad. Erinnere mich nicht daran.«

Eine halbe Minute später saß Midge an Brinkerhoffs Schreibtisch und studierte den Crypto-Bericht.

»Hier, dieser DKD-Wert!«, sagte er über sie gebeugt und deutete auf die fragliche Zahl. »Eine Milliarde Dollar.«

»Tatsächlich!«, kicherte sie. »Ein *bisschen* hoch ist er schon.«

»Ja«, stöhnte Brinkerhoff. »Aber nur ein kleines bisschen.«

»Sieht aus wie ein Bruch durch null.«

»Ein was?«

»Ein Bruch durch null«, sagte sie und ging die übrigen Zahlen durch. »Die DKD werden als Quotient ermittelt: Gesamtsumme der Aufwendungen geteilt durch die Gesamtzahl der Dechiffrierungen.«

»Klar.« Brinkerhoff nickte abwesend und bemühte sich, Midge nicht allzu unverblümt in den Ausschnitt zu linsen.

»Wenn der Nenner null ist«, erklärte Midge, »nimmt der

Quotient den Wert unendlich an. Ein Computer kann mit unendlich nichts anfangen, also schreibt er lauter Neuner.« Sie deutete auf eine andere Zahlenkolonne. »Sieh mal, hier.«

»Ja.« Brinkerhoffs Augen fanden zurück zum Papier.

»Das ist die Produktionsleistung von heute. Sieh dir mal die Zahl der Dechiffrierungen an.«

Brinkerhoff folgte pflichteifrig ihrem Zeigefinger, der an der Kolonne nach unten glitt.

ZAHL DER DECHIFFRIERUNGEN = 0

Midge tippte mit dem Finger auf die Null. »Genau, wie ich vermutet habe. Ein Bruch durch null!«

Brinkerhoff zog die Brauen hoch. »Dann ist also alles in bester Ordnung?«

Sie zuckte die Achseln. »Das heißt lediglich, dass wir heute keinen Code geknackt haben. Der TRANSLTR macht wohl Pause.«

»Er macht Pause?« Brinkerhoff sah sie skeptisch an. Er war lange genug die rechte Hand des Direktors gewesen, um zu wissen, dass »Pause« nicht zu den Lieblingsvokabeln seines Chefs gehörte – besonders, was den TRANSLTR betraf. Für die zwei Milliarden, die Fontaine für das Dechiffrierungsungetüm locker gemacht hatte, wollte er auch etwas sehen. Jede Sekunde, die der TRANSLTR nicht lief, war zum Fenster hinausgeschmissenes Geld.

»Äh … Midge, Pause gibt's beim TRANSLTR nicht«, gab Brinkerhoff zu bedenken. »Er läuft Tag und Nacht durch, und das weißt du.«

Sie zuckte wieder die Achseln. »Vielleicht hatte Strathmore gestern keine Lust, sich zur Vorbereitung des Wochenendpensums die Nacht um die Ohren zu hauen. Vielleicht hat er gewusst, dass Fontaine nicht da ist, und hat sich vorzeitig aus dem Staub gemacht, um angeln zu gehen.«

»Nun mach mal halblang!« Brinkerhoff schaute Midge unwillig an. »Du brauchst nicht immer auf dem Mann herumzuhacken.«

Es war kein Geheimnis: Midge Milken konnte Trevor Strathmore nicht leiden. Strathmore hatte mit der zusätzlichen Programmzeile in Skipjack ein ausgeklügeltes Täuschungsmanöver in Szene gesetzt – und war damit auf die Schnauze gefallen. Die NSA hatte für seine hochfliegenden Pläne mächtig Federn lassen müssen. Die EFF hatte an Stärke hinzugewonnen, Fontaines Glaubwürdigkeit vor dem Kongress war beschädigt worden, und, was das Schlimmste war, die NSA hatte ihren Mantel der Anonymität auf weite Strecken eingebüßt. Auf einmal beschwerten sich Hausfrauen aus Minnesota bei *America Online* oder *Prodigy*, die NSA könnte ihre E-Mails mitlesen – als ob die NSA sich etwas aus einem Rezept für die Herstellung von kandierten Süßkartoffeln gemacht hätte!

Strathmores Pleite hatte der NSA schwer geschadet, und Midge fühlte sich dafür verantwortlich. Nicht, dass sie den Alleingang des Commanders hätte voraussehen können, aber unter dem Strich sah die Sache so aus, dass hinter dem Rücken von Leland Fontaine eine nicht autorisierte Solonummer stattgefunden hatte, und Midge wurde dafür bezahlt, diesen Rücken zu decken. Fontaines Neigung zur Nichteinmischung machte ihn angreifbar – und Midge folglich nervös. Aber der Direktor hatte schon vor langer Zeit begriffen, dass man sich aus der Arbeit von tüchtigen Mitarbeitern besser heraushält und sie ungestört ihren Job machen lässt. Getreu dieser Devise hatte er sich auch Trevor Strathmore gegenüber verhalten.

»Midge, du weißt ganz genau, dass sich Strathmore keinen Lenz macht«, wandte Brinkerhoff ein. »Er hält den TRANSLTR ständig auf Trab!«

Midge nickte. Im Grunde wusste sie genau, dass der Vorwurf der Drückebergerei bei Strathmore nicht griff. Der Commander hatte sich seiner Sache verschrieben wie kaum ein Zweiter. Er trug die Übel dieser Welt als sein persönliches Kreuz. Der Skipjack-Plan war auf Strathmores eigenem Mist gewachsen – ein kühner Versuch, die Welt zu erlösen. Wie so viele Erlösungsversuche hatte leider auch dieser mit einer Kreuzigung geendet.

»Okay«, räumte Midge ein, »dann bin ich eben ein bisschen zu hart gewesen.«

»Ein bisschen?« Brinkerhoff sah sie aus zusammengekniffenen Augen an. »Strathmore hat einen Dateien-Rückstau von mindestens fünf Kilometern Länge aufzuarbeiten! Und da soll er den TRANSLTR ein ganzes Wochenende lang Däumchen drehen lassen?«

»Okay, okay«, seufzte Midge. »Mein Fehler.« Mit gerunzelter Stirn überlegte sie, weshalb der TRANSLTR den ganzen Tag keinen einzigen Code geknackt hatte. »Lass mich doch einmal etwas nachsehen«, sagte sie und fing an, in den Berichten zu blättern. Als sie gefunden hatte, was sie suchte, ging sie die Zahlen durch, um gleich anschließend zu nicken. »Okay Chad, du hast Recht. Der TRANSLTR ist unter Hochdruck gelaufen. Die Verbrauchswerte liegen sogar ein bisschen höher als sonst. Seit gestern um Mitternacht haben wir eine halbe Million Kilowattstunden verbraten.«

»Und was sagt uns das?«

»Weiß ich auch nicht genau. Aber seltsam ist es schon«, meinte Midge nachdenklich.

»Möchtest du deine Daten nicht lieber noch einmal neu kompilieren?«

Sie sah ihn unwirsch an. Es gab zwei Dinge, die man bei Midge Milken niemals in Frage stellen durfte. Das eine waren ihre Daten. Brinkerhoff wartete ab, während Midge die Zahlen studierte.

»Hmm«, sagte sie schließlich. »Die Werte von gestern liegen im üblichen Rahmen. 237 Codes geknackt, DKD 874 Dollar. Durchschnittszeit pro Code knapp über sechs Minuten. Verbrauchswerte durchschnittlich. Der letzte Code, der in den TRANSLTR ...« Sie hielt inne.

»Was ist?«

»Das ist aber komisch«, sagte sie. »Die letzte Datei von der gestrigen Serie ist um dreiundzwanzig Uhr siebenunddreißig gelaufen.«

»Und?«

»Der TRANSLTR knackt ungefähr alle sechs Minuten einen Code. Somit müsste die letzte Datei des Tages näher an Mitternacht gelaufen sein. Es sieht aber nicht danach aus, dass ...« Midge brach abrupt ab und schnappte nach Luft.

Brinkerhoff schreckte zusammen. »Was ist?«

Midge starrte fassungslos den Ausdruck an. »Sieh dir diese Datei an, die, die gestern Nacht in den TRANSLTR gekommen ist!«

»Ja, und?«

»Sie ist immer noch nicht geknackt! Die Eingabezeit war 23:37:08 Uhr, aber hier steht keine Dechiffrierungszeit!« Midge suchte hektisch in den Blättern herum. »Weder gestern noch heute!«

»Vielleicht fahren Sie da unten ein langes Diagnoseprogramm«, sagte Brinkerhoff und zuckte die Achseln.

Midge schüttelte den Kopf. »Achtzehn Stunden lang?« Sie zögerte. »Kaum anzunehmen. Außerdem geht aus den Daten hervor, dass es eine Datei von draußen ist. Wir müssen Strathmore anrufen.«

»Zu Hause?« Brinkerhoff schluckte. »An einem Samstagabend?«

»Ach was. So, wie ich Strathmore kenne, weiß er Bescheid. Ich wette, dass er hier ist. Ich habe das im Urin.« Midge Milkens Urin war das Zweite, was man niemals in Frage stellen durfte. »Los«, sagte sie und stand auf. »Mal sehen, ob ich Recht habe.«

Brinkerhoff folgte Midge in ihr Büro. Sie setzte sich hin und legte auf den Keypads von Big Brother los wie ein Virtuose an der Orgel. Brinkerhoff schaute hinauf zu der Batterie der Kontrollmonitore an der Wand, auf denen überall nur das NSA-Wappen zu sehen war. »Willst du etwa in der Crypto schnüffeln?«, erkundigte er sich nervös.

»Quatsch! Schön wär's, geht aber nicht. Die Crypto ist tabu. Da gibt's kein Video, kein Mikro, kein gar nichts – auf Strathmores Anordnung. Wir haben lediglich die Statistik über das Rein und Raus und ein paar grundsätzliche TRANSLTR-Daten. Wir können schon von Glück sagen, dass wir wenigstens das haben. Strathmore wollte auf einer Insel der Seligen leben, aber Fontaine hat auf Basisdaten bestanden.«

Brinkerhoff sah sie überrascht an. »In der Crypto gibt es keine Videoüberwachung?«

»Was ist daran so aufregend?«, sagte sie, ohne den Blick von den Monitoren zu wenden. »Suchst du für dich und Carmen ein ungestörtes Plätzchen?«

Brinkerhoff grunzte etwas Unverständliches.

Midge drückte noch ein paar Tasten. »Ich hole mir Strathmores Fahrstuhl-Protokoll.« Sie studierte kurz ihren Monitor, dann klopfte sie mit den Knöcheln auf den Tisch. »Er ist da«, sagte sie. »Er ist jetzt in der Crypto. Er ist gestern in aller Herrgottsfrühe reingegangen, und seitdem hat sich sein Fahrstuhl nicht mehr bewegt. Außerdem habe ich keine Meldung, dass er am Haupteingang die Magnetkarte benutzt hätte. Er ist definitiv in seinem Bau.«

Brinkerhoff stieß einen Seufzer der Erleichterung aus. »Wenn Strathmore in der Crypto sitzt, dann heißt das doch, dass alles in Ordnung ist, oder?«

Midge überlegte. »Möglicherweise«, meinte sie hinhaltend.

»Möglicherweise?«

»Lass ihn uns zur Sicherheit einfach mal anrufen.«

Brinkerhoff stöhnte auf. »Midge, der Mann ist unser stellvertretender Direktor! Ich bin sicher, dass er alles im Griff hat. Wir sollten uns nicht in Spekulationen verlieren und …«

»Ach, Chad, sei nicht so ein Schafskopf. Wir tun doch nur unsere Pflicht! Wir haben einen Ausreißer in der Statistik, und wir wollen wissen, was los ist. Außerdem möchte ich Strathmore wieder einmal daran erinnern, dass Big Brother ein Auge auf ihn hat. Er soll lieber zweimal überlegen, bevor er nochmal eine hirnrissige Großtat zur Rettung der Menschheit vom Stapel lässt.« Midge griff nach dem Telefon und fing an zu wählen.

Brinkerhoff sah ihr unbehaglich zu. »Hältst du es wirklich für eine gute Idee, ihn zu stören?«

»Ich werde ihn nicht stören«, sagte Midge und warf Brinkerhoff den Hörer zu. »*Du* wirst es tun.«

Kapitel 48

»Was?«, stieß Midge in ungläubiger Empörung hervor. »Strathmore sagt, unsere Daten stimmen nicht?«

Brinkerhoff legte nickend wieder auf.

»Sag bloß, Strathmore hat abgestritten, dass der TRANSLTR seit achtzehn Stunden an einer einzigen Datei herumknackt!«

»Er war sehr zuvorkommend«, strahlte Brinkerhoff, der stolz darauf war, dass er den Anruf überlebt hatte. »Wie er mir versichert hat, ist mit dem TRANSLTR alles in bester Ordnung. Während wir uns unterhielten, würde der Rechner alle sechs Minuten einen Code knacken. Er hat sich bei mir sogar für die Nachfrage bedankt.«

»Der Kerl lügt!«, zischte Midge. »Ich erstelle diese Crypto-Statistiken seit zwei Jahren, und meine Daten haben *immer* gestimmt.«

»Es gibt immer ein erstes Mal«, meinte Brinkerhoff nonchalant.

Midge schoss einen missbilligenden Blick auf ihn ab. »Die Daten sind doppelt überprüft.«

»Na, du weißt ja, wie es so schön über Computer heißt: ›Wenn sie einen Fehler machen, dann wenigstens immer den gleichen‹.«

Midge fuhr herum und funkelte ihn böse an. »Das ist nicht komisch, Chad! Der Vizedirektor hat das Büro des Direktors soeben mit einer schamlosen Lüge abgespeist! Ich will wissen, warum!«

Brinkerhoff wünschte auf einmal, er hätte Midge nicht zurückgerufen. Das Telefonat mit Strathmore hatte sie auf die Palme gebracht. Seit Skipjack verwandelte sich Midge jedes Mal auf erschreckende Weise von einer Sirene in eine Furie, sobald sie das Gefühl hatte, dass etwas Verdächtiges im Busch war, und war dann nicht mehr zu genießen, bis sie der Sache auf den Grund gegangen war.

»Midge, es könnte doch durchaus sein, dass unsere Daten nicht stimmen«, sagte Brinkerhoff mit Nachdruck. »Denk doch mal nach – eine Datei, die den TRANSLTR achtzehn Stunden auf Trab hält, wo gibt's denn so was? Geh nach Hause, es ist schon spät.«

Sie sah ihn von oben herab an und knallte die Unterlagen auf den Tisch. »Aber meine Daten sind wasserdicht! Ich spür's im Urin, dass sie stimmen.«

Brinkerhoff runzelte die Stirn. Nicht einmal der Direktor wagte noch Zweifel anzumelden, wenn Midge Milken etwas im Urin hatte. Sie hatte die bestürzende Gewohnheit, stets Recht zu behalten.

»Da ist etwas im Busch«, erklärte sie, »und ich werde herausfinden, was.«

Kapitel 49

Becker rappelte sich vom Fahrzeugboden hoch und ließ sich auf einen leeren Sitz fallen.

»Geiler Stunt, Alter«, spottete der Bursche mit den gefärbten Haaren. Becker blinzelte. Neben ihm saß der Punker, dem er nachgerannt war. Verdrießlich betrachtete er die Flut der blau-weiß-roten Köpfe.

»Was habt ihr mit euren Haaren gemacht?«, ächzte Becker und deutete auf das Gewackel der Köpfe. »Sie sind alle …«

»… total blau-weiß-rot«, kam ihm der Bursche zu Hilfe.

Becker nickte und versuchte, nicht auf die entzündete Stelle an der gepiercten Oberlippe des Jungen zu starren.

»Judas Taboo«, stellte der Punker lakonisch fest.

Becker begriff gar nichts.

Der Junge spuckte in den Mittelgang. Beckers Ignoranz schien ihn maßlos zu nerven. »Judas Taboo ist der größte Punker seit Sid Vicious, Mann! Hat sich hier vor einem Jahr den goldenen Schuss gesetzt. Sein Memorial-Day, Alter!«

Becker nickte unbestimmt. Der Zusammenhang war ihm immer noch etwas rätselhaft.

»Hat beim Abkacken die Haare so gehabt, Mann. Wer etwas auf sich hält, hat heute die Haare auch so, klar?«

Becker sagte lange nichts. Ganz langsam wandte er den Blick nach vorne. Im ganzen Bus sah er nur Punker. Die meisten starrten ihn auch noch an.

Heute hat jeder Judas-Taboo-Fan blau-weiß-rote Haare.

Es war an der Zeit auszusteigen. Becker streckte die Hand aus und zog am Klingelstrang zum Fahrer. Er zog noch einmal. Nichts passierte. Ziemlich hektisch zog er ein drittes Mal.

»Im Siebenundzwanziger haben sie die Klingel abgehängt«, sagte der Punker und spie wieder aus. »Weil wir damit sonst nur Scheiße machen, klar?«

Becker sah ihn an. »Heißt das, dass man nicht aussteigen kann?«

Der Punker lachte sich halb tot. »Erst an der Endstation, Mann!«

Fünf Minuten später bretterte der Bus über eine spanische Landstraße. »Hält das Ding jemals wieder an?«, fragte Becker den Burschen neben sich.

Der Punker nickte. »Bloß noch ein paar Kilometer.«

»Wo fahren wir überhaupt hin?«

Der Punker fing an, breit zu grinsen. »Mann, das hast du noch nicht gecheckt?«

Becker hob die Schultern.

Der Junge brach in hysterisches Gelächter aus. »Oh, Scheiße, Mann, da wirst du bestimmt tierisch drauf abfahren!«

Kapitel 50

Nur ein paar Meter vom Gehäuse des TRANSLTR entfernt stand Phil Charturkian über einer weißen Aufschrift auf dem Boden:

CRYPTO UNTERMASCHINERIE
FÜR UNBEFUGTE KEIN ZUTRITT

Er war eindeutig unbefugt. Er warf einen schnellen Seitenblick hinauf zu Strathmores Büro. Die Vorhänge waren immer noch zugezogen. Charturkian hatte Susan Fletcher die Toilette aufsuchen sehen, folglich war sie kein Problem. Damit blieb nur noch Greg Hale. Er schaute hinüber zur spiegelnden Wand von Node 3. Ob der Kryptograph ihn beobachtete?

»Egal«, knurrte er.

Der Umriss der Bodenklappe zu seinen Füßen war kaum zu erkennen. Charturkian nahm den Schlüssel zur Hand, den er im Sys-Sec-Lab an sich genommen hatte. Er kniete sich hin, steckte den Schlüssel in das Schloss im Boden und drehte ihn um. Die Verriegelung klickte. Er schraubte die große Halteklaue lose. Die Verankerung des Einstiegs löste sich. Mit einem sichernden Blick über die Schulter zog er an der Klappe. Sie war relativ klein, nur etwa neunzig mal neunzig Zentimeter, aber schwer. Als sie endlich aufschwang, prallte Charturkian zurück.

Ein Schwall heißer Dämpfe mit dem stechenden Geruch des

Kühlmittels fuhr ihm ins Gesicht. Dunstschwaden wehten aus der Öffnung, von unten rot angestrahlt durch das Arbeitslicht. Das ferne Generatorbrummen wurde zum Dröhnen. Charturkian stand auf und spähte in die Öffnung hinab. Sie ähnelte mehr einem Höllenloch als dem Wartungseinstieg eines Computers. Eine schmale Leiter führte zu einer unter dem Kuppelboden aufgehängten Plattform hinab. Von dort ging eine Treppe weiter nach unten und verlor sich in wirbelnden Dunstschwaden.

Greg Hale stand in Node 3 hinter dem Einwegspiegel. Er beobachtete Phil Charturkian, der sich in den Einstieg zur Untermaschinerie hinabließ. Von Hales Standort aus konnte man den Eindruck haben, der Kopf des Sys-Sec-Technikers ruhe vom Rumpf getrennt auf dem spiegelnden Boden, um dann zögernd in den wehenden Dunst hinabzusinken.

»Gute Idee«, murmelte Hale. Es war ihm klar, was Charturkian vorhatte. Wenn der Techniker davon ausging, dass der TRANSLTR einen Virus hatte, war die Notabschaltung von Hand die einzig logische Maßnahme – leider mit der unausweichlichen Konsequenz, dass es in der Crypto-Abteilung in zehn Minuten von Sys-Sec-Leuten nur so wimmeln würde. Notmaßnahmen wurden an der Hauptschalttafel unübersehbar angezeigt. Aber Hale konnte nicht zulassen, dass die Sys-Sec-Abteilung in der Crypto eine groß angelegte Fehlersuchaktion startete. Charturkian musste aufgehalten werden.

Hale eilte zur Einstiegsklappe.

Kapitel 51

Jabba sah aus wie eine riesige Kaulquappe. Wie die Filmkreatur, der er seinen Spitznamen verdankte, war auch er unbehaart und hatte eine Kugelgestalt. Als Schutzengel vom Dienst für sämtliche Computersysteme der NSA zog er mit seinem Lötkolben von Abteilung zu Abteilung, beseitigte Wackelkontakte und verbreitete sein Credo, dass Vorbeugung die beste Therapie sei. Unter seinem Regime war kein einziger NSA-Computer von einem Virus befallen worden, und wenn es nach ihm ging, sollte es auch so bleiben.

Jabbas Heimat war eine erhöhte Work-Station in den Katakomben der NSA, von der aus er die ultrageheime unterirdische Zentraldatenbank überblicken konnte. Hier konnte ein Virus den größten Schaden anrichten, und hier verbrachte er den größten Teil seiner Zeit. Im Moment jedoch machte Jabba Pause und widmete sich im Nachtkasino der NSA einer Peperoni-Calzone. Er schlug gerade das Essbesteck in seine dritte Portion, als sein Handy piepste.

»Legen Sie los«, sagte er mit vollem Mund, bevor er den Rest herunterschluckte.

»Jabba«, sagte eine Frauenstimme, »hier ist Midge.«

»Die Daten-Queen!«, brach es aus dem Riesenkerl hervor. Für Midge Milken hatte er immer schon eine Schwäche gehabt. Sie war nicht auf den Kopf gefallen und außerdem die einzige Frau, die je mit ihm geflirtet hatte. »Wie zum Teufel geht's denn so?«

»Kann nicht klagen.«

Jabba wischte sich den Mund. »Bist du im Laden?«

»Ja.«

»Hast du Lust, mir bei einer Calzone Gesellschaft zu leisten?«

»Würde ich liebend gerne, aber ich muss auf meine Hüften schauen.«

»Wie aufregend!«, kicherte er. »Das möchte ich auch mal.«

»Du bist ein böser Junge.«

»Du hast ja keine Ahnung!«

»Ich bin froh, dass ich dich hier im Haus erwischt habe. Ich brauche mal einen Tipp.«

Jabba nahm einen großen Schluck Limo. »Schieß los.«

»Wahrscheinlich hat es nichts zu bedeuten, aber in meiner Crypto-Statistik bin ich auf was Komisches gestoßen.«

»Nämlich?« Er nahm noch einen Schluck.

»Ich habe hier eine Meldung, dass der TRANSLTR seit achtzehn Stunden an ein und derselben Datei arbeitet. Bis jetzt hat er sie nicht geknackt.«

Jabbas Limo ergoss sich über seine Calzone. »Du hast *was?«*

»Kannst du dir das erklären?«

Jabba trocknete seine Calzone mit der Serviette. »Was ist das überhaupt für eine Statistik?«

»Produktionsstatistik. Grundkostenanalyse und so.« Midge erläuterte kurz, was sie zusammen mit Brinkerhoff festgestellt hatte.

»Hast du schon Strathmore angerufen?«

»Na klar. Er sagt, in der Crypto läuft alles nach Plan. Der TRANSLTR knackt angeblich mit Volldampf Dateien. Mit unseren Daten sei etwas nicht in Ordnung.«

Jabba legte die gewaltige Stirn in Falten. »Was ist dann das Problem? Deine Aufstellung stimmt halt nicht.«

Midge blieb die Antwort schuldig.

Jabba merkte, worauf sie hinauswollte. »Du glaubst aber, dass sie doch stimmt, oder?«

»Richtig.«

»Dann hätte Strathmore gelogen.«

»Das will ich damit nicht unbedingt sagen«, meinte Midge diplomatisch. Sie wusste, dass sie sich auf dünnem Eis bewegte. »Es ist nur so, dass meine Aufstellungen in der Vergangenheit immer gestimmt haben. Ich wollte einfach mal eine zweite Meinung hören.«

»Ich möchte dir nur ungern zu nahe treten«, sagte Jabba, »aber in deinen Daten ist der Wurm.«

»Glaubst du wirklich?«

»Darauf wette ich meinen Job.« Jabba stopfte sich einen großen Bissen matschige Calzone in den Mund. »Länger als drei Stunden hat sich noch nie eine Datei im TRANSLTR halten können, Diagnoseprogramme, Grenzlasttests und was es sonst noch an Raffinessen gibt mit eingerechnet. Das Einzige, was den TRANSLTR achtzehn Stunden lang lahm legen könnte, wäre ein Virus oder so. Etwas anderes kommt dafür nicht in Frage.«

»Ein Virus?«

»Ja, irgendein redundanter Kreislauf, eine Schleife. Es müsste etwas sein, was die Prozessoren mit sich selbst kurzschließt, elektronischer Sand im Getriebe.«

»Strathmore ist schon seit sechsunddreißig Stunden ununterbrochen in der Crypto zugange«, sagte Midge hinhaltend. »Könnte es sein, dass er sich mit einem Virus herumschlägt?«

Jabba lachte. »Strathmore ist schon seit sechsunddreißig Stunden in seinem Bau? Die arme Socke! Vielleicht hat ihn seine Frau rausgeschmissen. Die beiden haben angeblich Zoff.«

Midge überlegte. Sie hatte von Strathmores Problemen auch schon gehört. Vielleicht bildete sie sich nur etwas ein.

»Midge«, schnaufte Jabba und nuckelte an seinem Getränk, »wenn Strathmores Spielzeug einen Virus hätte, wäre seine erste Reaktion gewesen, *mich* anzurufen. Strathmore hat zwar einiges auf dem Kasten, aber von Viren hat er keine Ahnung. Der TRANSLTR ist sein Ein und Alles. Beim ersten Anzeichen von

Problemen hätte er nach der Feuerwehr geschrien – und das bin immer noch ich.« Jabba lutschte einen langen Faden Mozarella in sich hinein. »Außerdem ist es völlig ausgeschlossen, dass der TRANSLTR einen Virus hat. Gauntlet ist der beste Satz Paketfilter, den ich je geschrieben habe. Da kommt nichts durch.«

Midge sagte lange gar nichts, dann seufzte sie. »Und sonst irgendeine Idee?«

»In deinen Daten ist der Wurm.«

»Das hast du schon mal gesagt.«

»Eben.«

Midge runzelte die Stirn. »Und dass du vielleicht etwas gehört hättest? Irgendetwas?«

Jabba lachte auf. »Midge, nun hör mal zu. Okay, Skipjack ist in die Hosen gegangen. Strathmore hat Mist gebaut. Aber nun lass mal gut sein. Das ist vergessen und vergeben.« Eine lange Pause entstand. Jabba merkte, dass er zu weit gegangen war. »Tut mir leid, Midge. Ich weiß, dass du damals für diese Scheiße Prügel bezogen hast. Strathmore hätte die Finger davon lassen müssen. Ich weiß, was du von ihm hältst.«

»Für mich hat das jetzt mit Skipjack überhaupt nichts zu tun!«, sagte sie bestimmt.

Und ob!, dachte Jabba. »Hör zu, Midge. Strathmore ist mir völlig egal. Der Mann ist für mich ein Kryptograph, und das sind sowieso lauter eingebildete Arschlöcher, die immer alles gestern schon haben möchten. Jede Datei ist stets genau die, von der abhängt, ob die Welt untergeht.«

»Und was willst du damit sagen?«

Jabba seufzte. »Ich will damit sagen, dass Strathmore einen Sprung in der Schüssel hat wie alle anderen Codeknacker auch. Aber ich weiß auch, dass ihm der TRANSLTR mehr am Herzen liegt als seine liebe Ehefrau. Wenn er ein Problem hätte, hätte er mich längst angerufen.«

Midge blieb lange stumm. »Du meinst also«, seufzte sie schließlich, »dass in meinen Daten der Wurm ist?«

»Gibt's hier ein Echo?«, erwiderte Jabba grinsend.

Midge lachte.

»Midge, gib mir doch einfach einen Auftrag rein. Dann komm ich am Montag zu dir hoch und schau mal nach deiner Anlage. Und bis dahin sieh zu, dass du von hier verschwindest. Mein Gott, es ist Samstagabend! Such dir jemand zum Bumsen oder sonst was!«

Sie seufzte. »Ich arbeite dran, Jabba. Glaub mir, ich arbeite dran!«

Kapitel 52

Der Club El Brujo – der »Hexer« – lag in einer Vorstadt an der Endhaltestelle der Buslinie 27 und glich eher einer Festung als einem Tanzschuppen. Der Bau war von einer hohen Mauer umgeben, aus deren Krone in den frischen Mörtel gesteckte Flaschenscherben herausragten – ein brutales Sicherheitssystem, das den illegalen Zutritt nur um den Preis übler Fleischwunden ermöglichte.

Während der Busfahrt hatte Becker sich damit abgefunden, dass seine Mission gescheitert war. Es war an der Zeit, Strathmore anzurufen, die schlechte Nachricht loszuwerden und den Heimweg anzutreten. Er hatte alles getan, was in seinen Kräften stand, aber die Suche war hoffnungslos geworden.

Becker war im Bus sitzen geblieben und ließ den Blick über die Horden schweifen, die sich gegenseitig in den Eingang des Clubs schubsten. Vor seinen Augen wogte das größte Punkeraufgebot, das er je gesehen hatte. Blau-weiß-rote Haartrachten überall. Plötzlich war er nicht mehr so sicher, ob sein Gewissen mitspielen würde, wenn er die Suche an dieser Stelle abbrach.

Seufzend betrachtete er die Menge und wog seine Chancen ab. *Wo sonst sollte sie sich an einem Samstagabend schon herumtreiben?*, dachte er achselzuckend. Mit einem Fluch auf sein unfreiwilliges Glück stieg er aus.

Ein eng gemauerter Schlauch bildete den Zugang zum Club.

Kaum hatte Becker ihn betreten, verfiel er dem Vorwärtsdrang der eifrigen Kundschaft.

»Weg da, schwule Sau!« Ein Mensch, der sich zum Nadelkissen umfunktioniert hatte, hieb ihm den Ellbogen in die Seite und drängte vorbei.

»Geiles Kulturseil!« Jemand zerrte an Beckers Krawatte.

»Willste vögeln?« Ein Mädchen, das aussah wie eine Statistin aus dem Film *Die Nacht der lebenden Toten*, glotzte ihn von unten herauf an.

Der düstere Durchgang öffnete sich in eine riesige Betonhalle, in der es nach Alkohol und Körperausdünstungen stank. Die Szene war surreal – wie eine Höhle tief in einem Berg, in der sich Hunderte von Leibern wie ein einziger Mega-Körper bewegten. Die Hände fest in die Hüften gestemmt, wogten die Tänzer auf und ab, Köpfe wackelten wie unbelebte Kürbisse auf steifem Rückgrat. Manche waren anscheinend völlig verrückt geworden und warfen sich von der Bühne in ein Meer menschlicher Gliedmaßen. Leiber wurden wie menschliche Beachbälle vor- und zurückgereicht. Flackernde Stroboskoplichter an der Decke verliehen dem Ganzen die Aura eines alten Stummfilms.

An der gegenüberliegenden Wand dröhnten Lautsprecherboxen von der Größe eines Lieferwagens. Der Lärm war so brutal, dass selbst die besessensten Tänzer sich auf höchstens zehn Meter an die wummernden Woofer heranwagten.

Becker verstopfte sich die Ohren. Sein Blick glitt suchend über die Menge. Wohin er auch schaute, überall blau-weiß-rote Köpfe. Die Kleidung der dicht aneinandergepackten Leiber war nicht zu erkennen, geschweige denn ein T-Shirt mit britischer Flagge. Becker hätte nicht gewagt, sich in das Getümmel hineinzubegeben. Man wäre sofort zertrampelt worden.

Eine Gestalt neben Becker übergab sich. *Na, prächtig*, stöhnte er und flüchtete in einen über und über mit Graffiti besprühten Flur. Der Flur ging in einen verspiegelten Tunnelgang über und mündete auf einen Innenhof, in dem Tische und Stühle herumstanden. Auch hier wimmelte es von Punk-Rockern, aber Becker kam sich vor wie an der Pforte zum Paradies – die Musik war zum fernen Dröhnen verebbt, und über ihm öffnete sich majestätisch der Sternenhimmel.

Ohne auf die neugierigen Blicke zu achten, schob sich Becker durch die Menge. Er lockerte die Krawatte. Am ersten unbesetzten Tisch ließ er sich auf einen Stuhl fallen. Er räumte die leeren Bierflaschen auf den Boden, legte die Arme auf den Tisch und bettete den Kopf hinein. *Nur ein paar Minuten,* dachte er.

Er hatte den Eindruck, Strathmores Anruf sei ein ganzes Menschenleben her.

Der Mann mit der Nickelbrille saß acht Kilometer entfernt im Fond eines Seat-Taxis, das mit Vollgas über die Landstraße raste.

»El Brujo!«, knurrte er, um den Fahrer an sein Ziel zu erinnern.

Der Fahrer nickte. Verstohlen betrachtete er seinen Fahrgast im Rückspiegel. *El Brujo,* schniefte er. *Was da neuerdings für Leute hin wollen! Das Publikum wird jeden Abend merkwürdiger.*

Kapitel 53

Tokugen Numataka lag nackt auf dem Massagetisch, der in seinem Penthouse-Büro aufgebaut war. Seine Masseuse bearbeitete die Knoten in seinem Nacken. Ihre Handflächen glitten in die fleischigen Taschen an seinen Schulterblättern und arbeiteten sich den Rücken hinunter allmählich tiefer bis zum Rand des Handtuchs, das seine Blöße bedeckte. Ihre Hände glitten noch tiefer … unter das Handtuch. Numataka nahm kaum Notiz davon. Seine Gedanken waren ganz woanders. Er wartete schon seit langem auf das Klingeln seines Telefons. Es war stumm geblieben.

Es klopfte an der Tür.

»Herein!«, rief Numataka. Die Masseuse zog hurtig die Hände unter dem Handtuch hervor.

Die Telefonistin trat ein und verbeugte sich. »Verehrter Herr Direktor?«

»Sprechen Sie!«

Die Frau verbeugte sich abermals. »Ich habe mit der Vermittlung der Telefongesellschaft gesprochen. Der Anruf ist aus dem Land mit dem Ländercode 1 gekommen – aus den Vereinigten Staaten.«

Numataka nickte. Das war eine gute Nachricht. *Der Anruf kam aus den Vereinigten Staaten.* Er lächelte. *Er war also doch echt.*

»Und von wo in den Vereinigten Staaten?«, wollte er wissen.

»Man bemüht sich derzeit um die genaue Lokalisierung, Herr Direktor.«

»Sehr gut. Unterrichten Sie mich, wenn Sie Näheres wissen.«

Die Telefonistin verbeugte sich und verschwand.

Numataka spürte, wie die Spannung aus seinem Körper wich. Ländercode 1. Das war in der Tat eine gute Nachricht.

Kapitel 54

Susan Fletcher ging ungeduldig in der Toilette auf und ab und zählte langsam bis fünfzig. Ihr Kopf dröhnte. *Hale ist North Dakota! Und jetzt nochmal bis zwanzig*, ermahnte sie sich.

Sie hätte gern gewusst, was Hale im Schilde führte. Hatte er vor, den Schlüssel öffentlich preiszugeben? Oder war er so gewinnsüchtig, dass er versuchen würde, den Algorithmus zu verkaufen? Susan hielt die Warterei nicht mehr aus. Sie musste zu Strathmore gehen.

Vorsichtig zog sie die Tür einen Spalt weit auf und spähte zu der spiegelnden Glaswand auf der anderen Seite der Kuppel hinüber. Es gab keine Möglichkeit festzustellen, ob Hale sie noch beobachtete. Sie musste schleunigst zu Strathmore hinauf, allerdings auch nicht zu überstürzt. Hale sollte nicht gleich merken, dass sie ihm auf die Schliche gekommen war. Als Susan die Tür ganz öffnen wollte, vernahm sie etwas. Stimmen. Männerstimmen.

Sie kamen aus dem Ventilationsschacht neben der Tür. Susan ließ die Klinke los und trat an die Lüftungsöffnung. Die einzelnen Wörter gingen im Generatorgebrumm fast unter. Es klang, als kämen die Stimmen von dem Gittersteg unter dem Kuppelboden herauf. Eine der Stimmen, schrill und wütend, hörte sich an wie Phil Charturkian.

»Sie halten mich wohl für verrückt?«

Heftiger Wortwechsel.

»Wir haben uns einen Virus eingefangen!«

Barsches Gebrüll.

»Wir müssen Jabba verständigen!«

Jetzt klang es wie ein Handgemenge.

»Lassen Sie mich durch!«

Ein kaum noch menschlicher Laut folgte, ein langer gellender Schrei des Entsetzens. Es klang wie der Todesschrei einer gequälten Kreatur. Susan erstarrte neben dem Luftauslass. Die Geräusche hörten so plötzlich auf, wie sie begonnen hatten. Stille breitete sich aus.

Wie in einem billigen Horrorfilm wurde es in der Toilette auf einmal dunkel. Die Leuchtröhren flackerten noch ein letztes Mal, dann war Susan in absoluter Finsternis gefangen.

Eh, du Arsch, du hockst auf meinem Platz!«, pflaumte jemand Becker in amerikanischem Slang an.

Becker hob den Kopf. *Spricht denn keiner in diesem verdammten Land Spanisch?*

Ein etwas zu kurz geratener pickeliger Jüngling mit Glatze glotzte ihn an. Die Glatze war halb rot, halb blau eingefärbt. Der Bengel sah aus wie ein Osterei. »Ich habe gesagt, du sitzt auf meinem Platz, du Arsch!«

»Ich habe dich schon beim ersten Mal verstanden«, erwiderte Becker und stand auf. Er hatte keine Lust auf eine Rangelei. Es war Zeit zu verschwinden.

»Wo hast du meine Flaschen hingetan?«, kreischte ihn der Junge an. Eine Sicherheitsnadel steckte in seiner Nase.

Becker deutete auf die Flaschen auf dem Boden. »Das ist doch nur Leergut.«

»Aber *mein* Scheiß-Leergut!«

»Entschuldigung!«, sagte Becker und wollte gehen.

Der Punker vertrat ihm den Weg. »Aufheben!«

Becker blinzelte ihn an. »Das soll wohl ein Witz sein?« Er war einen ganzen Kopf größer und fünfzig Pfund schwerer als diese halbe Portion.

»Seh ich aus wie einer, der Witze macht?«

Becker hielt es für besser, zu schweigen.

»Aufheben!« Die Stimme des Bürschchens überschlug sich fast.

Becker versuchte, ohne weiteren Kommentar an dem Jungen vorbeizukommen.

Der Knirps stellte sich ihm wieder in den Weg. »Verdammt nochmal, ich habe gesagt: Aufheben!«

Die zugedröhnten Punks an den Tischen in der Nähe wurden aufmerksam. Sie drehten die Köpfe, um nichts zu verpassen.

»Nun mach keinen Ärger, der dir hinterher leid tut, mein Junge«, sagte Becker versöhnlich.

»Ich warne dich«, zischte der Punker. »Das ist mein Tisch, eh! Ich bin jeden Abend hier. Und jetzt: Aufheben!«

Beckers Geduld war zu Ende. Wollte er nicht eigentlich in den Smoky Mountains sein? Was hatte er sich hier in Spanien mit einem durchgedrehten Halbwüchsigen herumzustreiten?

Ohne jede Warnung packte er den Knaben unter den Achseln, hob ihn hoch und knallte ihn mit dem Hintern auf den Tisch. »Du Lausebengel wirst jetzt schön Ruhe geben, oder ich rupf dir die Sicherheitsnadel aus deiner Rotznase und verschließ dir damit deine große Klappe, verstanden?«

Der Knabe wurde blass.

Becker ließ ihn einen Moment zappeln, ehe er ihn freigab. Ohne das erschrockene Bürschchen aus den Augen zu verlieren, bückte er sich, hob die Flaschen auf und stellte sie auf den Tisch. »Gut so?«, sagte er.

Der Punker glotzte blöd.

»Man sagt Dankeschön!«, belehrte ihn Becker. *Der Kerl ist ein wandelndes Argument für Empfängnisverhütung!*

»Verpiss dich!«, schrie der Junge, der gemerkt hatte, dass seine Kumpels über ihn lachten. »Arschgeige!«

Becker rührte sich nicht. Der Junge hatte etwas gesagt, das bei ihm hängen geblieben war. *Ich bin jeden Abend hier.* Vielleicht konnte der Bursche ihm weiterhelfen. »Tut mir leid, ich habe deinen Namen nicht mitbekommen«, sagte Becker.

»Two-Tone«, zischte der Knirps, als wär's ein Todesurteil.

»Two-Tone?«, sagte Becker tiefsinnig. »Lass mich raten. Wegen deinem zweifarbigen Kopf?«

»Mann, du merkst auch alles! Klugscheißer.«

»Guter Name. Selbst drauf gekommen?«

»Aber klar«, kam die stolze Antwort. »Werd's mir patentieren lassen.«

Becker sah ihn stirnrunzelnd an. »Du meinst wohl: schützen lassen.«

Der Junge machte große Augen.

»Für einen Namen brauchst du einen Gebrauchsmusterschutz«, erläuterte Becker. »Patentieren geht da nicht.«

»Mir doch scheißegal!«, kreischte der Junge frustriert.

Das desolate Sortiment von besoffenen und zugedröhnten Halbwüchsigen an den umstehenden Tischen wieherte inzwischen hysterisch. Two-Tone stand auf. »Eh, Mann, was liegt überhaupt an?«

Was anliegt? Dass du dir die Rübe wäschst, eine vernünftige Ausdrucksweise angewöhnst und einen Job besorgst, das liegt an!, dachte Becker versonnen. »Ich hätte gern ein paar Informationen«, sagte er.

»Leck mich am Arsch.«

»Ich suche jemanden.«

»Hab niemanden gesehen.«

Becker winkte einer vorbeikommenden Bedienung. Er erstand zwei Flaschen Águila-Bier und hielt eine davon dem Jungen hin. Two-Tone war sprachlos. Er nahm einen kräftigen Zug aus der Flasche und beäugte argwöhnisch seinen Wohltäter.

»Soll das 'ne Anmache sein, Mister?«

Becker lächelte Two-Tone an. »Ich suche ein Mädchen.«

Two-Tone lachte schrill. »Eh, Alter, so krass wie du angezogen bist, läuft hier gar nichts!«

»Es soll auch nichts laufen«, meinte Becker. »Ich möchte das Mädchen nur mal sprechen. Würdest du mir helfen, die Kleine zu finden?«

Two-Tone ließ die Bierflasche sinken. »Bist du 'n Bulle?«

Becker schüttelte den Kopf.

Der Halbwüchsige sah ihn aus Augenschlitzen an. »Siehst aber aus wie 'n Bulle.«

»Junge, ich komme aus Maryland. Wenn ich ein Bulle wäre, wäre ich hier wohl ein bisschen weitab von meinem Zuständigkeitsbereich, meinst du nicht auch?«

Das Problem schien dem Jungen zu schaffen zu machen.

»Ich heiße David Becker.« Becker streckte lächelnd die Hand über den Tisch.

Der Punker zuckte angeekelt zurück. »Pfoten weg, schwule Sau!«

Becker zog die Hand zurück.

»Wenn ich dir helfen soll«, sagte der Bursche verächtlich, »dann kostet das was.«

Becker ging darauf ein. »Wie viel?«

»Hundert Dollar.«

»Ich habe aber nur Peseten.«

»Mir egal. Dann eben hundert Peseten.«

Wechselkurse gehörten offensichtlich nicht zu Two-Tones Stärken. Hundert Peseten waren etwas über achtzig Cent. »Abgemacht!«, sagte Becker und knallte die Bierflasche auf den Tisch.

Der Junge verzog zum ersten Mal das Gesicht zu einem Lächeln. »Abgemacht!«

»Okay«, sagte Becker kumpelhaft. »Es könnte sein, dass die Kleine, die ich suche, hier rumhängt. Sie hat rot-weiß-blaue Haare ...«

Two-Tone zog den Rotz hoch. »Judas Taboo hat heute seinen Memorial-Day. Jeder Arsch hat heute ...«

»Gut. Sie hat ein T-Shirt mit der britischen Flagge an und einen Totenkopf als Ohrhänger an einem Ohr.«

Ein Ausdruck des Erkennens huschte über Two-Tones Gesicht. In Becker keimte neue Hoffnung auf. Aber Two-Tones

Miene schlug sogleich um. Er knallte die Flasche hin und packte Becker am Hemd. »Das ist die Schnecke von Eduardo, du Wichser! Wenn ich du wäre, würde ich höllisch aufpassen. Wenn du die anmachst, macht er dich kalt!«

Kapitel 56

Midge Milken stapfte wütend in den Konferenzraum. Die Ausstattung des Raums umfasste neben dem neun Meter sechzig langen Konferenztisch mit dem in Schwarzkirsche und Nussbaum eingelegten Wappen der NSA drei Marion Pike Aquarelle, einen Bostonfarn, eine Bar und natürlich den unverzichtbaren Wasserspender für gekühltes Trinkwasser. Midge genehmigte sich einen Becher, um das innere Gleichgewicht wiederzugewinnen.

Beim Trinken schaute sie zum Fenster. Durch die offenen Lamellenjalousien fiel das Licht des Mondes herein und spielte auf der Maserung der Tischplatte. Midge war seit jeher der Meinung gewesen, das Büro des Direktors wäre hier wesentlich besser aufgehoben als an der Vorderfront des Gebäudes, wo Fontaine derzeit residierte. Statt auf den Parkplatz, hatte man von hier einen Ausblick auf eine stattliche Anzahl eindrucksvoller NSA-Gebäude – darunter auch die Crypto-Kuppel, jene High-Tech-Insel, die abseits vom Hauptgebäude aus über zwölftausend Quadratmetern Waldgelände herausragte. Von den meisten Fenstern des NSA-Komplexes war die mit Bedacht hinter einen Ahornhain gesetzte Kuppel kaum auszumachen, aber von hier aus lag sie prächtig im Blick. Für Midge wäre dies der ideale Söller für den weit über das Reich schweifenden königlichen Ausblick ihres Chefs gewesen. Vor längerer Zeit hatte sie Leland Fontaine vorgeschlagen, sein Büro nach hier zu verlegen, was er allerdings mit dem knappen Kommentar abgetan hatte: »Hinten heraus? Niemals.« Fontaine war nicht der Mann, der sich mit der Rückseite von was auch immer begnügte.

Midge zog die Jalousien beiseite und schaute hinaus in die Hügellandschaft. Mit einem wehmütigen Seufzer suchte ihr Blick die Crypto-Kuppel, einen Anblick, den sie immer als tröstlich empfunden hatte, wie den eines Leuchtturms, der sein Licht beständig und verlässlich zu jeder Stunde scheinen ließ. Aber als sie jetzt hinausschaute, konnte von Trost keine Rede sein. Sie starrte in eine dunkle Leere. Das Gesicht an die Fensterscheibe gepresst, verlor sich ihr Blick in endloser Finsternis. Ein hysterischer Angstzustand machte sich in ihr breit. Die Crypto-Kuppel hatte sich verflüchtigt!

Kapitel 57

Von absoluter Finsternis umfangen, stand Susan Fletcher regungslos in der fensterlosen Toilette der Crypto-Kuppel. Von aufsteigender Panik bedrängt, versuchte sie, sich zu orientieren. Der grässliche Schrei aus dem Lüftungsschacht hing immer noch allgegenwärtig in der Luft. Ungeachtet ihrer beherzten Bemühung, das Entsetzen niederzukämpfen, wurde sie von Angstgefühlen überschwemmt.

Grapschend und tastend glitten ihre Hände im Dunkeln über Waschbecken und Toilettentüren. Desorientiert drehte sie sich mit ausgestreckten Armen um sich selbst und versuchte, dem pechschwarzen Dunkel ein Bild des Raumes abzugewinnen. Sie stieß einen Abfallbehälter um und prallte gegen eine Kachelwand, an der sie sich schließlich entlangtastete, bis sie die Türklinke fand. Sie riss die Tür auf und stolperte hinaus in die Kuppel.

Sie erstarrte abermals.

Hier sah nichts mehr so aus wie noch wenige Augenblicke zuvor. Die Beleuchtung war komplett ausgefallen. Nicht einmal die Tastenfelder der elektronischen Türöffner leuchteten noch. Im schwachen Streulicht, das aus der Kuppel herabfiel, hob sich der TRANSLTR als graue Silhouette ab.

Nachdem sich Susans Augen an die Dunkelheit gewöhnt hatten, bemerkte sie ein mattes Licht, das aus der geöffneten Bodenklappe kam – ein sanfter roter Schimmer des unterirdischen Arbeitslichts. Sie trat an die Bodenklappe. Schwacher Ozongeruch stieg ihr in die Nase.

Sie spähte hinunter in das Loch. Die Überdruckventile des Kühlsystems bliesen wirbelnde Wolken in das rote Licht. Die höhere Klangfarbe des Generatorgedröhns verriet Susan, dass das Notstromaggregat angesprungen war. Durch den Dunst konnte sie Strathmore auf der obersten Plattform stehen sehen. Über das Geländer gebeugt, starrte er in die brüllende Tiefe des Aggregatesilos hinab.

»Commander?«

Keine Antwort.

Susan stieg auf die Leiter. Heiße Dunstschwaden fuhren ihr unter den Rock. Die Sprossen waren schlüpfrig vom Kondensat. Unten angekommen, trat sie auf den Gitterlaufsteg.

»Commander?«

Strathmore reagierte nicht. Er wirkte wie in Trance und starrte mit dem Ausdruck des Entsetzens nach unten. Susan folgte seinem Blick. Anfangs konnte sie außer wehenden Dunstschleiern nichts erkennen, bis plötzlich sechs Stockwerke tiefer kurzzeitig etwas aus dem Nebel auftauchte. Da war es wieder – eine wirre Masse von grotesk verrenkten Gliedern … Knapp dreißig Meter unter ihr lag Phil Charturkians geschwärzte und verbrannte Leiche auf den Anschlussklemmen des Hauptgenerators. Sein Sturz hatte die Hauptstromversorgung der Kuppel durch einen Kurzschluss lahm gelegt.

Doch nicht so sehr dieses Bild ließ Susan das Blut in den Adern stocken. Auf halber Höhe des Treppenabgangs kauerte im Halbdunkel eine muskulöse Gestalt.

Greg Hale.

Kapitel 58

Megan gehört meinem Kumpel Eduardo!«, kreischte der Punker. »Lass bloß die Finger davon!«

»Wo ist sie jetzt?« Beckers Herz raste.

»Leck mich!«

»Der Fall ist aber ernst«, knurrte Becker und packte den Burschen am Arm. »Es geht um einen Ring, der mir gehört. Ich würde ihr Geld dafür geben. Einen Haufen Geld!«

Two-Tone lachte kreischend. »Dieses Stück Scheiße gehört also dir?«

Becker riss die Augen auf. »Du hast den Ring gesehen?«

Two-Tone nickte.

»Und wo ist er jetzt?«

»Keine Ahnung.« Two-Tone kicherte. »Megan war hier und wollte das Teil verhökern.«

»Sie wollte ihn *verkaufen*?«

»Keine Panik, Mann. So 'ne Scheiße will hier keiner haben. Dein Geschmack ist total Müll.«

»Weißt du genau, dass ihr niemand den Ring abgekauft hat?«

»Eh, Mann, du tickst wohl nicht richtig! Für vierhundert Dollar? Ich hätte vielleicht fünfzig abgedrückt, aber sie wollte krasse vierhundert. Für ein Flugticket – Last-Minute.«

Becker spürte, wie er blass wurde. »Ein Ticket? Wohin?«

»Scheiß-Connecticut«, empörte sich Two-Tone. »Eduardo ist tierisch sauer.«

»Nach Connecticut?«

»Scheiße, ja. Zurück zu den Kalkleisten ins gemachte Bett. Keinen Bock mehr auf Spanien. Die Gastfamilie hat ihr zu viel herumgenörgelt. Und null warmes Wasser.«

Becker spürte einen Kloß im Hals. »Wann will sie fort?«

Two-Tone sah ihn groß an. »Wann sie fort will? Sie hat sich längst verpisst! Ist vor zwei Stunden zum Flughafen aufgebrochen. Der beste Platz, um einen Ring zu verhökern – reiche Touristensäcke und so. Sobald sie den Kies hat, düst sie ab.«

Eine dumpfe Übelkeit machte sich in Beckers Eingeweiden breit. *Das kann doch alles nicht wahr sein!* Er brauchte eine Weile, bis er sich wieder gefasst hatte. »Wie heißt denn Megan mit Familiennamen?«

Two-Tone schien intensiv nachzudenken. Er hob ratlos die Schultern.

»Welchen Flug wollte sie nehmen?«

»Sie hat was vom Shit-Bomber gefaselt.«

»Vom Shit-Bomber?«

»Ja, der Wochenend-Nachtflieger – Sevilla, Madrid, La Guardia. Die Kids nehmen ihn immer, weil er billig ist. Man kann sich gut hinten reinhocken und die Joints reinziehen.«

Na, prima. Becker fuhr sich seufzend mit den gespreizten Fingern durchs Haar. »Wann geht der Flug?«

»Zwei Uhr nachts, jeden Sonntag. Megan ist jetzt schon irgendwo über dem Atlantik.«

Becker sah auf die Uhr. Ein Uhr fünfundvierzig. Er schaute Two-Tone verwirrt an. »Hast du gesagt, das Flugzeug geht um zwei?«

Der Punker lachte sich halb tot. »Sieht so aus, als wärst du am Arsch, Alter!«

Becker zeigte zornig auf seine Uhr. »Aber es ist doch erst Viertel vor!«

Two-Tone beäugte die Uhr. »Echt?«, wunderte er sich. »So breit bin ich normalerweise erst um vier.«

»Wie komme ich am schnellsten zum Flugplatz?«, drängte Becker ungeduldig.

»Taxi. Draußen stehen welche.«

Becker griff nach einem Tausend-Peseten-Schein und stopfte ihn Two-Tone in die Hand.

»Hey, Mann, fett!«, rief der Punker ihm nach. »Sag Megan einen schönen Gruß von mir, wenn du sie siehst, eh.« Aber Becker war schon fort.

Two-Tone seufzte und taumelte zur Tanzfläche. Er war zu betrunken, um den Mann mit der Nickelbrille zu bemerken, der ihm folgte.

Becker hielt vor dem Club nach einem Taxi Ausschau. Nirgendwo war eines zu sehen. Er rannte zu einem bulligen Rausschmeißer. »Taxi!«

Der Rausschmeißer schüttelte den Kopf. *»Demasiado temprano* – zu früh!«

Zu früh?, fluchte Becker. *Wir haben zwei Uhr nachts!*

»*Llamame uno* – rufen Sie mir eins!«

Der Mann zog ein Walkie-Talkie heraus und sprach ein paar Sätze hinein. »*Veinte minutos*«, verkündete er.

»In zwanzig Minuten? *Y el Autobus?*«, fragte Becker.

Der Rausschmeißer hob die Schultern. »In fünfundvierzig Minuten.«

Becker warf die Arme in die Luft. *Traumhaft!*

Das Geräusch eines Zweitakters ließ ihn herumfahren. Es klang wie eine Kettensäge. Ein riesenhafter Halbwüchsiger und seine Begleiterin kamen auf einer Vespa 250 auf den Parkplatz gekurvt. Becker rannte hin. *Nicht zu glauben, dass du so was machst!*, dachte er. *Motorräder sind für dich doch der Horror!*

»Zehntausend Peseten, wenn Sie mich zum Flugplatz fahren!«, schrie er dem Fahrer entgegen.

Der Junge schien ihn gar nicht zu bemerken und stellte den Motor ab.

»Zwanzigtausend!«, stieß Becker hervor. »Ich muss zum Flughafen!«

Der Bursche sah ihn verständnislos an. »Scusi?«

Aha, ein Italiener. »Aeroporto! Per favore, sulla Vespa! Venti mila Pesete!«

Der Italiener streifte seine klapprige Vespa mit einem abschätzenden Blick. »Venti mila Pesete? La Vespa?«

»Cinquanta mila!«, erhöhte Becker. »Fünfzigtausend!« Es waren etwa vierhundert Dollar.

Der Italiener lachte ungläubig auf. »Dove sono i soldi? Zeig mir die Kohle!«

Becker zog fünf Zehntausend-Peseten-Scheine aus der Tasche und hielt sie dem Burschen hin. Der Italiener schaute die Scheine an und dann seine Freundin. Das Mädchen schnappte das Geld und ließ es im Ausschnitt verschwinden.

»Grazie!«, sagte der Italiener. Er warf Becker den Zündschlüssel zu, packte seine Freundin an der Hand und rannte lachend mit ihr in den Club.

»Aspetta!«, schrie Becker hinterher. »Warte, ich wollte doch nur gefahren werden!«

Kapitel 59

Commander Strathmore half Susan die Leiter hinauf in die Kuppel zurück. Sie hielt sich an seiner Hand fest. Das Bild des zerschmettert auf dem Generator liegenden Phil Charturkian hatte sich in ihr Hirn eingebrannt. Bei dem Gedanken, dass sich Hale in den Eingeweiden der Kuppel verborgen hielt, wurde ihr flau. Eines stand fest – Hale hatte Charturkian hinuntergestoßen.

Susan stolperte am TRANSLTR vorbei zum Haupteingang der Kuppel, durch den sie einige Stunden zuvor eingetreten war. Ihr hektisches Herumtippen auf dem unbeleuchteten Tastenfeld blieb wirkungslos. Das riesige Portal setzte sich nicht in Bewegung. Sie saß in der Falle. Die Crypto-Kuppel war zum Gefängnis geworden. Wie ein Satellit stand der lediglich durch das rotierende Hauptportal zugängliche Kuppelbau gut hundert Meter abseits vom Hauptgebäude im Gelände. Da er eine eigene Stromversorgung hatte, merkte die Schaltzentrale vielleicht noch nicht einmal, dass es hier Probleme gab.

»Unser Hauptaggregat hat sich verabschiedet«, sagte Strathmore, der hinter Susan aufgetaucht war. »Wir fahren auf Notstrom.«

Die Notstromversorgung gab dem TRANSLTR und seinem Kühlsystem Vorrang vor allen anderen Stromverbrauchern, einschließlich der Beleuchtung und der Schließsysteme. So wurde sichergestellt, dass der TRANSLTR während einer wichtigen Dechiffrierung nicht durch einen unvorhergesehenen Stromausfall lahm gelegt werden konnte, und vor allem, dass der Großrechner nie ohne sein Kühlsystem lief. In einem geschlossenen ungekühlten Gehäuse konnte die von Millionen von Prozessoren erzeugte Wärme schnell gefährlich hohe Werte erreichen, vielleicht sogar die Prozessoren in Brand setzen und den Rechner in einem feurigen Inferno enden lassen – ein Szenario, das sich niemand in letzter Konsequenz ausmalen wollte.

Susan versuchte, die Fassung wiederzugewinnen. Das Bild des verschmorten Systemtechnikers auf dem Generator beherrschte ihre Gedanken. Sie stocherte erneut auf dem Tastenfeld herum. Keine Reaktion. »Machen Sie einen Programmabbruch!«, forderte sie Strathmore auf. Wenn der TRANSLTR den Befehl erhielt, die Suche nach dem Schlüssel abzubrechen, würde das Abschalten seiner Schaltkreise genügend Energie für den Motor des Kuppelportals verfügbar machen.

»Ruhig Blut, Susan«, sagte Strathmore und tätschelte ihr beschwichtigend die Schulter.

Die beruhigende Berührung erlöste Susan aus ihrer Benommenheit. Plötzlich wurde ihr wieder bewusst, was sie eigentlich von Strathmore wollte. Sie fuhr herum. »Commander, Greg Hale ist North Dakota!«

Nach einer schier endlosen Stille antwortete Strathmore aus der Dunkelheit. Seine Stimme klang eher befremdet als schockiert. »Wovon reden Sie?«

»Hale …«, flüsterte Susan. »Greg Hale ist North Dakota!«

Wieder herrschte Stille, während Strathmore über Susans Worte nachdachte.

»Der Tracer?« Er schien nicht ganz zu verstehen. »Der Tracer hat Hale gemeldet?«

»Nein, Hale hat das Programm beim ersten Mal abgebrochen. Ich habe den Tracer ein zweites Mal losschicken müssen.«

Susan berichtete von Hales Eingriff in ihr Suchprogramm, was sie dazu gebracht hatte, in Hales Terminal nachzuforschen, wobei die E-Mails von Tankado zutage gekommen waren. Wieder war es lange still.

Strathmore schüttelte ungläubig den Kopf. »Ich halte es für ganz und gar ausgeschlossen, dass ausgerechnet Greg Hale Tankados Rückversicherung sein soll. Das ist einfach absurd! Tankado hätte jemandem wie Hale *niemals* vertraut.«

»Commander«, beharrte Susan, »Hale hat uns damals mit Skipjack schon einmal Knüppel zwischen die Beine geworfen! Tankado *hat* ihm vertraut.«

Strathmore schien sprachlos geworden zu sein.

»Stellen Sie den TRANSLTR ab«, flehte Susan. »Jetzt wissen wir doch, wer North Dakota ist. Rufen Sie den Sicherheitsdienst an, damit wir hier herauskommen.«

Strathmore hob die Hand. Er brauchte einen Moment Ruhe zum Nachdenken.

Susan schaute nervös in Richtung Bodenklappe. Die Einstiegsöffnung wurde vom TRANSLTR knapp verdeckt, aber der rötliche Schimmer ergoss sich über die schwarzen Hochglanzkacheln wie Feuer über Eis. *Nun mach schon, Commander! Ruf den Sicherheitsdienst! Stell den Rechner ab! Bring uns hier raus!*

Strathmore wurde auf einmal lebendig. »Folgen Sie mir!«, sagte er und marschierte zur Bodenklappe.

»Commander, Hale ist gefährlich! Er hat …«

Strathmore war schon fast im Dunkeln verschwunden. Susan rannte seiner Silhouette hinterher. Der Commander bog um den TRANSLTR und trat an die Einstiegsluke im Boden. Nachdem er zuerst in die dunstgeschwängerte Höhlung und dann ins Dunkel der Kuppel gespäht hatte, stemmte er sich gegen die hoch stehende Bodenklappe, die langsam nach vorne schwang und, einmal losgelassen, ins Schloss polterte. Die Crypto-Kuppel war wieder eine schweigende schwarze Höhle.

Strathmore ließ sich auf die Knie nieder und drehte die schwere Halteklaue fest. Die Untermaschinerie war wieder hermetisch verschlossen – North Dakota schien in der Falle zu sitzen.

Weder Strathmore noch Susan vernahmen die schleichenden Schritte, die sich in Richtung Node 3 entfernten.

Kapitel 60

Two-Tone strebte durch den verspiegelten Tunnel, der vom Patio zur Tanzfläche führte. Als er stehen blieb, um im Spiegel den Sitz seiner Sicherheitsnadel zu überprüfen, spürte er hinter sich eine große Gestalt. Er wollte weglaufen, aber es war zu spät. Ein Paar bärenstarker Arme presste ihn mit dem Gesicht gegen das Glas.

Two-Tone versuchte, sich loszuschlängeln. »Eduardo? Hey, Mann, bist du das?« Eine Hand griff nach dem Ausweis in seiner Tasche, dann lehnte sich jemand mit gnadenloser Gewalt in sein Kreuz. »Eddie!«, schrie Two-Tone, »mach doch keinen Scheiß! Irgend so'n Wichser hat sich nach Megan erkundigt!«

Die Gestalt hielt ihn wie im Schraubstock fest.

»Hey, Eddie, Mann, hör auf!« Als es Two-Tone gelang, das Gesicht von der verglasten Wandung zu lösen, erkannte er, dass er keineswegs von seinem Freund bedrängt wurde.

Das Gesicht des Mannes war pockennarbig und verschrammt. Zwei leblose Augen stierten wie schwarze Anthrazitbrocken durch den Rahmen einer Nickelbrille. Der Mann legte den Mund an Two-Tones Ohr. »*¿Adónde fué?* Wo ist er hin?«, fragte er mit merkwürdig keuchender Stimme.

Two-Tone wurde starr vor Angst.

»*¿Adónde fué?*«, wiederholte die Stimme. »*El Americano.*«

»Zum Flughafen ... *al Aeropuerto*«, stotterte Two-Tone.

»*¿Aeropuerto?*«, wiederholte der Fremde. Seine dunklen Augen hatten Two-Tones Lippen beim Sprechen beobachtet.

Two-tone nickte.

»*¿Tenia el anillo?* Hat er den Ring?«

Two-Tone schüttelte verängstigt den Kopf. »*No.*«

»*¿Vistes el anillo?* Hast du den Ring gesehen?«

Two-Tone überlegte. Was war die richtige Antwort?

»*¿Vistes el anillo?*«, insistierte die dumpfe Stimme.

Two-Tone nickte eifrig und hoffte, dass sich die Wahrheit auszahlen würde. Sie tat es nicht. Mit gebrochenem Genick sank er zu Boden.

Kapitel 61

Den Lötkolben in der Hand, eine Mini-Taschenlampe zwischen den Zähnen und mit einem riesigen Schaltplan auf der Wampe lag Jabba mit dem ganzen Oberkörper im Gehäuse eines zerlegten Großrechners. Er war dabei, einen neuen Satz Dämpfungselemente in eine defekte Hauptplatine einzulöten, als sein Handy piepste.

»Scheiße!«, fluchte er und angelte im Drahtgewirr nach dem Quälgeist. »Hier Jabba.«

»Jabba, ich bin's, Midge.«

Jabbas Laune verbesserte sich schlagartig. »Zweimal in einer Nacht? Du bringst uns noch ins Gerede!«

»In der Crypto gibt's Probleme.« Migdes Stimme hatte einen angespannten Unterton.

Jabba zog die Stirn kraus. »Aber das hatten wir doch schon. Vergessen?«

»Es ist ein Problem mit dem *Strom.*«

»Ich bin kein Elektriker. Ruf die Haustechnik an.«

»Die Kuppel ist dunkel.«

»Du siehst Gespenster. Du solltest endlich heimgehen.« Jabba befasste sich wieder mit seinem Schaltplan.

»In der Kuppel ist es *stockfinster!*«, schrie Midge.

Seufzend nahm Jabba die Taschenlampe aus dem Mund. »Midge, erstens: Da drin gibt es ein Notstromaggregat! *Stockfinster* kann die Kuppel gar nicht werden. Zweitens dürfte Strathmore einen etwas besseren Überblick über die Kuppel haben als ich im Moment. Warum rufst du *ihn* nicht an?«

»Weil es um *ihn* geht. Er versucht, etwas unter den Teppich zu kehren.«

Jabba verdrehte die Augen. »Midge, Süße, ich stecke hier bis unter die Achseln in einem Drahtverhau! Falls du mit mir was unternehmen willst, strample ich mich gerne frei – ansonsten musst du die Haustechnik anrufen.«

»Jabba, das ist was Ernstes. Ich *fühle* es.«

Oje, sie fühlt es. Na, dann ist es amtlich, dachte Jabba. Midge hatte wieder einmal einen ihrer Zustände. »Strathmore scheint sich keine Sorgen zu machen. Wieso soll ich es dann?«, meinte er.

»In der Crypto ist alles stockfinster, verdammt nochmal!«

»Vielleicht betätigt sich Strathmore als Sterngucker?«

»Jabba, mir ist nicht zum Scherzen zu Mute!«

»Okay, okay«, murrte Jabba und stützte sich auf einen Ellenbogen. »Vielleicht ist ein Generator ausgefallen. Wenn ich hier fertig bin, werde ich mal bei der Crypto vorbeischauen und ...«

»Was ist mit dem Notstrom?«, wollte Midge wissen. »Wenn ein Generator ausgefallen ist, warum gibt es dann keinen Notstrom?«

»Wie soll ich das wissen?«, wehrte sich Jabba. »Vielleicht ist der Notstrom ausgelastet, weil Strathmore den TRANSLTR laufen lässt.«

»Warum macht er dann keinen Abbruch? Es könnte ja ein Virus sein. Du hast doch zuvor schon etwas von einem Virus gesagt.«

»Verdammt, Midge!« Jabba riss der Geduldsfaden. »Ich habe gesagt, dass ein Virus in der Crypto völlig ausgeschlossen ist! Hör auf, überall Gespenster zu sehen!«

Es war lange still am anderen Ende der Leitung.

»Ach, Scheiße!«, verteidigte sich Jabba unwillig. »Midge, lass es dir erklären: Erstens haben wir Gauntlet – da kommt kein

Virus durch. Zweitens, wenn es ein Stromausfall ist, dann ist das ein *Hardwareproblem.* Ein Virus verursacht keinen Stromausfall, ein Virus greift die Software und die Daten an. Was auch immer in der Crypto los sein mag, ein Virus kommt dafür überhaupt nicht in Frage!«

Schweigen.

»Midge? Bist du noch dran?«

»Jabba, ich habe hier einen Job zu erledigen«, kam die eisige Antwort. »Ich möchte nicht dafür angeblafft werden, dass ich meiner Verantwortung gerecht werde. Wenn ich mich telefonisch erkundige, warum eine Multimilliardenanlage im Dunkeln liegt, darf ich eine professionelle Antwort erwarten.«

»Jawohl, Ma'am.«

»Ein simples Ja oder Nein genügt. Ist es möglich, dass das Problem in der Crypto-Abteilung von einem Virus kommt?«

»Midge ... ich habe dir bereits gesagt ...«

»Ja oder nein? Könnte der TRANSLTR einen Virus haben?«

Jabba seufzte. »Nein, Midge. Völlig ausgeschlossen.«

»Vielen Dank.«

Jabba bemühte sich um einen versöhnlichen Ausklang. »Es sei denn«, kicherte er, »Strathmore hat selber einen Virus fabriziert und meine Filter umgangen.«

Erschrockenes Schweigen. Als Midge wieder das Wort ergriff, hatte ihre Stimme einen unguten Beiklang. »Strathmore kann das Gauntlet-System umgehen?«

»Midge, war doch nur Blödsinn!« Jabba seufzte. Hätte er bloß die Schauze gehalten! Aber nun war es zu spät.

Kapitel 62

Strathmore und Susan standen neben dem verschlossenen Einstieg und diskutierten, was als Nächstes geschehen sollte.

»Dort unten liegt die Leiche Phil Charturkians«, gab Strathmore zu bedenken. »Wenn wir Hilfe rufen, bricht hier im Handumdrehen das Chaos aus.«

»Aber was sollen wir denn sonst tun?«, fragte Susan, die nichts anderes wollte, als schleunigst zu verschwinden.

Strathmore überlegte. »Fragen Sie mich nicht, wie das passiert ist«, sagte er mit einem Blick auf die geschlossene Bodenklappe, »aber mir scheint, wir haben North Dakota ungewollt lokalisiert und neutralisiert.« Er schüttelte ungläubig den Kopf. »Wir haben Glück gehabt, wenn Sie mich fragen.« Die Vorstellung, dass Hale in Tankados Plan eine Rolle spielte, schien Strathmore immer noch nicht in den Kopf zu wollen. »Ich vermute, dass Hale den Key irgendwo in seinem Terminal gespeichert hat. Vielleicht hat er auch noch eine Kopie davon zu Hause. Wie auch immer, er sitzt in der Falle.«

»Warum rufen wir dann nicht den Sicherheitsdienst und lassen ihn verhaften?«

»Noch nicht«, sagte Strathmore. »Unsere Sys-Sec-Leute werden auf Protokolle von diesem endlosen Rechengang stoßen, und dann haben wir neue Probleme am Hals. Ich möchte, dass sämtliche Spuren von Diabolus getilgt sind, wenn die Tür aufgeht.«

Susan nickte, wenn auch zögernd. Strathmores Gedankengang war nicht von der Hand zu weisen. Wenn die Sicherheitsleute Hale aus der Untermaschinerie herausholten und ihm Charturkians Tod zur Last gelegt wurde, würde er Diabolus unweigerlich an die große Glocke hängen. Sofern aber jeder Beweis gelöscht war, konnte Strathmore sich dumm stellen. *Ein endloser Rechengang? Ein nicht zu entschlüsselnder Algorithmus? Aber das ist doch völliger Unsinn! Hat Mr Hale denn noch nie etwas vom Bergofsky-Prinzip gehört?*

Strathmore umriss seinen Plan. »Wir löschen sämtliche Korrespondenz zwischen Hale und Tankado, sämtliche Belege, dass ich Gauntlet umgangen habe, sämtliche Analysebefunde von Charturkian, die Kontrollmonitorprotokolle, einfach alles. Diabolus wird sich in Luft auflösen. Wir vernichten Hales Key und beten zu Gott, dass David Tankados Schlüssel findet.«

David!, dachte Susan, verdrängte ihn jedoch sogleich wieder aus ihren Gedanken. Sie brauchte ihren Kopf für die anstehenden Probleme.

»Ich übernehme das Sys-Sec-Lab«, sagte Strathmore, »die Kontrollmonitorprotokolle, die Datenänderungsprotokolle und was es sonst noch gibt. Sie befassen sich inzwischen mit Hales Terminal in Node 3. Löschen Sie sämtliche E-Mails von Hale, sämtliche Hinweise auf seine Korrespondenz mit Tankado, einfach alles, worin Diabolus vorkommen könnte.«

»Okay«, sagte Susan, »ich werde einfach Hales Festplatte neu formatieren. Dann ist alles gelöscht.«

»Nein, tun Sie das nicht!«, sagte Strathmore erschrocken. »Hale hat höchstwahrscheinlich auch den Key in seinem Computer gespeichert, aber den muss ich haben!«

Susan sah ihn verständnislos an. »Sie wollen den Schlüssel haben? Aber wozu denn? Ich dachte, er soll vernichtet werden!«

»Das soll er auch. Ich möchte nur zuvor Tankados verdammte Datei öffnen und mir das Programm ansehen.«

Susan war nicht weniger neugierig als Strathmore, aber der Instinkt sagte ihr, dass es nicht ratsam war, die Datei zu öffnen, so interessant sie auch sein mochte. Noch war das tödliche Programm in seinem verschlüsselten Kerker eingesperrt und völlig unschädlich. Aber wenn es erst einmal entschlüsselt war…

»Commander, wäre es nicht besser, wenn wir einfach nur…«

»Ich will den Schüssel«, insistierte Strathmore.

Susan musste zugeben, dass sie selbst vom ersten Augenblick an neugierig gewesen war, wie Tankado das Diabolus-Programm aufgezogen hatte. Seine Existenz widersprach den fundamentalsten Gesetzen der Kryptographie. Susan sah den Commander an. »Aber wenn wir uns den Algorithmus angesehen haben, werden Sie ihn doch sofort vernichten!«

»Selbstverständlich!«

Mit gerunzelter Stirn überlegte Susan, dass es nicht einfach sein würde, Hales Key zu finden. Die Suche nach einem Schlüssel aus zufälligen Zeichen glich der Suche nach einer einzelnen Socke in einem Schlafzimmer so groß wie Texas. Computer-Suchprogramme setzten voraus, dass man in etwa wusste, wonach sie suchen sollten, aber dieser Schlüssel war ein rein zufälliges Konstrukt. Da sich die Crypto-Abteilung oft mit Zufallszahlen herumschlagen musste, hatte Susan mit ein paar Kollegen für solche Fälle ein komplexes Such-Programm entwickelt, eine so genannte Nonkonformitäts-Suche. Hierbei tat der Computer im Grunde nichts anderes, als jede Zeichenfolge mit einem riesigen Lexikon sinnvoller Zeichenfolgen zu vergleichen und sämtliche Folgen anzuzeigen, die für ihn sinnentleert oder rein zufällig aussahen, wobei die Suchparameter laufend verfeinert wurden. Das war nicht einfach, aber es war machbar.

Susan seufzte. »Wenn alles klappt, bin ich in etwa einer halben Stunde fertig«, meinte sie. Die Suche nach dem Schlüssel war logischerweise an ihr hängen geblieben. Hoffentlich würde sie es nicht bereuen!

»Dann lassen Sie uns loslegen«, sagte Strathmore. Er legte

ihr die Hand auf die Schulter und geleitete sie durch die Finsternis zu Node 3. Ein prächtiger Sternenhimmel wölbte sich über der Kuppel.

An der schweren Glas-Schiebetür angekommen, stieß Strathmore einen leisen Fluch aus. Das Tastenfeld für die Türbetätigung war dunkel, der Mechanismus gesperrt. »Verdammt, kein Strom! Daran habe ich nicht gedacht.« Er wischte sich die Handflächen an der Hose trocken, legte die Hände flach auf das Glas und versuchte, die Scheiben auseinanderzustemmen. Ein Spalt öffnete sich. Susan kam Strathmore zu Hilfe. Die Tür ging ein paar Zentimeter weiter auf, doch als der Gegendruck größer wurde, schnappte sie wieder zu.

»Warten Sie«, sagte Susan und bezog vor Strathmore Aufstellung. »Okay, jetzt noch einmal!«

Wieder konnten sie die Tür ein paar Zentimeter weit auseinanderdrücken. In Node 3 war ein schwacher blauer Lichtschimmer zu erkennen, der vom Bildschirm an Susans Terminal kam. Die Terminals funktionierten noch, da sie als unverzichtbar eingestuft waren und ebenfalls am Notstromaggregat hingen.

Susan drückte, was das Zeug hielt. Die Tür bewegte sich ein weiteres Stück. Strathmore trat noch näher und stemmte sich gegen die linke Türhälfte, während Susan die rechte übernahm. Ganz langsam und gegen größten Widerstand gaben die Türhälften nach. Sie standen jetzt schon fast dreißig Zentimeter weit auseinander.

»Nicht locker lassen«, keuchte Strathmore. »Nur noch ein kleines Stück!«

Susan arbeitete sich mit der Schulter in den Spalt. Die Tür wollte nicht nachgeben, aber Susan hatte jetzt einen besseren Halt.

Bevor Strathmore sie davon abhalten konnte, hatte sie ihren schlanken Körper ganz in den Spalt gequetscht. Strathmore protestierte, doch sie achtete nicht auf ihn. Sie wollte raus aus der Kuppel, aber sie kannte Strathmore gut genug, um zu wissen, dass sie nirgendwohin gehen würde, solange Hales Key nicht gefunden war.

Sie steckte nun mitten in der Öffnung und drückte mit aller Kraft. Der Gegendruck der Tür war enorm. Susans Hände rutschten von der Glaskante ab. Während Strathmore nach Kräften versuchte, das Zusammenschlagen der Türhälften zu verhindern, konnte sich Susan in allerletzter Sekunde nach innen durchquetschen. Sie fiel zu Boden. Die Türhälften knallten hinter ihr zusammen.

Der Commander zwängte die Tür wieder einen winzigen Spalt auseinander. »Mein Gott, Susan!«, rief er von draußen herein, »sind Sie verletzt?«

Susan stand auf und klopfte sich ab. »Alles in Ordnung!«

Sie sah sich um. Der lediglich von ihrem Monitor spärlich beleuchtete Raum wirkte völlig verlassen. Das bläuliche Zwielicht verlieh Node 3 etwas Gespenstisches. Susan wandte sich um zu Strathmores Gesicht hinter dem Türspalt, das in dem schwachen blauen Licht kränklich und fahl aussah.

»Susan«, rief er, »geben Sie mir zwanzig Minuten! Sobald die Dateien im Sys-Sec-Lab gelöscht sind, gehe ich sofort hinauf zu meinem Terminal und schalte den TRANSLTR ab.«

»Machen Sie das!«, rief sie in den Spalt. Sie betrachtete die schwere Glasschiebetür. Solange der TRANSLTR den gesamten Notstrom fraß, saß sie wie eine Gefangene in Node 3.

Strathmore ließ die Scheiben los. Der Türspalt schnappte zu. Der Commander war verschwunden.

Kapitel 63

Beckers neu erworbene Vespa quälte sich die Zufahrtsstraße zum Aeropuerto de Sevilla hinauf. Er hatte die ganze Strecke völlig verkrampft auf dem Roller gehockt. Seine Armbanduhr zeigte die Ortszeit, zwei Uhr früh.

Vor dem Empfangsgebäude holperte er den Bordstein hinauf, sprang von dem noch fahrenden Roller ab und ließ ihn aufs Pflaster kippen. Die Vespa spuckte noch ein paar Mal, dann erstarb der Motor. Mit weichen Knien wankte Becker durch die Drehtür. *Nie wieder!*, schwor er sich.

Die sterile Abfertigungshalle war hell erleuchtet. Außer einem Mann, der den Boden wienerte, und einer Angestellten der Iberia Airlines, die gerade den Schalter schließen wollte, war kein Mensch zu sehen. *Kein gutes Zeichen,* dachte Becker.

Er rannte an den Schalter. »*¿El vuelo a los Estados Unidos?* Der Flug in die Vereinigten Staaten!»

Die attraktive Andalusierin hinter dem Schalter blickte auf und lächelte Becker an. »*Acaba de salir, señor.* Sie haben ihn leider verpasst.« Die Worte hingen bleiern in der Luft.

Du hast den Flug verpasst. Beckers Schultern sanken herab. »Gab es Platz für Last-Minute-Buchungen?«

»Sehr viel sogar«, sagte die Angestellte. »Die Maschine war fast leer. Aber für die Maschine morgen um acht Uhr gibt es auch noch …«

»Ich würde gerne wissen, ob eine Bekannte von mir dieses Flugzeug genommen hat. Sie wollte Last-Minute fliegen.«

»Es tut mir leid, Señor. Wir hatten einige Last-Minute Buchungen, aber aus Datenschutzgründen …«

»Es ist sehr wichtig für mich«, drängte Becker. »Ich möchte einfach nur wissen, ob meine Bekannte diesen Flug genommen hat. Das ist alles.«

Die Angestellte nickte. »Ein Streit unter Verliebten?«

Becker stutzte, dann grinste er die Angestellte albern an. »Ist mir das so deutlich anzusehen?«

Sie zwinkerte ihm zu. »Wie heißt sie denn?«

»Megan«, sagte Becker geknickt.

Die Angestellte lächelte. »Hat Ihre Freundin auch einen Familiennamen?«

Becker ließ langsam die Luft aus den Lungen entweichen. *Hat sie, aber du kennst ihn nicht!* »Wissen Sie, die Sache ist etwas kompliziert. Aber Sie haben doch gesagt, dass das Flugzeug fast leer war. Vielleicht könnten Sie …«

»Ohne einen Familiennamen kann ich wirklich nichts …«

»Sagen Sie«, fiel ihr Becker ins Wort, dem ein anderer Gedanke gekommen war, »haben Sie hier schon den ganzen Abend über Dienst?«

Die Angestellte nickte. »Von sieben bis sieben.«

»Dann müssten Sie das Mädchen eigentlich gesehen haben. Es ist noch sehr jung, etwa fünfzehn oder sechzehn. Die Haare sind …« Die Worte waren noch nicht heraus, da wusste Becker schon, dass er einen Fehler gemacht hatte.

Die Augen der Angestellten verengten sich. »Sie haben ein Verhältnis mit einer Fünfzehnjährigen?«

»Nein!«, beteuerte Becker. *Mist.* »Bitte, Sie müssen mir helfen! Es ist wahnsinnig wichtig.«

»Bedauere«, sagte die Angestellte kühl.

»Sie haben einen völlig falschen Eindruck bekommen. Wenn Sie vielleicht nur …«

»Gute Nacht, Señor!« Die Angestellte zog die Jalousie ihres Schalters zu und verschwand durch eine Tür im Hintergrund.

Becker verdrehte stöhnend die Augen. *Saubere Arbeit, David!* Er ließ den Blick durch die Weite der Halle schweifen. Nichts. *Megan muss den Ring verkauft und das Flugzeug genommen haben.* Er ging zu dem Mann mit der Bohnermaschine. »*¿Has visto a una niña?*«, rief er ihm über das Geheul der Maschine zu. »Haben Sie ein Mädchen gesehen?«

Der Alte griff nach unten und stellte den Motor ab. »*¿Eh?*«

»*Una niña*«, wiederholte Becker, »*pelo rojo, blanco, y azul.* Ein Mädchen, mit rot-weiß-blauen Haaren.«

Der Alte lachte. »*¡Que fea!* Wie scheußlich!« Kopfschüttelnd machte er sich wieder an die Arbeit.

David Becker stand ratlos mitten in der verlassenen Empfangshalle des Flughafens. Wie sollte es nun weitergehen? Der Abend hatte sich zu einer Komödie der Irrungen ausgewachsen. Strathmores Worte dröhnten in seinem Kopf. *Rufen Sie mich erst wieder an, wenn Sie den Ring haben.*

Eine tiefe Erschöpfung ergriff von Becker Besitz. Wenn Megan den Ring verkauft und das Flugzeug genommen hatte, war der Verbleib des Rings nicht mehr feststellbar. Er schloss die Augen und versuchte, einen klaren Gedanken zu fassen. *Was nun?* Er musste in Ruhe darüber nachdenken. Aber zuerst wollte er sich den längst überfälligen Gang zur Toilette gönnen.

Kapitel 64

Susan stand allein in der Düsternis von Node 3. Ihre Aufgabe war klar umrissen: Hales Terminal aktivieren, den Key lokalisieren und die Kommunikation zwischen ihm und Tankado komplett löschen. Kein Hinweis auf Diabolus durfte zurückbleiben.

Ihr Unbehagen meldete sich wieder. Nachdem bislang alles so glücklich verlaufen war, fand sie es im Grunde vermessen, mit der Bergung des Schlüssels und dem Öffnen von Diabolus das Schicksal herauszufordern. North Dakota war unversehens direkt vor ihrer Nase aufgetaucht und saß jetzt in der Falle. Der einzige ungeklärte Punkt betraf David. Er musste noch den anderen Schlüssel auftreiben. *Hoffentlich kommt er gut voran,* dachte Susan.

Sie trat tiefer in den Raum und versuchte, einen klaren Kopf zu bekommen. Seltsamerweise fühlte sie sich trotz der vertrauten Umgebung unwohl in ihrer Haut. In der Düsternis kam ihr Node 3 fremdartig vor. Aber da war noch etwas anderes. Zögernd blickte sie zurück zu der außer Funktion gesetzten Tür. Aus Node 3 gab es kein Entkommen. *Noch zwanzig Minuten,* dachte sie.

Als sie sich Hales Terminal zuwandte, bemerkte sie einen merkwürdigen Geruch – eindeutig keiner der üblichen Gerüche von Node 3. Sie überlegte, ob es an der ausgefallenen Entionisierungsanlage liegen könnte. Der Geruch war ihr irgendwie bekannt und brachte sie zum Frösteln. Sie musste an Hale denken, der unten im dunstgeschwängerten Silo eingeschlossen war. Sie sah zu den Schlitzen der Klimaanlage hinauf und schnüffelte, doch der Geruch schien aus nächster Nähe zu kommen.

Jetzt erkannte sie den Geruch. *Herrenparfüm ... und Männerschweiß.* Ihr Blick fiel auf die Gittertür der Küche.

Durch die Lattenschlitze starrte ein Augenpaar zu ihr heraus. Sie prallte zurück. Die schreckliche Erkenntnis traf sie wie ein Keulenschlag. Greg Hale war keineswegs im Orkus eingesperrt – er war hier in Node 3! Er musste die Leiter erklommen haben, bevor Strathmore die Bodenklappe wieder verschlossen hatte. Er war auch kräftig genug gewesen, die Schiebetür allein aufzubekommen.

Susan hatte gehört, Entsetzen würde lähmen, aber nun wusste sie, dass das ein Märchen war.

Ihr Gehirn hatte die Lage noch nicht vollständig registriert, da war sie schon in Bewegung – zurück in die Dunkelheit, mit einem einzigen Gedanken: Flucht.

Im gleichen Moment schon krachte es hinter ihr, als Hale, der stumm auf dem Herd gesessen hatte, die Beine wie zwei Rammböcke gegen die Schwingtür stieß, die splitternd aus den Scharnieren flog. Mit großen kraftvollen Sätzen setzte er ihr nach.

Susan warf Hale eine Stehlampe als Stolperfalle in den Weg, doch er sprang geschickt darüber hinweg und kam schnell näher. Wie eine stählerne Klammer glitt sein Arm von hinten um ihre Taille. Sein Bizeps presste ihr die Luft aus den Lungen. Susan schrie auf vor Schmerz.

Wild um sich schlagend, setzte sie sich zur Wehr. Als ihr Ellbogen eher zufällig gegen etwas Knorpeliges stieß, fiel Hales Umklammerung von ihr ab. Er schlug die Hände schützend über die Nase und ging schreiend in die Knie.

Susan flitzte zum Ausgang und sprang auf die Kontaktplatte. Sie flehte zum Himmel, Strathmore möge in diesem Augenblick wieder für Strom sorgen und die Tür aufgehen lassen, aber die Flucht endete mit einer hilflosen Trommelei ihrer Fäuste gegen das dicke Glas.

Hale torkelte mit blutender Nase herbei. Im Nu umklammerte sein Arm wieder Susans Taille. Seine Gürtelschnalle bohrte sich in ihr Kreuz, seine rechte Hand umfasste fest ihre linke Brust. Als er Susan von der Tür fortzerrte, verlor sie die Schuhe.

Sie ruderte schreiend mit den Armen, doch ihre Gegenwehr war fruchtlos. Hale besaß unglaubliche Kräfte. In einer einzigen fließenden Bewegung hob er Susan hoch und legte sie neben dem Rundtisch mit den Terminals auf dem Teppichboden ab.

Susan fand sich plötzlich auf dem Rücken wieder. Ihr Rock war bis zu den Hüften hochgerutscht, einige Blusenknöpfe aufgesprungen. Ihre Brust wogte im bläulichen Licht. Hale hatte sich mit seinem vollen Gewicht rittlings auf sie gehockt und presste sie auf den Boden. Voller Entsetzen starrte Susan ihn an. Ein schwer deutbarer Ausdruck stand in seinen Augen – es mochte Wut sein, oder war es etwa Angst? Hales Blicke bohrten sich in Susans Leib. Eine neue Welle der Panik rollte über sie hinweg. Alles, was sie je zum Thema Selbstverteidigung gelernt hatte, schoss ihr durch den Kopf. Sie versuchte, zu kämpfen, aber ihre Glieder versagten ihr den Dienst. Gefühllos geworden, schloss sie die Augen.

Oh Gott, bitte nicht!

Kapitel 65

Brinkerhoff ging in Midges Büro hin und her. »Kein Mensch kann Gauntlet umgehen! Ausgeschlossen!«

»Falsch!«, gab sie zurück. »Ich habe gerade mit Jabba gesprochen. Letztes Jahr hat er eigens einen Programmschalter dafür installiert.«

Brinkerhoff sah sie skeptisch an. »Davon habe ich noch nie etwas gehört.«

»Da bist du nicht der Einzige. Das ist damals ganz heimlich über die Bühne gegangen.«

»Aber Midge«, wandte Brinkerhoff ein, »Jabba ist in Sachen Computersicherheit doch geradezu ein Zwangsneurotiker! Niemals würde er ...«

»Strathmore hat ihn praktisch dazu gezwungen«, fiel ihm Midge ins Wort.

Brinkerhoff hörte die Rädchen in ihrem Kopf arbeiten.

»Weißt du noch, letztes Jahr, als Strathmore diesen antisemitischen Terroristenring in Kalifornien auf dem Kieker hatte?«

Brinkerhoff nickte. Es war damals einer der größten Coups Strathmores gewesen. Bei der Dechiffrierung eines abgefangenen Codes mit Hilfe des TRANSLTR war er auf den Plan eines Bombenattentats auf eine jüdische Schule in Los Angeles gestoßen. Die verschlüsselte Nachricht der Terroristen konnte erst zwölf Minuten vor der geplanten Bombenexplosion geknackt werden. In letzter Sekunde hatte Strathmore mit ein paar Blitztelefonaten dreihundert Schulkinder retten können.

»Dazu muss man aber wissen«, sagte Midge und senkte dramatisch die Stimme, »dass Strathmore die verschlüsselte Nachricht schon *sechs* Stunden vor dem geplanten Bombenattentat abgefangen hatte.«

Brinkerhoff war einen Moment sprachlos. »Aber... aber warum hat er dann so lange gewartet...«

»Weil der TRANSLTR die Datei nicht angenommen hat! Strathmore hat alles versucht, aber die Gauntlet-Filter haben die Datei immer wieder zurückgewiesen. Sie war mit einem Public-Key-Algorithmus chiffriert, den die Filter noch nicht kannten. Jabba hat fast sechs Stunden gebraucht, bis er die Filter entsprechend umprogrammiert hatte.«

Brinkerhoff war platt.

»Strathmore hat natürlich gekocht und von Jabba verlangt, dass er ihm einen Programmschalter zum Umgehen von Gauntlet installiert, damit so was nicht wieder vorkommmt.«

»Mann, oh Mann.« Brinkerhoff pfiff durch die Zähne. »Das war mir völlig unbekannt.« Seine Augen verengten sich. »Und worauf willst du hinaus?«

»Ich glaube, dass Strathmore heute wieder einmal auf diesen Programmschalter gedrückt hat, um eine Datei zu bearbeiten, die Gauntlet zurückgewiesen hat.«

»Na und? Dazu ist dieser Schalter doch da, oder?«

»Nicht, wenn die Datei einen Virus hat.«

Brinkerhoff machte einen Satz. »Einen Virus? Wie kommst du auf einen Virus?«

»Das ist die einzige logische Erklärung«, sagte Midge. »Jabba sagt, nur ein Virus könne den TRANSLTR so lange auf Trab halten, also...«

»Moment mal!« Brinkerhoff wedelte mit dem Zeigefinger. »Strathmore hat gesagt, dass alles in bester Ordnung sei!«

»Strathmore lügt.«

Brinkerhoff blickte nicht mehr durch. »Willst du etwa behaupten, Strathmore hätte *absichtlich* dem TRANSLTR einen Virus verpasst?«

»Ach was!«, winkte Midge ab. »Natürlich nicht. Ich glaube, er ist hereingelegt worden.«

Brinkerhoff wusste nicht, was er darauf antworten sollte. Mit Midge Milken war offenbar die Fantasie durchgegangen.

»Das würde so manches erklären«, beharrte sie, »zum Beispiel, warum Strathmore schon die ganze Nacht zu Gange ist.«

»Um seinen eigenen Computer mit einem Virus zu verseuchen?«

»Nein«, sagte Midge ärgerlich, »um seinen Fehler zu vertuschen. Und weil der Virus sämtliche Prozessoren blockiert, kriegt er den TRANSLTR nicht mehr abgeschaltet, und folglich hat er auch nicht genügend Strom für das Licht in der Kuppel.«

Brinkerhoff verdrehte die Augen. Midge hatte in der Vergangenheit schon öfter Ahnungen gehabt, aber hier war wohl die Fantasie mit ihr durchgegangen. Er versuchte, sie wieder auf den Teppich zu bekommen. »Jabba scheint sich keine besonderen Sorgen zu machen.«

»Jabba ist ein Idiot!«, zischte Midge.

Brinkerhoff sah sie überrascht an. Einen Idioten hatte Jabba noch keiner genannt – ein Schwein vielleicht, aber nicht einen Idioten. »Hier steht wohl deine weibliche Intuition gegen Jabbas anerkannten Sachverstand.«

Midge schoss einen missbiligenden Blick auf ihn ab.

Brinkerhoff hob begütigend die Hände. »Nichts für ungut. Ich nehme alles zurück.« Er musste zugeben, Midge hatte ein besonderes Talent, krumme Dinger zu wittern. »Midge«, sagte er begütigend, »ich weiß ja, dass du Strathmore nicht leiden kannst, aber …«

»Strathmore ist für mich schon längst aus dem Spiel!« Midge war bereits voll in Fahrt. »Wir müssen uns jetzt die Bestätigung verschaffen, dass Strathmore die Gauntlet-Filter umgangen hat, und dann wird der Chef angerufen.«

»Hervorragende Idee«, stöhnte Brinkerhoff. »Dann sollten wir Strathmore anrufen und ihn bitten, eine eidesstattliche Erklärung abzugeben.«

»Nein«, sagte Midge, ohne den Sarkasmus zur Kenntnis zu nehmen. »Strathmore hat uns heute schon einmal für dumm verkaufen wollen.« Sie sah Brinkerhoff prüfend an. »Du hast doch einen Schlüssel für Fontaines Büro.«

»Natürlich, schließlich bin ich sein persönlicher Referent!«

»Gib ihn mir.«

Brinkerhoff sah Midge erstaunt an. »Midge, und wenn du dich auf den Kopf stellst, ich werde dich niemals in Fontaines Büro lassen!«

»Du musst aber!« Midge wandte sich ab und tippte auf der Tastatur von Big Brother herum. »Ich brauche eine Warteschlangenliste vom TRANSLTR. Wenn Strathmore die Gauntlet-Filter umgangen hat, wird man es auf dem Ausdruck der Liste sehen können.«

»Und wozu musst du dafür in Fontaines Büro?«

Midge wirbelte herum. »Wie du eigentlich wissen solltest, kann man sich die Warteschlangenliste nur auf Fontaines eigenem Drucker ausdrucken lassen!«

»Jawohl, Midge, weil die Liste nämlich der Geheimhaltung unterliegt!«

»Wir haben eine Notsituation. Ich muss diese Liste einsehen.«

Brinkerhoff legte ihr die Hände auf die Schultern. »Midge, bitte beruhige dich. Du weißt genau, dass ich niemanden …«

Sie schnaubte vernehmlich und wandte sich wieder ihrem Keyboard zu. »Ich werde jetzt den Druckbefehl für die Warteschlangenliste eingeben. Dann gehe ich in das Büro, hole die Liste aus dem Drucker und gehe wieder raus, mehr nicht. Gib mir jetzt den Schlüssel.«

»Midge …«

Sie beendete die Befehlseingabe und drehte sich um. »Chad, die Liste kommt in dreißig Sekunden aus dem Drucker. Ich mache dir ein Angebot. Du gibst mir den Schlüssel. Wenn Strathmore die Filter umgangen hat, rufen wir den Sicherheitsdienst. Wenn ich mich getäuscht habe, gehe ich nach Hause, und du kannst Carmen Huerta so viel Honig auf die Titten schmieren, wie du willst.« Sie lächelte ihn hinterhältig an und streckte die Hand aus. »Den Schlüssel bitte, ich warte!«

Brinkerhoff stöhnte auf. Er bereute zum zweiten Mal, dass er Midge zurückgerufen hatte. Er betrachtete die Hand, die sie ihm entgegenstreckte. »Midge, hier geht es um Geheimmaterial, das sich im Verfügungsbereich des Direktors befindet. Machst du dir überhaupt eine Vorstellung davon, was passiert, wenn man uns erwischt?«

»Der Direktor ist in Südamerika.«

»Tut mir leid. Das kann ich nicht machen, und damit basta!« Brinkerhoff drehte sich auf dem Absatz um und verließ den Raum.

Midge starrte ihm hinterher. In ihren grauen Augen funkelte es. »Und ob du das machen kannst«, flüsterte sie. Sie wandte sich Big Brother zu und rief das Video-Archiv auf.

Midge wird sich schon wieder einkriegen, dachte Brinkerhoff, während er sich an den Schreibtisch setzte, um die restlichen Berichte durchzugehen. Schließlich konnte Midge nicht von ihm erwarten, dass er ihr jedes Mal, wenn sie Gespenster sah, den Schlüssel zum Büro des Direktors aushändigte.

Er hatte sich soeben in den Bericht über die COMSEC-Ausfälle vertieft, als er störendes Stimmengewirr vernahm. Er unterbrach seine Arbeit und ging zur Tür.

Der Flur war dunkel, bis auf einen schwachen gräulichen Lichtschimmer, der aus Midges halb geöffneter Bürotür fiel. Er lauschte. Die Stimmen brachen nicht ab. Sie klangen erregt.

»Midge?«

Keine Antwort.

Er näherte sich ihrem Büro. Die Stimmen kamen ihm irgendwie bekannt vor. Er machte die Tür ganz auf. Das Büro war leer. Brinkerhoffs Blick folgte den Stimmen, die von den Videomonitoren kamen. Auf jedem der zwölf Bildschirme spielte die gleiche Szene – eine Art pervers choreographiertes Ballett. Brinkerhoff stützte sich auf die Lehne von Midges Schreibtischsessel. Entsetzt betrachtete er die Bilder. Es wurde ihm fast schlecht.

»Chad?«, sagte jemand hinter ihm draußen auf dem Gang.

Er fuhr herum und spähte ins Dunkel.

Midge Milken lehnte auf der anderen Seite des Empfangsbereichs lässig im Rahmen der Doppeltür zum Büro des Direktors und streckte die Hand aus. »Den Schlüssel, Chad.«

Puterrot wandte sich Brinkerhoff wieder den Monitoren zu. Er versuchte, die Bilder an sich abgleiten zu lassen, aber vergeblich. Auf allen Bildschirmen war zu sehen, wie er vergnügt an Carmen Huertas honigbekleckerten kleinen Brüsten nuckelte.

KAPITEL 66

David Becker durchquerte die Empfangshalle. Vor der Tür mit dem Schild CABALLEROS standen ein orangefarbener Pylon und ein Putzwagen mit Putzmitteln und Mopps. Er betrachtete eine Tür daneben mit der Aufschrift SEÑORAS, bevor er hinüberging und laut anklopfte.

»*¿Hallo?*«, rief er und öffnete die Tür ein paar Zentimeter, »*¿Con permiso?*«

Als keine Antwort kam, trat er ein.

Die Toilette bot das typische Bild einer spanischen Einrichtung dieser Art – absolut quadratisch, eine einzige nackte Birne an der Decke, und wie üblich ein Toilettenhäuschen und ein Urinal. Ob das Urinal in einer Damentoilette jemals Verwendung fand, stand nicht zur Debatte. Seine Installation ersparte dem Bauunternehmer die Kosten für den Einbau eines zweiten Häuschens.

Becker betrachtete schaudernd das schmutzstarrende Ambiente. Im Waschbecken stand eine dunkelbraune Brühe, der Abfluss war verstopft. Überall lagen schmutzige Papierhandtücher herum. Der antiquierte Föhn in der Wandhalterung war mit grünlichen Flecken übersät.

Becker trat vor den Spiegel und seufzte. Die Augen, die ihn normalerweise wach und klar aus dem Spiegel entgegenblickten, hatten ihren Glanz verloren. *Wie lange bist du eigentlich schon auf den Beinen?*, fragte er sich, kam aber zu keinem genauen

Ergebnis. Aus purer Gewohnheit zog er den Windsorknoten seiner Krawatte fest.

Er stellte sich vor das Urinal. *Ob Susan inzwischen zu Hause war? Wo mochte sie hingegangen sein? Auf eigene Faust nach Stone Manor?*

»Hey!«, rief hinter ihm eine zornige Frauenstimme.

Becker fuhr zusammen. »Ich habe nur ...«, stotterte er und zog schnell den Reißverschluss seiner Hose wieder zu. »Es tut mir leid, ich ...«

Er wandte sich um. Ein adrett gekleidetes junges Mädchen war eingetreten. Mit seiner klassisch geschnittenen Karohose und einer weißen ärmellosen Bluse sah es aus wie den Seiten eines Modemagazins entsprungen. Es schleppte eine rote Nylonreisetasche mit sich. Das blonde Haar war makellos in Fasson geföhnt.

»Entschuldigen Sie.« Becker versuchte unauffällig den Gürtel zuzumachen. »Die Herrentoilette war... na ja... ich bin schon fort.«

»Verdammter Wichser!«

Becker prallte zurück. Die ordinäre Ausdrucksweise passte ganz und gar nicht zum Erscheinungsbild des Mädchens. Es war, als flösse Jauche aus einer Kristallkaraffe. Je länger Becker das Mädchen ansah, desto mehr bröckelte sein erster Eindruck. Ihre Augen waren verquollen und blutunterlaufen, ihr linker Unterarm geschwollen. Unter der stark geröteten Haut zeichneten sich bläuliche Flecken ab.

Mein Gott, dachte Becker, *Drogen in die Armvene! Wer hätte das gedacht?*

»Raus jetzt!«, schrie das Mädchen.

Becker vergaß den Ring, die NSA, das ganze Theater. Er machte sich Sorgen um das junge Ding. Die Eltern hatten es vermutlich als Austauschschülerin mit einer Kreditkarte herübergeschickt – und das Ende vom Lied war ein nächtlicher Schuss in einer Toilette.

»Sind Sie okay?«, fragte er, schon auf dem Weg zur Tür.

»Mir geht es prima.« Ihre Stimme war heiser. »Hauen Sie bloß ab!«

Mit einem Blick auf ihren Unterarm wandte Becker sich endgültig zum Gehen. *David, da ist nichts mehr zu machen. Lass die Finger davon.*

»Raus!«

Becker nickte. Im Hinausgehen lächelte er dem Mädchen zu. »Passen Sie gut auf sich auf!«

Kapitel 67

»Susan!«, keuchte Hale. Sein Gesicht war dicht vor dem ihren. Die Beine angewinkelt, hockte er mit seinem vollen Gewicht auf Susans Leib. Durch den dünnen Stoff von Susans Rock bohrte sich sein Steißbein schmerzhaft in ihre Schamgegend. Aus seiner Nase troff Blut auf sie herab. Seine Hände waren an ihrer Brust. Susan spürte den Mageninhalt hochkommen.

Sie war gefühllos geworden. Es dauerte einige Zeit, bis sie merkte, dass Hale ihre Bluse zuknöpfte und ihren Rock wieder in Form brachte.

»Susan«, keuchte er atemlos, »du musst mich hier herausbringen!«

Sie war wie betäubt. Nichts passte mehr zusammen.

»Susan, du musst mir helfen! Strathmore hat Charturkian umgebracht! Ich hab's gesehen!«

Susan brauchte einen Moment, bis sie den Satz verdaut hatte. *Strathmore soll Charturkian umgebracht haben?* Hale wusste offenbar nicht, dass sie ihn dort unten gesehen hatte.

»Strathmore weiß, dass ich ihn beobachtet habe«, stieß Hale hervor. »Er wird auch mich umbringen!«

Susan wagte vor lauter Angst kaum zu atmen, sonst hätte sie Hale laut ins Gesicht gelacht. Sie erkannte die Taktik des ausgebildeten Marinesoldaten. *Teile und herrsche* – Lügen erfinden, die Leute gegeneinander ausspielen.

»Ich erzähle keine Märchen, es stimmt!«, schrie er. »Wir

müssen Hilfe herbeirufen. Ich sage dir, wir schweben beide in höchster Gefahr!«

Susan glaubte ihm kein Wort.

Hales Beine verkrampften sich. Beim Verlagern des Gewichts erhob er sich ein klein wenig in die Hocke. Er wollte etwas sagen, aber dazu kam er nicht.

Als sich Hales schwerer Körper hob, strömte schlagartig wieder das Blut in Susans Beine. Bevor sie begriffen hatte, was geschah, schnellte ihr linkes Knie reflexhaft hoch und grub sich in Hales Weichteile.

Hale fiel jaulend in sich zusammen. Sein Geschlecht in den Händen bergend, kippte er zur Seite. Susan schlängelte sich unter ihm hervor und machte ein paar taumelnde Schritte zum Ausgang, doch sie wusste nur zu gut, dass ihre Kräfte zum Öffnen der Tür nicht ausreichten.

Einer Eingebung folgend, blieb sie an der Schmalseite des langen Besprechungstischs aus Ahorn stehen. Sie stemmte die Füße in den Teppichboden und schob den Tisch mit aller Kraft wie einen Rammbock zur Glaswand. Zum Glück hatte das Monstrum Rollen und ließ sich hervorragend schieben. Auf halbem Weg zur Spiegelwand war Susan schon in vollem Lauf.

Anderthalb Meter vor dem Aufprall ließ sie den Tisch fahren, warf sich zur Seite und bedeckte die Augen. Es gab ein wüstes Krachen, und die Einweg-Spiegelwand zerbarst in einem Scherbenregen. Zum ersten Mal seit dem Bau der Anlage drangen die Geräusche der Kuppel herein.

Susan hob den Kopf. Durch das gezackte Loch konnte sie gerade noch den Tisch in weitem Schwung über den Kachelboden gleiten und in der Dunkelheit verschwinden sehen.

Sie fuhr in ihre herumliegenden Schuhe. Mit einem letzten Blick auf Greg Hale, der sich immer noch vor Schmerzen wand, rannte sie durch ein Meer von Scherben in die Kuppel hinaus.

Kapitel 68

»Na, das war doch gar nicht so schwer!«, sagte Midge und feixte, während sie von Brinkerhoff den Schlüssel für Leland Fontaines Büro entgegennahm.

Brinkerhoff bot den Anblick eines geschlagenen Mannes.

»Ich werde das Band vor dem Nachhausegehen löschen«, stellte Midge in Aussicht, »es sei denn, das Ehepaar Brinkerhoff legt Wert darauf, es seiner Privatsammlung einzuverleiben.«

»Hol dir bloß den verdammten Ausdruck«, zischte Brinkerhoff, »und dann verschwinde!«

»*Sí, señor*«, schnarrte Midge mit puerto-ricanischem Akzent. Sie blinzelte Brinkerhoff zu und schloss die Doppeltür auf.

Leland Fontaines Büro glich in nichts dem Rest der Chefetage. Keine Bilder an der Wand, keine Polsterfauteuils, keine Ficuspflanzen im Topf, keine antike Uhr. Alles war bis ins Letzte auf Zweckmäßigkeit angelegt. Der Schreibtisch mit Glasplatte und der schwarze Ledersessel waren unmittelbar vor dem Panoramafenster aufgestellt. In der Ecke standen drei Aktenschränke, daneben ein kleiner Tisch mit einer französischen Kolbenfilter-Kaffeekanne. Der Mond hing hoch am Himmel über Fort Meade. Das durch das Fenster hereinfallende blasse Licht ließ die Kargheit des Chefbüros ungemildert hervortreten.

Worauf hast du dich da bloß eingelassen?, fragte sich Brinkerhoff.

Midge ging zum Drucker und zog die Warteschlangenliste aus dem Schacht. »Ich kann nichts erkennen«, meckerte sie. »Mach doch mal das Licht an!«

»Du wirst die Liste *draußen* lesen, meine Liebe, und nun komm!«

Midge schien die Situation bis zur Neige auskosten zu wollen. Sie stöckelte zum Fenster, wo sie den Ausdruck schräg ins Mondlicht hielt, um ihn besser lesen zu können.

»Midge …«

Sie ließ sich nicht stören.

Brinkerhoff trat von einem Bein aufs andere. »Midge, nun mach schon. Das ist das Büro des Chefs!«

»Ich weiß, dass es hier irgendwo stehen muss«, murmelte sie. »Strathmore hat die Filter schachmatt gesetzt. Ich weiß es einfach.« Sie trat noch näher an die Scheibe.

Brinkerhoff fing an zu schwitzen.

Midge las in aller Seelenruhe weiter. Plötzlich schnappte sie nach Luft. »Ich hab's doch gewusst! Strathmore hat die Gauntlet-Filter umgangen. Dieser Idiot!« Triumphierend wedelte sie mit dem Ausdruck in der Luft herum. »Er hat Gauntlet umgangen! Hier, sieh's dir an!«

Brinkerhoff schaute einen Moment lang dumm aus der Wäsche, dann rannte er quer durch das Büro seines Chefs zu Midge und drängte sich neben sie ans Fenster. Sie deutete auf das Ende des Ausdrucks.

Brinkerhoff konnte nicht glauben, was er da las. »Was zum Teufel hat …«

Auf dem Ausdruck stand eine Liste der letzten sechsunddreißig in den TRANSLTR eingegebenen Dateien. Hinter jedem Eintrag stand ein vielstelliger Gauntlet-Freigabecode. Bei der letzten Datei jedoch fehlte er. Stattdessen stand dort FILTER MANUELL UMGANGEN.

Ach du dickes Ei, dachte Brinkerhoff. *Midge hat wieder einmal zugeschlagen.*

»Dieser Schwachkopf!«, zischte Midge. »Sieh dir das an! Gauntlet hat die Datei zweimal abgewiesen. Wegen Mutationsketten. Und er hat die Filter trotzdem umgangen! Was hat sich dieser Idiot dabei nur gedacht?«

Brinkerhoff hatte weiche Knie bekommen. Zu gern hätte er gewusst, warum Midge am Ende immer Recht behielt.

Sie bemerkten beide nicht das Spiegelbild, das neben ihnen im Glas der Fensterscheibe auftauchte. In der offenen Tür von Fontaines Büro stand eine wuchtige Gestalt.

»Mein Gott!«, keuchte Brinkerhoff, »du glaubst also wirklich, dass wir einen Virus haben?«

Midge seufzte. »Was soll es denn sonst sein?«

»Jedenfalls nichts, was Sie beide etwas angeht!«, dröhnte eine Stimme hinter ihnen.

Sie fuhren herum. Midge knallte mit dem Kopf gegen die Fensterscheibe, Brinkerhoff stolperte über den Drehfuß des Schreibtischsessels seines Chefs. Er wusste sofort, wer dort im Türrahmen stand.

»Herr Direktor!«, japste er und eilte mit zum Gruß weit ausgestreckter Hand zur Tür. »Willkommen zu Hause, Sir!«

Der hünenhafte Mann ignorierte die Hand.

»Ich … ich habe gedacht, Sie wären in Südamerika«, stotterte Brinkerhoff und ließ die Hand sinken.

Leland Fontaine durchbohrte seinen Referenten mit Blicken wie Dolche. »Gewiss. Aber jetzt bin ich wieder hier.«

Kapitel 69

»Hey, Mister!«

Becker war auf dem Weg zu einer Batterie von Münzfernsprechern. Er blieb stehen und drehte sich um. Das Mädchen, das ihn in der Damentoilette überrascht hatte, winkte. »Mister, warten Sie!«

Das wird ja immer besser, stöhnte Becker. *Will sie dich jetzt wegen sexueller Belästigung anzeigen*?

Die große Reisetasche hinter sich herzerrend, kam das Mädchen herbeigelaufen. Als es vor ihm stand, lächelte es ihn freundlich an. »Tut mir leid, dass ich Sie in der Toilette so angeschrien habe. Ich habe mich einfach nur erschreckt.«

»Schon vergessen«, sagte Becker. »Eigentlich hatte ich dort ja auch nichts zu suchen.«

»Halten Sie mich bitte nicht für verrückt«, sagte die Halbwüchsige und blinzelte mit den rot geränderten Augen, »aber hätten Sie vielleicht ein paar Mäuse übrig, die Sie mir pumpen könnten?«

Becker schaute sie mit ungläubigen Augen an. »Wofür wollen Sie das Geld denn haben?« *Deine Drogensucht werde ich dir nicht finanzieren, meine Liebe, falls du das im Sinn hast!*

»Ich möchte nach Hause fliegen«, sagte das Mädchen. »Würden Sie mir helfen?«

»Sie haben wohl Ihr Flugzeug verpasst.«

Sie nickte. »Ich hab mein Ticket verloren, und da wollten

mich die Arschlöcher nicht an Bord lassen. Und jetzt habe ich kein Geld mehr, um mir ein neues Ticket zu kaufen.«

»Wo sind Sie denn zu Hause?«

»In den Staaten.«

»Können Sie nicht Ihre Eltern anrufen?«

»Nein, schon probiert. Vermutlich sind sie zum Wochenende mit irgendjemand segeln gegangen.«

»Haben Sie denn keine Kreditkarte?«, sagte Becker mit einem Blick auf die teure Kleidung des Mädchens.

»Ja, hatte ich, aber mein Dad hat sie sperren lassen. Er glaubt, ich würde Drogen nehmen.«

»*Nehmen* Sie denn Drogen?«, sagte Becker mit ausdruckslosem Gesicht. Er beäugte den geschwollenen Unterarm des Mädchens.

Das Mädchen starrte ihn empört an. »Natürlich nicht!«, sagte es und tat beleidigt. Becker bekam das Gefühl, dass er über den Tisch gezogen werden sollte.

»Nun machen Sie keinen Aufstand«, sagte es. »Sie sehen aus wie jemand, der Kohle hat. Könnten Sie nicht ein bisschen davon abdrücken, damit ich nach Hause fliegen kann? Ich schicke Ihnen die Knete auch wieder zurück.«

Für Becker war klar, dass jeder Peso, den er dem Mädchen gab, im Nu in den Klauen eines Drogenhändlers von Triana landen würde. »Ich gehöre nicht zu den Leuten, die Kohle haben«, entgegnete Becker. »Aber ich sage Ihnen, was wir machen können ...« *Ich werde dich beim Wort nehmen, mein Kind.* »Was halten Sie davon, wenn ich Ihnen das Ticket kaufe?«

Das Mädchen schaute ihn verdattert an. »Das würden Sie tun?«, stammelte es, die Augen hoffnungsvoll aufgerissen. »Sie würden mir ein Ticket kaufen, damit ich nach Hause fliegen kann? Oh Gott, wie soll ich Ihnen dafür danken?«

Becker war sprachlos. Offenbar hatte er das Mädchen falsch eingeschätzt.

Das Mädchen schlang ihm die Arme um den Hals. »Das

war ein ganz beschissener Sommer«, schluchzte es. »Oh danke, vielen Dank. Ich muss unbedingt weg von hier.«

Becker drückte es halbherzig. Das Mädchen ließ ihn los. Er betrachtete wieder die bläulichen Male an ihrem Unterarm.

Es folgte seinem Blick. »Sieht schaurig aus, nicht?«

Becker nickte. »Ich dachte, Sie hätten gesagt, dass Sie keine Drogen nehmen.«

Das Mädchen lachte. »Das ist blauer Marker! Er ist total verschmiert. Ich habe mir fast die Haut abgerubbelt, bis ich ihn wieder runterhatte.«

Becker sah genauer hin. Im Licht der Leuchtstoffröhren konnte er auf dem rötlich geschwollenen Arm undeutlich eine Schrift erkennen.

»Aber … Ihre *Augen*!«, sagte Becker einigermaßen ratlos. »Die sind doch ganz rot!«

Sie lachte auf. »Ich habe geheult, wissen Sie, weil ich meinen Flug verpasst habe. Habe ich Ihnen doch gesagt!«

Becker betrachtete wieder die Schrift auf dem Arm.

Das Mädchen zog peinlich berührt die Stirn kraus. »Man kann es immer noch lesen, nicht wahr?«

Becker kam etwas näher. Die vier Wörter waren noch gut zu erkennen, die Botschaft hätte klarer nicht sein können. Vor seinem inneren Auge rasten die letzten zwölf Stunden im Schnelllauf vorbei. Er war wieder im Hotel Alfonso XIII in Suite 301. Der Deutsche patschte auf seinen Unterarm und sagte in miserablem Englisch *fock off and die.*

»Sie sehen auf einmal so komisch aus!«, sagte das Mädchen und schaute Becker unsicher an, der wie weggetreten wirkte.

Becker hob den Blick nicht von ihrem Arm. Er war wie vom Donner gerührt. Auf dem Arm des Mädchens standen vier Wörter. FUCK OFF AND DIE.

»Das hat ein Freund von mir draufgeschrieben«, sagte das Mädchen. Es war ihm sichtlich unangenehm. »Ziemlich blöd, was?«

Becker fand keine Worte. *Fuck off and die.* Er konnte es nicht fassen. Der Deutsche hatte ihn nicht beleidigen wollen – er wollte ihm helfen! Becker hob den Blick und betrachtete das Gesicht des Mädchens. Blau-weiß-rote Farbspuren schimmerten im Licht der Leuchtstoffröhren in seinem blonden Haar.

»Sie … Sie tragen nicht zufällig Ohrringe?«, stotterte Becker und spähte nach einem Loch in ihrem Ohrläppchen.

Das Mädchen sah ihn merkwürdig berührt an. Es zog einen kleinen Gegenstand aus der Tasche und hielt ihn Becker hin.

»Ein Ohrclip?«, sagte Becker fassungslos und starrte den Totenkopf an, der an einem Kettchen baumelte.

»Na klar! Ich habe keinen Bock, mir Löcher in die Ohren stechen zu lassen. Wenn ich Nadeln sehe, mache ich mir vor lauter Angst immer in die Hosen!«, sagte das Mädchen.

Kapitel 70

David Becker stand mitten im menschenleeren Empfangsgebäude. Seine Beine drohten nachzugeben. Er betrachtete das Mädchen, das vor ihm stand. Die Suche war vorbei. Megan war noch nicht unterwegs nach New York. Sie hatte sich umgezogen und die Haare gewaschen – vielleicht weil sie hoffte, den Ring so besser an den Mann bringen zu können.

Becker bemühte sich, ruhig zu bleiben. Seine Irrfahrt war so gut wie beendet. Er betrachtete Megans Finger. Nirgendwo ein Ring. Er betrachtete ihre Reisetasche. *Da ist er drin,* dachte er. *Da muss er drin sein.*

Er lächelte. Es gelang ihm kaum, seine Erregung zu kaschieren. »Es hört sich vielleicht verrückt an, aber Sie dürften etwas haben, das ich dringend brauche.«

»Oh?«, machte Megan. Sie wirkte auf einmal befangen.

Becker griff nach der Brieftasche. »Es wird mir natürlich eine Freude sein, Sie dafür zu bezahlen.« Er begann, ein paar Scheine abzuzählen.

Megan, die ihn beobachtete, sog erschrocken die Luft ein und schickte einen ängstlich abschätzenden Seitenblick zur Drehtür … fünfzig Meter.

»Ich werde Ihnen reichlich Geld geben, wenn Sie …«

»Sagen Sie es nicht!«, stieß Megan hervor. »Ich glaube, ich weiß genau, was Sie wollen.« Sie beugte sich über ihre Reisetasche und begann, hektisch darin herumzuwühlen.

Ein Schwall der Hoffnung überflutete Becker. *Sie hat ihn!*, triumphierte er. *Sie hat den Ring!* Er begriff zwar nicht so recht, woher sie so genau wusste, was er wollte, aber er war zu müde, um sich darüber lange Gedanken zu machen. Jeder Muskel seines Körpers entspannte sich. Er sah sich bereits dem stellvertretenden Direktor der NSA den Ring aushändigen. Wenig später würde er mit Susan in Stone Manor im großen Himmelbett liegen und alles Versäumte nachholen.

Megan schien endlich gefunden zu haben, wonach sie gesucht hatte. Sie kam plötzlich mit einer kleinen Sprühdose hoch, feuerte Becker einen Strahl Pfefferspray in die Augen, packte ihre Tasche und rannte zum Ausgang. Als sie unterwegs einen Blick über die Schulter warf, lag Becker auf dem Boden und krümmte sich.

Kapitel 71

Tokugen Numataka zündete sich die vierte Zigarre an. Er tigerte immer noch auf und ab. Schließlich schnappte er den Telefonhörer und rief die Hausvermittlung an.

»Hat sich wegen dieser Telefonnummer schon etwas getan?«, sagte er, ohne die Meldung der Telefonistin abzuwarten.

»Bislang noch nicht. Es dauert etwas länger als erwartet – der Anruf ist von einem Mobiltelefon gekommen.«

Von einem Handy?, sinnierte Numataka.

»Die Relaisstation steht in dem Gebiet mit dem Code 202«, setzte die Telefonistin hinzu. »Die Nummer haben wir allerdings noch nicht.«

»202? Und wo ist das?« *Wo in diesem riesigen Amerika hält sich North Dakota versteckt?*

»Irgendwo in der Nähe von Washington, D.C.«

Numataka hob die Brauen. »Melden Sie sich sofort, wenn Sie die Nummer haben!«

Kapitel 72

Susan Fletcher machte sich über die im Dunkeln liegende Gittertreppe auf den Weg zu Strathmores Büro – so weit weg von Hale, wie es in dem verschlossenen Komplex eben ging.

Oben angekommen, fand sie die Bürotür des Commanders unverschlossen in den Angeln hängend vor. Der Stromausfall hatte die elektronische Schließvorrichtung schachmatt gesetzt. Sie stürzte in das von Strathmores Bildschirm schwach beleuchtete Büro.

»Commander!«, rief sie. *»Commander!«*

Plötzlich fiel ihr wieder ein, dass Strathmore im Sys-Sec-Lab war. Susan drehte nervöse Kreise in dem leeren Büro. Die Panik von dem Kampf mit Hale steckte ihr noch in den Knochen. Diabolus hin oder her – sie musste aus der Kuppel heraus, und zwar sofort. Es war an der Zeit, den TRANSLTR abzuschalten und zu verschwinden.

Sie streifte Strathmores leuchtenden Monitor mit einem Blick. Von diesem autorisierten Terminal aus war das Abschalten kein Problem. Im nächsten Augenblick stand sie hinter dem Schreibtisch. Susan manövrierte sich in das entsprechende Befehlsfenster und tippte:

PROGRAMM ABBRECHEN

Ihr Finger schwebte über der Enter-Taste.

»Susan!«, bellte eine Stimme an der Tür. Entsetzt fuhr sie hoch, aber es war nicht Hale, wie befürchtet, sondern Strathmore. Im Licht des Bildschirms stand er blass und gespenstisch auf der Schwelle. Sein Atem ging schwer. »Was zum Teufel treiben Sie hier?«

»Commander!«, japste Susan, »Hale ist in Node 3! Er ist gerade auf mich losgegangen!«

»Was? Wie kann das sein? Er ist doch unten in …«

»Nein, ist er nicht, er läuft frei herum! Wir müssen den Sicherheitsdienst rufen! Ich bin gerade dabei, den TRANSLTR abzuschalten.« Susans Hand fuhr wieder zur Tastatur.

»FINGER WEG!«, brüllte Strathmore. Mit einem Sprung war er an seinem Terminal und riss Susans Hand fort.

Susan zuckte zurück. Sie starrte den Commander an. Zum zweiten Mal an diesem Tag erkannte sie ihn nicht wieder.

Sie fühlte sich auf einmal sehr einsam.

Erschrocken bemerkte Strathmore das Blut auf Susans Bluse. Er bedauerte seinen Ausbruch sofort. »Susan, mein Gott, sind Sie verletzt?«

Sie antwortete nicht.

Strathmore bedauerte, dass er sie angefahren hatte, aber seine Nerven lagen blank. Er musste an allen Ecken und Enden Löcher stopfen, und in seinem Kopf gingen Dinge vor, von denen Susan Fletcher keine Ahnung hatte. Dinge, in die er sie nicht eingeweiht hatte und hoffentlich niemals würde einweihen müssen.

»Es tut mir leid«, sagte er leise. »Erzählen Sie, was geschehen ist.«

Susan wandte sich ab. »Das ist jetzt gleichgültig. Das Blut ist übrigens nicht von mir. Bringen Sie mich einfach nur hier raus.«

»Sind Sie wirklich nicht verletzt?« Strathmore wollte Susan die Hand auf die Schulter legen, doch sie wich ihm aus. Er ließ die Hand sinken und wandte den Blick ab. Als er Susan wieder ansah, schien sie über seine Schulter hinweg etwas anzustarren, das sich hinter ihm an der Wand befand.

Strathmore folgte stirnrunzelnd Susans Blick. Ein kleines Tastenfeld leuchtete hinter ihm unverdrossen in die Dunkelheit. Er hatte gehofft, Susan würde das betriebsbereite Panel seines Privatlifts nicht bemerken, der ihm und hochrangigen Gästen zur Verfügung stand, um die Crypto-Kuppel von den Mitarbeitern unbemerkt betreten zu können. Der Lift fuhr fünfzehn Meter nach unten und dann durch eine verstärkte horizontale Tunnelröhre hinüber in die Kelleretagen des NSA-Gebäudekomplexes. Die Stromversorgung erfolgte vom Hauptgebäude aus, weshalb der Lift trotz des Stromausfalls in der Crypto-Abteilung noch funktionierte.

Strathmore hatte die ganze Zeit gewusst, dass sein Lift noch ging, es aber für sich behalten – auch als Susan unten in der Kuppel gegen das verschlossene Drehtor des Hauptzugangs gehämmert hatte. Er konnte sich nicht leisten, sie gehen zu lassen – noch nicht, wobei er derzeit nicht abzuschätzen vermochte, wie viel er ihr preisgeben musste, damit sie von sich aus blieb.

Susan drängte sich an Strathmore vorbei und lief zur Rückwand des Büros, um wie wild auf den beleuchteten Tasten herumzutippen. »Oh, bitte!«, flehte sie, aber die Lifttür blieb zu.

»Susan«, sagte Strathmore ruhig, aber bestimmt, »für diesen Lift braucht man ein Passwort.«

»Ein Passwort?«, wiederholte sie ärgerlich. Unter dem Haupt-Tastenfeld befand sich ein zweites, kleineres mit zahlreichen kleinen Knöpfen, die jeweils einen Buchstaben des Alphabets trugen. Susan fuhr herum. »Und wie lautet das Passwort?«

Strathmore schien nachzudenken. »Susan, bitte setzen Sie sich«, sagte er und seufzte.

Susan sah ihn an, als ob sie sich verhört hätte.

»Setzen Sie sich«, wiederholte der Commander.

»Lassen Sie mich hinaus!« Susans Augen flogen ängstlich zur Bürotür.

Mit einem Blick auf Susan Fletcher begab sich Strathmore zu seiner Bürotür, trat hinaus auf den davor liegenden Treppenabsatz und spähte in die Dunkelheit. Von Hale war nichts zu sehen und zu hören. Strathmore kam wieder herein, schob die Tür zu und stellte einen Stuhl davor, damit sie nicht wieder aufschwang, ging an seinen Schreibtisch und holte etwas aus der Schublade. Im blassblauen Bildschirmlicht konnte Susan erkennen, was es war. Sie erbleichte. Es war eine Pistole.

Strathmore zog zwei bequeme Stühle heran und rückte sie der angelehnten Tür gegenüber in die Mitte seines Büros. Er setzte sich, hob die matt glänzende Beretta Halbautomatik und zielte auf die Tür, um die Waffe nach einer Weile wieder sinken zu lassen und in den Schoß zu legen.

»Susan, hier sind wir sicher«, sagte er feierlich. »Wenn Greg Hale sich zu dieser Tür hereinwagen sollte …« Er ließ den Satz unvollendet.

Susan fehlten die Worte.

Im schwachen Licht seines Büros sah Strathmore Susan auffordernd an. »Susan, wir müssen uns jetzt einmal in aller Ruhe unterhalten.« Er klopfte mit der flachen Hand auf das Polster des zweiten Stuhls. »Setzten sie sich. Ich muss Ihnen etwas sagen.« Susan rührte sich nicht. »Wenn ich fertig bin, werde ich Ihnen das Passwort für den Lift geben. Sie können dann selbst entscheiden, ob Sie gehen oder hier bleiben wollen.«

Es war lange still. Schließlich kam Susan wie in Trance herbei und ließ sich neben Strathmore nieder.

»Susan«, hob er an, »ich bin nicht ganz ehrlich zu Ihnen gewesen.«

Kapitel 73

David Becker kam sich vor, als hätte man sein Gesicht mit Benzin übergossen und angezündet. Er rollte sich auf die Seite und spähte dem Mädchen hinterher, das sich schon auf halbem Weg zur Drehtür befand. In kurzen Spurts, die große Tasche hinter sich herziehend, lief es davon. Becker versuchte, auf die Beine zu kommen, schaffte es aber nicht. Rot glühendes Feuer raubte ihm die Sicht. *Du darfst sie nicht entkommen lassen!*

Er versuchte, dem Mädchen hinterherzurufen, aber in seinen Lungen gab es keine Luft, nur brennenden Schmerz. »Nein, bleiben Sie!« Es war ein tonloses Hüsteln.

Wenn das Mädchen durch diese Tür verschwand, war es für immer fort. Becker versuchte abermals zu rufen, aber seine Kehle brannte wie Feuer.

Das Mädchen hatte die Drehtür fast erreicht. Schwankend und um Atem ringend kam Becker auf die Füße und taumelte hinterher. Mit der roten Tasche im Schlepptau schlüpfte das Mädchen in eine Kammer der Drehtür. Zwanzig Meter zurück tapste Becker halbblind der Tür entgegen.

»Warten Sie!«, keuchte er. »*Warten Sie doch!*«

Das Mädchen stemmte sich mit aller Kraft gegen die Querscheibe. Die Tür drehte sich ein Stück und blieb hängen. Die Reisetasche hatte sich im Türspalt verkeilt. Das blonde Mädchen fuhr ängstlich herum, kniete sich hin und versuchte krampfhaft, die Tasche zu sich hereinzuzerren.

David Beckers verschwommener Blick heftete sich an das aus dem Spalt herausragende rote Stück Nylongewebe. Mit einem Hechtsprung warf er sich ihm entgegen.

Als er auf dem Boden landete, die vorgereckten Hände nur noch Zentimeter von dem roten Stoff entfernt, glitt sein Ziel in den Spalt und verschwand. Beckers Hände griffen ins Leere. Die Drehtür kam in Gang. Mädchen und Tasche trudelten auf die Straße hinaus.

»Megan!«, schrie Becker. Glühend heiße Nadeln bohrten sich in seine Augenhöhlen. Sein Gesichtsfeld schrumpfte zu einem schwarzen Tunnel, eine neue Woge der Übelkeit schlug über ihm zusammen. Wie ein fernes Echo hallte seine eigene Stimme aus der Schwärze.

Megan!

David Becker wusste nicht, wie lange er dort gelegen hatte, als auf einmal das Summen der Leuchtröhren an der Decke in sein Bewusstsein drang. Ansonsten nur Stille. Er vernahm eine Stimme. Jemand rief. Er versuchte, den Kopf zu heben. Die Welt wirkte wässrig und verzerrt. *Wieder diese Stimme.* Er blinzelte in die Halle. Zwanzig Meter entfernt stand eine Gestalt.

»Mister?«

Becker erkannte die Stimme. Sie gehörte dem Mädchen. Die Tasche an die Brust gepresst, stand es in der Nähe eines weiter unten in der Halle gelegenen Eingangs und wirkte noch verängstigter als zuvor.

»Mister«, rief es mit bebender Stimme, »ich habe Ihnen doch gar nicht gesagt, wie ich heiße! Woher kennen Sie meinen Namen?«

Kapitel 74

Direktor Leland Fontaine war ein Schrank von einem Mann. Der Dreiundsechzigjährige trug einen militärischen Haarschnitt und befleißigte sich eines ebensolchen Auftretens. Wenn er ärgerlich war, und das war fast immer, glühten seine schwarzen Augen wie Kohlen. Durch harte Arbeit, exakte Planung und das berechtigte Wohlwollen seiner Vorgänger hatte er als erster Afro-Amerikaner den Aufstieg zum Direktor der National Security Agency geschafft – ein Tatbestand, den jeder mit Bedacht unerwähnt ließ. Fontaines Politik war entschieden farbenblind, und sein Stab eiferte ihm darin nach.

Wortlos zelebrierte er das Ritual der Zubereitung eines Bechers Kaffee. Midge und Brinkerhoff durften ihm stehend zusehen. Mit dem Kaffee in der Hand ließ er sich am Schreibtisch nieder, um die beiden wie zwei zum Direktor bestellte Schüler zu vernehmen.

Midge übernahm das Reden. Sie berichtete von der ungewöhnlichen Abfolge der Ereignisse, die sie dazu ermutigt hatte, die Heiligkeit von Fontaines Büro zu verletzen.

»Ein Virus?«, sagte Fontaine kühl. »Sie glauben, wir haben uns einen Virus eingefangen?«

»Genau das, Sir!«, trumpfte Midge auf.

Brinkerhoff zuckte zusammen.

»Strathmore soll die Gauntlet-Filter umgangen haben?« Fontaines Blick streifte den Ausdruck, der vor ihm lag.

»Jawohl!«, bestätigte Midge. »Der TRANSLTR arbeitet seit zwanzig Stunden an einer Datei, die er immer noch nicht geknackt hat.«

Fontaine legte die Stirn in Falten. »Falls Ihre Daten stimmen!«

Midge wollte schon protestieren, verzichtete aber darauf. Stattdessen ging sie auf's Ganze. »In der Crypto herrscht Stromausfall.«

Fontaine hob den Kopf. Die Überraschung war gelungen.

Midge bestätigte mit einem knappen Nicken. »Der ganze Strom ist weg. Jabba glaubt, dass vielleicht …«

»Sie haben Jabba angerufen?«

»Jawohl, Sir! Ich …«

»Jabba?« Fontaine erhob sich drohend. »Warum zum Teufel haben Sie nicht Strathmore angerufen?«

»Das haben wir doch getan!«, verteidigte sich Midge. »Er hat behauptet, alles sei in bester Ordnung.«

Fontaine stand schwer atmend vor ihr. »Dann besteht auch kein Anlass, an seiner Aussage zu zweifeln!« Sein Ton hatte etwas Endgültiges. Er setzte sich wieder hin und nahm einen Schluck Kaffee. »Wenn Sie mich jetzt bitte entschuldigen wollen, ich habe zu tun!«

Brinkerhoff war schon auf dem Weg zur Tür, aber Midge stand wie angewurzelt da. »Wie darf ich das bitte verstehen?«

»Mrs Milken, ich habe Ihnen einen guten Abend gewünscht. Sie können gehen.«

»Aber … aber Sir, ich muss leider protestieren. Ich glaube …«

»*Sie* müssen protestieren?«, sagte Fontaine schon mehr als ungnädig und stellte den Becher hin. »Wenn hier jemand protestieren muss, dann wohl ich! Ich protestiere dagegen, dass Sie in mein Büro eindringen! Ich protestiere gegen Ihre Unterstellung, dass der stellvertretende Direktor dieser Behörde lügt! Ich protestiere …«

»Sir, wir haben einen Virus! Mein Instinkt sagt mir …«

»Dann nehmen Sie bitte zur Kenntnis, dass Ihr Instinkt Sie trügt!«

Midge gab keinen Zentimeter Boden preis. »Sir, Commander Strathmore hat die Gauntlet-Filter umgangen!«

Fontaine trat in kaum noch kontrollierter Verärgerung hinter dem Schreibtisch hervor und kam auf Midge zu. »Das ist sein gutes Recht! Sie werden von mir dafür bezahlt, auf die Analysten und das Dienstpersonal aufzupassen, und nicht, um meinen Stellvertreter auszuspionieren! Wenn Strathmore nicht gewesen wäre, müssten wir den Codes immer noch mit Kästchenpapier und Bleistift zu Leibe rücken! Würden Sie mich jetzt bitte entschuldigen?« Er streifte Brinkerhoff, der bleich und zitternd in der Tür stand, mit einem Blick. »Das gilt auch für Sie!«

»Sir«, meldete sich Midge unverzagt zu Wort, »bei allem gebotenen Respekt möchte ich doch empfehlen, dass wir ein Sys-Sec-Team in die Crypto schicken, nur für alle Fälle, falls ...«

»Das kommt gar nicht in Frage!«

Ein paar spannungsgeladene Augenblicke verstrichen. »Nun gut«, sagte Midge und nickte, »dann gute Nacht.« Sie drehte sich um und rauschte hinaus. Brinkerhoff sah ihren Augen an, dass sie noch lange nicht bereit war, die Sache auf sich beruhen zu lassen.

Er schaute zu seinem Chef hinüber, der massig und aufgebracht an seinem Schreibtisch stand. Das war nicht der Leland Fontaine, den er kannte. Der Chef, den er kannte, hatte eine Vorliebe fürs Detail, liebte sauber gemachte Hausaufgaben und wurde nicht müde, seinen Mitarbeitern einzuschärfen, Unstimmigkeiten des täglichen Ablaufs penibel auf den Grund zu gehen, egal, wie unbedeutend die Sache erscheinen mochte. Und nun stand dieser Mann vor ihnen und verlangte, vor einer bizarren Häufung von merkwürdigen Zufällen die Augen zu verschließen!

Der Direktor hatte offensichtlich etwas zu verbergen, aber Brinkerhoff wurde dafür bezahlt, seinem Chef zur Hand zu gehen, und nicht, um ihn zu kritisieren. Fontaine hatte Mal für Mal bewiesen, dass er mit Hingabe im Interesse aller zu handeln verstand. Wenn ihm jetzt damit gedient war, dass Brinkerhoff sich dumm stellte, dann sei's drum.

Bei Midge lag die Sache leider anders. Sie erhielt ihr Geld, um Fragen zu stellen. Brinkerhoff befürchtete, dass sie schon zur Crypto-Kuppel unterwegs war, um genau das zu tun.

Zeit, wieder einmal eine Bewerbung zu schreiben, dachte Brinkerhoff, während er sich im Türrahmen umdrehte.

»Chad!«, bellte es hinter ihm. Auch Fontaine war der Ausdruck in Midges Augen nicht entgangen. »Sorgen Sie dafür, dass Mrs Milken unseren Bürotrakt nicht verlässt!«

Nickend eilte Brinkerhoff Midge hinterher.

Fontaine seufzte und stützte den Kopf in die Hände. Seine pechschwarzen Augen wurden ihm schwer. Er hatte eine lange und unerwartete Heimreise hinter sich. Der letzte Monat war für ihn ein Monat der großen Erwartungen gewesen. Bei der NSA taten sich zurzeit Dinge, die den Lauf der Geschichte verändern konnten, aber er, der Chef des Nachrichtendienstes, war ironischerweise nur durch Zufall darauf gestoßen.

Vor drei Monaten war ihm zu Ohren gekommen, dass Commander Strathmores Frau im Begriff war, ihren Ehemann zu verlassen. Gleichzeitig hatte er gehört, dass Strathmore unter der gewaltigen Arbeitslast, die er sich auflud, zusammenzubrechen drohe. Ungeachtet der vielfältigen Meinungsverschiedenheiten mit Strathmore hatte Fontaine seinen Stellvertreter stets außerordentlich geschätzt. Strathmore war ein brillanter Fachmann, möglicherweise der beste, den die NSA überhaupt hatte, stand aber seit dem Fiasko mit Skipjack unter enormem Druck. Fontaine behagte diese Situation keineswegs. Commander Strathmore hatte in der NSA eine Schlüsselstellung inne – was Fontaine im Interesse seiner Behörde nicht außer Acht lassen durfte.

Fontaine brauchte jemand, der den möglicherweise angeschlagenen Strathmore daraufhin beobachtete, ob er hundertprozentig funktionierte – keine leichte Aufgabe. Strathmore war ein selbstbewusster und mächtiger Mann in der Behörde. Fontaine durfte nicht riskieren, durch die Überwachung das Selbstvertrauen und die Autorität dieses Mannes zu beschädigen.

Aus Respekt vor Strathmore entschloss sich Fontaine, die Aufgabe selbst zu übernehmen. Er ließ in Strathmores Computer eine unsichtbare Wanze installieren, die ihm Zugang zu Strathmores E-Mails, seiner behördeninternen Korrespondenz, seinem Brainstorming und allem anderen verschaffte. Falls Strathmore am Rande einer Krise stand, würde Fontaine die Warnsignale erkennen können. Aber statt der Vorzeichen eines Zusammenbruchs entdeckte Fontaine die Vorarbeiten zu einem nachrichtendienstlichen Coup von solcher Raffinesse, wie er ihm noch nie begegnet war. Kein Wunder, dass Strathmore wie besessen schuftete. Wenn es ihm gelang, diesen Plan durchzuziehen, war die Scharte mit Skipjack mehr als hundertfach ausgewetzt.

Fontaine hatte daraus den Schluss gezogen, dass Strathmore in bester Verfassung war. Der Commander arbeitete mit hundertfünfzigprozentigem Einsatz – umsichtig, klug und patriotisch wie eh und je. In seiner Eigenschaft als Direktor konnte Fontaine nichts Besseres tun, als sich herauszuhalten und Strathmore ungestört seine Wundertat vollbringen zu lassen. Der Commander verfolgte einen Plan … und Fontaine hatte nicht die Absicht, ihm in die Quere zu kommen.

Kapitel 75

Kochend vor Zorn befingerte Strathmore die Beretta auf seinem Schoß. Er war zwar auf klares Denken programmiert, aber dass Greg Hale es gewagt hatte, Hand an Susan Fletcher zu legen, machte ihn fuchsteufelswild. Dass es letzten Endes durch sein eigenes Verschulden dazu gekommen war, machte alles noch schlimmer – hatte nicht er Susan in Node 3 hineingeschickt? Aber Strathmore war durchaus in der Lage, die Gefühle von seinen Entscheidungen zu trennen. Emotionen hatten in seinem Umgang mit Diabolus nichts zu suchen. Er war der stellvertretende Direktor der National Security Agency. Und heute hing mehr denn je alles davon ab, wie er mit seiner Aufgabe fertig wurde.

Strathmore zwang sich, ruhiger zu atmen. »Susan, sind Hales E-Mails gelöscht?«, sagte er. Sein Ton war geschäftsmäßig und emotionslos.

»Nein«, antwortete sie, verwirrt von der Frage.

»Haben Sie den Key?«

Susan schüttelte den Kopf.

Strathmore kaute stirnrunzelnd auf seiner Unterlippe herum. Die Gedanken jagten sich in seinem Kopf. Natürlich hätte er in seinen Lift das Passwort eingeben können, aber dann war Susan fort, und er brauchte sie hier, brauchte ihre Hilfe, um Hales Schlüssel aufzuspüren. Bislang hatte er Susan vorenthalten, dass das Auffinden dieses Schlüssels von einem weit höheren als lediglich akademischen Interesse für ihn war – es war eine absolute Notwendigkeit. Strathmore vermutete zwar, dass er die Nonkonformitätssuche auch ohne Susan durchführen und den Key alleine finden könnte, aber andererseits hatte er schon mit dem Tracer Schwierigkeiten gehabt. Er war nicht gewillt, sich erneut auf ein solches Risiko einzulassen.

»Susan«, sagte er und stieß resolut die Luft aus, »ich möchte, dass Sie mir helfen, Hales Key zu finden.«

»Was?« Susan sprang auf und sah ihn ungehalten an.

Strathmore bezwang seinen Drang, ebenfalls aufzuspringen. Er kannte sich in Verhandlungstaktik gut genug aus, um zu wissen, dass die Machtposition immer bei dem lag, der saß. Er hoffte, Susan würde sich wieder hinsetzen. Sie tat es nicht.

»Susan, setzen Sie sich.«

Sie beachtete ihn nicht.

»Setzen sie sich!« Es war ein Befehl.

Susan blieb stehen. »Commander, wenn Sie immer noch darauf bestehen, Tankados Algorithmus zu knacken, dann machen Sie das bitte alleine. Ich will hier raus!«

Strathmore senkte den Kopf und holte tief Luft. Es war klar, dass er ohne zusätzliche Erklärungen nicht weiterkam. *Sie verdient das auch,* dachte er. Er beschloss, ihr reinen Wein einzuschenken. *Hoffentlich ist das kein Fehler.*

»Susan«, fing er an, »es hätte eigentlich gar nicht zu dieser Situation kommen sollen.« Er fuhr sich mit der Hand über den Schädel. »Es gibt einiges, das ich Ihnen noch nicht gesagt habe. In meiner Position ist man manchmal gezwungen …« Er verstummte, als hätte er ein peinliches Geständnis zu machen. »Ein Mann in meiner Position muss manchmal seinen Leuten, obwohl er sie schätzt, die Wahrheit vorenthalten. Heute war ein solcher Tag.« Er sah Susan betrübt an. »Ich verrate Ihnen jetzt etwas, das ich Ihnen eigentlich niemals verraten wollte … weder Ihnen noch sonst jemand.« Das Gesicht des Commanders war todernst geworden.

Susan lief es kalt über den Rücken. Offenbar betrieb Strathmore auch Dinge, die sich ihrem Wissen entzogen. Sie setzte sich.

Strathmore blickte an die Decke und sammelte seine Gedanken. Eine lange Pause entstand. »Susan«, sagte er schließlich mit brüchiger Stimme, »ich habe keine Familie mehr.« Seine Augen suchten ihren Blick. »Ich führe keine Ehe mehr, die diese Bezeichnung verdient. Mein Leben besteht nur noch aus meiner Liebe zu diesem Land. Die Arbeit hier bei der NSA ist mein ganzes Leben.«

Susan hörte ihm schweigend zu.

»Wie Sie sich vielleicht schon gedacht haben, möchte ich bald in den Ruhestand gehen, aber ich möchte es mit Stolz tun können. Ich möchte meinen Abschied in dem Bewusstsein nehmen können, dass ich etwas bewirkt habe.«

»Aber Sie haben doch etwas bewirkt«, erwiderte Susan. »Sie haben den TRANSLTR gebaut.«

Strathmore schien sie gar nicht zu hören. »Im Laufe der vegangenen Jahre ist unsere Arbeit hier bei der NSA immer schwieriger geworden. Wir haben es mit Gegnern zu tun bekommen, von denen wir niemals gedacht hätten, dass sie uns eines Tages herausfordern würden. Ich rede von unseren eigenen Bürgern. Die Bürgerrechtsfanatiker, die EFF, die Anwälte – sie spielen eine wichtige Rolle, aber es betrifft bei weitem nicht nur sie. Es betrifft unser ganzes *Volk*. Es hat den Glauben und die Zuversicht verloren. Die Leute leben in einem Wahn! Auf einmal sind *wir* ihr Feind, Menschen wie Sie und ich, Menschen, denen das Wohl der Nation am Herzen liegt! Auf einmal sehen wir uns gezwungen, uns das Recht, unserem Land zu dienen, zu erkämpfen! Auf einmal sind wir nicht mehr Garanten des Friedens, sondern Spanner und Lauscher an der Wand und eine Bedrohung der Bürgerrechte!« Strathmore ließ einen tiefen Seufzer los. »Leider gibt es in dieser Welt viel zu viele naive Gemüter, die sich überhaupt nicht vorstellen können, welchen schauerlichen Zuständen sie ausgesetzt wären, wenn wir nicht eingreifen würden. Ich bin zutiefst davon überzeugt, dass es unsere Aufgabe ist, diese Menschen vor ihrer eigenen Dummheit zu schützen.«

Susan wartete darauf, dass der Commander zur Sache kam.

Strathmore starrte müde auf den Boden. Schließlich hob er den Blick. »Susan, hören Sie mich bitte an«, sagte er und lächelte ihr liebevoll zu. »Sie wollen, dass ich jetzt das Programm abbreche, aber bitte, hören Sie mich an! Ich fange nun schon seit ungefähr zwei Monaten Tankados E-Mails ab. Wie Sie sich vielleicht vorstellen können, war ich ziemlich schockiert, als ich die E-Mail an North-Dakota gelesen habe, in der er zum ersten Mal einen undechiffrierbaren Algorithmus namens Diabolus angekündigt hat. Ich habe nicht an eine solche Möglichkeit geglaubt. Aber je mehr Botschaften ich abgefangen habe, desto überzeugender hörten sie sich an. Als ich von den Mutationsketten las, die er benutzt hat, um eine rotierende Klartextfunktion zu schreiben, wurde mir klar, dass er uns um Lichtjahre voraus war. Keiner von uns hat diesen Ansatz jemals verfolgt.«

»Wozu auch?«, sagte Susan. »Es wäre kaum sinnvoll gewesen.«

Strathmore erhob sich und ging auf und ab. Mit einem Auge beobachtete er die Tür. »Als ich vor ein paar Wochen gewahr wurde, dass Diabolus meistbietend versteigert werden soll, habe ich akzeptieren müssen, dass Tankado es ernst meint. Mir war klar, dass wir erledigt sind, wenn er den Algorithmus an eine japanische Softwarefirma verkauft. Also habe ich mich hingesetzt und überlegt, was ich dagegen unternehmen könnte. Ich habe sogar daran gedacht, Tankado liquidieren zu lassen. Aber bei dem Aufsehen, das sein Algorithmus und seine jüngsten Behauptungen zum Thema TRANSLTR erregt haben, hätte natürlich sofort alles mit dem Finger auf uns gezeigt. Und da ist mir aufgegangen …«, er blieb vor Susan stehen, »dass ich Diabolus eben gerade *nicht* verhindern sollte.«

Susan sah ihn verständnislos an.

»Ich habe in Diabolus die Chance meines Lebens erkannt«, fuhr Strathmore fort. »Ich habe auf einmal begriffen, dass Diabolus mit ein paar kleinen Änderungen *für* uns und nicht gegen uns arbeiten würde …«

Susan hatte selten einen solchen Blödsinn gehört. Diabolus war ein nicht dechiffrierbarer Algorithmus. Er würde ihnen das Lebenslicht ausblasen.

»Wenn ich«, fuhr Strathmore fort, »ja, wenn ich eine winzige Veränderung an dem Algorithmus vornehmen könnte … selbstverständlich, bevor er auf den Markt kommt …« Er blinzelte Susan verschwörerisch zu.

Es dauerte nur einen Moment, bis bei Susan der Groschen gefallen war. Strathmore konnte es an ihren Augen ablesen. Aufgeregt erläuterte er ihr seinen Plan. »Wenn ich den Schlüssel in die Hand bekomme, kann ich unsere Version von Diabolus öffnen und die Veränderung einfügen.«

»Ein Hintertürchen!« Susan hatte bereits vergessen, dass der Commander nicht aufrichtig zu ihr gewesen war. »Genau wie bei Skipjack!«, sagte sie erwartungsvoll.

Strathmore nickte. »Anschließend würden wir im Internet Tankados frei herunterladbare Version gegen unsere modifizierte Version austauschen. Diabolus ist ein japanischer Algorithmus. Kein Mensch wird auf die Idee kommen, dass die NSA mit von der Partie ist. Wir müssten bloß diesen Austausch bewerkstelligen.«

Susan musste zugeben, dass dieser Plan mehr als genial war. Das war Strathmore pur: sich zum Geburtshelfer eines Algorithmus machen, den die NSA knacken konnte!

»Diabolus wird über Nacht zum globalen Verschlüsselungsstandard werden – und wir hätten freien Zugriff!«

»Über Nacht?«, wandte Susan ein. »Was macht Sie da so sicher? Selbst wenn Diabolus von jedermann gratis heruntergeladen werden könnte, würden die meisten Computernutzer schon aus reiner Bequemlichkeit noch einige Zeit ihre alten Algorithmen weiter benutzen. Wieso sollten sie auf Diabolus umstellen?«

Strathmore lächelte. »Ganz einfach. Es wird ein Geheimhaltungsleck geben. Alle Welt wird plötzlich wissen, dass wir den TRANSLTR haben.«

Susan staunte mit offenem Mund.

»So einfach ist das, Susan. Wir müssen nur dafür sorgen, dass die Welt von dem Computer der NSA erfährt, der sämtliche Algorithmen knacken kann – außer eben Diabolus!«

Susan konnte sich nur noch wundern. »Und jeder wird schleunigst zu Diabolus wechseln, aber nicht wissen, dass wir es lesen können.«

Strathmore nickte. »Genau.« Eine lange Stille entstand. »Es tut mir leid, dass ich Ihnen nicht die Wahrheit gesagt habe, aber Diabolus umzuschreiben ist kein Kinderspiel. Ich wollte Sie da heraushalten.«

»Ich … ich verstehe«, sagte Susan nachdenklich. Sie staunte immer noch, wie brillant das alles eingefädelt war. »Als Lügner sind Sie gar nicht schlecht!«

»Das macht die jahrelange Übung«, schmunzelte Strathmore. »Ich wollte die Sache im kleinen Kreis halten.«

»Und wie klein ist der Kreis?«

»Sie haben ihn vor sich.«

Susan lächelte zum ersten Mal seit einer Stunde. »Dass Sie das sagen würden, habe ich schon befürchtet.«

Strathmore hob die Schultern. »Sobald Diabolus an Ort und Stelle ist, werde ich unseren Direktor informieren.«

Susan war beeindruckt. Strathmore hatte im Alleingang einen globalen nachrichtendienstlichen Rundumschlag von bisher unvorstellbarem Ausmaß eingefädelt, und es sah durchaus danach aus, dass der Plan funktionieren würde. Tankado war tot, sein Partner war ausfindig gemacht, und unten wartete der Key.

Susan schwieg nachdenklich.

Tankado ist tot. Sein Tod passte ausgezeichnet ins Konzept. Susan dachte an all die Unwahrheiten, mit denen Strathmore sie eingedeckt hatte. Sie fröstelte. »Haben Sie Ensei Tankado umbringen lassen?«, fragte sie und sah den Commander unbehaglich an.

Strathmore schüttelte überrascht den Kopf. »Natürlich nicht. Ich hatte gar keine Veranlassung, ihn umzubringen. Tatsache ist, dass es mir viel lieber wäre, wenn er noch leben würde. Sein Tod könnte Diabolus ins Zwielicht bringen. Ich möchte den Austausch der Algorithmen so glatt und unauffällig wie möglich durchziehen. Der ursprüngliche Plan sah vor, dass Tankado nach dem Austausch den Schlüssel verkauft.«

Susan musste zugeben, dass das Argument zog. Für Tankado hätte es keinen Grund zu der Annahme gegeben, dass der Algorithmus im Internet nicht mehr seinem Original entsprach. Außer ihm selbst und North Dakota konnte ja niemand das Programm öffnen. Tankado würde nichts von dem Hintertürchen merken, es sei denn, er würde sich die Mühe machen, das Programm nach seiner Veröffentlichung noch einmal komplett zu überprüfen. Aber vermutlich hatte er sich mit Diabolus so lange herumgequält, dass er von der Programmiererei die Nase voll hatte und nie wieder etwas davon sehen wollte.

Susan musste sich all das erst einmal durch den Kopf gehen lassen. Jetzt verstand sie auch das Bedürfnis des Commanders nach Ungestörtheit. Er hatte sich eine delikate und zeitaufwändige Aufgabe gestellt – in einen komplexen Algorithmus ein heimliches Hintertürchen hineinzuschmuggeln und einen unbemerkten Austausch im Internet vorzunehmen! Heimlichkeit war das oberste Gebot. Schon der leiseste Verdacht, dass an Diabolus etwas faul sein könnte, hätte den Plan des Commanders zum Scheitern gebracht.

Nun begriff sie auch, weshalb Strathmore darauf bestanden hatte, dass der TRANSLTR weiterlief. *Wenn Diabolus das neue*

Baby der NSA werden soll, muss er sicher sein, dass das Programm nicht zu knacken ist.

»Wollen Sie immer noch raus?«, erkundigte sich Strathmore.

Susan hob den Kopf. Irgendwie waren ihre Ängste durch das Herumsitzen in Gesellschaft des großen Trevor Strathmore wie weggeblasen. Diabolus umzuschreiben war eine Chance, Geschichte zu machen – eine Chance, dem Land einen unermesslichen Dienst zu erweisen. Strathmore konnte ihre Hilfe dabei gut gebrauchen. Susan lächelte zögernd. »Was ist unser nächster Zug?«

Strathmore strahlte. Er beugte sich zu ihr und legte ihr die Hand auf die Schulter. »Ich danke Ihnen!«, sagte er lächelnd. Dann wurde er wieder ernst. »Wir gehen jetzt zusammen hinunter, und Sie durchsuchen Hales Terminal, während ich Ihnen den Rücken decke.« Er hielt die Beretta hoch.

Der Gedanke, wieder in die Kuppel hinuntersteigen zu müssen, ließ Susan frösteln. »Können wir nicht warten, bis sich David mit Tankados Schlüssel meldet?«

Strathmore schüttelte den Kopf. »Je früher wir den Austausch vornehmen, desto besser. Wir wissen ja noch nicht einmal mit Sicherheit, ob David den Schlüssel überhaupt findet. Wenn in Spanien irgendetwas schiefgeht und der Schlüssel in die falschen Hände gerät, hätte ich den Algorithmenaustausch lieber schon erledigt, denn dann ist es egal, wo der Schlüssel letzen Endes landet. Sein Besitzer würde auf jeden Fall *unsere* Version herunterladen.« Strathmore packte die Pistole und stand entschlossen auf. »Wir müssen uns Hales Schlüssel besorgen.«

Susan verstummte. Das Argument des Commanders stach. Sie brauchten Hales Key, und zwar sofort.

Als Susan aufstand und an Hale dachte, zitterten ihr die Knie. Sie wünschte, sie hätte noch härter zugetreten. Beim Anblick von Strathmores Waffe bekam sie plötzlich ein flaues

Gefühl im Magen. »Sie würden Greg Hale tatsächlich erschießen?«

»Ach was!«, sagte Strathmore und schritt zur Tür. »Wir wollen nur hoffen, dass er das nicht weiß.«

Kapitel 76

Vor dem Flughafen von Sevilla stand ein Taxi. Der Motor lief, das Taxameter auch. Der Fahrgast mit der Nickelbrille schaute aus dem Taxi in die hell beleuchtete Abfertigungshalle. Er war noch rechtzeitig gekommen.

Er sah ein blondes Mädchen, das David Becker zu einer Sitzgelegenheit half. Becker hatte offenbar große Schmerzen. *Er weiß noch gar nicht, was wirkliche Schmerzen sind,* dachte der Mann im Taxi. Das Mädchen holte einen kleinen Gegenstand aus der Tasche und hielt ihn Becker hin. Becker nahm ihn, hielt ihn hoch und betrachtete ihn im Licht. Er steckte ihn an den Finger und zog ein Bündel Banknoten aus der Tasche, das er dem Mädchen gab. Sie unterhielten sich noch ein paar Minuten miteinander. Das Mädchen umarmte David Becker, schulterte winkend die Reisetasche und machte sich quer durch die Halle auf den Weg.

Na, endlich!, dachte der Mann im Taxi. *Es wurde auch langsam Zeit.*

Kapitel 77

Von Susan gefolgt, trat Strathmore mit gezogener Pistole auf die Gitterplattform vor seinem Büro. Der Lichtschein der Monitore ließ gespenstische Schattenbilder ihrer Gestalten über die Gitterroste geistern. Susan fragte sich, ob Hale noch in Node 3 war. Sie drückte sich noch dichter an den Commander.

Mit wachsender Entfernung von der Tür wurde der Lichtschein zusehends schwächer. Schnell bewegten sie sich in fast völliger Dunkelheit. Der Sternenhimmel über der Kuppel und der schwache Schimmer, der weit hinten kaum wahrnehmbar durch die zertrümmerte Glaswand von Node 3 sickerte, lieferten das einzige Licht.

Zentimeterweise schob sich Strathmore dem Ansatz des schmalen Treppenabgangs entgegen. Er nahm die Waffe in die Linke und ergriff mit der Rechten das Geländer. Er brauchte die Rechte zum Festhalten, und außerdem schoss er rechts ohnehin nicht besser als links. Aber ein Sturz konnte ihn für den Rest seines Lebens zum Krüppel machen – und in Strathmores Träumen vom Ruhestand war der Rollstuhl nicht vorgesehen.

Von der Dunkelheit in der Crypto-Kuppel zum blinden Maulwurf degradiert, stieg Susan nach unten. Ihre Hand lag auf Strathmores Schulter. Selbst aus einem knappen halben Meter Entfernung vermochte sie den Umriss des Commanders nicht mehr auszumachen. Mit den Zehenspitzen ertastete sie die Kanten der eisernen Treppentritte.

Susan bekam wieder Zweifel, ob die Bergung von Hales Schlüssel das Risiko einer Rückkehr nach Node 3 wert war. Der Commander war zwar überzeugt, dass Hale nicht die Nerven haben würde, sie beide zugleich anzugreifen, aber Susan war sich da nicht so sicher. Hale war in einer verzweifelten Lage und hatte nur zwei Optionen: die Flucht aus der Cryptokuppel oder das Gefängnis. Eine innere Stimme riet ihr, auf Davids Anruf zu warten und seinen Key zu benutzen, aber andererseits war es ja noch nicht einmal ausgemacht, ob David den Ring überhaupt fand. Sie fragte sich, weshalb er so lange brauchte. Schließlich stellte sie ihre Bedenken hintan und ging weiter.

Strathmore vermied jedes Geräusch. Hale brauchte nicht gewarnt zu werden, dass sie im Anmarsch waren. Als sie sich dem Ende der Treppe näherten, wurde Strathmore noch langsamer. Tastend streckte er den Fuß vor. Als er den Boden spürte, setzte er den Fuß auf. Man hörte seinen Absatz auf den harten schwarzen Fliesen klicken.

Susan spürte, wie sich Strathmores Schulter verkrampfte. Sie hatten die Gefahrenzone betreten. Hale konnte überall lauern.

Ein ganzes Stück entfernt, und im Moment vom TRANSLTR verdeckt, befand sich ihr Ziel: Node 3. Susan flehte zum Himmel, dass sich Hale immer noch auf dem Boden krümmte und vor Schmerzen winselte wie ein Hund, der er ja auch war.

Strathmore ließ das Geländer los und nahm die Waffe wieder in die rechte Hand. Nun, da sie den relativen Schutz der Treppe hinter sich ließen, fühlte sich Susan an die nächtlichen Versteckspiele ihrer Kindheit erinnert. Sie hatte das »Mal« aufgegeben. Sie stand im Freien. Sie war angreifbar. Susan klammerte sich an Strathmores rechte Schulter. Wenn sie ihn verlor, hätte sie rufen müssen – und das hätte Hale hören können.

Der TRANSLTR war eine pechschwarze Insel in einem Meer der Finsternis. Strathmore blieb alle paar Schritte stehen und lauschte sichernd mit erhobener Pistole in die Dunkelheit, doch das einzige Geräusch war das Brummen aus dem Untergrund. Susan hätte Strathmore am liebsten zurückgezerrt, zurück in die Sicherheit, zurück zum »Mal«. Fratzenhafte Gesichter schienen sie ringsumher aus der Dunkelheit anzustarren.

Auf halbem Weg zum TRANSLTR wurde die Stille der Kuppel jäh unterbrochen. Ein hohes Piepsen, das irgendwo von rechts oben zu kommen schien, schnitt durch die Dunkelheit. Strathmore fuhr herum, Susan verlor den Kontakt. Angstvoll tastend streckte sie die Arme aus, aber der Commander war fort. Wo zuvor seine Schulter gewesen war, ertastete sie nur noch Luft. Susan taumelte ins Leere.

Das Piepsen hörte nicht auf. Es war ganz in der Nähe. Susan drehte sich in der Finsternis. Sie hörte Stoff rascheln, dann war das Piepsen plötzlich weg. Sie erstarrte. Wie im schlimmsten Albtraum ihrer Kindheit erschien gleich darauf ein Gespenst. Direkt vor ihren Augen materialisierte sich ein geisterhaft grünes Gesicht, das Gesicht eines Dämons mit deformierten Zügen, die nach oben scharfe Schatten warfen. Sie prallte zurück und wollte davonlaufen, aber das Gespenst packte sie am Arm. »Nicht bewegen!«, zischte es.

Einen Augenblick lang glaubte Susan in diesen stechenden Augen Hale zu erkennen, aber es war nicht Hales Stimme, und die Berührung war auch nicht hart genug. Es war Strathmore. Ein matt leuchtender Gegenstand, den er aus der Tasche gezogen hatte, strahlte ihn schwach von unten an. Die Spannung wich aus Susans Körper. Erleichtert begann sie wieder zu atmen. Der Gegenstand in Strathmores Hand hatte ein elektronisches LED-Display, das ein grünlich glühendes Licht aussandte.

»Verdammt!«, fluchte Strathmore leise vor sich hin, »mein neuer Pager.« Wütend sah er auf den SkyPager in seiner Hand hinab. Er hatte vergessen, den Ruf stumm zu schalten. Er hatte das Gerät in einem Elektronikladen am Ort erworben und bar bezahlt, damit der Kauf anonym blieb. Niemand wusste besser als Strathmore selbst, wie genau die NSA ihre eigenen Leute überwachte – und die digitalen Botschaften, die er mit diesem Pager verschickte und empfing, gedachte Strathmore nun wirklich nicht an die große Glocke zu hängen.

Susan sah sich beklommen um. Falls Hale bisher noch nicht bemerkt hatte, dass sie im Anmarsch waren, dann hatte er es jetzt mit Gewissheit mitbekommen.

Strathmore drückte auf ein paar Knöpfe und las die eingehende Botschaft. Er stöhnte verstohlen auf. Noch mehr schlechte Nachrichten aus Spanien – nicht von David Becker, sondern von der *anderen* Partie, die er nach Sevilla geschickt hatte.

Achttausend Kilometer von Fort Meade entfernt raste ein mit Überwachungselektronik voll gestopfter Lieferwagen durch die nächtlichen Straßen von Sevilla. Die NSA hatte ihn unter »Umbra«-Sicherheitseinstufung bei einer US-Militärbasis in Roja ausgeliehen. Die beiden Männer im Fahrzeug waren aufs Äußerste angespannt. Es war nicht das erste Mal, dass sie auf Anweisungen aus Fort Meade Feuerwehr spielen mussten, aber normalerweise kamen die Befehle nicht von so hoch oben.

»Schon irgendwas von unserem Mann zu sehen?«, rief der Agent am Steuer über die Schulter nach hinten.

Die Augen seines Partners wichen nicht von der Einspielung der Videokamera auf dem Dach. »Nein, nichts. Fahr weiter.«

Kapitel 78

Mit einer Penlight-Taschenlampe zwischen den Zähnen lag Jabba immer noch unter einem Wirrwarr von Kabeln auf dem Rücken und schwitzte. Er hatte sich daran gewöhnt, in den späten Abendstunden der Wochenenden arbeiten zu müssen. Die Wartung und Reparatur der Geräte war meist nur in den wenigen Stunden möglich, in denen es bei der NSA etwas ruhiger zuging. Mit größter Sorgfalt manövrierte er den glühend heißen Lötkolben durch das baumelnde Drahtgewirr, das von oben herabhing. Ein angesengter Kabelbaum konnte sich leicht zur Katastrophe auswachsen.

Nur noch ein paar Zentimeter, dann ist es geschafft, dachte er. Die Reparatur hatte wesentlich länger gedauert als geplant.

Just in dem Moment, als er die Spitze seines Lötkolbens für die letzte Lötstelle über Kopf an den Lötzinn hielt, piepste schrill sein Handy. Jabba schrak zusammen, sein Arm zuckte, und ein großer Tropfen geschmolzenes Lötzinn platschte auf seinen nackten Arm.

»*Scheiße!*« Er ließ den Lötkolben fallen und hätte beinahe den Leuchtstab verschluckt. »Scheiße! Scheiße! Scheiße!«

Er rieb sich hektisch den nackten Arm, an dem eine eindrucksvolle Brandblase erblühte. Der Chip, den er einlöten wollte, fiel wieder heraus und purzelte ihm auf den Kopf. »Verdammt aber auch!«

Das Handy piepste beharrlich weiter. Er ignorierte es.

Midge!, fluchte er vor sich hin. *Nun gib endlich Ruhe! In der Crypto ist alles im grünen Bereich!* Das Telefon piepste weiter. Jabba machte sich wieder an die Arbeit und setzte den Chip noch einmal ein. Eine Minute später war alles an Ort und Stelle, aber das Telefon nervte ihn immer noch. *Midge, verdammt nochmal, lass endlich gut sein!* Das Handy piepste weitere fünfzehn Sekunden, dann hörte es auf. Jabba stieß einen Seufzer der Erleichterung aus.

Sechzig Sekunden später knackte es im Lautsprecher der Rufanlage an der Decke. »Der Leiter der Sys-Sec-Abteilung wird gebeten, sich bei der Vermittlung zu melden und eine Nachricht entgegenzunehmen.«

Jabba verdrehte die Augen. *Nicht zu fassen! Sie kann einfach nicht lockerlassen!* Er ignorierte die Durchsage.

Kapitel 79

Strathmore verstaute den SkyPager wieder in seinem Jackett und spähte Richtung Node 3 ins Dunkle. Er wollte Susans Hand ergreifen. »Kommen Sie.«

Zur Berührung kam es aber nicht.

Eine Gestalt brauste mit einem gutturalen Aufschrei aus der Dunkelheit heran wie ein unbeleuchteter LKW. Es gab einen Zusammenprall. Strathmore ging zu Boden und war fort. Susan hörte die Beretta klappernd zu Boden fallen.

Hale! Der Pager hatte sie verraten.

Einen Augenblick lang stand Susan wie versteinert da und wusste weder aus noch ein. Sie wäre am liebsten geflohen, aber sie kannte ja nicht das Passwort für den Lift. Gerne hätte sie Strathmore geholfen, aber wie? Während sie sich verzweifelt um die eigene Achse drehte, erwartete sie, vom Boden das Geräusch eines Kampfes auf Leben und Tod zu vernehmen, aber nichts dergleichen geschah. Es war plötzlich totenstill – als ob Hale den Commander umgerempelt und sich sofort wieder ins Dunkel zurückgezogen hätte.

Susan versuchte angestrengt, in der Finsternis etwas zu erkennen. Hoffentlich war Strathmore nicht verletzt. »Commander?«, flüsterte sie nach einer Weile, die ihr wie eine Ewigkeit vorkam.

Es war ein Fehler. Sie merkte es, noch während sie flüsterte. Eine Wolke von Hales Ausdünstungen schlug ihr entgegen. Sie versuchte wegzurennen, doch es war zu spät. Wieder zappelte sie in der schon bekannten Umklammerung an Hales Brust und rang nach Luft.

»Meine Eier bringen mich um!«, keuchte Hale an ihrem Ohr.

Susans Knie gaben nach. Die Sterne über der Kuppel drehten sich im Kreise.

Kapitel 80

Hale umklammerte Susans Nacken. »Commander, ich habe Ihr Schätzchen!«, schrie er ins Dunkel. »Lassen Sie mich raus!«

Stille.

Hales Griff wurde fester. »Ich breche ihr das Genick!«

Direkt hinter Hale und Susan knackte der Hahn einer Pistole. »Lassen Sie Miss Fletcher los!« Strathmores Stimme war ruhig und beherrscht.

Susan wand sich vor Schmerzen. »Commander!«

Hale riss Susan herum. »Commander, wenn Sie schießen, treffen Sie Ihre liebe Susan. Wollen Sie das riskieren?«

Strathmores Stimme kam näher. »Lassen Sie Susan los!«

»Das würde Ihnen so passen! Damit Sie mich umbringen können!«

»Ich werde niemanden umbringen.«

»Ach ja? Wie tröstlich für Phil Charturkian!«

Strathmore war noch näher gekommen. »Charturkian lebt nicht mehr.«

»Allerdings! Weil Sie ihn umgebracht haben! Ich hab's gesehen!

»Geben Sie auf, Greg«, sagte Strathmore mit ruhiger Stimme.

Hale presste Susan an sich. »Strathmore hat Charturkian hinuntergestoßen«, flüsterte er ihr ins Ohr. »Ich schwör's dir.«

»Susan wird auf Ihre Versuche, einen Keil zwischen uns zu treiben, nicht hereinfallen. Lassen Sie Miss Fletcher los!«

»Mein Gott, Phil war fast noch ein Junge!«, zischte Hale in die Dunkelheit. »Warum haben Sie das getan? Damit Ihr kleines Geheimnis nicht ans Licht kommt?«

»Und was soll dieses kleine Geheimnis sein?«, fragte Strathmore kühl.

»Das wissen Sie ganz genau! Diabolus, verdammt nochmal!«

»Ach, du lieber Himmel«, murmelte Strathmore verächtlich. »Dann sind Sie also über Diabolus im Bilde. Ich dachte schon, Sie würden das auch noch abstreiten.«

»Sie können mich am Arsch lecken!«

»Eine brillante Verteidigung.«

»Sie sind ein Idiot!«, keifte Hale. »Nur zu Ihrer Information: Der TRANSLTR läuft allmählich heiß!«

»Ach ja?«, erwiderte Strathmore verächtlich. »Lassen Sie mich mal raten: Ich sollte wohl besser die Tür öffnen und die Sys-Sec-Leute rufen, nicht wahr?«

»Genau so ist es!«, schnauzte Hale zurück. »Und wenn Sie es nicht tun, sind Sie ein Idiot!«

Strathmore lachte laut auf. »Mein Gott, wie raffiniert ausgedacht: Der TRANSLTR läuft heiß, also Tür auf, damit wir hinauskönnen.«

»Es stimmt aber, verdammt nochmal! Ich war unten in der Untermaschinerie. Der Notstrom zieht zu wenig Kühlmittel!«

»Danke für den Hinweis«, meinte Strathmore. »Leider hat der TRANSLTR eine automatische Abschaltung. Wenn er zu heiß wird, löscht sich Diabolus von selbst.«

»Sie haben nicht mehr alle Tassen im Schrank«, zischte Hale. »Glauben Sie vielleicht, es interessiert mich, wenn der TRANSLTR hopsgeht? Diese verdammte Maschine hätte man sowieso schon längst verbieten sollen!«

»Kinderpsychologie verfängt nur bei Kindern«, seufzte Strathmore. »Lassen Sie Susan jetzt gehen.«

»Damit Sie mich abknallen können?«

»Ich werde Sie nicht abknallen. Ich will von Ihnen den Schlüssel.«

»Was für einen Schlüssel?«

Strathmore seufzte abermals. »Den Key, den Tankado Ihnen geschickt hat.«

»Ich weiß überhaupt nicht, wovon Sie reden!«

»Lügner!«, stieß Susan hervor. »Ich habe Tankados E-Mails in deinem Account gesehen.«

Hale erstarrte. Er wirbelte Susan herum. »Du hast in meinen Accounts herumgeschnüffelt?«

»Und du hast meinen Tracer abgebrochen!«, konterte sie.

Hale spürte seinen Blutdruck gefährliche Werte annehmen. Er hatte geglaubt, alle Spuren getilgt und Susan im Unklaren darüber gelassen zu haben, was er getan hatte. Kein Wunder, dass sie ihm kein Wort abnahm! Er bekam das Gefühl, die Wände würden auf ihn einstürzen. Er begriff, dass er sich nun nicht mehr herausreden konnte – jedenfalls nicht rechtzeitig. »Susan … Strathmore hat Charturkian umgebracht!«, flüsterte er Susan verzweifelt ins Ohr.

»Lassen Sie Susan los«, sagte Strathmore gleichmütig. »Sie glaubt Ihnen ohnehin kein Wort.«

»Weshalb sollte sie auch?«, schrie Hale. »Sie verlogener Schweinehund! Sie haben ihr eine Gehirnwäsche verpasst! Sie erzählen ihr doch nur, was Ihnen in den Kram passt! Weiß Susan vielleicht, was Sie *wirklich* mit Diabolus vorhaben?«

»Und das wäre?«

Hale wusste, dass sein nächster Satz entweder seine Fahrkarte in die Freiheit oder sein Todesurteil war. Er holte tief Luft und ging aufs Ganze. »Sie wollen Diabolus ein Hintertürchen verpassen!«

Unschlüssiges Schweigen aus der Dunkelheit folgte. *Volltreffer!*, dachte Hale. Strathmores Unerschütterlichkeit schien zu bröckeln.

»Woher wollen Sie das denn wissen?«, fragte Strathmore unwillig. Seine Stimme bebte leicht.

»Ich hab's gelesen«, sagte Hale. Er versuchte, die veränderte Situation für sich auszuschlachten. »In einer von Ihren Brainstorm-Aufzeichnungen.«

»Das ist unmöglich. Meine Aufzeichnungen drucke ich niemals aus.«

»Ich weiß. Ich hab's ja auch direkt in Ihrem Computer gelesen.«

Strathmore schien daran zu zweifeln. »Wie wollen Sie in mein Büro gekommen sein?«

»Nicht nötig. Ich habe Ihre Datei von Node 3 aus gehackt.« Hale gab sich Mühe, selbstgefällig zu lachen. Wenn er hier lebend herauskommen wollte, galt es sämtliche Verhandlungstricks aufzubieten, die er bei den Marines gelernt hatte.

Strathmore schob sich noch näher heran, die Beretta ins Dunkle gerichtet.

»Wie wollen Sie von meinem angeblichen Hintertürchen erfahren haben?«

»Habe ich Ihnen doch gesagt: Ich habe in Ihrem Computer herumgeschnüffelt.«

»Unmöglich.«

Hale bemühte sich um einen möglichst überheblichen Ton. »Das kommt davon, wenn man immer nur die Besten engagiert. Da kann man auch mal das Pech haben, dass einer darunter ist, der besser ist als Sie, mein lieber Commander.«

»Junger Mann«, sagte Strathmore ungerührt, »ich weiß nicht, wo Sie Ihre Informationen herhaben wollen, aber Sie bilden sich da gewaltig etwas ein. Sie werden jetzt Miss Fletcher sofort loslassen, oder ich rufe den Sicherheitsdienst, und dann werden Sie bis an Ihr Lebensende im Knast verschimmeln.«

»Das werden Sie nicht tun«, sagte Hale im Brustton der Überzeugung. »Wenn Sie den Sicherheitsdienst rufen, sind Ihre Pläne den Bach runter – weil ich dann nämlich auspacke.« Hale hielt inne. »Aber wenn Sie mich, ohne Schwierigkeiten zu machen, rauslassen, wird nie ein Wort über Diabolus über meine Lippen kommen.«

»Völlig ausgeschlossen!«, winkte Strathmore ab. »Ich will den Schlüssel.«

»Ich habe aber keinen gottverdammten Schlüssel!«

»Und ich habe genug von Ihren Lügen!«, bellte Strathmore. »Her mit dem Schlüssel!«

Hale packte Susan am Hals. »Ich will jetzt raus, oder Susan stirbt!«

Trevor Strathmore hatte in seinem Leben oft genug Verhandlungspoker mit höchstem Einsatz betrieben. Er spürte, dass Greg Hale in eine sehr gefährliche psychische Verfassung geraten war. Der junge Kryptograph hatte sich in eine auswegslose Lage manövriert. Ein in die Ecke getriebener Gegner war immer ein besonders gefährlicher und unberechenbarer Gegner. Strathmore wusste, dass von seinem nächsten Zug alles abhing, Susans Leben – und die Zukunft von Diabolus.

Strathmore musste unbedingt die Situation entspannen. Er legte eine lange Bedenkpause ein. »Also gut, Greg«, sagte er zögernd und seufzte, »Sie haben gewonnen. Was soll ich tun?«

Stille. Hale schien unschlüssig, wie er auf den kooperativen Ton des Commanders reagieren sollte. Sein Druck auf Susans Nacken lockerte sich.

»Also ...«, sagte er stockend, wobei seine Stimme leicht bebte, »als Erstes werden Sie mir Ihre Pistole geben. Und dann kommen Sie beide mit.«

»Als Geiseln?«, entgegnete Strathmore kalt. »Greg, da müssen Sie sich schon etwas Besseres einfallen lassen. Zwischen hier und dem Parkplatz müssen Sie an mindestens einem Dutzend schwer bewaffneter Wachposten vorbei!«

»Ich bin doch kein Idiot«, höhnte Hale. »Dann nehme ich eben Ihren Lift. Susan kommt mit, Sie bleiben hier!«

»Tut mir leid, dass ich Ihnen die Tour vermasseln muss, aber der Lift hat keinen Strom.«

»Quatsch! Der Lift bekommt seinen Strom vom Hauptgebäude. Ich kenne doch den Schaltplan!«

»Wir haben es doch gerade erst versucht«, keuchte Susan, die Strathmore helfen wollte. »Da tut sich nichts.«

»Ihr seid ja solche Arschlöcher, einfach unglaublich!« Hales Griff um Susans Nacken wurde wieder fester. »Wenn der Lift nicht läuft, schalte ich eben den TRANSLTR ab, dann hat er wieder Strom!«

»Für den Lift braucht man ein Passwort«, sagte Susan eifrig.

»Macht nichts«, erwiderte Hale. »Ich bin sicher, der Commander wird es uns verraten, nicht wahr, Commander?«

»Niemals!«, zischte Strathmore.

Hale verlor die Geduld. »Jetzt hören Sie mal gut zu, wie das hier läuft: Sie werden Susan und mich mit Ihrem Lift rauslassen, sie wird mit mir in meinen Wagen steigen, und nach ein paar Stunden lasse ich sie wieder laufen.«

Strathmore spürte, dass der Einsatz gestiegen war. Er hatte Susan in die Sache hineingeritten, also musste er sie auch wieder herauspauken. »Und was ist mit meinen Plänen hinsichtlich Diabolus?«, sagte er ungerührt.

Hale lachte auf. »Schreiben Sie nur Ihr Hintertürchenprogramm. Ich werde schweigen wie ein Grab.« Hales Stimme nahm einen drohenden Unterton an. »Aber sollte ich irgendwann den Eindruck bekommen, dass Sie mir ans Leder wollen, werde ich vor den Medien rückhaltlos auspacken. Ich werde um die Macke von Diabolus einen Riesenaufstand machen, und dann ist Ihr Scheiß-Verein geliefert!«

Strathmore dachte über Hales Vorschlag nach. Er war klar und einfach. Susan blieb am Leben, und Diabolus bekam das Hintertürchen. Solange Strathmore Hale in Ruhe ließ, blieb auch das Hintertürchen ein Geheimnis. Strathmore wusste zwar, dass Hale seine Klappe nicht allzu lange halten konnte, aber trotzdem … das Wissen über Diabolus war Hales einzige Rückversicherung. Vielleicht nahm er sich ja zusammen. Wie auch immer, er konnte ja später immer noch eliminiert werden.

»Komm endlich zu Potte, Alter!«, höhnte Hale. »Gehen wir, oder gehen wir nicht?« Seine Arme schlossen sich wie ein Schraubstock um Susans Nacken.

Strathmore war sicher, dass Susans Leben nicht gefährdet war, auch wenn er jetzt zu seinem Handy griff und den Sicherheitsdienst anrief. Er war bereit, sein Leben darauf zu verwetten. Strathmore sah das Szenario klar vor seinen Augen. Der Anruf würde Hale vollkommen unvorbereitet treffen. Er würde in Panik geraten und am Ende angesichts der inzwischen aufmarschierten kleinen Armee weder aus noch ein wissen. Er würde noch ein bisschen Theater machen und dann kapitulieren. *Aber wenn du den Sicherheitsdienst rufst*, dachte Strathmore, *ist dein Plan im Eimer.*

Hale verdrehte Susan den Hals. Sie schrie gellend auf vor Schmerz. »Also, was ist?«, kreischte Hale. »Soll ich sie kaltmachen?«

Strathmore ging seine Optionen durch. Wenn er zuließ, dass Hale Susan aus der Kuppel hinausschaffte, war die Lage völlig außer Kontrolle. Nach ein paar Stunden Fahrt würde Hale vielleicht irgendwo in einem einsamen Wald rechts ranfahren … er hatte eine Pistole … Strathmore drehte sich der Magen um. Es war völlig unkalkulierbar, was geschehen würde, *bevor* Hale Susan laufen ließ … falls er sie überhaupt laufen ließ. *Du* musst *den Sicherheitsdienst rufen,* dachte Strathmore, *es bleibt dir gar nichts anderes übrig.*

Er stellte sich vor, wie Hale in der Gerichtsverhandlung über Diabolus auspacken würde. *Dann ist dein Plan gescheitert! Es muss doch einen anderen Weg geben.*

»Entscheiden Sie sich!«, schrie Hale und zerrte Susan der Treppe entgegen.

Strathmore hörte nicht zu. Wenn Susans Rettung nur um

den Preis des Scheiterns seines Plans zu haben war, dann sei's drum. Nichts war so wertvoll, als dass er dafür den Verlust von Susan Fletcher in Kauf genommen hätte. Dieser Preis war zu hoch. Trevor Strathmore war nicht bereit, ihn zu zahlen.

Hale hatte Susan die Arme auf den Rücken gedreht und presste ihren Nacken brutal seitwärts. »Commander, das ist Ihre letzte Chance! Geben Sie mir die Waffe!«

In Strathmores Kopf jagten immer noch die Gedanken auf der Suche nach einem Ausweg. *Es gibt immer einen Ausweg!*

»Nein, Greg, tut mir leid«, sagte er schließlich ganz ruhig, »ich kann Sie nicht gehen lassen.«

Hale schnappte hörbar nach Luft. »Was?«

»Ich rufe jetzt den Sicherheitsdienst an.«

Susan stöhnte auf. »Nein, Commander, nicht!«

Hale packte noch fester zu. »Wenn Sie den Sicherheitsdienst rufen, muss sie sterben!«

Strathmore nahm sein Handy aus dem Gürtel und schaltete es an. »Sie bluffen, Hale!«

»Das werden Sie niemals tun!«, kreischte Hale. »Ich werde auspacken! Ich mache Ihren Plan zunichte! Sie sind doch nur noch Zentimeter davon entfernt, dass Ihr Traum in Erfüllung geht – alle Daten der Welt kontrollieren, TRANSLTR ade! Keine Beschränkungen mehr, völlig ungehinderte Information! Es ist die Chance Ihres Lebens! Wollen Sie die ausschlagen?«

»Dann passen Sie mal auf!«, sagte Strathmore mit einer Stimme wie Stahl.

»Aber … aber was ist mit Susan?«, stotterte Hale. »Wenn Sie anrufen, muss sie sterben!«

»Auf dieses Risiko muss ich mich eben einlassen«, sagte Strathmore ungerührt.

»Blödsinn! Sie sind auf diese Frau doch noch schärfer als auf Diabolus! Das werden Sie nicht riskieren! Ich kenne Sie doch!«

Susan wollte sich wütend gegen die Unterstellung verwahren, aber Strathmore kam ihr zuvor. »Junger Mann, Sie kennen mich nicht! Ich habe mich mein ganzes Leben lang auf Risiken eingelassen. Wenn Sie mit harten Bandagen kämpfen wollen, dann nur zu!« Strathmore drückte ein paar Tasten auf seinem Handy. »Sie unterschätzen mich, mein Sohn! Das gibt es bei mir nicht, dass jemand das Leben meiner Mitarbeiterin bedroht und sich dann aus dem Staub macht!« Er hob das Handy. »Vermittlung, den Sicherheitsdienst bitte!«, bellte er hinein.

Hale begann, Susans Hals zu verdrehen. »Ich … ich bringe sie um, ich schwör's Ihnen!«

»Sie werden nichts dergleichen tun!«, sagte Strathmore. »Es würde alles nur noch …« Er unterbrach sich und riss das Handy in Sprechposition. »Sicherheitsdienst? Hier Commander Trevor Strathmore. In der Crypto-Kuppel hat eine Geiselnahme stattgefunden. Schicken Sie sofort ein paar Mann her! Jawohl, sofort, verdammt nochmal! Wir haben einen Generatorausfall. Ich will, dass über sämtliche externen Quellen Strom eingespeist wird. In fünf Minuten muss alles wieder funktionieren! Greg Hale hat einen meiner Sys-Sec-Techniker umgebracht und meine Chef-Kryptographin als Geisel genommen. Setzen Sie nötigenfalls Tränengas ein, auch wenn wir alle davon betroffen sind. Sie haben meine ausdrückliche Genehmigung! Scharfschützen sollen Mr Hale aufs Korn nehmen und gegebenenfalls töten, wenn er nicht kooperiert. Ich übernehme die volle Verantwortung! Und jetzt, los!«

Hale stand wie vom Blitz getroffen da. Er war offenbar völlig durcheinander. Sein Griff um Susans Hals lockerte sich.

Strathmore schaltete das Handy ab und schob es resolut in den Gürtel zurück. »Greg, jetzt sind Sie dran!«

Kapitel 81

Becker stand mit geröteten Augen in der Abfertigungshalle neben einer Telefonzelle. Sein Gesicht brannte, und etwas übel war ihm auch, aber er war in Hochstimmung. Es war vorbei, endgültig vorbei! Er konnte jetzt nach Hause. Der Ring an seinem Finger war der Gral, den er gesucht hatte. Er hielt die Hand ins Licht und betrachtete blinzelnd das goldene Buchstabenband. Seine Augen lieferten ihm nur ein sehr unscharfes Bild, aber die Inschrift schien nicht Englisch zu sein. Er versuchte, die ersten Zeichen zu entziffern. Es fing an mit einem O oder einem Q, vielleicht sogar mit einer Null, aber seine schmerzenden Augen konnten es nicht genau erkennen. *Das war also die Frage der nationalen Sicherheit.*

Becker trat in die Telefonzelle und wählte Strathmores Nummer, aber schon bei der Vorwahl kam eine Ansage. »*Todas las conexiónes están ocupadas*«, sagte eine Stimme. »Leider sind alle Anschlüsse besetzt. Bitte legen Sie auf, und versuchen Sie es später noch einmal.« Becker hängte stirnrunzelnd wieder ein. Er hatte nicht daran gedacht: In Spanien waren Auslandsgespräche eine Art Roulette, eine Frage des Glücks und des richtigen Zeitpunkts. Er würde es in ein paar Minuten noch einmal versuchen müssen.

Er bemühte sich, nicht auf das Brennen des Pfeffersprays in seinen Augen zu achten. Megan hatte gesagt, dass es durch Reiben nur noch schlimmer würde – falls das vorstellbar war.

Ungeduldig versuchte er noch einmal, zu Strathmore durchzukommen. Wieder keine Verbindung. Becker hielt es nicht mehr aus. Seine Augen brannten wie Feuer. Er musste sie unbedingt ausspülen. Strathmore würde sich eben ein paar Minuten gedulden müssen. Halb blind machte er sich auf den Weg zu den Toiletten.

Vor der Tür der Herrentoilette erkannte er verschwommen den Reinigungswagen. Wieder wandte Becker sich der Tür mit der Aufschrift SEÑORAS zu. Es kam ihm vor, als hätte er von drinnen etwas gehört. Er klopfte. *»¿Hola?«*

Stille.

Möglicherweise Megan, dachte er. Sie hatte noch fünf Stunden totzuschlagen, bis ihr Flugzeug ging. Wollte sie nicht versuchen, den Arm ganz sauber zu bekommen?

»Megan!«, rief Becker. Er klopfte noch einmal. Als keine Antwort kam, öffnete er die Tür und trat ein. »Hallo?« Es schien niemand in der Toilette zu sein. Achselzuckend trat Becker ans Waschbecken.

Das Becken war verschmutzt wie zuvor, aber das Wasser war kalt. Er spülte seine Augen. Er fühlte, wie die offenen Poren sich strafften. Der Schmerz ließ langsam nach, der Nebel hob sich allmählich. Becker betrachtete sich im Spiegel. Er sah aus, als hätte er tagelang geheult.

Als er sich das Gesicht am Ärmel des Jacketts trocken wischte, ging ihm plötzlich auf, wo er war. Vor lauter Aufregung hatte er es ganz vergessen. Er war auf dem Flughafen! Irgendwo da draußen auf dem Flugfeld wartete in einem Privathangar ein Learjet 60 auf ihn, der ihn nach Hause bringen sollte! *Ich habe Anweisung, hier auf Sie zu warten, bis Sie zurückkommen,* hatte der Pilot unmissverständlich gesagt.

Kaum zu glauben, dachte Becker, *jetzt bist du wieder da, wo alles angefangen hat! Worauf wartest du noch? Die Nachricht an Strathmore kann bestimmt auch der Pilot durchgeben.*

Becker lächelte sich im Spiegel zu und zog die Krawatte

zurecht. Er wollte gerade gehen, als er im Spiegel etwas sah, das ihm bekannt vorkam. Er drehte sich um. Megans Reisetasche schien aus der halb offenen Tür der Toilettenzelle herauszuragen.

»Megan?«, rief er. Keine Antwort. »Megan!«

Becker pochte laut an die Seitenwand der Zelle. Keine Reaktion. Vorsichtig drückte er gegen die Tür. Sie schwang auf.

Becker hätte fast aufgeschrien vor Schreck. Megan saß mit nach oben verdrehten Augen auf der Toilette. Aus einem Einschussloch mitten auf der Stirn sickerte eine blutige Flüssigkeit in ihr Gesicht.

»Oh, mein Gott!«

»Está muerta«, sagte eine kaum menschlich zu nennende Stimme hinter ihm. »Sie ist tot.«

Wie in einem Albtraum drehte Becker sich um.

»¿Señor Becker?«, fragte die gespenstische Stimme.

Fassungslos betrachtete David Becker den Mann, der in die Toilette getreten war. Er kam ihm irgendwie bekannt vor.

»Soy Hulohot«, sagte der Killer. »Ich bin Hulohot.« Die missgestalteten Worte schienen aus den Tiefen seines Leibes emporzuquellen. Er streckte die Hand aus. *»¡El anillo!* Den Ring!«

Becker starrte ihn verständnislos an.

Der Mann zog eine Pistole aus der Tasche und richtete den Lauf auf Beckers Kopf. *»¡El anillo!«*

Becker erlebte einen Moment völliger Klarheit. Er wurde von einem Gefühl durchflutet, das er bislang noch nicht gekannt hatte. Wie auf Kommando spannten sich sämtliche Muskeln seines Körpers. Als der Schuss peitschte, flog Becker schon durch die Luft und landete auf Megan. Das Projektil fuhr vor ihm in die Wand.

»¡Mierda!«, zischte Hulohot. Sein Opfer war im allerletzten Moment aus der Schussbahn getaucht.

Becker fuhr von dem leblosen Teenager hoch. Er hörte Schritte, der Hahn einer Pistole knackte.

»Adiós«, flüsterte der Mann. Wie ein Panther war er herbeigesprungen. Ein Pistolenlauf schwang in die Zelle.

Etwas Rotes blitzte auf, doch es war kein Blut. Wie aus dem Nichts prallte etwas Schweres gegen die Brust des Killers. Megans Reisetasche. Der Killer drückte ab, aber einen Sekundenbruchteil zu früh.

Becker schoss aus der Zelle wie eine Granate. Seine Schulter grub sich in den Magen des Angreifers und trieb ihn zurück gegen das Waschbecken. Der Spiegel klirrte. Die beiden Männer gingen zu Boden. Die Waffe klapperte auf die Fliesen. Becker schnellte wieder hoch und stürmte zum Ausgang. Hulohot grapschte nach seiner Waffe, warf sich herum und feuerte. Die Kugel fuhr in die zuschlagende Toilettentür.

Die Weite der leeren Abfertigungshalle tat sich vor Becker auf wie eine unüberwindliche Wüste. Seine Beine wirbelten schneller unter ihm, als er es ihnen je zugetraut hätte. Als er keuchend die Drehtür erreichte, bellte hinter ihm ein Schuss. Die Querscheibe explodierte in einem Scherbenregen. Becker stemmte die Schulter gegen den leeren Rahmen. Das Türkreuz ruckte an. Sekunden später sprang Becker hinaus auf das Trottoir.

Ein wartendes Taxi stand am Rinnstein.

»¡Déjame entrar!«, schrie Becker und hämmerte gegen die Scheibe der verschlossenen Tür. »Lassen Sie mich rein!« Der Fahrer winkte ab. Sein vorheriger Fahrgast mit der Nickelbrille hatte ihn angewiesen, auf ihn zu warten. Becker drehte sich um. Er sah Hulohot mit der Waffe in der Hand durch die Abfertigungshalle rennen. *Mann, du bist so gut wie tot!* Auf dem Trottoir lag noch die kleine Vespa.

Als Hulohot durch die Drehtür platzte, trampelte Becker schon auf dem Kickstarter herum – vergeblich. Lächelnd hob Hulohot die Waffe.

Der Choke! Becker riss wahllos an den Hebeln unter dem Benzintank herum. Der Motor hustete und starb wieder ab.

»*¡El anillo!* Den Ring!« Die Stimme war nicht mehr allzu weit entfernt.

Becker blickte auf. Er sah den Lauf einer auf ihn gerichteten Pistole. Er drosch noch einmal den Fuß auf den Starter.

Hulohots Schuss zischte knapp an Beckers Kopf vorbei, dessen kleine Vespa in diesem Moment angesprungen war und einen Satz nach vorn machte. An das kleine Zweirad geklammert, holperte Becker eine grasbewachsene Böschung hinunter, kurvte um die Ecke des Gebäudes und schnurrte hinaus auf die Landebahn.

Wutschnaubend rannte Hulohot zu dem wartenden Taxi. Sekunden später lag der Fahrer halb ohnmächtig im Rinnstein und sah sein Taxi in einer Staubwolke davonpreschen.

Kapitel 82

Der Anruf des Commanders hatte Greg Hale auf dem linken Fuß erwischt. *Strathmore hat den Sicherheitsdienst angerufen! Er lässt seinen Plan für Diabolus sausen!* Nicht im Traum hätte Hale damit gerechnet, dass der Commander die Chance auslassen würde, Diabolus mit einem Hintertürchen zu versehen – die Chance seines Lebens!

Der Sicherheitsdienst ist im Anmarsch! Als Greg Hale das ganze Ausmaß von Strathmores Anruf aufging, raubte ihm die aufwallende Panik die Kraft. Susan wäre ihm fast entschlüpft. Hale fand gerade noch rechtzeitig seine Fassung wieder und riss sie zurück.

»Lass mich los!«, schrie Susan, dass es in der Kuppel widerhallte.

Hales von Panik angeheizte Fantasie ging mit ihm durch. Überall wähnte er den drohenden Lauf von Strathmores Beretta zu sehen. Susan fest an sich gepresst, drehte er sich um die eigene Achse, um dem Commander kein Ziel zu bieten.

»Du tust mir weh!«, keuchte Susan. Atemlos stolperte sie Hales verzweifelten Pirouetten hinterher.

Hale zerrte Susan zur Treppe. In ein paar Minuten würde das Licht wieder angehen, das Portal auffahren und ein Trupp Sicherheitsleute hereingestürmt kommen. Er hätte am liebsten Susan losgelassen und einen Sprint zu Strathmores Lift riskiert, aber ohne das Passwort zu kennen, war das reiner Selbstmord.

Und selbst wenn er hinausgekommen wäre – ohne Geisel war er draußen ein toter Mann. Noch nicht einmal sein Lotus hätte eine Staffel NSA-Hubschrauber abhängen können. *Susan ist deine einzige Garantie, dass Strathmore dir nicht das Lebenslicht auspusten lässt!*

Susans Widerspenstigkeit machte ihm ein weiteres Problem bewusst. Auch wenn er Strathmores Lift ans Laufen bekam und Susan mitschleppte – sie würde sich ohne Zweifel auf dem ganzen Weg hinaus beharrlich zur Wehr setzen. Hale wusste sehr gut, dass die Endstation des Lifts am »Untergrund-Highway« lag, einem Labyrinth von unterirdischen Gängen, das der Machtelite der NSA unbemerkten Zugang und die unbeobachtete Bewegung im Gebäude verschaffte. Hale hatte wenig Lust, sich mit einer widerspenstigen Geisel auf Irrfahrt durch das Wirrwarr der Kellergänge der NSA zu begeben. Es war eine Todesfalle, und falls er hinausgelangte, hatte er noch nicht einmal eine Waffe, wie ihm jetzt einfiel! Wie sollte er Susan quer über den Parkplatz zum Wagen bekommen? Wie sollte er fahren?

Die Antwort lieferte ihm die Stimme eines Strategie-Experten aus seinen Tagen bei den Marines.

Wenn du jemand zur Hilfe zwingen willst, wird sich der Betroffene wehren, warnte die Stimme. *Bring ihn dazu, so zu denken wie du, dann hast du einen Bundesgenossen!*

»Susan«, sagte Hale, »Strathmore ist ein Mörder! Auch du bist in Gefahr!«

Susan schien ihm noch nicht einmal zuzuhören. Außerdem war diese Tour ohnehin absurd. Strathmore würde Susan niemals etwas antun, und das wusste sie genau.

Hale starrte angestrengt in die Finsternis. Wo steckte der Commander? Strathmore war auf einmal völlig verstummt. Hale wurde noch nervöser. Er spürte, dass ihm die Zeit davonlief. Jeden Moment konnten bewaffnete Sicherheitsleute hereingestürmt kommen.

Die Arme fest um Susans Taille geschlungen, zerrte Hale sie unter Aufbietung aller Kräfte rückwärts die Treppe zu Strathmores Büro hinauf. Sie hakte die Fersen unter die unterste Stufe, aber es nützte ihr nichts. Hale war stärker.

Mit Susan im Schlepptau erklomm Hale Stufe um Stufe. Es wäre vielleicht einfacher gewesen, sie vor sich herzuschieben, aber das obere Treppenende lag im matten Licht von Strathmores Computerbildschirm. Wenn Susan voranging, hätte Hales ungeschützter Rücken ein leichtes Ziel abgegeben, aber so hatte Hale einen menschlichen Schutzschild zwischen sich und Strathmore unten in der Kuppel.

Nach etwa einem Drittel des Weges nach oben spürte Hale unten an der Treppe eine Bewegung. *Strathmore schreitet zur Tat!* »Commander, schlagen Sie sich das aus dem Kopf!«, zischte Hale. »Sie würden höchstens Susan umbringen!«

Hale wartete ab. Kein Geräusch mehr am Fuß der Treppe. Er lauschte in die Stille. Nichts. Hatte er bereits Halluzinationen? Egal. Mit Susan in der Schusslinie würde Strathmore keinen Schuss riskieren.

Da passierte etwas Unerwartetes. Am oberen Ende der Treppe gab es ein mattes Geräusch. Hale hielt inne. Das Adrenalin schoss ihm bis in die Haarspitzen. War Strathmore irgendwie die Treppe hochgeschlüpft? Gefühlsmäßig musste er noch unten in der Kuppel sein – aber da war dieses Geräusch noch einmal, diesmal etwas lauter. Eindeutig ein auftretender Schuh, oben am Treppenende!

Entsetzt erkannte Hale seinen Fehler. *Strathmore wartet oben am Treppenende, hinter dir! Er kann dich problemlos von hinten abknallen!* Er riss Susan auf die treppauf gelegene Seite, wechselte die Richtung und zog sich rückwärts gehend nach unten zurück.

Auf der untersten Stufe hielt er inne und starrte zum Treppenende hinauf. »Hauen Sie ab, Commander!«, schrie er. »Hauen Sie ab, oder ich breche Susan …«

Die Beretta sauste durch die Luft und krachte an Hales Schläfe.

Hale sank zusammen. Verwirrt riss Susan sich los. Strathmore packte sie und presste ihren bebenden Körper an sich. »Schsch«, machte er beruhigend, »ruhig, ich bin's. Jetzt kann Ihnen nichts mehr passieren.«

Susan zitterte wie Espenlaub. »Com ... mander«, stammelte sie desorientiert, »ich dachte, Sie wären da oben! Ich habe doch gehört ...«

»Ganz ruhig«, flüsterte er. »Was Sie gehört haben, waren meine Schuhe. Ich habe sie hochgeworfen.«

Susan lachte und weinte zugleich. Der Commander hatte ihr soeben das Leben gerettet. Ein Gefühl unendlicher Erleichterung überkam sie – nicht ohne Beimischung von Schuldgefühlen. Hale hatte sie nur deshalb gegen Strathmore ausspielen können, weil sie so leichtsinnig gewesen war, sich fangen zu lassen, und jetzt war der Sicherheitsdienst im Anmarsch. Der Commander hatte für ihre Rettung einen ungeheuren Preis bezahlt. »Es tut mir ja so leid«, sagte sie.

»Was tut Ihnen leid?«

»Ihr schöner Plan mit Diabolus ... damit ist es jetzt aus und vorbei.«

Strathmore schüttelte den Kopf. »Keineswegs!«

»Aber ... aber, was ist mit dem Sicherheitsdienst? Das Einsatzkommando wird jeden Moment hier sein! Uns bleibt keine Zeit mehr, um ...«

»Susan, es kommt niemand vom Sicherheitsdienst. Wir haben Zeit, so viel wir wollen.«

Susan begriff nichts mehr. »Aber Sie haben doch die Einsatzzentrale angerufen ...«

»Ein uralter Trick!«, erwiderte Strathmore lachend. »Ich habe nur so getan.«

Kapitel 83

Beckers Vespa war mit Abstand das kleinste Fahrzeug, das je die Landebahn des Flughafens von Sevilla hinuntergerast war. Bei seiner Höchstgeschwindigkeit von achtzig Kilometern klang das Vehikel eher nach einem Modellflugzeug als nach einem Motorrad, schien aber gleichwohl jeden Moment abheben zu wollen.

Becker sah im Rückspiegel das Taxi vierhundert Meter zurück auf die dunkle Landebahn schießen. Der Wagen begann sofort aufzuholen. Becker schaute nach vorne. Ungefähr achthundert Meter voraus ragten die Hangars in den dunklen Nachthimmel. Ob das Taxi ihn vorher schon einholen konnte? Susan hätte seine Chancen im Handumdrehen ausrechnen können. Plötzlich saß Becker die Angst im Nacken wie noch nie.

Über den Lenker gebeugt, drehte er den Gasgriff bis zum Anschlag. Die Vespa gab eindeutig alles, was sie hatte. Becker schätzte, dass das Taxi hinter ihm hundertsechzig Sachen draufhatte, zweimal so viel wie er selbst. Er peilte die in der Ferne aufragenden Hangars an. *Der mittlere. Dort steht der Learjet.*

Ein Schuss peitschte. Das Projektil zischte ein paar Meter neben der Vespa in die Landebahn. Becker schaute zurück. Der Killer hatte sich mit der Waffe aus dem Seitenfenster gehängt und zielte. Becker fuhr Schlangenlinie. Sein Rückspiegel explodierte in einem Splitterhagel. Der Einschlag der Kugel war deutlich im Lenker zu spüren. Becker legte sich mit dem

Oberkörper flach auf den Roller. *Gott steh dir bei. Das schaffst du nie!*

Das Taxi kam näher. Im Licht seiner aufgeblendeten Scheinwerfer tanzte Beckers Schatten gespenstisch über die Rollbahn. Wieder knallte ein Schuss. Die Kugel prallte als heulender Querschläger von der Heckverkleidung des Rollers ab.

Becker wäre am liebsten weiter Zickzackkurs gefahren. *Du musst es zum Hangar schaffen! Ob der Pilot des Learjet die wilde Jagd herannnahen sieht? Hoffentlich hat er eine Waffe! Wird er die Kabine früh genug öffnen?* Die beleuchtete Höhlung des offenen Hangars kam näher.

Beckers Überlegungen gingen ins Leere. Von einem Learjet war keine Spur zu sehen. Becker schob es auf seinen vom Pfefferspray getrübten Blick. *Lieber Gott, lass mich Halluzinationen haben!* Aber es waren keine. Der Hangar war leer und verlassen. *Oh Gott, wo ist das Flugzeug?*

Die beiden Fahrzeuge schossen gleichauf in den Hangar. Verzweifelt suchte Becker nach einem Schlupfloch. Vergeblich. Die Wellblechrückwand der Halle hatte weder Tür noch Fenster.

Das Taxi setzte sich rechts neben Becker. Er sah Hulohot die Pistole heben. Instinktiv trat er auf die Bremse, aber die Wirkung blieb aus. Der Hangarboden war verölt. Die Vespa begann eine Rutschpartie.

Das Taxi neben Becker schleuderte auf dem Ölteppich nur Zentimeter neben Beckers Vespa um die eigene Achse. Seite an Seite sausten die beiden Fahrzeuge der Rückwand entgegen. Beckers zaghafte Bremsversuche blieben wirkungslos. Wunderbarerweise war er noch nicht gestürzt, aber er fuhr wie auf Eis. Die Wellblechwand kam auf ihn zugerast. Becker machte sich neben dem schleudernden Taxi auf den Aufprall gefasst.

Es gab ein ohrenbetäubendes Krachen, aber Becker spürte keinen Aufprall und keinen Schmerz. Er befand sich plötzlich im Freien, saß immer noch auf der Vespa und hoppelte über

Grassoden. Es war, als hätte sich die Hangarrückwand in Luft aufgelöst. Neben ihm schoss das Taxi über das Feld. Eine riesige Bahn Wellblech löste sich von der Frontpartie des Wagens und segelte über Beckers Kopf davon.

Beckers Herz raste. Er gab Gas und kurvte in die Nacht.

Kapitel 84

Jabba lag in dem reparierten Großrechner auf dem Rücken und seufzte erleichtert auf. Die letzte Lötstelle war geschafft. Er schaltete den Lötkolben aus und nahm den Leuchtstab aus dem Mund. Er war ganz schön fertig. Sein Nacken tat ihm weh, sein verbrannter Arm schmerzte. Wenn man innerhalb des Gehäuses arbeiten musste, ging es immer sehr eng zu, zumal für einen Menschen seiner Körperfülle.

Und die Dinger werden laufend kleiner!, sinnierte er.

Als er für einen wohlverdienten Augenblick der Entspannung die Augen schließen wollte, zerrte jemand an seinen Stiefeln.

»Jabba, komm da raus!«, schrie eine Frauenstimme.

Midge hat dich aufgestöbert, stöhnte er.

»Jabba, komm raus!«

Widerwillig robbte er aus dem Gehäuse. »Midge, habe ich dir nicht gesagt, dass …« Jabba blickte erstaunt hoch. Es war nicht Midge. »Soschi?«

Soschi Kutta war Jabbas rechte Hand. Das einundvierzig Kilo leichte Energiebündel war Absolventin des MIT und inzwischen eine mit allen Wassern gewaschene Sys-Sec-Technikerin. Seite an Seite mit Jabba arbeitete sie oft bis spät in die Nacht. Sie war das einzige Mitglied seines Teams, das nicht in Ehrfurcht vor ihm erstarrte.

Sie sah Jabba ungnädig an. »Warum zum Teufel hast du auf

meinen Anruf nicht reagiert? Und auf meine Durchsage auch nicht!«

»Ach, du warst das! Ich habe gedacht, es wäre …«

»Das ist jetzt egal. In der zentralen Datenbank tun sich seltsame Dinge.«

Jabba sah auf die Uhr. »Seltsame Dinge?« Jetzt wurde ihm doch mulmig. »Würde es dir etwas ausmachen, ein wenig präziser zu werden?«

Soschi wurde präziser.

Kurz darauf stürmte Jabba im Eiltempo durch die Flure, der Datenbank entgegen.

Kapitel 85

Greg Hale lag zusammengeschnürt auf dem Boden von Node 3. Strathmore und Susan hatten ihn quer durch die Kuppel geschleift und an Händen und Füßen mit den zwölfadrigen Druckerkabeln der Laserdrucker von Node 3 gefesselt.

Susan war immer noch sprachlos über Strathmores raffiniertes Täuschungsmanöver. *Er hat den Anruf vorgetäuscht!* Der Commander hatte es wieder einmal geschafft. Er hatte Hale geschnappt, Susan gerettet und außerdem noch genügend Zeit gewonnen, um Diabolus umzuprogrammieren!

Susan betrachtete beklommen den gefesselten Kollegen. Hale atmete schwer. Strathmore saß auf der Couch, die Beretta wie einen Fremdkörper auf dem Schoß.

Susan wandte sich wieder ihrer Nonkonformitätssuche in Hales Terminal zu. Sie startete den vierten Suchlauf, aber wieder ohne Ergebnis. »Immer noch kein Glück«, seufzte sie. »Vielleicht müssen wir doch darauf warten, dass David Tankados Schlüssel findet.«

Strathmore war nicht einverstanden. »Und was ist, wenn David es nicht schafft und Tankados Schlüssel in die falschen Hände gerät?«

Strathmore brauchte nicht ins Detail zu gehen. Susan hatte begriffen. Solange die ins Internet gestellte Diabolus-Datei nicht durch Strathmores modifizierte Version ersetzt war, stellte Tankados Key eine Gefahr dar.

»Wenn wir den Austausch vorgenommen haben, ist es mir egal, wie viele Keys in der Welt herumschwirren«, meinte Strathmore. »Je mehr, desto besser. Aber bis dahin ist die Uhr unser Gegner.« Er forderte Susan mit einer Geste zum Weitersuchen auf.

Susan wollte ihm beipflichten, doch ihre Worte gingen in einem ohrenbetäubenden Alarmsignal aus der Untermaschinerie unter, das in die Stille der Kuppel platzte. Susan und Strathmore sahen einander überrascht an.

»Was-ist-denn-*das?*«, schrie Susan in die kurzen Intervalle zwischen den Hornstößen.

»Der-TRANS-L-TR!«, schrie Strathmore zurück. Er sah beunruhigt aus. »Er wird zu heiß! Vielleicht hatte Hale doch Recht, dass die Anlage auf Notstrom zu wenig Kühlmittel zieht.«

»Wo bleibt die Abschaltautomatik?«

Strathmore überlegte. »Es muss irgendwo einen Kurzschluss gegeben haben.« Ein gelbes Warnblinklicht, das in der Kuppel angesprungen war, jagte puslierende Lichtblitze über sein Gesicht.

»Jetzt sollten Sie aber wirklich abschalten«, rief Susan.

Strathmore nickte. Wenn drei Millionen überhitzte Prozessoren in Brand gerieten, war alles zu spät. Er musste schleunigst zu seinem Terminal hinauf und den Dechiffrierungsversuch von Diabolus per Abbruchbefehl stoppen – vor allem, bevor draußen jemand auf die Situation aufmerksam werden und die schwere Reiterei loschicken konnte.

Strathmore streifte den immer noch bewusstlosen Hale mit einem Blick und legte die Beretta neben Susan auf den Tisch. »Bin gleich wieder da!«, schrie er in den Lärm und strebte zum Loch in der Glaswand. Bevor er verschwand, drehte er sich noch einmal um. »Und sehen Sie zu, dass Sie den Schlüssel finden!«, rief er über die Schulter zurück.

Susan betrachtete das magere Ergebnis ihrer wenig erfolgreichen Suche. Hoffentlich beeilte sich Strathmore und schaltete bald ab. In der Kuppel herrschten ein Lärm und ein Lichtergeflacker wie bei einem Raketenstart.

Auf dem Boden regte sich Hale. Er wurde langsam wieder lebendig und zuckte bei jedem Ton des Alarmhorns zusammen. Zu ihrer eigenen Überraschung griff Susan nach der Beretta. Als Hale die Augen öffnete, stand sie über ihm und hielt die Waffe auf seinen Schritt gerichtet.

»Wo ist der Schlüssel?«, fuhr sie ihn an.

Hale schien sich nicht zurechtzufinden. »Wa … was ist passiert?«

»Du hast dich verrechnet, das ist passiert! Also, wo ist der Schlüssel?«

Hale versuchte, den Arm zu bewegen. Als er merkte, dass er gefesselt war, wurde sein Gesicht starr vor Angst. »Mach mich los!«

»Erst will ich den Schlüssel!«

»Ich habe ihn doch nicht! Bitte, mach mich los!« Hale versuchte aufzustehen, konnte sich aber nur mühsam auf die Seite rollen.

»Du bist North Dakota, und Ensei Tankado hat dir seinen Schlüssel gegeben«, schrie Susan zwischen den Hornstößen. »Ich will ihn augenblicklich haben!«

»Du spinnst!«, keuchte Hale. »Ich bin nicht North Dakota.« Er arbeitete gegen seine Fesseln an.

»Lüg mich nicht an!«, schrie Susan zornig. »Warum sind dann lauter E-Mails von North Dakota in deinem Account?«

»Das habe ich dir doch schon gesagt!«, entgegnete Hale. »Ich habe Strathmore angezapft. Die E-Mails in meinem Account habe ich aus Strathmores Account kopiert! Das sind alles E-Mails, die COMINT abgefangen hat.«

»Unsinn! In den Account des Commanders würdest du doch niemals hineinkommen!«

»Mein Gott, wie blind bist du eigentlich? Der Account von

Strathmore war doch schon angezapft!«, schrie Hale. »Meiner Meinung nach kann das nur Leland Fontaine gemacht haben. Ich bin einfach nur Trittbrett gefahren. Nun glaub mir doch endlich! Auf diese Weise habe ich ja überhaupt erst von Strathmores Plan mit dem Hintertürchen Wind bekommen! Ich habe seine Brainstorm-Aufzeichnungen gelesen.«

Brainstorm-Aufzeichnungen? Susan wurde nachdenklich. Bei der Entwicklung seines Plans hatte Strathmore zweifelsohne die BrainStorm-Software benutzt. Wer in seinem Account geschnüffelt hatte, konnte auch diese Informationen finden …

»Diabolus umzuschreiben ist Wahnsinn!«, schrie Hale. »Du weißt genau, was das bedeutet – dann hat die NSA Zugriff auf *alles*!« Das Alarmgeheul übertönte Hale, aber er war wie besessen. »Glaubst du etwa, wir sind dieser Verantwortung gewachsen? Glaubst du etwa, irgendjemand ist einer solchen Verantwortung gewachsen? Wie kann man nur so kurzsichtig sein? Glaubst du denn, unsere Regierung hat nur das Wohl ihrer Bürger im Sinn? Und wenn schon, was ist, wenn sich das bei einer zukünftigen Regierung einmal ändert? Diese Technologie werden wir nie wieder los, die verfolgt uns bis ans Ende unserer Tage!«

Susan hörte ihn kaum vor lauter Lärm.

Hale zerrte an seinen Fesseln. »Wie soll sich der Bürger gegen einen Polizeistaat wehren«, schrie er, »wenn der Mann an der Spitze auf *allen* Kanälen *alles* mithören kann? Wie soll man da Widerstand leisten?«

Susan hatte dieses Argument schon oft gehört. Es gehörte zum Standardrepertoire der EFF.

»Jemand muss Strathmore in den Arm fallen«, schrie Hale, »und ich habe mir geschworen, dass ich derjenige bin. Deswegen habe ich den ganzen Tag hier gesessen und seinen Account beobachtet, damit ich den Moment nicht verpasse, wenn er den Austausch vornimmt. Ich wollte den ganzen Ablauf dokumentieren. Ich muss schließlich beweisen können, dass er Diabolus mit einem Hintertürchen versehen hat! Nur deshalb habe ich seine ganzen E-Mails in meinen Account kopiert. Ich wollte mit diesen Informationen an die Öffentlichkeit gehen!«

Susans Herzschlag setzte einen Moment lang aus. Hatte sie richtig gehört? War das denkbar? Greg Hale wollte Strathmores Pläne gekannt haben, der Öffentlichkeit eine manipulierte Version von Diabolus unterzujubeln? Er wollte seelenruhig abwarten, bis alle Welt das Programm benutzte, um dann seine Bombe platzen zu lassen?

Susan stellte sich die Schlagzeilen vor: US-REGIERUNG PLANT KONTROLLE DER GLOBALEN INFORMATION! KRYPTOGRAPH GREG HALE (34) ENTHÜLLT GEHEIMPLAN!

War das eine Neuauflage von Skipjack? Wenn Greg Hale zum zweiten Mal mit Enthüllungen über ein Hintertürchen der NSA Furore machte, würde er berühmter werden, als er es sich in seinen kühnsten Träumen ausgemalt hatte. Und außerdem war es das Aus für die NSA. Susan sah sich auf einmal vor die Frage gestellt, ob Hale vielleicht doch die Wahrheit sagte.

Nein, entschied sie, *natürlich nicht!*

Hales Plädoyer war noch nicht zu Ende. »Ich habe deinen Tracer abgebrochen, weil ich dachte, du wärst hinter *mir* her. Ich habe geglaubt, du hättest Lunte gerochen, dass Strathmore eine Wanze hat. Ich wollte verhindern, dass du das Leck findest und zu mir zurückverfolgst!«

Das war zwar plausibel, aber unwahrscheinlich. »Und deshalb hast du Charturkian umgebracht?«, giftete Susan.

»Das war doch gar nicht *ich!*«, schrie Hale. »Strathmore hat ihn hinuntergestoßen! Ich habe den Kampf von unten beobachtet. Charturkian war drauf und dran, das Sys-Sec-Team zu rufen, und dann hätte Strathmore seinen schönen Plan mit dem Hintertürchen vergessen können!«

Hale ist gar nicht schlecht, dachte Susan. *Er hat für alles eine Erklärung.*

»Mach mich los«, bettelte Hale. »Ich habe ehrlich nichts getan!«

»Nichts getan?«, schrie Susan. *Warum braucht Strathmore eigentlich so lang?* »Du und Tankado, ihr habt die NSA zu eurer Geisel gemacht! Jedenfalls bis zu dem Moment, an dem du ihn hintergangen hast. Sag mal, ist Tankado wirklich an einem Herzinfarkt gestorben, oder hat jemand von deinen Kumpanen ein bisschen nachgeholfen?«

»Wie kann man nur so vernagelt sein?«, schrie Hale. »Merkst du denn nicht, dass ich damit nichts zu tun haben kann? Mach mich los, bevor der Sicherheitsdienst kommt!«

»Es kommt kein Sicherheitsdienst«, sagte Susan kalt.

Hale wurde blass. »Wie bitte?«

»Strathmore hat dich reingelegt. Er hat dir das Telefonat nur vorgespielt.«

Hale riss fassungslos die Augen auf. Er wirkte wie gelähmt, dann begann er, wie wild gegen seine Fesseln anzukämpfen. »Strathmore wird mich umbringen! Er muss es einfach, ich weiß zu viel!«

»Nun mach kein Theater, Greg.«

»Ich bin unschuldig!«, schrie Greg Hale.

»Du lügst doch«, sagte Susan, »und ich kann's auch beweisen!« Sie ging zu ihrem Terminal. »Du denkst, du hättest meinen Tracer gestoppt, aber ich habe ihn noch einmal losgeschickt. Dann lass uns mal nachsehen, ob er inzwischen etwas gemeldet hat.«

Tatsächlich blinkte auf Susans Bildschirm ein Icon und meldete die Rückkehr der Tracerdaten. Sie nahm die Maus zur Hand und öffnete die Nachricht. *Das wird Hale das Genick brechen*, dachte sie. *Hale ist North Dakota.* Das Fenster mit der Meldung ging auf. *Hale ist …*

Die Meldung erschien. Susan hielt erstaunt inne. Das konnte nur ein Fehler sein. Der Tracer hatte eine völlig andere Person ausfindig gemacht. Es war dasselbe Ergebnis, das Strathmore bereits verworfen hatte, als er anfangs selbst den Tracer losgeschickt hatte. Sie hatte geglaubt, Strathmore sei ein Fehler unterlaufen, aber jetzt wurde ihr klar, dass er den Tracer korrekt konfiguriert haben musste.

Wie auch immer, die Information auf dem Bildschirm war einfach absurd:

NDAKOTA = ET@DOSHISHA.EDU

»ET?«, rief sie verdutzt aus. In ihrem Kopf ging es drunter und drüber. »Ensei Tankado soll North Dakota sein?«

Es war einfach unvorstellbar. Wenn diese Daten stimmten, waren Tankado und sein Partner ein und dieselbe Person. Susan konnte plötzlich nicht mehr klar denken. Wenn nur dieser Alarm aufhören würde! *Warum schaltet Strathmore das verdammte Ding nicht endlich ab?*

Hale warf sich herum, um Susan sehen zu können. »Also, was steht da? Nun sag schon!«

Susan verdrängte Hale aus ihrem Bewusstsein. *Ensei Tankado ist North Dakota ...*

Sie versuchte die Bausteine des Puzzlespiels neu zu legen, aber diesmal so, dass sie nahtlos ineinanderpassten. Wenn Tankado North Dakota war, dann hatte er sich die E-Mails selbst geschrieben ... was bedeutete, dass North Dakota gar nicht existierte. Tankados Partner war ein Phantom.

Ein Verwirrspiel.

Es war schlau eingefädelt. Strathmore hatte offenbar immer nur die eine Seite des Spiels verfolgt. Da der Ball stets wieder zurückgekommen war, war er davon ausgegangen, dass auch auf der anderen Seite ein Spieler stehen musste. Aber Tankado hatte den Ball nur gegen die Wand geschlagen. Er hatte die Einmaligkeit von Diabolus in Nachrichten verkündet, die er sich selbst geschrieben hatte. Er hatte die Mails an einen Provider für anonyme Mails geschickt, und der hatte sie ihm ein paar Stunden später prompt wieder zurückgeschickt.

Plötzlich sah Susan klar. Tankado hatte es bewusst darauf

angelegt, dass Strathmore seine E-Mails abfing. Er *wollte,* dass der Commander sie las. Tankado hatte sich eine unsichtbare Rückversicherung geschaffen, ohne jemals seinen Key aus der Hand geben zu müssen. Damit alles einen authentischen Anstrich erhielt, hatte er sich einen geheimen Account zugelegt. Tankado war sein eigener Partner. North Dakota gab es überhaupt nicht. Ensei Tankado hatte eine Einmann-Show veranstaltet.

Eine Einmann-Show.

Ein erschreckender Gedanke ergriff von Susan Besitz. *Mit dieser Scheinkorrespondenz hätte Tankado dem Commander alles Mögliche unterjubeln können!*

Sie erinnerte sich an ihre erste Reaktion, als Strathmore von einem unangreifbaren Algorithmus gesprochen hatte. Sie hätte tausend Eide geschworen, dass das ein Ding der Unmöglichkeit war. Inzwischen stellte sich die Lage in einem neuen, sehr beunruhigenden Licht dar. Gab es denn außer Tankados großsprecherischen E-Mails überhaupt einen Beweis, dass es ihm gelungen war, das Programm Diabolus zu entwickeln? Natürlich … der TRANSLTR. Der Großrechner hing seit über zwanzig Stunden in einer endlosen Programmschleife fest. Aber wie Susan sehr wohl wusste, gab es auch ganz andere Programme, die das bewirken konnten, viel einfachere Programme obendrein.

Viren.

Es lief ihr kalt den Rücken hinunter.

Aber wie sollte ein Virus in den TRANSLTR gelangt sein?

Phil Charturkian lieferte ihr die Antwort. Sie glaubte, seine Stimme aus dem Jenseits zu hören. *Strathmore hat die Gauntlet-Filter umgangen!*

Als Susan die ganze Wahrheit begriff, schwanden ihr fast die Sinne: Strathmore hatte Tankados Datei mit Diabolus aus dem Internet heruntergeladen und versucht, sie zum Dechiffrieren in den TRANSLTR einzugeben. Aber die Gauntlet-Filter hatten die Datei wegen der darin enthaltenen Mutationsketten zurückgewiesen. Normalerweise hätte Strathmore sich das eine Warnung sein lassen, aber er hatte ja in Tankados E-Mails gelesen, dass die Mutationsketten in das Programm eingebunden waren – womit für ihn nichts mehr dagegen sprach, die Gauntlet-Filter zu umgehen und die Datei direkt in den TRANSLTR zu laden.

Susan hatte es die Sprache verschlagen. »Es gibt überhaupt kein Diabolus!«, keuchte sie heiser in das Geplärr des Alarms. Sie lehnte sich schwer gegen ihren Terminal. Tankado hatte mit Strathmore ein teuflisches Spiel getrieben ... und Strathmore war ihm mit fliegenden Fahnen in die Falle gegangen.

Ein langer gequälter Aufschrei drang zu ihr herein. Er kam von Strathmore.

Kapitel 86

Als Susan atemlos in Strathmores Büro gelaufen kam, saß der Commander tief gebeugt an seinem Schreibtisch. Im Licht des Monitors glitzerten Schweißperlen auf seinem herunterhängenden Kopf. Unten dröhnten immer noch die Alarmhörner.

Susan rannte zum Schreibtisch. »Commander?«

Strathmore rührte sich nicht.

»Commander! Wir müssen unbedingt den TRANSLTR abschalten! Wir haben einen …«

»Ich bin ihm wie ein Schaf ins offene Messer gelaufen!«, sagte Strathmore tonlos, ohne aufzusehen. »Tankado hat uns gnadenlos an der Nase herumgeführt …«

Strathmore war anzusehen, dass er alles begriffen hatte. Tankados Behauptungen von dem nicht dechiffrierbaren Algorithmus, die Auktion des Keys im Internet – alles nur Theater, alles nur Spiegelfechterei. Tankado hatte die NSA angestiftet, in seinen E-Mails herumzuschnüffeln, hatte ihr den Bären von seinem Partner aufgebunden und sie mit List und Tücke dazu gebracht, ihren Großrechner mit seinem verseuchten Lockvogel aus dem Internet zu füttern.

»Die Mutationsketten …« Strathmore verstummte.

»Ich weiß«, sagte Susan.

Der Commander hob in Zeitlupe den Kopf. »Die Datei, die ich aus dem Internet heruntergeladen habe … es war ein …«

Susan versuchte, ruhig zu bleiben. Mit einem Mal sah alles

ganz anders aus. Es hatte nie einen unangreifbaren Algorithmus gegeben, nie ein Verschlüsselungsprogramm namens Diabolus. Die von Tankado ins Internet gestellte Datei war ein verschlüsselter Virus, wahrscheinlich codiert mit einem handelsüblichen allgemein verkäuflichen Verschlüsselungsprogramm, das zwar genügend Sicherheit bot, um das normale Publikum außen vor zu halten – nicht aber die NSA. Ihr TRANSLTR hatte den schützenden Panzer geknackt und den Virus freigesetzt.

»Die Mutationsketten!«, krächzte Strathmore. »Tankado hat gesagt, sie wären ein Teil des Algorithmus …« Strathmore sank wieder auf seine Schreibtischplatte.

Susan konnte den Gemütszustand des Commanders gut verstehen. Er war dem Täuschungsmanöver von A bis Z aufgesessen. Bei jedem Schachzug, den Strathmore zu machen glaubte, hatte in Wirklichkeit Tankado hinter den Kulissen die Fäden gezogen. Es gab überhaupt keinen Algorithmus, kein Verschlüsselungsprogramm, das Tankado je hätte verkaufen können. Diabolus war eine Farce, ein Potemkin'sches Dorf, ein für die NSA maßgeschneiderter Köder.

Strathmore stöhnte auf. »Und ich Idiot habe die Gauntlet-Filter umgangen.«

»Das konnten Sie nicht wissen.«

»Ich hätte es aber wissen müssen!« Strathmore hieb mit der Faust auf den Tisch. »Tankados Tarnname, verdammt nochmal! NDAKOTA! Schauen Sie doch mal genau hin!«

»Was meinen Sie?«

»Er macht sich über uns auch noch lustig! Das ist nichts weiter als ein Anagramm!«

Ein Anagramm? Susan begann, die Buchstaben im Kopf zu vertauschen*: Ndakota … Kadotan … Oktadan … Danokta … Tankado!* Ihre Knie drohten nachzugeben. Strathmore hatte Recht. Es lag offen zu Tage! Wie hatten sie das nur übersehen können? North Dakota hatte mit dem Bundesstaat der USA überhaupt nichts zu tun – Tankado hatte ihnen mit dem

Decknamen auf süffisante Weise Salz in die Wunden gestreut. Ja, er hatte der NSA sogar eine Chance gelassen, ihr einen Wink mit dem Zaunpfahl gegeben, dass er selbst NDAKOTA war! Die besten Codeknacker der Welt hatten es nicht gemerkt, dass die Buchstaben mühelos das Wort TANKADO ergaben, waren achtlos in die Falle geraten – genau, wie er es geplant hatte!

»Ich bin Tankado sehenden Auges auf den Leim gekrochen!«, stöhnte Strathmore.

»Sie müssen jetzt den TRANSLTR abschalten«, sagte Susan mit Nachdruck.

Strathmore starrte teilnahmslos gegen die Wand.

»Commander, schalten Sie ab! Sie müssen abschalten! Gott allein weiß, was da unten vor sich geht!«

»Ich habe es versucht«, flüsterte Strathmore. Susan hatte ihn noch nie so verzagt erlebt.

»Was heißt: Sie haben es *versucht*?«

Strathmore drehte Susan den Bildschirm zu. Der Monitor hatte sich zu einem merkwürdigen Dunkelbraun verfinstert und war bis zum unteren Rand mit einer Säule aus Befehlen zum Programmabbruch gefüllt. Hinter jedem Befehl stand die gleiche Meldung:

ABBRUCH NICHT MÖGLICH
ABBRUCH NICHT MÖGLICH
ABBRUCH NICHT MÖGLICH

Susan fröstelte. *Abbruch nicht möglich? Aber warum?* Sie befürchtete, die Antwort bereits zu kennen: *Tankados Rache – die Zerstörung des TRANSLTR!* Jahrelang hatte Tankado darum gekämpft, dass die Welt von der Existenz des TRANSLTR erfuhr, aber niemand hatte ihm glauben wollen. So hatte er sich eines Tages entschlossen, selbst Hand anzulegen, um das Untier zu vernichten. Er hatte bis zum Tode für seine Überzeugung gekämpft: das Recht des Bürgers auf den Schutz seiner Privatsphäre.

Unten plärrte der Alarm.

»Wir müssen den Notstrom auch noch abschalten«, erklärte Susan. »Jetzt sofort!« Wenn sie sich beeilten, war der große Parallelrechner noch zu retten. In Situationen wie dieser war jedem Computer der Welt, vom Billig-PC bis zu den Kontrollsystemen der NASA-Satelliten, mit einer einfachen Maßnahme beizukommen: Stecker herausziehen. Keine elegante Lösung, aber garantiert wirksam.

Wenn sie das Notstromaggregat auch noch abschalteten, konnte der TRANSLTR nicht weiterrechnen. Um den Virus konnte man sich später noch kümmern. Dazu brauchte man nur sämtliche Festplatten des Rechners neu zu formatieren. Damit war das Gedächtnis der Maschine komplett gelöscht – ihre Datenspeicher, ihre Programme, allfällige Viren, einfach alles. In den meisten Fällen bedeutete der mit der Neuformatierung einhergehende Datenverlust von manchmal Tausenden von Dateien den Verlust von vielen Jahren Arbeit, aber beim TRANSLTR war das anders. Er konnte ohne jeden Datenverlust neu formatiert werden. Parallelrechner wurden zum Denken, nicht zum Erinnern gebaut. Der TRANSLTR speicherte nichts. Sobald ein Code geknackt war, wurde das Resultat in die zentrale Datenbank der NSA überspielt, und dort...«

Susan erstarrte. Die Erkenntnis traf sie wie ein Keulenhieb. Sie schlug die Hand vor den Mund, um einen Aufschrei zu unterdrücken. »Die zentrale Datenbank!«

Strathmore starrte blicklos ins Dunkle. Offenbar war ihm der Zusammenhang schon längst aufgegangen. »Ja, Susan, unsere zentrale Datenbank...«, sagte er mit Grabesstimme.

Susan nickte ausdruckslos. *Tankado hat sich den TRANSLTR zu Nutze gemacht, um einen Virus in unsere zentrale Datenbank zu schleusen!*

Strathmore deutete müde auf den Monitor. Am unteren Rand des Bildschirms leuchteten zwei Zeilen:

SCHLUSS MIT DEM GEHEIMNIS UM DEN TRANSLTR!
JETZT HILFT NUR NOCH DIE WAHRHEIT!

Susan war es kalt geworden. Die NSA hütete in ihrem Datenspeicher die geheimsten Geheimnisse der Nation: Manöverpläne, Fernwaffencodes, die Deckidentitäten ausländischer Agenten, Pläne für modernste Waffentechnologie, digitalisierte Dokumente, Handelsabkommen – die Liste war endlos.

»Das wird Tankado nicht wagen!«, sagte sie im Brustton der Überzeugung. »Er kann doch nicht das gesamte geheime Archivmaterial eines Landes löschen wollen!« Einen Angriff auf die NSA-Datenbank traute Susan selbst einem Ensei Tankado nicht zu. Sie betrachtete die Zeile:

JETZT HILFT NUR NOCH DIE WAHRHEIT!

»Die Wahrheit?«, fragte sie. »Welche Wahrheit?«

Strathmore atmete schwer. »Die Wahrheit über den TRANSLTR«, keuchte er.

Susan nickte. So ergab die Sache einen Sinn. Tankado wollte die NSA zwingen, in Sachen TRANSLTR die Hosen herunterzulassen. Es ging also doch nur um Erpressung. Er hatte die NSA vor die Wahl gestellt: Entweder bekennt ihr euch zu dem TRANSLTR, oder ihr verliert eure Datenbank. Susan betrachtete nicht ohne Respekt den Text vor ihren Augen. Ganz unten blinkte eine Aufforderung.

PRIVATE-KEY EINGEBEN: ______

Susan begriff. Der Virus, der Schlüssel, Tankados Ring – ein genialer Erpressungscoup. Der Key hatte mit dem angeblichen Algorithmus gar nichts zu tun. Er war die *Notbremse*. Er konnte den Virus aufhalten. Susan hatte schon viel über derartige Viren gelesen. Sie waren tödlich, aber sie hatten eine eingebaute

Notbremse, eine geheime Tastenkombination, mit der man sie deaktivieren konnte. *Tankado hat keinen Anschlag auf unsere Datenbank geplant, er wollte uns lediglich zwingen, den TRANSLTR der Öffentlichkeit preiszugeben. Sobald das geschehen wäre, wollte er uns den Schlüssel geben, mit dem wir den Virus schachmatt setzen können!*

Aber leider war Tankados Plan entsetzlich schiefgegangen. Er hatte nicht mit seinem Tod gerechnet. Er hatte gedacht, er könne in Spanien irgendwo an einer Bar sitzen und sich auf CNN die Pressekonferenz über Amerikas streng geheimen Dechiffrierungs-Großcomputer ansehen. Dann hätte er Strathmore angerufen, den Key von seinem Ring abgelesen, und die Datenbank wäre gerettet gewesen. Er hätte sich kräftig ins Fäustchen gelacht und wäre von der Bildfläche verschwunden – als eine Art Säulenheiliger der EFF.

Susan hieb mit der flachen Hand auf den Tisch. »Wir brauchen diesen Ring! Es gibt gar keinen zweiten Schlüssel!« Sie hatte verstanden. Es gab keinen North Dakota, keine Kopie des Schlüssels. Aber selbst wenn die NSA mit dem TRANSLTR sofort an die Öffentlichkeit gegangen wäre, es gab auch keinen Ensei Tankado mehr, der als Retter hätte auftreten können.

Strathmore brütete stumm vor sich hin.

Die Lage war ernster geworden, als Susan es je für möglich gehalten hatte. Am meisten schockierte sie, dass Tankado es so weit hatte kommen lassen. Er musste gewusst haben, was geschehen würde, wenn die NSA nicht in den Besitz des Ringes gelangte – aber dennoch hatte er den Ring in den letzten Sekunden seines Lebens fortgegeben. Er hatte ihnen den Ring willentlich vorenthalten. Aber was hätte man andererseits schon erwarten sollen – etwa, dass er der NSA den Ring auf dem Silbertablett servieren würde, nachdem er davon ausgehen musste, dass man dort seine Ermordung betrieben hatte?

Trotz allem war Susan nicht bereit zu glauben, dass Tankado es so weit kommen lassen wollte. Er war Pazifist. Er war gegen

Zerstörung. Er wollte lediglich für ausgeglichene Kräfteverhältnisse sorgen. Es ging ihm bestimmt nur um den TRANSLTR und das allgemeine Bürgerrecht auf eine ungestörte Privatsphäre, nur darum, dass die Welt von den Schnüffelpraktiken der NSA erfuhr. Die zentrale Datenbank der NSA zu löschen wäre ein so ungeheuerlicher Akt der Aggression gewesen, wie sie ihn Ensei Tankado nicht zutraute.

Das Alarmgeheul brachte sie wieder in die Wirklichkeit zurück. Susan betrachtete den am Boden zerstörten Commander. Sie wusste, was in seinem Kopf vorging. Nicht nur, dass sein famoser Plan, Diabolus mit einem Hintertürchen zu versehen, sich schmählich in Luft aufgelöst hatte, seine Fahrlässigkeit hatte die NSA außerdem an den Rand der vermutlich katastrophalsten Sicherheitskrise in der Geschichte des Landes gebracht.

»Commander, das ist nicht Ihre Schuld«, versuchte Susan ihn zu trösten. »Wenn Tankado noch leben würde, hätten wir eine Verhandlungsoption. Wir könnten etwas unternehmen.«

Commander Strathmore hörte sie nicht. Sein Leben war ruiniert. Nach dreißig Jahren im Dienste seines Landes hätte die Installation des Hintertürchens im globalen Verschlüsselungsstandard der Augenblick seines größten Triumphs werden sollen, sein persönlicher Akt des gelungenen Widerstands gegen das Verbrechen. Stattdessen hatte er der NSA einen Virus in ihre zentrale Datenbank geschossen! Es gab keine Möglichkeit, das Zerstörungswerk des Virus aufzuhalten – es sei denn, man stellte den Speichern den Strom ab, und das hieß, viele Milliarden Byte an unwiederbringlichen Daten restlos zu löschen. Nur der Ring konnte die Katastrophe noch verhindern. Aber wenn David Becker ihn bis jetzt nicht gefunden hatte …

Susan übernahm die Initiative. »Ich werde jetzt dem TRANSLTR den Strom abstellen. Ich gehe runter in die Untermaschinerie und unterbreche die Stromzufuhr.«

Strathmore sah sie kraftlos an. Er war ein gebrochener Mann. »Lassen Sie mich das machen«, presste er hervor. Er stand auf, strauchelte aber bereits bei dem Versuch, den Schreibtischsessel hinter sich wegzuschieben.

Susan drückte ihn wieder in den Sitz. »Nein!«, sagte sie in einem Ton, der keine Widerrede duldete. »*Ich* gehe!«

Strathmore stützte wieder das Haupt in die Hände. »Also gut. Unterste Etage. Neben den Kühlmittelpumpen.«

Susan rannte zur Tür. Auf halbem Weg wandte sie sich noch einmal um. »Commander«, rief sie Strathmore zu. »Die Sache ist noch nicht gelaufen. Noch sind wir nicht geschlagen! Wenn David den Ring rechtzeitig findet, können wir die Datenbank retten!«

Strathmore antwortete nicht.

»Rufen Sie die Kollegen von der Datenbank an!«, rief ihm Susan zu. »Warnen Sie die Leute vor dem Virus. Sie sind der Vizedirektor der NSA! Vergessen Sie nicht, Sie sind ein Überlebenskünstler!«

Strathmore hob in Zeitlupe den Kopf und nickte wie jemand, der die Entscheidung seines Lebens zu treffen hat.

Susan stürmte entschlossen ins Dunkle davon.

Kapitel 87

Am Ende seiner Querfeldeinfahrt kurvte Becker auf die rechte Spur der Carretera de Huelva. Es war kurz vor der Morgendämmerung, aber auf dieser Autobahn war schon viel los – vor allem Fahrzeuge mit jungen Leuten, die im Morgengrauen von ihren nächtlichen Strandpartys nach Hause fuhren. Ein Lieferwagen voller Teenager rauschte hupend vorbei. Becker kam sich mit seiner Vespa vor wie auf einem Kinderroller.

Einen knappen halben Kilometer weiter zurück schoss ein ramponiertes Taxi funkenstiebend auf die Fahrbahn. Es schnitt einen Peugeot 504, dessen Fahrt im grasbewachsenen Mittelstreifen endete.

Becker knatterte an einer Entfernungstafel vorbei. SEVILLA CENTRO – 2 km. Wenn er es schaffte, die unübersichtliche Innenstadt zu erreichen, hatte er eine Chance. Seine Tachonadel kletterte mühsam auf sechzig Stundenkilometer. *Noch zwei Minuten bis zur Ausfahrt*. Er wusste, dass ihm kaum so viel Zeit blieb. Das Taxi hinter ihm holte mächtig auf. Becker starrte nach vorne auf die langsam näher kommenden Lichter der Innenstadt. Er hoffte, sie noch lebend zu erreichen.

Er hatte erst die halbe Strecke zur Ausfahrt zurückgelegt, als er hinter sich Blech über den Beton der Fahrbahn schrappen hörte. Er beugte sich noch tiefer über den Roller und riss das Gas bis zum Anschlag auf. Ein Schuss knallte, eine Kugel zischte vorbei. Becker fing an, im Zickzackkurs über die Fahrspuren zu schwenken, aber es nützte nichts. Als das Taxi bis auf wenige Wagenlängen aufgeholt hatte, waren es bis zur Ausfahrt immer noch gut dreihundert Meter. Es war nur noch eine Frage von Sekunden, und der Killer hatte ihn entweder über den Haufen gefahren oder mit einer Kugel erledigt. Becker hielt nach einer Fluchtmöglichkeit Ausschau, doch rechts und links der Autobahn stiegen steile Kiesböschungen auf. Wieder knallte ein Schuss.

Ohne lange zu überlegen, legte sich Becker mit quietschenden Reifen und funkensprühenden Fußrasten in eine scharfe Rechtskurve und schwenkte von der Autobahn herunter. In einer vom durchdrehenden Hinterrad herausgeschleuderten Fontäne aus Kies und Staub arbeitete sich der immer wieder ausbrechende Roller die Böschung hinauf. Becker hatte alle Mühe, das Gleichgewicht zu halten. Der überlastete kleine Motor heulte jämmerlich. Becker konnte nur hoffen, dass er ihn nicht abwürgte. Er wagte nicht, sich umzuschauen. Jeden Moment konnten Reifen quietschen und ein Kugelhagel gepfiffen kommen.

Es pfiffen aber keine Kugeln. Becker pflügte über die Krone der Böschung und sah das Zentrum vor sich liegen. Wie ein leuchtender Sternenteppich breiteten sich die Lichter der Innenstadt vor ihm aus. Er schlängelte sich durch ein paar Sträucher und holperte über den Bordstein auf die Avenida Luis Montoto. Die Vespa kam ihm auf einmal sehr schnell vor. Die Straße raste unter seinen Reifen nur so dahin. Zu seiner Linken flog das Fußballstadion vorbei. Er hatte es geschafft.

Da hörte er wieder das ekelhafte Geräusch von über den Asphalt schrappendem Blech. Er reckte den Kopf. Hundert Meter vor ihm kam das Taxi die Ausfahrt hochgeschossen, schleuderte auf die Straße hinaus und raste direkt auf ihn zu.

Becker wunderte sich über seine ausbleibende Panik. Er wusste genau, wohin er sich zu wenden hatte. Er bog nach rechts in den Parque Menéndez Palayo ein und gab Gas. Der Roller fegte durch einen kleinen Park und hinein in den kopfsteingepflasterten Schlauch der Calle Mateus Gago – eine enge Einbahnstraße, die zum Torbogen des Stadtviertels Santa Cruz hinaufführte.

Nur noch ein kleines Stück, dachte er.

Das Taxi blieb an ihm dran und kam sogar näher. An dem engen Torbogen am Eingang von Santa Cruz fuhr es sich die beiden Rückspiegel ab, aber Becker wusste, dass er gewonnen hatte. Santa Cruz war das älteste Viertel von Sevilla. Hier gab es keine Fahrstraßen, nur das alte Gassengewirr aus römischer Zeit – für Autos viel zu schmal. In dieser engen Höhlenwelt, wo nur Fußgänger und gelegentlich einmal ein knatterndes Moped verkehrten, hatte sich Becker vormals hoffnungslos verlaufen.

Als er das letzte Stück der Calle Mateus Gago hinaufraste, wuchs vor ihm wie ein Berg die aus dem fünfzehnten Jahrhundert stammende spätgotische Kathedrale von Sevilla empor. Direkt daneben stieß der Giralda-Turm dreiundneunzig Meter in den Morgenhimmel. Das war das Viertel Santa Cruz, Standort der zweitgrößten Kathedrale der Welt und zugleich Heimat der ältesten und frömmsten katholischen Familien von Sevilla.

Becker sauste über den Platz. Ein Schuss bellte, aber zu spät. Becker und sein Roller waren schon in einem winzigen Durchgang verschwunden, der Calle de la Virgen.

Kapitel 88

Im Scheinwerferlicht von Beckers Vespa wischten harte Schlagschatten über die Mauern der engen Gassen. In stetem Kampf mit der Gangschaltung knatterte Becker zwischen den weiß getünchten Häusern dahin und verhalf den Bewohnern von Santa Cruz an diesem Sonntagmorgen zu einem besonders frühen Weckruf.

Seit seiner Flucht vom Flughafen waren noch nicht einmal dreißig Minuten vergangen, in denen er pausenlos in Bewegung gewesen war. In seinem Kopf schwirrten die Fragen. *Wer will dich umbringen? Was ist an diesem Ring so Besonderes? Wo ist der NSA-Jet hingekommen?* Die ermordete Megan in der Toilettenzelle kam ihm in den Sinn. Der Gedanke bereitete ihm Übelkeit.

Becker hatte einfach quer durch das Altstadtviertel brausen wollen, bis er auf der anderen Seite wieder herauskam, aber Santa Cruz war ein Gassenlabyrinth voller Scheindurchgänge und Sackgassen. Es dauerte nicht lang, und er wusste nicht mehr, wo er war. Er verdrehte den Hals, um sich am Turm der Giralda zu orientieren, aber die hohen Mauern standen so eng, dass er oben nur durch einen schmalen Spalt die aufziehende Morgendämmerung erkennen konnte.

Mühsam manövrierte Becker die Vespa um die engen Kurven. Das Geknatter des Zweitakters hallte durch die engen Gassen. Becker gab sich nicht der Illusion hin, sein Verfolger hätte aufgegeben, aber wo war der Mann mit der Nickelbrille abgeblieben? Er musste inzwischen zu Fuß hinter ihm her sein. In der Stille von Santa Cruz war Becker leicht zu lokalisieren. Sein einziger Vorteil war die Geschwindigkeit. *Du musst dich zur anderen Seite durchschlagen!*

Nach vielerlei Kehren und kurzen Geraden schleuderte Becker auf ein Plätzchen hinaus, von dem drei Gassen abgingen. Es hieß Esquina de los Reyes. Becker saß in der Tinte – hier war er schon einmal gewesen. Den im Leerlauf stotternden Roller zwischen den Beinen, stand er da und versuchte, sich über die einzuschlagende Richtung schlüssig zu werden. Plötzlich spuckte der Motor und starb ab. Der Benzinanzeiger stand auf VACIO. Prompt erschien am Ende der nach links führenden Gasse ein Schatten.

Das menschliche Gehirn ist der schnellste Computer, den es gibt. Im Bruchteil einer Sekunde registrierte Beckers Gehirn die Gestalt des Mannes, verglich sie mit dem in der Erinnerung gespeicherten Bild, meldete Gefahr und forderte eine Entscheidung. Sie kam postwendend. Becker ließ den Roller fallen und rannte Hals über Kopf davon.

Zu Beckers Pech befand sich Hulohot jetzt auf festem Boden und nicht in einem schleudernden Taxi. Der Mörder hob seelenruhig die Waffe und schoss.

Becker flitzte um die Ecke in Deckung. Die Kugel erwischte ihn gerade noch an der Seite. Erst fünf oder sechs Sätze weiter spürte er, dass er oberhalb der Hüfte an der Seite getroffen worden war. Anfangs war es ein Gefühl wie eine Muskelzerrung, das schnell in ein warmes Vibrieren umschlug. Becker sah das Blut und wusste Bescheid. Er fühlte keinen Schmerz, er kannte nur eines – weiterrennen durch das verwinkelte Gassengewirr von Santa Cruz.

Hulohot hatte sich an sein Opfer gehängt. Er war kurzzeitig versucht gewesen, Becker in den Kopf zu schießen, aber als Profi ließ er sich auf kein unnötiges Risiko ein. Becker war ein bewegtes Ziel. Bei einem Schuss auf die mittlere Partie des Opfers war der horizontale und vertikale Streubereich für einen Treffer weitaus größer. Die Risikobegrenzung hatte sich gelohnt. Das Ziel hatte sich im allerletzten Moment bewegt. Anstatt den Kopf des Opfers zu verfehlen, hatte Hulohot die Seite getroffen. Es war nur ein relativ harmloser Streifschuss, aber der Zweck war erfüllt. Der Kontakt war hergestellt. Das Opfer war markiert, der Tod hatte es gezeichnet. Ein völlig neues Spiel begann.

Becker stürmte voran, lief um Kurven, wechselte die Richtung, mied die geraden Gassen. Hinter ihm hallten die gnadenlosen Schritte des Verfolgers. Beckers Hirn war völlig leer. Wo er war, wer ihn verfolgte – es spielte keine Rolle. Es gab nur noch den Instinkt und den Selbsterhaltungstrieb, keinen Schmerz, nur noch die aus der Angst geborene rohe Energie der Überlebensreaktion.

Ein Schuss ließ eine Azulejo-Wandfliese in tausend Stücke zerplatzen. Ein Splitterregen prasselte in Beckers Nacken. Er warf sich in eine nach links abgehende Gasse. Inzwischen tat ihm die Seite weh. Er hatte Angst, an den weiß getünchten Wänden eine Blutspur zu hinterlassen. Er spähte nach einer offenen Tür, einem unverschlossenen Tor, einem Fluchtweg aus den erstickenden Häuserschluchten.

Nichts. Die Gasse wurde noch enger.

»*¡Socorro!*« Beckers Ruf verhallte ungehört. »Hilfe!«

Rechts und links traten die Wände näher heran. Eine Kurve. Becker hielt Ausschau nach einer Kreuzung, einer Seitengasse. Die Gasse verengte sich noch mehr. Verschlossene Tore. Noch enger. Verschlossene Türen. Die Schritte kamen näher. Die Gasse streckte sich, stieg plötzlich an, wurde steiler. Becker spürte die Anstrengung in seinen Beinen. Er wurde langsamer.

Und dann ging es nicht mehr weiter.

Die Gasse hörte einfach auf – wie wenn beim Bau einer

Autobahn das Geld ausgeht. Eine hohe Wand, davor eine hölzerne Bank, sonst nichts. Es gab kein Weiterkommen. Drei Stockwerke senkrecht über sich sah Becker die Dachtraufe. Er fuhr herum, wollte die lange Gasse zurückrennen. Nach ein paar Schritten blieb er wie angewurzelt stehen.

Am Fuß der Steigung war eine Gestalt aufgetaucht. Der Mann kam in gemessener Entschlossenheit auf Becker zu. Eine Pistole schimmerte im Morgenlicht in seiner Hand.

Während Becker sich wieder zur Wand zurückzog, überkam ihn eine plötzliche Klarheit. Mit einem Mal wurde ihm seine schmerzende Seite bewusst. Er berührte die Wunde. Als er hinuntersah, waren seine linke Hand und der Finger mit Ensei Tankados goldenem Ring blutverschmiert. Er hatte ganz vergessen, dass er den Ring angesteckt hatte und weshalb er in Sevilla war. Verwundert betrachtete er das eingravierte Schriftband. Hatte Megan deshalb sterben müssen? Musste *er* deshalb sterben? Er sah auf und blickte der näher kommenden Gestalt entgegen.

Wie ein Schatten kam sie die Gasse herauf. Becker sah ringsum nur Mauern, und hinter ihm ging es nicht mehr weiter. Ein paar vergitterte Hauseingänge lagen noch zwischen ihm und seinem Mörder. Für Hilferufe war es zu spät.

Becker presste den Rücken gegen das tote Ende der Gasse. Er konnte plötzlich jede Unebenheit im Putz der Mauer, jedes Sandkorn unter den Sohlen spüren. Seine Erinnerung raste zurück in seine Kindheit, zu seinen Eltern … zu Susan.

Oh Gott … Susan.

Zum ersten Mal seit seiner Kindheit begann Becker zu beten. Er betete nicht um die Erlösung vom Tod, denn an Wunder glaubte er nicht. Er betete, die Frau, die er hinterließ, möge die Kraft haben, ohne den Schatten eines Zweifels daran zu glauben, dass er sie geliebt hatte. Er schloss die Augen. Die Erinnerungen schlugen über ihm zusammen wie eine Sturmflut. Es waren keine Erinnerungen an Verwaltungskram, Fachschaftsitzungen und all das, was neunzig Prozent seines Lebens ausmachte. Es waren Erinnerungen an Susan, an einfache Dinge – wie er ihr gezeigt hatte, mit Stäbchen zu essen, eine Segeltörn an Cape Cod. *Ich liebe dich,* dachte er. *Das musst du wissen … für immer und ewig.*

Jede Fassade, jedes unreife Gehabe seines Lebens war von ihm abgefallen. In der Sterblichkeit seines Fleisches stand er nackt vor dem Antlitz Gottes. Mit geschlossenen Augen erwartete er den näher kommenden Mörder mit der Nickelbrille. Irgendwo in der Nähe begann Glockengeläut. In seiner selbst gewählten Dunkelheit wartete Becker auf den Knall, der seinem Leben ein Ende setzen würde.

Kapitel 89

Die Morgensonne schob sich über die Dächer von Sevilla und schien hinab in die Häuserschluchten. Die Glocken der Giralda riefen zur Frühmesse. Das ganze Altstadtviertel hatte diesem Augenblick in stiller Erwartung entgegengefiebert. Die Türen flogen auf. Überall im alten Santa Cruz strebten die Familien auf die Gassen. Wie frisches Blut in den Adern des alten Barrio strömten sie dem Herzen ihres Pueblo entgegen, dem Kern ihrer Geschichte, ihrer Kathedrale, ihrem Schrein, ihrem Gott.

Irgendwo in Beckers Gehirn klangen Glocken. *Bist du schon tot?* Fast mit Bedauern öffnete er die Augen und blinzelte in die ersten Sonnenstrahlen. Er senkte den Blick und hielt Ausschau nach seinem Mörder. Der Mann mit der Nickelbrille war nicht zu sehen, dafür aber zahllose spanische Familien im Sonntagsstaat, die die versperrten Pforten aufstießen und lachend und schwatzend auf die Gasse heraustraten.

Hulohot stand am Anfang der Gasse und fluchte. Zuerst hatte er noch geglaubt, das einzelne Paar, das zwischen ihm und seinem Ziel aufgetaucht war, würde sich wieder trollen, aber der Klang der Glocken, der durch die Gasse schallte, rief immer mehr Menschen aus den Häusern. Ein weiteres Paar gesellte sich dazu, mit Kindern. Noch eine Gruppe erschien. Man begrüßte sich, küsste sich dreimal auf die Wange, unterhielt sich. Hulohot verlor sein Ziel aus den Augen. Wütend drängte er sich in die schnell anschwellende Menge. Er musste zu David Becker vordringen!

Er versuchte, sich zum Ende der Gasse vorzuarbeiten. Schnell steckte er in einem Meer von Leibern fest, zwischen schwarzen Jacketts und Krawatten, schwarzen Kleidern und über bucklige alte Frauen gebreiteten Mantillas aus Spitze. Die schwarz gekleidete Menge wogte ihm entgegen und schien ihn nicht wahrzunehmen. Verbissen kämpfte Hulohot sich durch. Mit erhobener Waffe stürmte er in das tote Ende der Gasse. Ein gepresster, kaum menschlicher Schrei entrang sich seinem Mund.

David Becker war fort.

Stolpernd und unter ständigem Ausweichen bewegte sich Becker durch die Menge. *Immer den Leuten nach,* dachte er, *sie wissen, wie man hier herauskommt.* Unten an der Kreuzung schwenkte er mit der Menge nach rechts. Die Gassen wurden breiter. Allenthalben schwangen die Türen auf, Menschen strömten heraus. Das Glockengeläut schwoll an.

Beckers Seite brannte, aber die Blutung hatte aufgehört. Er lief weiter. Irgendwo hinter ihm war ein Mann mit einer Pistole und versuchte ihn einzuholen. Er zog den Kopf ein.

Becker tauchte in den Gruppen der Kirchgänger unter und wieder auf. Er spürte, dass es nicht mehr weit sein konnte. Die Menge war angeschwollen, die Gasse noch geräumiger geworden. Das war kein Nebenfluss mehr, das war der Hauptstrom. Die Gasse machte einen Bogen. Weit vorne an einem Platz sah Becker die Kathedrale und den Giraldaturm aufragen. Der Klang der Glocken fing sich mit ohrenbetäubendem Gedröhn zwischen den hohen Mauern der Häuser, die den Platz umsäumten.

Die Massen vereinigten sich zu einem schwarzen, den gähnenden Portalen der Kathedrale entgegenflutenden Strom. Becker versuchte sich seitwärts in die Calle Mateus Gago zu schlagen, aber die Menge keilte ihn ein. Schulter an Schulter, einander fast auf die Füße tretend, wurde er von der schiebenden Menge mitgeschleppt. Die Spanier hatten immer schon einen ganz eigenen Begriff von Gedränge. Becker fand sich zwischen zwei fülligen Matronen eingezwängt, die sich mit geschlossenen Augen vom Menschenstrom tragen ließen, während die Perlen des Rosenkranzes in inbrünstigem Gebet durch ihre Finger glitten.

Der gewaltige Steinbau kam näher. Becker versuchte erneut, nach links auszubrechen, aber die fromme Erwartung, die blind gemurmelten Gebete hatten die Macht des Menschenstroms mit seinem Geschiebe und Gedränge noch verstärkt. Becker drehte sich um. Sein Versuch, sich gegen den Strom der Massen der frommen Gläubigen zurückzukämpfen, war so aussichtslos wie einen mächtigen Fluss stromauf schwimmen zu wollen. Er wandte sich wieder nach vorne. Die Portale der Kathedrale ragten vor ihm auf wie der Eingang zu einer düsteren Geisterbahn, auf der er gar nicht mitfahren wollte.

David Becker war im Begriff, zur Messe zu gehen.

Kapitel 90

In der Crypto-Kuppel plärrten die Alarmhörner. Strathmore wusste nicht mehr, wie lange Susan schon fort war. Er saß allein in der Düsternis, der TRANSLTR dröhnte zu ihm herauf. *Du bist ein Überlebenskünstler … ein Überlebenskünstler …*

Ja, dachte er, *das bist du – aber was ist das nackte Überleben schon wert? Lieber den Tod als ein ehrloses Leben in Schmach und Schande.*

Und Schmach und Schande war, was ihn erwartete. Er hatte dem Direktor Informationen vorenthalten. Er hatte den sichersten Computer der Nation mit einem Virus infiziert. Man würde ihn mit Schimpf und Schande davonjagen, das war so sicher wie das Amen in der Kirche. Patriotische Absichten hin oder her, nichts hatte geklappt wie geplant. Es hatte Betrügereien gegeben und Tote. Es würde zu Anschuldigungen kommen, zu einem Gerichtsverfahren, zum öffentlichen Aufschrei der Empörung. Nachdem er seinem Land über so viele Jahre mit Anstand und Würde gedient hatte, konnte er ein solches Ende nicht zulassen.

Ein Überlebenskünstler sollst du sein?, sinnierte er.

Ein Lügner bist du!, gab er sich selbst die Antwort.

Es stimmte. Er war ein Lügner. Er war nicht aufrichtig gewesen, zu einer ganzen Reihe von Menschen. Susan Fletcher gehörte ebenfalls zu ihnen. Es gab so vieles, was er ihr vorenthalten hatte, Dinge, für die er sich jetzt entsetzlich schämte.

Seit Jahren schon war sie sein Ideal, sein Fleisch gewordenes Wunschbild. Nachts träumte er von ihr, schrie nach ihr im Schlaf. Er war machtlos dagegen. Sie war die schönste und klügste Frau, die er sich vorstellen konnte. Seine Ehefrau hatte sich nach Kräften bemüht, geduldig zu sein, aber nachdem sie Susan persönlich begegnet war, hatte sie alle Hoffnung fahren lassen. Beverly Strathmore machte ihrem Gatten seine Gefühle nicht zum Vorwurf. Sie hatte versucht, den Schmerz zu ertragen, so lange es eben ging, aber vor nicht allzu langer Zeit war es schließlich zu viel für sie geworden. Sie hatte ihrem Mann gesagt, dass ihre Ehe gescheitert sei. Sie könne nicht den Rest ihres Lebens im Schatten einer anderen Frau verbringen.

Das Getöse des Alarms holte Strathmore allmählich aus seiner Lethargie. Sein analytisch geschultes Gehirn kam wieder in Gang und machte sich auf die Suche nach einem Ausweg. Zögernd musste sein Verstand absegnen, was sein Gefühl schon längst gefordert hatte. Es gab nur einen einzigen gangbaren Ausweg, nur eine einzige realistische Lösung.

Strathmore senkte den Blick auf die Tastatur und begann zu tippen. Er machte sich nicht die Mühe, den Monitor wieder zurückzudrehen, damit er sehen konnte, was seine Finger mit Bedacht und Entschlossenheit schrieben.

Meine lieben Freunde, ich nehme mir heute das Leben …

Niemand würde jemals argwöhnisch werden. Es würde weder Fragen noch Anschuldigungen geben. Die Welt sollte haarklein erfahren, was passiert war. Viele hatten ihr Leben lassen müssen.

Ein Leben musste allerdings noch geopfert werden.

Kapitel 91

In der Kathedrale herrschte immer Nacht. Die dicken steinernen Mauern schluckten den Lärm der Außenwelt und verwandelten die Hitze des Tages in eine feuchte Kühle. So zahlreich die Leuchter auch sein mochten, sie machten die Dunkelheit bestenfalls zum Zwielicht. Überall hingen Schatten. Nur ganz hoch oben filterten Glasmalereien die Hässlichkeit der Außenwelt zu matten Strahlenbündeln aus Rot und Blau.

Die Kathedrale von Sevilla, ein riesiges überkuppeltes Gebäude, ist die zweitgrößte Kathedrale Europas. Sie wurde im fünfzehnten Jahrhundert an Stelle der ehemaligen Moschee errichtet. Das damalige Minarett, la Giralda, wird heute als Glockenturm benutzt. Die Kathedrale ist über einhundertzehn Meter lang, der Hauptaltar befindet sich knapp jenseits der Gebäudemitte in einer eigenen zentralen Kapelle, der *Capilla Major.* Holzbänke füllen den riesigen Raum zwischen Eingang und Hauptaltar.

Becker fand sich auf halbem Weg zum Altar in der Mitte einer langen Bank eingekeilt. Über seinem Kopf schwang in Schwindel erregender Höhe ein silbernes Rauchfass von der Größe eines Kühlschranks an einem ausgefransten Seil unter Hinterlassung von Weihrauchschwaden in weiten Bögen hin und her. Das unverminderte Glockengeläut der Giralda sandte rumpelnde Schockwellen durch das Gemäuer. Beckers Blick kehrte aus der Höhe zurück und blieb am vergoldeten Altaraufsatz hängen. Er hatte jede Menge Grund zur Dankbarkeit. Er atmete noch. Er lebte noch. Es war ein Wunder.

Während der Priester das Eröffnungsgebet sprach, untersuchte Becker seine Seite. Auf seinem Hemd prangte ein roter Fleck, aber die Blutung hatte aufgehört. Die Wunde war nicht besonders groß, ein Streifschuss, kein Durchschuss. Becker stopfte das Hemd wieder in die Hose. Er verdrehte den Hals nach hinten. Im Hintergrund fielen die über sechseinhalb Meter hohen vergoldeten Türflügel knarrend ins Schloss. Wenn ihm sein Verfolger bis hierher gefolgt war, saß er jetzt in der Falle. Von den vielen Portalen und Türen der Kathedrale wurde nur ein einziger Zugang benutzt, wodurch sichergestellt war, dass jeder Tourist, der die Kathedrale besuchte, auch Eintritt bezahlt hatte.

Becker duckte sich in seine Bank. Er war der Einzige, der nicht schwarz gekleidet war. Irgendwo setzte frommer Singsang ein.

Im hinteren Bereich der Kathedrale bewegte sich eine Gestalt langsam den Seitengang empor. Der Mann, der sich im Dunkeln hielt, war gerade noch hereingeschlüpft, bevor das Portal zugeschlagen war. Er lächelte selbstgefällig. Die Jagd wurde allmählich spannend. *Becker ist hier … du spürst es.* Systematisch bewegte er sich Bankreihe um Bankreihe voran. In langen lässigen Schwüngen pendelte hoch oben das Rauchfass hin und her. *Ein schöner Ort zum Sterben,* dachte Hulohot. *Hoffentlich triffst du es auch einmal so gut.*

Becker hatte sich auf den kalten Steinboden der Kathedrale gekniet und zog das Genick ein – ein höchst ungehöriges Betragen in einem Gotteshaus. Der Mann, der neben ihm saß, blickte indigniert auf ihn hinunter.

»*Me encuentro mal*«, sagte Becker entschuldigend. »Mir ist schlecht.«

Er wusste, dass er unten bleiben musste. Er hatte eine vertraute Silhouette langsam den Seitengang heraufkommen sehen. *Er ist da!*

Becker steckte zwar inmitten einer großen Menschenmenge, aber er musste befürchten, ein leichtes Ziel abzugeben. In diesem Meer aus Schwarz wirkte sein Khakijackett wie ein Leuchtsignal. Er hatte schon daran gedacht, es abzulegen, aber das weiße Oxfordhemd, das er darunter trug, hätte seine Lage auch nicht verbessert. Er verkroch sich noch tiefer.

Der Mann neben ihm sah strinrunzelnd auf ihn hinab. »*¡Turista!*«, grunzte er. »Soll ich einen Arzt holen?«, schob er sarkastisch nach.

Becker blickte in das leberfleckige Gesicht des Alten empor. »*No, gracias.* Es geht schon.«

Der Alte funkelte ihn zornig an. »*¡Pues siéntate!* Dann setzen Sie sich gefälligst hin!« Ringsum machten ein paar Leute »schhht!«. Der Alte verstummte und starrte stur nach vorne.

Becker schloss die Augen und rutschte noch mehr in sich zusammen. Er fragte sich, wie lange der Gottesdienst wohl dauern würde. Protestantisch erzogen, wie er war, hatte er immer schon den Eindruck gehabt, dass die Katholiken gerne aus allem eine lange Oper machten. Er hoffte sehr, dass ihn dieser Eindruck nicht trog, denn sobald der Gottesdienst vorüber war, würde er aufstehen müssen, um die Leute aus der Bank zu lassen. Und in seinem Khakijackett war er ein toter Mann.

Im Moment jedenfalls blieb ihm nichts anderes übrig, als auf dem kalten Steinboden der großen Kathedrale knien zu bleiben. Der Alte hatte das Interesse an ihm verloren. Die Gemeinde war aufgestanden und sang. Becker blieb unten. Seine Beine verkrampften sich allmählich, aber zum Strecken war es zu eng. *Geduld!*, dachte er, *nur Geduld!* Er holte tief Luft und ergab sich in sein Schicksal.

Becker blieb abgetaucht und hoffte hier unten am Boden vorerst vor Hulohot sicher zu sein. Solange er sich nicht regte, schien er die Andacht der Gläubigen nicht zu stören. Er hörte Gesänge, Gebete, eine kurze Predigt. Die Gemeinde stand auf, setzte sich, kniete sich hin, erhob sich wieder. Becker schien ein Teil der Bestuhlung geworden zu sein.

Becker spürte, wie ihn jemand mit dem Fuß anstieß. Er sah hoch. Der Alte mit dem leberfleckigen Gesicht stand ungeduldig rechts neben ihm und wollte durchgelassen werden.

Becker geriet in Panik. *Wie? Er will schon gehen? Der Gottesdienst ist doch noch nicht zu Ende!* Er bedeutete dem Mann, über ihn hinwegzusteigen, aber da wurde der Alte erst recht böse. Er zog die Schöße seines schwarzen Jacketts eng an den Körper, lehnte sich zurück und wies empört auf die Leute neben sich, die ebenfalls alle aus der Bank treten wollten. Becker drehte den Kopf nach links. Der Mann, der dort gesessen hatte, war fort. Die ganze Bank hatte sich bereits bis zum Mittelgang geleert. *Der Gottesdienst kann doch noch nicht vorüber sein!*

Aber als Becker die beiden Menschenschlangen im Mittelgang sah, die sich im Gänsemarsch langsam nach vorne zum Altar schoben, begriff er, was vorging. *Die Kommunion!*, stöhnte er, *die verdammten Spanier wollen natürlich alle zu ihrer heiligen Kommunion!*

Kapitel 92

Susan kletterte die Leiter zur Untermaschinerie hinunter. Das Gehäuse des TRANSLTR war inzwischen von dichten Dampfschwaden umwallt. Das Kondensat hatte die Laufstege feucht und schlüpfrig werden lassen. Susans Schuhe boten wenig Halt. Sie fragte sich, wie lange der TRANSLTR noch durchhalten konnte. Das Alarmhorn blökte seinen Warnruf, die Blinklichter blitzten alle zwei Sekunden auf. Drei Stockwerke tiefer heulte und vibrierte das Notstromaggregat. Irgendwo da unten in diesem nebeligen Halblicht war der Notschalter. Susan spürte, dass die Zeit allmählich knapp wurde.

Strathmore hielt die Beretta in der Hand. Er las seinen Abschiedsbrief noch einmal durch und legte ihn in dem Raum, in dem er sich befand, auf den Boden. Er war dabei, eine feige Tat zu begehen, das stand völlig außer Frage. *Aber bist du nicht ein Überlebenskünstler?*, sinnierte er. Er dachte an den Virus in der NSA-Datenbank, an David Becker in Spanien, an seine Pläne für das Hintertürchen. Er hatte ja so viele Lügen in die Welt gesetzt, so viel Schuld auf sich geladen. Er wusste, dass es nur diesen einen Weg gab, sich der Verantwortung zu entziehen – und der Schande zu entgehen. Mit großer Sorgfalt richtete er die Waffe auf ihr Ziel.

Er kniff die Augen zu und drückte ab.

Susan war erst ein paar Treppenabsätze nach unten geklettert, als sie einen gedämpften Schuss vernahm. Das Geräusch war sehr fern und ging im Lärm des Silos fast unter. Aber Susan war sicher, sich nicht verhört zu haben, auch wenn sie außer im Fernsehen noch nie einen Schuss vernommen hatte.

Den Nachhall des Geräuschs noch in den Ohren, blieb sie abrupt stehen. Eine Woge des Schreckens überrollte sie. Sie dachte an die Träume des Commanders – an den unglaublichen Coup, den er mit dem Hintertürchen in Diabolus gelandet hätte. Sie dachte an den Virus in der Datenbank, an Strathmores gescheiterte Ehe, an das gespenstische Nicken, mit dem er sie hatte gehen lassen. Sie befürchtete das Schlimmste. Wankend griff sie nach dem Geländer und drehte sich um. *Nein, Commander! Nein!*

Susan erstarrte. In ihrem Kopf herrschte Leere. Das Echo des Schusses schien das Chaos ringsumher zu übertönen. Susans Verstand sagte ihr, dass sie weiter nach unten steigen musste, aber die Beine verweigerten ihr den Dienst. *Commander!* Ungeachtet der dem TRANSLTR drohenden Gefahr stolperte sie bereits wieder die Stufen hinauf.

Blindlings rannte Susan die Gittertreppe hinauf. Von oben regnete das Kondensat herab. Beim letzten Stück des Aufstiegs die Leiter hinauf fühlte sie sich auf einmal durch eine gewaltige Dampfwolke emporgehoben, die sie wie einen Pfropf durch das Einstiegsloch in die dunkle Kuppel hinauspustete. Susan kugelte auf den Boden. Kühle frische Luft fächelte über sie hinweg. Die ehedem weiße Bluse klebte ihr klatschnass am Körper.

Susan versuchte, sich zu orientieren. Das Schussgeräusch lief als Endlosschleife in ihrem Kopf. Aus der Einstiegsöffnung quollen heiße Dämpfe wie Gase aus dem Krater eines Vulkans kurz vor dem Ausbruch.

Sie hätte sich ohrfeigen können, dass sie die Beretta bei Strathmore zurückgelassen hatte. Sie *hatte* sie doch dort gelassen, oder etwa in Node 3? Ihre Augen hatten sich mittlerweile an die

Dunkelheit gewöhnt. Sie schaute hinüber zu dem klaffenden Loch in der Glaswand. Im schwachen Glimmen des Monitors konnte sie Hale ausmachen, der dort, wo sie ihn verlassen hatte, bewusstlos am Boden lag. Von Strathmore war nichts zu sehen. In Erwartung des Schlimmsten wollte sie sich zum Büro des Commanders aufmachen.

Doch als sie sich umdrehen wollte, bemerkte sie etwas Merkwürdiges. Sie trat ein paar Schritte näher und spähte durch das Loch. Hales Arm war in dem schwachen Licht deutlich zu sehen. Er ruhte nicht neben seinem Körper, sondern reckte sich hoch zu seinem Kopf. Hale war auch nicht mehr verschnürt wie eine Mumie. Er lag ausgestreckt auf dem Rücken. Hatte er sich befreien können? In tödlicher Ruhe lag er da.

Susan spähte zu Strathmores Büro hinauf. »Commander?«

Stille.

Zögernd trat sie noch näher. Hale hatte etwas in der Hand. Es schimmerte matt im schwachen Licht des Monitors. Plötzlich erkannte sie, was es war. Es war die Beretta.

Erschrocken schnappte sie nach Luft. Ihr Blick folgte dem Bogen von Hales Arm hinauf zu seinem Kopf. Ein grotesker Anblick bot sich ihr. Eine Hälfte von Hales Gesicht war blutüberströmt. Eine dunkle Lache kroch über den Teppich.

Oh mein Gott! Susan taumelte zurück. Nicht der Commander hatte sich erschossen, sondern Hale!

Wie in Trance trat Susan neben die Leiche. Hale hatte sich offenbar befreien können. Die Druckerkabel lagen neben ihm auf dem Boden. *Du musst die Pistole auf der Couch liegen gelassen haben,* dachte Susan. Im bläulichen Licht wirkte das aus dem Loch in Hales Schädel sickernde Blut wie Ruß.

Neben Hale lag ein Blatt Papier auf dem Boden. Susan hob es auf. Es war ein Brief.

Meine lieben Freunde, ich nehme mir heute das Leben. Es ist die Buße für meine Verfehlungen …

Susan starrte auf den Abschiedsbrief in ihrer Hand. Langsam las sie ihn durch. Er war surreal. Diese Liste von Untaten passte überhaupt nicht zu Hale. Er gab alles zu – das Täuschungsmanöver mit NDAKOTA, den Auftragsmord an Ensei Tankado zur Beschaffung des Rings, den Mord an Phil Charturkian, den er in den Abgrund gestoßen hatte, und die Planungen für den Verkauf von Diabolus.

Susan kam zur letzten Zeile. Auf das, was sie da zu lesen bekam, war sie nicht gefasst. Die letzten Worte des Briefs trafen sie wie ein Keulenschlag.

Ganz besonders bedauere ich die Sache mit David Becker. Susan, bitte vergib mir. Der Ehrgeiz hat mich blind gemacht.

Während Susan noch zitternd an Hales Leiche stand, näherten sich von hinten eilige Schritte. Wie in Zeitlupe wandte sie sich um.

Ein bleicher Strathmore erschien atemlos in der zackigen Öffnung. Mit unverkennbarem Entsetzen starrte er auf Hales Leiche hinab.

»Oh mein Gott!«, murmelte er. »Was ist passiert?«

Kapitel 93

Die heilige Kommunion.

Hulohot bemerkte Becker sofort. Das Khakijackett war unverkennbar. In einem Meer von Schwarz bewegte es sich langsam den Mittelgang hinauf. *Er hat nicht bemerkt, dass du hier bist.* Hulohot lächelte. *Er ist ein toter Mann.*

Die kleinen Kontakte an seinen Fingerspitzen wirbelten. Er wollte seinem amerikanischen Kontaktmann die gute Nachricht nicht länger vorenthalten. *Bald*, dachte er, *sehr bald.*

Wie ein Jäger, wenn ihm der Wind im Rücken steht, zog sich Hulohot in den Eingangsbereich der Kathedrale zurück, um von dort sein Wild erneut zu beschleichen – schnurstracks den Mittelgang empor. Er hatte keine Lust, Becker in der Masse der Kirchgänger aus der Kathedrale entkommen zu lassen und ihn womöglich erneut aufspüren zu müssen. Durch eine glückliche Wendung saß sein Opfer in der Falle. Hulohot musste sich nur noch eine geeignete Methode überlegen, um Becker geräuschlos zu eliminieren, aber sein Schalldämpfer, das Beste, was es auf dem Waffenmarkt zu kaufen gab, würde das Schussgeräusch auf die Lautstärke eines trockenen Hustens reduzieren.

Hulohot verringerte die Distanz zum Khakijackett. Er beachtete nicht den leise gemurmelten Protest gegen seine Drängelei. Man hatte zwar Verständnis dafür, dass dieser Mann so eifrig darauf versessen war, den Leib des Herrn zu empfangen, aber es galt auch, das Protokoll zu wahren – zwei Schlangen, eine rechts für die Männer, eine links für die Frauen, und immer schön der Reihe nach!

Die Hand um den Griff seiner Waffe in der Jackentasche gespannt, arbeitete Hulohot sich leise näher heran. Endlich war es so weit. Bislang hatte David Becker unverschämt viel Glück gehabt. Hulohot hatte nicht vor, ihm noch einmal eine Chance zu geben.

Das Khakijackett war jetzt nur noch zehn Leute vor ihm. Sein Träger stand mit gesenktem Kopf nach vorne gewandt. Hulohot spielte den Anschlag noch einmal durch – eine klare Sache: Von hinten dicht an Becker herantreten, ihn aus verborgen gehaltener Waffe zweimal von tief unten nach oben in den Rücken schießen, den Arm um den Zusammensinkenden schlingen und ihn in gespielter Hilfsbereitschaft wie einen guten Freund auf der nächsten Bank absetzen. Dann schnell den Ring abziehen und, als gälte es eilends Hilfe zu holen, nach hinten zum Ausgang laufen. In dem zu erwartenden Durcheinander war Hulohot auf und davon, bevor jemand begriffen hatte, was geschehen war.

Noch fünf Leute … vier … drei.

Hulohot betastete die Waffe in seiner Tasche. Er würde Becker in Hüfthöhe von unten nach oben in den Rücken schießen. Auf diese Weise würde die Kugel das Rückgrat zerschmettern und auf dem Weg nach oben entweder Herz oder Lunge treffen. Selbst, wenn sie das Herz verfehlte, war Becker ein todgeweihter Mann. Auch ein Lungenschuss war tödlich.

Noch zwei … einer. Dann war Hulohot am Ziel. Wie ein Tänzer, der eine tausendmal geprobte Bewegung ausführt, glitt er nach rechts. Er legte die Hand auf die Schulter des Khakijacketts, zielte … und schoss. Man hörte ein zweifaches trockenes Hüsteln.

Das Opfer versteifte sich und fiel in sich zusammen. Noch bevor sich auf dem Rücken des scheinbar Ohnmächtigen der erste Blutfleck bilden konnte, hatte ihm Hulohot unter die Arme gegriffen und ihn mit einem flüssigen Schlenker auf der ersten Bank abgesetzt. Ein paar in unmittelbarer Nähe stehende Leute wandten den Kopf. Hulohot achtete nicht darauf, war er doch schon so gut wie fort.

Er betastete hastig die leblose Hand nach dem Ring. Die Finger waren nackt. In seiner Ungeduld riss er den Mann am Arm. Der Kopf fiel nach hinten. Der Schrecken fuhr Hulohot in alle Glieder. Es war nicht David Becker!

Rafael de la Muza, ein kleiner Bankangestellter aus der Altstadt von Sevilla, war fast augenblicklich tot. Seine Hand umklammerte noch die Geldscheine, die ihm der Fremde für sein schäbiges schwarzes Jackett gegeben hatte.

Kapitel 94

Midge Milken stand am Eingang des Konferenzsaals am Wasserspender. Sie kochte. *Was zum Teufel geht in Fontaines Kopf vor?* Sie zerknüllte den Pappbecher und schmiss ihn in den Abfalleimer. *In der Crypto ist was faul! Das hab ich im Urin!* Wenn sie beweisen wollte, dass sie Recht hatte, gab es nur eines: Sie musste selbst in der Crypto nachschauen. Zusammen mit Jabba, wenn nötig. Sie drehte sich auf dem Absatz um und strebte zur Tür.

Wie aus dem Nichts stand auf einmal Brinkerhoff vor ihr und vertrat ihr den Weg. »Wo willst du hin?«

»Nach Hause!«, fauchte Midge.

Brinkerhoff wich nicht von der Stelle.

Midge sah ihn finster an. »Fontaine hat gesagt, du sollst mich nicht rauslassen, richtig?«

Brinkerhoff blickte unbestimmt ins Weite.

»Mensch, Chad, glaub mir doch, in der Crypto ist was faul ... oberfaul! Ich weiß nicht, warum Fontaine sich dumm stellt, aber der TRANSLTR ist in Gefahr. Da unten ist heute Nacht die Kacke am Dampfen!«

»Midge«, sagte Chad begütigend und ging zu der vorhangverhangenen Fensterfront des Konferenzsaals, »wir sollten uns da lieber raushalten. Soll sich doch der Chef darum kümmern.«

Midges Blick wurde härter. »Chad, hast du überhaupt eine Ahnung, was passiert, wenn die Kühlung vom TRANSLTR schlappmacht?«

Brinkerhoff war an der Fensterfront angekommen. Er zuckte die Achseln. »Inzwischen ist die Stromversorgung wahrscheinlich sowieso schon wieder normal«, sagte er. Er zog die Vorhänge ein Stück weit auf und sah hinaus.

»Immer noch dunkel, nicht wahr?«, sagte Midge.

Brinkerhoff blieb ihr die Antwort schuldig. Er war wie gelähmt. Die Szenerie unten in der Crypto war jenseits jeder Vorstellung. Die ganze Kuppel war von zuckenden Blinklichtern und wirbelnden Dampfschwaden erfüllt. Brinkerhoff stand wie angewurzelt. Benommen lehnte er sich gegen das Glas. Plötzlich wurde er wieder lebendig. Wie von der Tarantel gestochen rannte er nach draußen. »Herr Direktor! Herr Direktor!«

Kapitel 95

Ein paar Leute umstanden den zusammengesunkenen Mann in der ersten Bank. Über ihren Köpfen schwang das Rauchfass friedlich hin und her. Nach links und rechts spähend, lief Hulohot den Mittelgang hinunter. *Er muss doch hier sein!* Hulohot wandte sich wieder nach vorne zum Altar.

Dreißig Bankreihen vor ihm wurde nach wie vor die Kommunion ausgeteilt. Padre Gustaphes Herrera, der Hauptzelebrant mit dem Kelch, warf einen neugierigen Blick nach rechts auf die Bank, wo eine kleine Unruhe entstanden war, aber er war nicht irritiert. Manche Gläubige, vor allem ältere, wurden gelegentlich vom Heiligen Geist überkommen und fielen in Ohnmacht. Ein bisschen Frischluft, und sie waren schnell wieder auf den Beinen.

Hulohot befand sich immer noch fieberhaft auf der Suche. Von Becker war nirgendwo eine Spur zu entdecken. An der langen Kommunionbank vor dem Altar knieten an die hundert Menschen. Falls einer davon David Becker gewesen wäre, hätte Hulohot einen Schuss aus fünfundvierzig Metern riskiert und den Rest im Sprinttempo erledigt.

Unter den missbilligenden Blicken der zum Empfang der heiligen Kommunion anstehenden Gläubigen hatte Becker sich an die Kommunionbank gedrängt. Der fromme Eifer des Fremden war verständlich, aber das war kein Grund, sich derart ungestüm vorzudrängen.

Mit gesenktem Kopf kniete Becker sich hin. Hinter sich spürte er eine gewisse Unruhe, eine Störung der Andacht. Er dachte an den Mann, dem er sein Jackett verkauft hatte. Hoffentlich hatte er die Warnung beherzigt und die helle Jacke nicht angezogen. Becker hätte gern einen Blick nach hinten riskiert, wagte es aber nicht – aus Furcht, die Nickelbrille könnte ihm ins Gesicht starren. Hoffentlich war die neue schwarze Jacke hinten lang genug, um die helle Khakihose zu verdecken. Er machte sich so klein wie möglich.

Von rechts kam der Kelch schnell näher. Die Leute ließen sich die Hostie auf die Zunge legen, bekreuzigten sich, standen auf und gingen. *Nicht so schnell!* Becker hatte es durchaus nicht eilig, von der Kommunionbank zu verschwinden. Aber wenn zweitausend Menschen die Kommunion empfangen wollten, die von lediglich acht Priestern gespendet wurde, war es schon sehr ungehörig, aus dem Empfang der Hostie eine umständliche Prozedur zu machen.

Als der Kelch rechts neben Becker angelangt war, hatte Hulohot die hellen Khakihosen erspäht. »*Estás ya muerto*«, zischte er leise, während er den Mittelgang nach vorne trabte. »Du bist so gut wie tot.« Jetzt war kein Fingerspitzengefühl mehr gefragt. Zwei Schüsse in den Rücken, den Ring gepackt und ab! Der größte Taxistand von Sevilla war noch nicht einmal eine Straßenecke weiter an der Calle Mateus Gago. Er griff nach der Waffe.

Adiós, señor Becker …

El cuerpo de Jesús, el pan del cielo. Der Leib Jesu, das Brot des Himmels.

Der glänzende Silberkelch in Pater Herreras Händen senkte sich herab. Becker beugte sich vor. Als der polierte Kelch seine Augenhöhe passierte, sah er in der spiegelnden Wölbung undeutlich eine ins Unförmige verzerrte Gestalt von hinten an sich herantreten.

Wie ein Hundertmeterläufer beim Startschuss schnellte Becker hoch und flog im Hechtsprung über die Kommunionbank. Der Pater prallte entsetzt zurück. Der Silberkelch segelte durch die Luft, ein Hostienregen ergoss sich auf den weißen Marmor. Priester und Messdiener stoben auseinander. Ein Schuss hustete aus dem Schalldämpfer und fuhr neben dem hart aufkommenden Becker spritzend in den Marmorboden. Sekundenbruchteile später stolperte Becker drei Granitstufen in das *valle* hinunter, einen schmalen Zugang zum Altarraum, der es den Geistlichen gestattete, gleichsam durch die Gnade Gottes emporgehoben neben dem Altar aus dem Boden zu wachsen.

Am Fuß der Stufen glitt Becker aus und ging zu Boden. Er landete auf der verwundeten Seite und schlidderte unkontrolliert über den polierten Steinboden. Ein qualvoller Schmerzblitz zuckte durch seine Eingeweide. Er rappelte sich hoch, taumelte durch einen Vorhang in einen Gang und gleich darauf ein paar hölzerne Stufen hinunter.

Becker rannte durch die Ankleide einer Sakristei. Es war dunkel. Vom Altarraum drang wüstes Geschrei herunter. Laute Fußtritte polterten hinter ihm her. Becker platzte durch eine Doppeltür und stolperte in eine Art Studierzimmer, einen düsteren, mit dicken Orientteppichen und glänzenden Mahagonimöbeln ausgestatteten Raum. An der gegenüberliegenden Wand hing ein lebensgroßes Kruzifix. Taumelnd hielt Becker inne. Eine Sackgasse.

Er hörte schnell näher kommende Schritte. Becker starrte das Kruzifix an.

»Verdammt nochmal!«, schrie er.

Zu seiner Linken hörte er ein Räuspern. Er fuhr herum. Ein geistlicher Würdenträger in roter Robe hob den Blick aus seinem Brevier und sah Becker entgeistert an.

»*¡Salida!*«, schrie Becker. »Der Ausgang!«

Kardinal Guerra reagierte prompt. Ein Dämon war zu einem leider höchst unpassenden Zeitpunkt in seine geheiligte Kammer eingebrochen und flehte kreischend um Entlassung aus dem Hause Gottes – ein Begehren, dem Guerra ebenso umgehend wie mühelos nachzukommen vermochte.

Der Kardinal deutete auf einen Vorhang links an der Wand, hinter dem sich eine Tür verbarg, die direkt auf den Hof hinausführte. Er hatte sie vor drei Jahren in die Mauer brechen lassen, nachdem er es leid geworden war, die Kathedrale wie ein gewöhnlicher Sünder durch das Hauptportal betreten zu müssen.

Kapitel 96

Susan war völlig durchnässt. Zitternd kuschelte sie sich in die Polster der Couch von Node 3. Strathmore breitete fürsorglich sein Jackett über sie. Wenige Meter entfernt lag Hales Leiche. Die Alarmhörner plärrten. Das Gehäuse des TRANSLTR gab ein scharfes Knacken von sich. Es klang wie tauendes Eis auf einem zugefrorenen Teich.

»Ich werde jetzt hinuntersteigen und den Strom abschalten«, sagte Strathmore und legte Susan aufmunternd die Hand auf die Schulter. »Bin gleich wieder da.«

Der Commander eilte durch die Kuppel davon. Susan sah ihm mit abwesendem Blick hinterher. Der Schockzustand, in dem sie diesen Mann noch vor zehn Minuten erlebt hatte, war wie weggeblasen. Commander Trevor Strathmore war wieder der Alte – rational, Herr seiner Gefühle und fähig, situationsgerecht zu handeln.

Die letzten Worte von Hales Abschiedsbrief brausten durch Susans Hirn wie ein außer Kontrolle geratener D-Zug. *Ganz besonders bedauere ich die Sache mit David Becker. Susan, bitte vergib mir. Der Ehrgeiz hat mich blind gemacht.*

Susans schlimmste Befürchtungen hatten sich bestätigt. David drohte Gefahr … oder Schlimmeres. Vielleicht war es schon zu spät.

Sie betrachtete den Abschiedsbrief. Hale hatte ihn noch nicht einmal unterschrieben. Er hatte lediglich seinen Namen darunter getippt: *Greg Hale.* Nachdem er sich schriftlich ausgekotzt hatte, hatte er den Druckbefehl gegeben und sich erschossen – einfach so. Hale hatte seinen Schwur gehalten, nie wieder ins Gefängnis zu gehen, und lieber den Tod gewählt.

»David …«, schluchzte Susan. *David!*

Zur gleichen Zeit trat Commander Strathmore von der Einstiegsleiter auf die drei Meter unter dem Kuppelboden aufgehängte oberste Arbeitsplattform. Der heutige Tag hatte ihm ein Fiasko nach dem anderen beschert. Was als patriotischer Feldzug begonnen hatte, war mittlerweile zu einer wilden Schleuderpartie ausgeartet. Der Commander hatte sich zu unmöglichen Entscheidungen und scheußlichen Taten gezwungen gesehen – zu Taten, die er sich selbst nicht zugetraut hätte.

Aber es war eine Lösung! Sogar die einzig gangbare Lösung, verdammt nochmal!

Schließlich hatte er Pflichten, denen er genügen musste: Ehre und Vaterland! Strathmore wusste, es war noch nicht zu spät. Noch konnte er den TRANSLTR abschalten. Noch konnte er mit Hilfe des Rings die wertvollste Datenbank des Landes retten. *Ja,* dachte Strathmore, *es ist noch nicht zu spät.*

Er blickte in das Chaos um ihn herum. Die Sprinkleranlage war angesprungen. Der TRANSLTR stöhnte, die Alarmhörner blökten. Die rotierenden Warnlichter sahen aus wie im dichten Nebel anfliegende Helikopter. Bei seinem Gang nach unten verfolgte Strathmore der flehende Blick des jungen Kryptographen, der ihn vom Boden angestarrt hatte – und dann der Schuss. Aber Greg Hale war für Ehre und Vaterland gestorben … Die NSA konnte sich einfach keinen weiteren Skandal mehr leisten. Strathmore hatte sich einen Sündenbock suchen müssen – und war Greg Hale nicht ohnehin eine wandelnde Katastrophe auf Abruf gewesen?

Strathmores Gedanken wurden jäh vom Piepsen seines Handys unterbrochen. Vor lauter Lärm hatte er es kaum gehört. Ohne innezuhalten, riss er es aus der Gürteltasche.

»Sprechen Sie!«

»Wo bleibt mein Key?«, erkundigte sich scharf eine Stimme.

»Wer spricht?«, schrie Strathmore in den Lärm.

»Numataka«, bellte es wütend zurück. »Sie haben mir den Schlüssel versprochen! Ich will Diabolus!«

»Es gibt kein Diabolus!«, sagte Strathmore brüsk.

»Was?«

»Es gibt keinen unentschlüsselbaren Algorithmus.«

»Aber natürlich gibt es den! Ich habe ihn doch im Internet gesehen. Meine Leute bemühen sich seit Tagen, ihn zu öffnen!«

»Das ist ein verschlüsselter Virus, Sie Idiot! Sie können von Glück sagen, dass Sie ihn nicht aufbekommen haben!«

»Aber …«

»Der Deal ist geplatzt!«, schrie Strathmore. »Ich bin nicht North Dakota. Es gibt überhaupt keinen North Dakota! Vergessen Sie, dass Sie den Namen je gehört haben!« Er stellte den Rufton ab und stopfte das Handy in die Gürteltasche zurück. Schluss mit den ewigen Störungen!

Knapp zwanzigtausend Kilometer entfernt stand Tokugen Numataka wie betäubt an seinem Panoramafenster. Die Zigarre hing schlaff in seinem Mundwinkel. Das Geschäft seines Lebens hatte sich soeben in Luft aufgelöst.

Strathmore stieg weiter nach unten. *Der Deal ist geplatzt.* Die Numatech Corporation bekam keinen unknackbaren Algorithmus … und die NSA kein Hintertürchen.

Strathmore hatte seinen Traum von langer Hand geplant. Seine Wahl war mit Bedacht auf Numatech gefallen. Die finanzstarke Numatech hätte einen sehr glaubwürdigen Sieger einer weltweiten Auktion abgegeben. Kein Mensch hätte sich etwas dabei gedacht, wenn sie am Ende den Schlüssel bekam. Außerdem war kaum eine Gesellschaft denkbar, die weniger der Kumpanei mit der US-Regierung verdächtig gewesen wäre. Tokugen Numataka war ein Japaner von altem Schrot und Korn – er würde lieber den Tod als den Verlust der Ehre wählen. Die Amerikaner waren ihm verhasst. Er hasste ihre Essgewohnheiten, er hasste ihre Sitten und Gebräuche, und vor allem hasste er ihre dominierende Stellung auf den Softwaremärkten der Welt.

Strathmore hatte eine kühne Vision verfolgt – einen global verbindlichen internationalen Verschlüsselungsstandard mit einem Hintertürchen für die NSA. Er hatte sich danach gesehnt, seinen Traum mit Susan zu teilen und Seite an Seite mit ihr zu verwirklichen. Aber das war ausgeschlossen. Die Pazifistin Susan hätte Ensei Tankados Tod niemals gebilligt, auch wenn dieser Tod die zukünftige Rettung von Tausenden von Menschenleben bedeutete. *Du bist selbst Pazifist,* dachte Strathmore, *nur leider kannst du es dir nicht erlauben, dich entsprechend zu verhalten.*

Für den Commander war von Anfang an klar gewesen, wen er auf Tankado ansetzen würde. Tankado hielt sich in Spanien auf – also kam nur Hulohot infrage. Der zweiundvierzigjährige portugiesische Söldner und Profikiller war die bevorzugte Wahl des Commanders. Hulohot war in Lissabon geboren und aufgewachsen, arbeitete schon seit Jahren für die NSA und hatte in ganz Europa Aufträge für sie erledigt. Der einzige Haken war seine Taubheit, was eine Kommunikation per Telefon unmöglich machte. Unlängst hatte Strathmore dafür gesorgt, dass Hulohot das neueste Spielzeug der NSA bekam, den Monocle-Computer. Strathmore hatte sich einen SkyPager gekauft und auf die gleiche Funkfrequenz eingestellt. Die Kommunikation mit Hulohot konnte seither völlig verzögerungsfrei und ohne eine Spur zu hinterlassen erfolgen.

Die erste von Strathmore an Hulohot abgesetzte Anweisung

hatte für Missverständnisse keinen Raum gelassen, zumal sie zuvor diskutiert worden war. *Töten Sie Ensei Tankado. Verschaffen Sie sich den Schlüssel.*

Strathmore hatte sich nie darum gekümmert, wie sein Killer seine Wundertaten ins Werk setzte. Hulohot hatte es jedenfalls wieder einmal geschafft. Tankado war tot, und die Behörden gingen davon aus, dass es ein Herzanfall gewesen war. Ein Bilderbuchmord – bis auf eine winzige Kleinigkeit: den schlecht gewählten Tatort. Zur Wahrung des Scheins war es natürlich erforderlich, dass Tankado vor Publikum das Zeitliche segnete, aber das Publikum hatte zu früh in das Geschehen eingegriffen. Hulohot hatte von der Bildfläche verschwinden müssen, bevor er den Toten nach dem Schlüssel durchsuchen konnte. Als sich der Staub gelegt hatte, war die Leiche schon im Leichenschauhaus von Sevilla verschwunden.

Strathmore war wütend. Hulohot hatte zum ersten Mal einen Auftrag verpatzt – ausgerechnet als es ganz besonders darauf ankam, dass alles wie am Schnürchen lief. Der Commander musste den Key unbedingt haben, aber er wusste auch, dass er keinen gehörlosen Killer ins Leichenschauhaus von Sevilla schicken konnte. Der Fehlschlag wäre vorprogrammiert gewesen. Beim Nachdenken über seine Optionen hatte sich allmählich eine Alternative herauskristallisiert. Auf einmal sah er die Chance, zwei Fliegen mit einer Klappe zu schlagen – die Chance, zwei Träume statt nur einen einzigen zu verwirklichen.

Um halb sieben in der Frühe hatte er David Becker angerufen.

Kapitel 97

Fontaine kam in vollem Lauf in den Konferenzraum gestürmt. Brinkerhoff und Midge folgten ihm auf dem Fuß.

»Sehen Sie!«, keuchte Midge und deutete gestikulierend zum Fenster.

Beim Anblick des Lichtergeflackers in der Cryptokuppel bekam Fontaine große Augen. *Das* gehörte eindeutig *nicht* zum Plan.

»Sieht aus wie eine gottverdammte Disco!«, ließ sich Brinkerhoff vernehmen.

Fontaine starrte zum Fenster hinaus und versuchte, sich einen Reim auf die Situation zu machen. In den paar Jahren, die der TRANSLTR nun schon in Betrieb war, war so etwas noch nie vorgekommen. *Er wird zu heiß,* dachte Fontaine. Er fragte sich, warum Strathmore das Ding nicht schon längst abgeschaltet hatte. In Sekundenschnelle hatte Fontaine entschieden, was zu tun war.

Er schnappte sich das Haustelefon vom Konferenztisch und hieb die Durchwahl zur Crypto ins Tastenfeld. Als Antwort tutete das Störsignal aus dem Hörer.

Er knallte den Apparat auf den Tisch, griff aber sofort wieder danach und wählte Strathmores Handynummer. Diesmal erhielt er ein Rufzeichen.

Es hatte schon sechsmal geklingelt.

Brinkerhoff und Midge beobachteten Fontaine. Er tigerte

am kurzen Hörerkabel hin und her wie eine angekettete Raubkatze. Eine Minute verstrich. Fontaine stand inzwischen kurz vor dem Platzen.

Er schmiss den Hörer hin. »Das ist unglaublich!«, brüllte er. »Die Crypto kann uns jeden Moment um die Ohren fliegen, und Strathmore geht noch nicht einmal an sein vermaledeites Telefon!«

Kapitel 98

Hulohot stürmte aus Kardinal Guerras Gemach hinaus ins blendende Licht der Morgensonne. Fluchend beschirmte er die Augen. Er stand neben der Kathedrale in einem Innenhof, der von einer hohen Mauer, der Westfassade des Giraldaturms und zwei schmiedeeisernen Gitterzäunen begrenzt wurde. Der Platz war leer, das Tor zum Vorplatz der Kathedrale offen. Im Hintergrund war das Gemäuer von Santa Cruz zu sehen. Becker konnte unmöglich in so kurzer Zeit bis dorthin gelangt sein. Hulohot wandte seine Aufmerksamkeit wieder dem Innenhof zu. *Er ist hier. Er kann nur hier sein!*

Dieser Innenhof, der *Patio de los Naranjos,* war in ganz Sevilla wegen seiner zwanzig blühenden Orangenbäume berühmt. Die Bäume galten in Sevilla als der Ursprungsort der bekannten englischen Orangenmarmelade. Im achtzehnten Jahrhundert hatte angeblich ein englischer Kaufmann dem Domkapitel von Sevilla eine halbe Tonne Orangen abgekauft und nach London verfrachtet, wo er die Früchte wegen ihres bitteren Geschmacks ungenießbar fand. Er versuchte, daraus Marmelade zu kochen, aber weil er die Schalen mitverwendet hatte, musste er zentnerweise Zucker zusetzen, um den Sud genießbar zu machen – und die berühmte englische Orangenmarmelade war geboren.

Mit erhobener Waffe strich Hulohot durch den Orangenhain. Die Bäume waren alt, das Blattwerk begann erst weit oben.

Schon die untersten Äste waren unerreichbar, und die dünnen Stämme boten keine Deckung. Der Patio war leer, das hatte Hulohot schnell begriffen. Er sah nach oben. Die Giralda.

Der Eingang zum Wendeltreppenaufgang des Turmes war durch eine dicke Kordel mit einem hölzernen Täfelchen versperrt. Kordel und Täfelchen hingen bewegungslos. Hulohots Blick wanderte den dreiundneunzig Meter hohen Turm hinauf. Der Gedanke war einfach lächerlich. So viel Blödheit war Becker nicht zuzutrauen. Die Wendeltreppe wand sich hinauf zu einer viereckigen Turmkammer mit Aussichtsöffnungen, von der aus es nicht mehr weiterging.

David Becker erklomm die letzten Stufen der steilen Wendeltreppe und stolperte atemlos in eine kleine Aussichtskammer. Hohe Mauern mit schmalen Sehschlitzen umschlossen ihn. Nirgendwo ein Ausgang.

Das Schicksal hatte es mit ihm in den letzten Minuten nicht gut gemeint. Als er in den offenen Hof hinausgeflitzt war, hatte sich die Tasche seines schäbigen Jacketts in der Türklinke verfangen. Der Stoff war zwar sofort ausgerissen, aber der Ruck hatte Becker nach rechts aus der Bahn geschleudert. Um sein Gleichgewicht ringend, war er ins blendende Sonnenlicht getaumelt und auf ein Treppenhaus zugerannt. Er war über die Absperrkordel gesprungen und einfach weitergelaufen. Als er merkte, wohin die Treppe führte, war es schon zu spät.

Becker stand wie in einer Zelle eingesperrt und versuchte, wieder zu Atem zu kommen. Die Morgensonne flutete in schmalen Lichtbündeln durch die Wandschlitze herein. Becker schaute hinaus. Tief unten stand der Mann mit der Nickelbrille mit dem Rücken zum Turm und starrte auf die Plaza. Becker veränderte seine Position. So hatte er einen besseren Blick. *Und jetzt mach, dass du fortkommst!*, versuchte er seinen Verfolger zu beschwören. *Mach schon, hau ab!*

Wie der Stamm eines gefällten Mammutbaums lag der Schatten der Giralda quer über der Plaza. Hulohot schaute die dunkle Schattensäule entlang. Am Ende, wo das Licht durch die Aussichtsöffnungen quer durch die Turmkammer drang, zeichneten sich auf dem Kopfsteinpflaster drei schmale helle Vierecke ab. In einem dieser hellen Vierecke hatte sich soeben der Schatten eines Mannes bewegt. Ohne auch nur eine Sekunde zum Turm hinaufzuschauen, wirbelte Hulohot herum und stürmte zur Wendeltreppe der Giralda.

Kapitel 99

Fontaine hieb die Faust in die offene Handfläche. Er ging im Konferenzraum auf und ab und schaute immer wieder hinüber zum Lichtergeflacker in der Cryptokuppel. »Programm abbrechen! Abbrechen, verdammt nochmal!«, rief er beschwörend.

Midge erschien auf der Schwelle und wedelte mit einem frischen Ausdruck. »Sir, Strathmore kann keinen Abbruch vornehmen!«

»Wie bitte?« Brinkerhoff und Fontaine schnappten unisono nach Luft.

»Er hat es bereits versucht, Sir.« Midge hielt ihren Ausdruck hoch. »Viermal schon. Der TRANSLTR hängt in einer Programmschleife fest!«

Fontaine fuhr herum und starrte wieder zum Fenster hinaus. »Oh, mein Gott!«

Das Telefon schrillte. »Na endlich!«, atmete Fontaine auf. »Das muss Strathmore sein. Wird aber auch Zeit!«

Brinkerhoff nahm ab. »Büro des Direktors«, meldete er sich.

Fontaine streckte die Hand aus, um sich den Hörer geben zu lassen, doch Brinkerhoff sah ihn unsicher an und wandte sich an Midge. »Jabba ist dran. Er möchte dich sprechen.«

Fontaine sah Midge befremdet an, die schon auf dem Weg zum Telefonapparat war und die Lautsprechertaste drückte. »Jabba, leg los.«

Jabbas Stimme plärrte metallisch in den Raum. »Midge, ich

bin jetzt unten in der Datenbank. Wir kriegen hier ein paar komische Sachen angezeigt. Ich wollte nur wissen, ob du vielleicht …«

»Verdammt nochmal, Jabba! Was habe ich dir die ganze Zeit in dein dämliches Hirn zu prügeln versucht?« Midge geriet richtig in Fahrt.

»Es muss nicht unbedingt etwas zu bedeuten haben«, sagte Jabba hinhaltend, »aber …«

»Hör mir bloß auf mit ›nicht unbedingt‹! Bei uns gibt es kein ›nicht unbedingt‹! Egal, was du da unten angezeigt bekommst, nimm es gefälligst ernst, sehr ernst! Übrigens: In meinen Daten ist kein Wurm – ist nie einer gewesen und wird auch nie einer sein!« Sie machte Anstalten einzuhängen, hielt aber inne. »Ach, Jabba, nur der Vollständigkeit halber: Strathmore hat deinen Gauntlet umgangen.«

Hulohot rannte die Wendeltreppe der Giralda hoch. Das einzige Licht kam durch schmale fensterlose Öffnungen herein, die nach jeder halben Drehung in die Mauer gebrochen waren. *Er sitzt in der Falle! David Becker wird sterben!* Mit gezogener Pistole schraubte Hulohot sich an der Außenseite der Treppe zügig nach oben. An jedem Treppenabsatz hingen lange schmiedeeiserne Kerzenhalter an der Wand, die eine gute Waffe abgegeben hätten, falls Becker einen Angriff riskieren sollte. Aber von der Außenseite der Treppe her konnte Hulohot den Gegner früh genug erkennen – und seine Pistole hatte eine größere Reichweite als die anderthalb Meter, die ein solcher Kerzenhalter lang war.

Rasch, aber vorsichtig bewegte sich Hulohot nach oben. Die Treppe war sehr steil. Touristen waren hier schon zu Tode gekommen. Man war eben nicht in Amerika – kein Handlauf, keine Warnschilder, keine Hinweise auf etwaige Risiken. Wer hier stürzte, war selber schuld.

An einer der schulterhohen Wandöffnungen hielt Hulohot inne und schaute hinaus. Er befand sich an der Nordflanke des Turms und nach der Aussicht zu schließen inzwischen weit über der halben Höhe.

Der Rest des Treppenhauses bis zur Mündung der Treppe in die Aussichtskammer kam ins Blickfeld. Es war leer. David Becker hatte auf einen Angriff verzichtet. Womöglich war ihm sogar entgangen, dass Hulohot in den Turm gerannt war – und das hieß, dass Hulohot das Überraschungsmoment auf seiner Seite hatte. Nicht, dass er es gebraucht hätte, sämtliche Trümpfe waren ohnehin in seiner Hand. Selbst die Bauart des Turms kam ihm entgegen. Von der südwestlichen Ecke der Aussichtskammer, wo die Treppe mündete, hatte Hulohot freies Schussfeld in jeder Richtung. Becker konnte unmöglich in seinen Rücken gelangen. Und obendrein kam Hulohot aus dem Dunkeln ins Helle. *Eine richtige Hinrichtungskammer*, freute er sich.

Bis zum Treppenende waren es noch sieben Stufen. Ein letztes Mal spielte er Beckers Liquidierung durch. Wenn er zur Innenseite wechselte, konnte er die äußere linke Ecke der Kammer einsehen, bevor er ganz oben war. Falls Becker dort stand, konnte er ihn sofort erledigen, falls nicht, würde er zur Außenseite wechseln, von wo er nach einem schnellen Sprung in die Kammer die rechte Seite unter Beschuss nehmen konnte, wo Becker dann notgedrungen stehen musste. Hulohot lächelte.

ZIELPERSON: DAVID BECKER – ELIMINIERT

Es war so weit. Er überprüfte die Waffe.

Mit ein paar energischen Sprüngen jagte er die restlichen Stufen nach oben. Die Aussichtskammer kam ins Blickfeld. Die linke Ecke war leer. Hulohot wechselte plangemäß nach links, sprang nach rechts aus der Wendeltreppe heraus und schoss in die rechte Ecke. Das Geschoss prallte am nackten Mauerwerk ab. Der Querschläger verfehlte ihn nur um ein Haar. Mit einem krächzenden Aufschrei wirbelte Hulohot um die eigene Achse. Niemand da. Becker war verschwunden.

Wie ein Mann, der sich am Fensterbrett mit Klimmzügen ertüchtigt, hing David Becker drei Stockwerke tiefer ungefähr sechzig Meter über dem Patio de los Naranjos außen an der Giralda. Hulohot war noch nach oben unterwegs, als Becker drei Wendel weit herabgerannt war, sich gerade noch rechtzeitig durch eine Fensteröffnung geschoben und außen herabgelassen hatte. Der Killer war unmittelbar darauf vorbeigehastet, hatte es aber viel zu eilig gehabt, um die von außen an den Sims geklammerten weißen Knöchel zu bemerken.

Becker dankte Gott, dass sein tägliches Squash-Trainingsprogramm auch zwanzig Minuten an der Nautilus-Maschine zur Stärkung des Bizeps für einen härteren Aufschlag umfasste. Doch ungeachtet seiner kräftigen Arme hatte er nun die größte Mühe, sich wieder ins Innere zu ziehen. Seine Schultern brannten. Seine Seite fühlte sich an, als würde sie Stück für Stück auseinandergerissen. Der roh behauene Sims bot zwar Halt, aber die Kanten schnitten ihm wie Glasscherben in die Finger.

Beckers Verfolger konnte jeden Moment wieder von oben heruntergerannt kommen – und von oben würden ihm die an den Fenstersims geklammerten Finger kaum entgehen.

Becker schloss die Augen und spannte die Muskeln. Er wusste, dass er dem Tod jetzt nur noch durch ein Wunder von der Schippe springen konnte. Seine Finger verloren allmählich den Halt. Er schaute an seinen baumelnden Beinen entlang nach unten. Über die Länge eines knappen Fußballfelds ging es senkrecht nach unten. Diesen Absturz konnte keiner überleben. Der Schmerz in seiner Seite wurde schlimmer. Schritte dröhnten über ihm auf der Treppe. Becker kniff die Augen zusammen. Jetzt oder nie! Mit zusammengebissenen Zähnen machte er einen Klimmzug, was das Zeug hielt.

Rauer Stein schürfte über seine Handgelenke. Die Schritte kamen schnell näher. Becker konnte die Innenseite der Brüstung packen. Sein Körper kam ihm vor wie aus Blei. Es gelang ihm, sich auf die Ellbogen hochzustemmen. Er war jetzt völlig ungedeckt. Sein Kopf ragte durch die Fensteröffnung ins Treppenhaus wie das Haupt eines Mannes auf der Guillotine. Schlängelnd arbeitete er sich weiter in die Öffnung. Die Schritte waren ganz nah. Er war jetzt zur Hälfte durch und hing mit dem ganzen Oberkörper über der Treppe. Er stemmte die Arme gegen die Flanken der Maueröffnung, hievte den Rest des Körpers ins Turminnere und landete hart auf den Stufen.

Hulohot entging nicht, dass Becker einen Wendel tiefer auf die Treppe fiel. Mit gezogener Pistole sprang er voran. Eine Fensteröffnung schwang ins Blickfeld. Als Hulohot zur Außenseite der Wendeltreppe wechselte und nach unten zielte, sah er Becker gerade noch um die Kurve flitzen. Enttäuscht drückte er ab. Die Kugel jaulte als Querschläger das Treppenhaus hinunter.

Um ein größtmögliches Blickfeld zu haben, rannte Hulohot an der Außenwand weiter. Becker schien stets knapp außer Sichtweite eine ganze Umdrehung vor ihm zu liegen. Er hatte die Innenseite gewählt, wo er wegen der Verkürzung der Tritte jeweils vier bis fünf Stufen auf einmal nehmen konnte, aber Hulohot ließ sich nicht abhängen. Ein einziger Schuss würde genügen. Hulohot konnte ein klein wenig aufholen. Becker war geliefert, selbst wenn er es bis ganz nach unten schaffen sollte, denn wohin hätte er laufen sollen, wenn nicht auf den offenen Patio hinaus, wo ihn Hulohot immer noch von hinten erschießen konnte? Der verzweifelte Wettlauf schraubte sich nach unten.

Hulohot wechselte zur schnelleren Innenseite. Jedes Mal, wenn eine Fensteröffnung kam, sah er Beckers Schatten. Plötzlich hatte Hulohot den Eindruck, dass Becker ins Stolpern geraten war. Der Schatten machte einen unvermuteten Ausfall nach rechts, schien sich mitten in der Luft zu drehen und schnellte wieder zurück zur Innenseite. Triumphierend sprang Hulohot voran. *Du hast ihn!*

Um die Spindel herum blitzte etwas Metallenes auf. Wie ein Degenstoß fuhr es in Knöchelhöhe durch die Luft. Hulohot versuchte nach rechts auszuweichen, doch zu spät. Der Gegenstand geriet ihm zwischen die Beine und schlug hart gegen sein Schienbein. Seine Arme schnellten Halt suchend vor, aber sie griffen ins Leere. Er machte einen Salto durch die Luft.

Hulohot stürzte über den bäuchlings an die Stufen geklammerten David Becker hinweg und krachte gegen die Mauer. Er prallte ab und begann eine unaufhaltsame Schussfahrt den steilen Treppenschacht hinunter. Kerzenhalter und Pistole schepperten hinterher. Nach fünf kompletten Wendeldrehungen fand Hulohots Höllenfahrt ein Ende, und er blieb regungslos liegen. Noch zwölf Stufen, und er wäre auf dem Patio gelandet.

Kapitel 101

David Becker hatte noch nie eine Pistole in der Hand gehabt. Er presste den Lauf der Waffe an die Schläfe des Attentäters, der zerschunden und verrenkt in der Düsternis des Treppenhauses der Giralda lag. Bei der geringsten Bewegung hätte er abgedrückt, aber der Mörder rührte sich nicht mehr. Hulohot war tot.

Becker ließ die Waffe sinken. Ermattet setzte er sich auf eine Stufe. Seit einer Ewigkeit spürte er zum ersten Mal wieder den Drang zu weinen, doch er kämpfte ihn nieder. Für Gefühle war später noch Gelegenheit. Jetzt war es an der Zeit, nach Hause zu gehen. Becker versuchte aufzustehen, aber er war viel zu erschöpft, um sich zu bewegen. Lange hockte er auf der steinernen Wendeltreppe.

Geistesabwesend betrachtete er den verrenkten Leichnam. Die ins Ungewisse glotzenden Augen des Killers wurden allmählich starr. Merkwürdigerweise hatte er die Brille noch auf. *Eine seltsame Brille,* dachte Becker, *mit diesem Draht, der da hinten aus dem Bügel kommt und zu diesem flachen Kästchen am Gürtel hinunterführt.* Doch die Erschöpfung war größer als seine Neugier.

Beckers Blick fiel auf den Ring an seinem Finger. Sein Sehvermögen war wieder einigermaßen zurückgekehrt. Endlich konnte er die Inschrift lesen. Wie vermutet, war sie nicht Englisch. Lange betrachtete er die eingravierten Buchstaben. *Und dafür lohnt es sich zu morden?*

Von der Morgensonne geblendet, trat Becker aus der Giralda in den Patio de los Naranjos hinaus. Die Schmerzen in seiner Seite hatten sich gelegt. Einen Augenblick lang hielt er wie betäubt inne und genoss den Duft der blühenden Orangenbäume. Langsam setzte er sich über den Innenhof in Bewegung.

Als er den Patio hinter sich ließ, kam ein Lieferwagen mit quietschenden Reifen in der Nähe zum Stehen. Zwei Männer in militärischen Overalls sprangen heraus. Mit der Präzision eines Uhrwerks marschierten sie heran.

»David Becker?«, schnarrte der eine.

Becker blieb wie angewurzelt stehen. *Woher kennen die deinen Namen?* »Wer ... wer sind Sie?«

»Bitte folgen Sie uns unverzüglich.«

Die Situation hatte etwas Irreales. Beckers Nerven begannen wieder zu flattern. Unwillkürlich trat er einen Schritt zurück.

Der Jüngere der beiden sah ihn mit eisigem Blick an. »Mr Becker, bitte folgen Sie uns! Unverzüglich!«

Becker wandte sich zur Flucht. Er kam nur einen Schritt weit. Einer der Männer zog eine Waffe. Ein Schuss bellte.

Ein sengender Schmerzpfeil explodierte in Beckers Rücken und jagte hinauf in seinen Schädel. Seine Finger versteiften sich. Er ging zu Boden, und alles wurde schwarz.

Kapitel 102

Strathmore war auf dem Grund des Silos angekommen. Als er im ohrenbetäubenden Lärm der Alarmhörner von der Gittertreppe heruntertrat, stand er zwei Zentimeter tief im Wasser, das aus der Sprinkleranlage in großen Tropfen durch die wirbelnden Dunstschwaden herabregnete. Dicht neben ihm rumorte es laut in dem riesigen Rechner.

Er schaute zum Hauptgenerator hinüber. Das Aggregat mit Phil Charturkians verschmorter Leiche sah aus wie eine perverse Halloween-Dekoration.

Strathmore bedauerte den jungen Mann, aber er hatte seinen Tod in Kauf nehmen müssen. Charturkian hatte ihm keine andere Wahl gelassen. Als der Techniker völlig außer sich und unter lautem Geschrei über einen Virus nach oben gerannt gekommen war, hatte Strathmore ihn auf einem Treppenabsatz des Wartungssilos abgefangen und versucht, ihn wieder zur Vernunft zu bringen. Aber Charturkian hatte vollkommen durchgedreht. *Wir haben einen Virus!*, hatte er gekreischt. *Ich werde Jabba anrufen!* Als er sich vorbeizudrängen versuchte, hatte Strathmore ihm auf dem schmalen Treppensteg den Durchgang verwehrt. Es war zu einem Handgemenge gekommen, das Geländer war nicht besonders hoch …

Schon komisch, dachte Strathmore. *Charturkian hat mit seinem Virus von Anfang an Recht gehabt.*

Der Absturz des Technikers hatte Strathmore das Blut in

den Adern gefrieren lassen – erst der grässliche Schrei, dann die Stille. Aber es war bei weitem nicht so grauenhaft gewesen wie Strathmores nächste Entdeckung: Greg Hale hatte aus dem Halbdunkel entsetzt zu ihm emporgestarrt. In diesem Moment war ihm klar geworden, dass Greg Hale ebenfalls sterben musste.

Im TRANSLTR knisterte es. Strathmore wandte sich wieder der vor ihm liegenden Aufgabe zu: Er musste den Strom abschalten! Der Notschalter befand sich links von der Leiche auf der anderen Seite der Kühlmittelpumpen. Strathmore konnte den Hebel deutlich erkennen. Wenn er ihn umlegte, war der restliche Strom auch noch abgeschaltet. Nach ein paar Sekunden Wartezeit brauchte er nur das Hauptaggregat wieder in Betrieb zu setzen. Das Kühlmittel würde wieder in ausreichender Menge strömen – der TRANSLTR war gerettet, und sämtliche Stromverbraucher einschließlich der Türen wurden wieder vom Netz versorgt.

Aber zuvor galt es, ein letztes Hindernis zu beseitigen. Auf dem Hauptgenerator lag noch Charturkians Leiche. Sie musste vor der Inbetriebnahme des Aggregats entfernt werden, sonst würde es gleich wieder zu einem Kurzschluss kommen.

Strathmore stapfte zu dem Generator. Er griff hoch und packte den grotesk verunstalteten Toten am Handgelenk. Das Fleisch fühlte sich an wie Styropor. Es hatte jegliche Gewebeflüssigkeit verloren und wirkte wie getoastet. Strathmore schloss die Augen, packte fest zu und zog. Die Leiche bewegte sich ein paar Zentimeter. Strathmore zerrte noch stärker. Wieder ein paar Zentimeter. Als er sich mit aller Macht ins Zeug legte, gab die Leiche plötzlich nach, und er fiel rückwärts gegen einen Schaltkasten. Mühsam setzte er sich in der steigenden Nässe auf. Er hatte etwas in der Hand. Entsetzt starrte Strathmore auf den Unterarm, den er Charturkian abgerissen hatte.

Susan hockte oben in Node 3 auf der Couch und wartete. Sie war wie gelähmt. Hales Leiche lag zu ihren Füßen. Während die Minuten verstrichen, fragte sie sich, was den Commander so lange aufhielt. Sie versuchte vergeblich, David aus ihren Gedanken zu verdrängen. *Ganz besonders bedauere ich die Sache mit David Becker.* Mit jedem Stoß der Alarmhörner hallte Hales letzter Satz in ihrem Kopf wider. Susan dachte, sie müsste verrückt werden.

Sie wollte gerade aufspringen und in die Kuppel hinauslaufen, als sich endlich etwas tat. Strathmore hatte den Notschalter betätigt und sämtliche Energiezufuhr abgeschaltet.

Plötzlich wurde es totenstill. Die Alarmhörner verstummten mitten im Krächzton. Der Monitor flackerte noch einmal und wurde schwarz. Hales Leiche verschwand in der Dunkelheit. Susan zog instinktiv die Beine hoch und kroch tiefer unter Strathmores Jackett.

Finsternis.

Stille.

Eine solche Grabesstille hatte Susan in der Cryptokuppel noch nie erlebt. Zumindest das Generatorgebrumm war immer zu hören gewesen. Aber jetzt gab es hier keinen Laut, nur das große Rechnermonstrum schien leise aufzuatmen, schien zischelnd und knisternd langsam abzukühlen.

Susan schloss die Augen und betete für David. Es war ein schlichtes Gebet. *Lieber Gott, beschütze den Mann, den ich liebe.*

Susan war weder fromm noch gläubig. Sie rechnete nicht mit einer Antwort auf ihr Gebet, aber was war das? Es pochte sanft gegen ihre Brust! Sie schoss senkrecht hoch und griff sich ans Herz, verstand aber sogleich: Das war nicht die Hand Gottes – es war der Vibrationsruf des stumm geschalteten SkyPagers in der Innentasche von Strathmores Jackett! Eine Botschaft für Commander Strathmore war angekommen.

Commander Strathmore stand sechs Stockwerke tiefer am Notschalter. Die Untermaschinerie der Cryptokuppel war jetzt dunkler als die schwärzeste Nacht. Strathmore hielt einen Augenblick inne und genoss die Finsternis. Regengüsse stürzten herab wie ein mitternächtliches Gewitter. Er legte den Kopf in den Nacken, um sich die Schuld von den warmen Tropfen abwaschen zu lassen. *Du bist ein Überlebenskünstler.* Er kniete nieder und wusch sich die letzten Reste von Charturkians verdorrtem Fleisch von den Händen.

Sein Traum von Diabolus war gescheitert, aber damit konnte er sich mittlerweile abfinden. Das Einzige, was jetzt noch zählte, war Susan. Seit Jahrzehnten wurde ihm zum ersten Mal in aller Deutlichkeit bewusst, dass es im Leben mehr gab als Ehre und Vaterland. *Für* Ehre und Vaterland *hast du die besten Jahre deines Lebens vertan! Und wo bleibt die Liebe?* Viel zu lang hatte er sich selbst das Wesentliche versagt. *Und wofür?* Um zuzusehen, wie ein junger Professor ihm die Frau seiner Träume streitig machte? Strathmore hatte Susan unter seine Fittiche genommen und beschützt, jetzt würde er sie endlich auch besitzen dürfen – denn wohin hätte sie sich nun noch wenden sollen? Tief getroffen von ihrem Verlust, musste sie sich ihm zuwenden und in seinen Armen Zuflucht suchen. Und im Laufe der Zeit würde er ihr beweisen, dass die Liebe alle Wunden heilt.

Ehre, Vaterland, Liebe – ein Dreiklang, dem David Becker geopfert werden musste.

Kapitel 103

Der Commander entstieg der Einstiegsklappe wie der auferstandene Lazarus seinem Grabe. Ungeachtet seiner durchweichten Kleidung strebte er mit energischem Schritt seinem Ziel entgegen, Node 3 – und Susan.

Die Cryptokuppel war wieder in Licht gebadet. Frische Kühlflüssigkeit durchströmte den überhitzten TRANSLTR wie sauerstoffreiches Blut und würde bald auch den letzten Winkel des Rechners erreicht haben. Es war nur noch eine Frage von Minuten, dann war die Selbstentzündung der überhitzten Prozessoren definitiv abgewendet. Strathmore war sicher, noch rechtzeitig eingegriffen zu haben. Triumphierend stieß er die Luft aus.

Du bist ein Überlebenskünstler, dachte er. Er verschmähte den bequemen Weg durch das klaffende Loch in der Glaswand und betrat Node 3 durch die zischend auseinanderfahrenden Flügel der automatischen Tür.

Susan stand nass und zerzaust in seinem Jackett vor ihm. Sie wirkte auf ihn wie ein in einen Wolkenbruch geratener Teenager, dem er fürsorglich etwas Trockenes zum Überziehen geliehen hatte. Seit Jahren fühlte er sich zum ersten Mal wieder jung. Sein Traum stand vor der Erfüllung.

Als er sich Susan näherte, traf ihn ein eiskalter Blick. Er glaubte, in die Augen einer Unbekannten zu schauen. Alle Weichheit war von ihr abgefallen. Susan Fletcher stand starr und unbeweglich da wie eine Statue.

»Susan?«

Eine Träne rollte über ihre bebende Wange herab.

»Was ist?«, sagte Strathmore in flehendem Ton.

Die Blutlache unter Hales Leiche hatte sich wie auslaufendes Öl über den Teppich verbreitet. Strathmore streifte zuerst den Toten und dann Susan mit einem unbehaglichen Blick. *Weiß sie womöglich Bescheid?* Nein, ausgeschlossen. Strathmore hatte sämtliche Zeugnisse seiner Tat beseitigt.

Er trat einen Schritt näher. »Susan«, sagte er, »was ist denn?«

Sie rührte sich nicht.

»Machen Sie sich Sorgen wegen David?«

Ihre Oberlippe zitterte unmerklich.

Strathmore kam noch näher. Er wollte die Arme nach ihr ausstrecken, zögerte aber. Der Klang von Davids Namen hatte offenbar den Damm ihres Leids zum Bersten gebracht. Anfangs war da nur ein leichtes Zittern, ein Beben, aber dann schien eine gewaltige Woge des Grams über sie hinwegzurollen. Kaum noch fähig, die bebenden Lippen zu kontrollieren, öffnete Susan den Mund. Sie wollte etwas sagen, brachte aber keinen Ton heraus.

Ohne den Blick von Strathmore zu lösen, nahm sie die Hand aus der Tasche seines Jacketts und hielt ihm etwas entgegen.

Strathmore hätte sich nicht gewundert, in den Lauf der Beretta zu blicken. Aber die Pistole lag immer noch von Hales Hand umklammert auf dem Boden. Der Gegenstand, den Susan ihm entgegenhielt, war kleiner. Strathmore starrte ihn an und begriff.

Der Mann, der viele Jahre siegreich gegen Giganten angetreten war, hatte sich von einem Augenblick zum anderen durch eigene Torheit selbst demontiert, durch die Torheit des Verliebten. In einem Anfall von Kavalierssucht hatte er Susan sein Jackett gegeben – mit dem SkyPager in der Tasche.

Jetzt war Strathmore derjenige, der erstarrte. Susans Hand zitterte. Das Gerät entglitt ihrer Hand. Sie rannte aus Node 3 hinaus. Der Ausdruck ihrer Augen, in dem sich fassungsloses

Erstaunen und maßlose Enttäuschung mischten, brannte sich Strathmore unvergesslich ein.

Strathmore wich zurück. Wie in Zeitlupe bückte er sich und hob seinen Pager mit der Liste der gespeicherten Botschaften auf, die Susan gelesen hatte:

ZIELPERSON: ENSEI TANKADO – ELIMINIERT
ZIELPERSON: PIERRE CLOUCHARDE – ELIMINIERT
ZIELPERSON: HANS HUBER – ELIMINIERT
ZIELPERSON: ROCÍO EVA GRANADA – ELIMINIERT

Die Liste ging weiter. Strathmore bekam es mit der Angst zu tun. *Aber du kannst es doch erklären! Sie muss es einfach verstehen. Ehre! Vaterland!* Doch am Ende kam eine Botschaft, die er noch nicht gesehen hatte. Eine Botschaft, für die es niemals eine Entschuldigung geben konnte:

ZIELPERSON: DAVID BECKER – ELIMINIERT

Strathmores Kopf sackte herab.

Sein Traum war ausgeträumt.

KAPITEL 104

Susan taumelte aus Node 3 hinaus.

ZIELPERSON: DAVID BECKER – ELIMINIERT

Wie in Trance bewegte sie sich zum Haupteingang der Kuppel. Greg Hales Stimme hallte in ihrem Kopf wider. *Susan, Strathmore wird mich umbringen!*

Am Portal angekommen, stocherte sie verzweifelt auf dem Tastenfeld für die Tormechanik herum. Sooft sie es auch versuchte, die mächtige rotierende Stahlscheibe rührte sich nicht. Der Stromausfall hatte offenbar die Codes im Speicher gelöscht. Susan stöhnte auf. Sie saß nach wie vor in der Falle.

Ohne jede Vorwarnung schlossen sich von hinten zwei Arme um ihren halb betäubten Körper. Wieder dieses ekelhafte Gefühl, das sie bereits kannte. Auch ohne die brutale Kraft eines Greg Hale fehlte der Umklammerung nicht die entschlossene Härte der Verzweiflung.

Als Susan sich umdrehte, schaute sie in ein ihr unbekanntes, von Angst und Hoffnungslosigkeit verzerrtes Gesicht.

»Susan«, flehte Strathmore, »ich kann alles erklären!«

Sie wollte weglaufen, wollte schreien, aber ihre Stimme versagte. Starke Hände hielten sie fest.

»Ich liebe dich!«, flüsterte Strathmore atemlos. »Bleib bei mir! Ich habe dich schon immer geliebt.«

Entsetzliche Bilder wirbelten durch Susans Kopf – Davids strahlend grüne Augen, die sich zum letzten Mal schlossen, Greg Hales Leiche und das auf den Teppich sickernde Blut, der verkrümmte und verbrannte Phil Charturkian auf dem Generator … Susan drehte sich der Magen um.

»Der Schmerz wird sich geben«, säuselte es in ihr Ohr. »Du wirst wieder lieben können.«

Susan hörte es noch nicht einmal.

»Bleib bei mir«, flehte die Stimme, »lass mich deine Wunden heilen.«

Susan versuchte, sich zu wehren – erfolglos.

»Ich habe es für dich getan. Wir sind doch füreinander bestimmt! Susan, ich liebe dich!« Die Worte flossen Strathmore über die Lippen, als hätte er zehn lange Jahre darauf gewartet, sie loszuwerden. »Ich liebe dich! *Ich liebe dich!*«

Der zwanzig Meter entfernte TRANSLTR gab ein bösartiges Fauchen von sich. Es klang wie ein höhnischer Kommentar zu Strathmores schändlichen Liebesschwüren. Ein bislang noch nie gehörtes Geräusch, ein unheilschwangeres fernes Zischen schlängelte sich aus den Eingeweiden des Silos empor. Das Kühlmittel hatte offenbar doch nicht mehr rechtzeitig seine Wirkung getan.

Strathmore ließ Susan fahren. Mit entsetzt aufgerissenen Augen fuhr er zu seinem Zwei-Milliarden-Computer herum. »Oh nein!« Er barg den Kopf zwischen den Händen. »Nein!«

Der sechs Etagen hohe raketenartige Maschinensilo begann zu beben. Strathmore taumelte dem rumorenden Gehäuse entgegen, bevor er nach ein paar Schritten wie ein der Verdammnis anheimgefallener Sünder vor dem Thron des zürnenden Gottes auf die Knie fiel. Es nützte nichts. Tief im Silo hatten sich die ersten Prozessoren entzündet.

Kapitel 105

Ein durch drei Millionen Prozessoren emporrasender Feuerball verursacht ein einzigartiges Geräusch. Es klingt, als wären ein prasselnder Waldbrand, ein heulender Tornado und ein gischtender Geysir in einem einzigen brüllenden Gehäuse zusammengesperrt. Der Atem des Teufels schien durch eine versiegelte Höhle zu fegen und nirgends entweichen zu können. Von der fürchterlichen Geräuschkulisse überwältigt, war Strathmore in die Knie gesunken. Der teuerste Computer der Welt war im Begriff, als acht Stockwerke hohes Inferno aufzulodern.

Strathmore drehte sich langsam zurück zu Susan, die wie gelähmt neben dem Tor der Kuppel stand. Er starrte in ihr tränenüberströmtes, vom Licht der Leuchtstoffröhren in einen magischen Schimmer getauchtes Gesicht. *Sie ist ein Engel!* Sein forschender Blick suchte in ihren Augen den Himmel, aber er schaute nur den Tod, den Tod von Vertrauen, Liebe und Ehre. Die Fantasie, aus der er all die Jahre die Kraft zum Weitermachen gezogen hatte, war elend gestorben. Strathmore würde Susan Fletcher nie sein Eigen nennen dürfen. Niemals. Eine überwältigende, unsagbare Leere höhlte sein Innerstes aus.

Susan streifte den TRANSLTR mit einem vagen Blick. Sie wusste, dass in seinem Inneren, noch von keramischem Gehäuse umschlossen, ein Feuerball mit wachsender Geschwindigkeit emporraste. Die Cryptokuppel konnte sich jeden Moment in ein flammendes Inferno verwandeln.

Der Verstand trieb Susan zur Flucht, aber Davids Tod drückte sie mit Bleigewichten nieder. Sie glaubte, Davids Stimme zu hören, glaubte zu hören, wie er ihr zurief zu fliehen, aber wohin hätte sie sich wenden sollen? Die Cryptokuppel war ein versiegelter Sarg! Doch das war nun gleichgültig. Der Tod konnte sie nicht mehr schrecken. Er war die Erlösung von ihrem Schmerz. Er würde sie mit David vereinen.

Strathmore wankte herbei. Sein Gesicht erinnerte nur noch entfernt an den Mann, der er einmal gewesen war. Seine ehedem so kühlen grauen Augen waren leblos geworden. Der Patriot aus Susans Erinnerung war tot. Ein Mörder stand vor ihr. Unversehens hatte er sie wieder umschlungen und wollte ihre Wangen küssen. »Vergib mir«, flehte er. Susan versuchte, sich ihm zu entziehen, aber er hielt sie fest.

Der TRANSLTR begann zu vibrieren wie eine Rakete kurz vor dem Abheben. Der Kuppelboden bebte. Strathmores Umklammerung wurde härter. »Susan, halt mich fest! Ich brauche dich!«

Davids Stimme meldete sich erneut. *Bring dich in Sicherheit! Ich liebe dich!* Jäh aufwallender Zorn fuhr heiß in Susans Glieder. Ein plötzlicher Energieschub gab ihr die Kraft, sich loszureißen. Davids Stimme schien Susan zu beleben und zu führen. Sie rannte durch die Kuppel und stürmte die Gittertreppen zu Strathmores Büro hinauf. Hinter ihr brach ein wüstes Brüllen aus dem TRANSLTR.

Als der letzte Chip verschmorte, brachte ein gewaltiger Hitzeschwall den oberen Teil des Gehäuses zum Bersten. Eine Fontäne aus splitternder Keramik jagte fauchend zehn Meter hoch in die Luft. Die sauerstoffreiche Luft der Kuppel fuhr in das riesige Leck.

Susan hatte das Ende der Treppe erreicht. Der Hitzeschwall zerrte an ihrem Körper. Gerade noch rechtzeitig konnte sie das Geländer packen. Tief unter sich sah sie den Vizedirektor der NSA in einem flammenden Inferno neben dem zerstörten TRANSLTR knien. Er schaute zu ihr herauf. Ein friedlicher Ausdruck legte sich auf seine Züge. Seine Lippen teilten sich und formten ein letztes Wort.

»Susan!«

Die mit Urgewalt in den TRANSLTR strömende Frischluft löste eine Stichflamme aus. Im blendenden Feuerschein mutierte Commander Trevor Strathmore vom Mann zur Silhouette und dann zur Legende.

Die Druckwelle schleuderte Susan weit in Strathmores Büro hinein. Das Einzige, was ihr in Erinnerung blieb, war die sengende Hitze.

Kapitel 106

Am Fenster des Konferenzraums hoch über der Cryptokuppel erschienen drei Gesichter. Die Explosion hatte den gesamten NSA-Komplex erschüttert. In stummem Entsetzen starrten Leland Fontaine, Chad Brinkerhoff und Midge Milken zum Fenster hinaus.

Die Crypto-Kuppel war ein Flammenmeer. Unter der durchsichtigen Schale des noch intakten Polykarbonatdachs wütete ein Brand. Qualm wirbelte wie schwarzer Nebel durch die Kuppel.

Wortlos betrachteten die drei das auf eine gespenstische Weise großartige Schauspiel.

Fontaine ergriff als Erster das Wort. »Midge, schicken Sie eine Rettungsmannschaft rüber!«, sagte er leise, aber bestimmt.

Auf der anderen Seite des Bürokomplexes begann ein Telefon zu läuten.

Es war Jabba.

Kapitel 107

Susan konnte nicht sagen, wie lange sie hier gelegen hatte. Das Brennen in ihrem Hals brachte sie wieder zur Besinnung. Orientierungslos betrachtete sie ihre Umgebung. Sie lag hinter einem Schreibtisch auf dem Teppichboden. Orangefarbenes Geflacker erhellte den Raum. Es roch nach verbranntem Kunststoff. Der große Raum, in dem sie sich befand, war eine Ruine. Die Vorhänge standen in Flammen, die Acrylglaswandungen warfen sich in der Hitze.

Susans Erinnerung setzte wieder ein.

David.

Von Panik bedrängt, rappelte sie sich hoch. Die Atemluft ätzte in ihrer Luftröhre. Auf der Suche nach einem Ausweg stolperte sie zur Tür. Als sie auf die Plattform hinaustreten wollte, tat sich vor ihr ein Abgrund auf. Sie konnte sich gerade noch am Türrahmen festhalten. Die Gittertreppe war verschwunden. Zehn Meter unter ihr lag ein rauchender Trümmerhaufen aus verbogenem Gitterwerk. Entsetzt ließ Susan den Blick durch die Kuppel schweifen. Sie schaute in ein einziges Flammenmeer. Wie glühende Lava hatte der TRANSLTR die geschmolzenen Überreste von drei Millionen Chips ausgespien. Dicker ätzender Qualm wirbelte auf. Susan kannte den Geruch. Kunststoffdämpfe. Tödliches Gift.

Sie zog sich wieder in die Überreste von Strathmores Büro zurück. Ihre Atmwege brannten. Feuriges Licht erfüllte den ganzen Raum. Die Cryptokuppel lag im Todeskampf. *So wird es dir auch bald ergehen*, dachte Susan. Sie fühlte sich schwach.

Der einzige noch mögliche Ausweg fiel ihr ein. Strathmores Lift! Aber es war wohl ein müßiger Gedanke. Die Druckwelle hatte bestimmt die Steuerungselektronik zerstört.

Sie tastete sich durch den dichter werdenden Qualm. Susan wusste, dass die Stromversorgung des Lifts vom Hauptgebäude her erfolgte und der Schacht mit verstärktem Beton ummantelt war. Sie stolperte durch den wirbelnden Qualm zur Aufzugstür, aber der Rufknopf war nicht beleuchtet. Vergeblich drückte sie auf die dunkle Taste. Sie sank auf die Knie und hämmerte gegen die Aufzugstür. Aber was war das?

Hinter der Aufzugstür hatte etwas geruckt. Susan blickte hoch. Der Fahrstuhlkorb schien direkt hinter der Schiebetür auf sie zu warten. Susan drückte noch einmal auf den dunklen Knopf. Wieder das Rucken hinter der Tür.

Plötzlich sah sie es. Der Rufknopf war gar nicht dunkel. Er war mit einer schwarzen Rußschicht bedeckt und glomm inzwischen matt unter ihren rußverschmierten Fingern.

Der Lift hat Strom!

Mit neu aufkeimender Hoffnung drückte sie mehrfach auf den Knopf, und jedes Mal gab es dieses Rucken hinter der Tür. Sie konnte im Aufzugskorb den Ventilator surren hören. *Der Aufzug ist doch hier! Warum geht die verdammte Tür nicht auf?*

Im Qualm erkannte sie das zweite, kleinere Tastenfeld mit den Buchstaben von A bis Z. Erneut griff die Verzweiflung nach ihr. *Ach ja, das Passwort!*

Ätzender Qualm quoll durch die geschmolzenen Fenster herein. Susan hämmerte gegen die Aufzugstür, die partout nicht aufgehen wollte. *Das Passwort! Strathmore hat dir das Passwort nicht verraten!* Der Qualm erfüllte inzwischen das ganze Büro. Susan fiel mühsam atmend gegen die Lifttür. Nur anderthalb Meter entfernt pumpte der Ventilator Frischluft. Benommen lag sie vor dem Lift und rang nach Luft.

Sie schloss die Augen, aber Davids Stimme machte sie wieder wach. *Susan, bring dich in Sicherheit! Mach die Tür auf!* Sie öffnete die Augen und erwartete, in Davids Gesicht zu blicken, in diese wilden grünen Augen, in dieses verspielte Lächeln, aber es leuchtete ihr nur eine Buchstabenreihe entgegen. A bis Z. *Das Passwort …* Susan starrte die vor ihren Augen verschwimmenden Buchstaben des Tastenfelds an, unter denen eine fünfstellige LED-Anzeige auf ihre Eingabe wartete. *Ein Passwort mit fünf Buchstaben!* Ihre Chancen standen eins zu sechsundzwanzig hoch fünf. Sie hatte 236.328.125 Möglichkeiten, sich zu vertun. Bei einem Versuch pro Sekunde hätte sie monatelang zu tun gehabt …

Susan lag keuchend und würgend unter dem Tastenfeld. Die armseligen Liebesschwüre des Commanders klangen in ihr nach. *Susan, ich liebe dich! Susan, Ich habe dich seit jeher geliebt! Susan! Susan! Susan …*

Er war tot, aber dennoch ließ seine Stimme sie nicht los. Unablässig hörte sie ihn ihren Namen rufen.

Susan … Susan …

In einem Augenblick ernüchternder Klarheit begriff sie. Bebend vor Schwäche hob sie den Arm und tippte auf die Tasten.

S … U … S … A … N.

Die Lifttür glitt auseinander.

Kapitel 108

Strathmores Lift fuhr rasch nach unten. Susan saugte in tiefen Zügen die Frischluft in ihre Lungen. Immer noch ganz benommen, lehnte sie sich gegen die Wand des Fahrstuhls, der unversehens zum Stillstand kam. Eine klackende Mechanik begann zu arbeiten. Der Fahrstuhl beschleunigte wieder, diesmal horizontal. Die Kabine rollte dem NSA-Hauptgebäude entgegen und hielt schließlich surrend an. Die Tür ging auf.

Susan stolperte aus dem Lift in eine Betonröhre hinaus. Sie war niedrig und eng. Die Doppellinie einer gelben Fahrbahnmarkierung verlor sich rechts und links in der Dunkelheit der leeren Höhlung.

Der Untergrund-Highway.

Susan taumelte in die Tunnelröhre. Die Tür des Fahrstuhls schloss sich hinter ihr. Wieder einmal versank alles in Dunkelheit.

Kein Laut.

Kein Laut, außer einem leisen Summen, das allmählich lauter wurde.

Plötzlich schien es Tag werden zu wollen. Die Schwärze des Tunnels zerfloss zu einem verwaschenen Grau. Die Tunnelwände nahmen langsam Gestalt an. Ein kleines Fahrzeug kam um die Kurve gesaust. Vom Scheinwerferlicht geblendet, beschirmte Susan die Augen und taumelte Schutz suchend an die Wand. Ein kleines Elektrofahrzeug sauste in einem Luftschwall an ihr vorbei.

Reifen quietschten auf Beton. Das surrende Fahrzeug kam wieder angefahren, diesmal rückwärts. Neben Susan hielt es an.

»Miss Fletcher!«, rief eine erstaunte Stimme.

Susan betrachtete den Mann im Fahrersitz des elektrischen Gefährts. Er kam ihr irgendwie bekannt vor.

»Meine Güte!«, japste der Mann. »Sind Sie in Ordnung? Wir haben geglaubt, Sie seien tot!«

Susan schaute ihn wortlos an.

»Chad Brinkerhoff«, sagte der Mann eifrig, »persönlicher Refernt des Direktors.« Er betrachtete die von der Katastrophe gezeichnete Kryptographin.

Susan brachte nur ein schwaches Piepsen zustande. »Der TRANSLTR ist ...«, stammelte sie.

Brinkerhoff nickte. »Vergessen Sie's. Los, steigen Sie ein!«

Der Scheinwerferstrahl des Elektrofahrzeugs wischte über die Wandungen der Betonröhre.

»In der zentralen Datenbank ist ein Virus!«, platzte Brinkerhoff heraus, der nicht mehr an sich halten konnte.

»Ich weiß«, hörte Susan sich flüstern.

»Wir brauchen Ihre Hilfe.«

Susan kämpfte mit den Tränen. »Commander Strathmore ... er hat ...«

»Das wissen wir. Er hat die Gauntlet-Filter umgangen.«

»Ja ... und ...« Die Worte blieben Susan im Halse stecken. *Er hat David umgebracht!*

Brinkerhoff legte Susan beruhigend die Hand auf die Schulter. »Wir sind gleich da, Miss Fletcher. Halten Sie nur noch ein bisschen durch.«

Der Kensington-Golfwagen, ein besonders schnelles Modell, flitzte um eine Kurve und blieb mit quietschenden Reifen vor einem durch rote Fußleistenlichter schwach beleuchteten Quergang stehen. »Kommen Sie«, sagte Brinkerhoff und half Susan beim Aussteigen.

Er führte sie in den Quergang. Susan lief wie benebelt hinter ihm her. Der geflieste Gang wurde ziemlich abschüssig. Susan musste sich an dem an der Wand angebrachten Handlauf festhalten, während sie Brinkerhoff nach unten folgte. Es wurde kühler.

Sie setzten ihren Abstieg fort. Der Gang verengte sich. Irgendwo hinter ihnen hallten Schritte. Brinkerhoff winkte Susan stehen zu bleiben und wandte sich um.

Ein hünenhafter schwarzer Mann kam selbstbewusst und zielstrebig auf sie zugeschritten. Susan hatte ihn noch nie gesehen. Im Näherkommen fixierte er sie mit dem Blick seiner durchdringenden Augen.

»Wer ist die Dame?«, verlangte er zu wissen.

»Das ist Miss Susan Fletcher«, sagte Brinkerhoff.

Der Riese hob die Brauen. Sogar rußgeschwärzt und durchnässt war Susan Fletcher anziehender, als er sie sich vorgestellt hatte. »Was ist mit dem Commander?«, erkundigte er sich.

Brinkerhoff schüttelte den Kopf.

Der Mann sagte nichts. Seine Augen blickten ins Weite, bevor er sich wieder Susan zuwandte. »Leland Fontaine«, stellte er sich vor und streckte Susan die Hand entgegen. »Ich bin froh, dass Ihnen nichts passiert ist.«

Susan schaute ihn an. Sie hatte immer schon gewusst, dass sie eines Tages die Bekanntschaft des Direktors machen würde. Die Umstände hatte sie sich allerdings etwas anders vorgestellt.

»Miss Fletcher, begleiten Sie mich bitte«, sagte Fontaine und ging voran. »Wir brauchen jede Hilfe, die wir bekommen können.«

Am Ende des Gangs ragte im rötlichen Halblicht eine hohe stählerne Wand auf. Fontaine trat heran und gab in ein vertieft eingelassenes Tastenfeld einen Zahlencode ein, um anschließend die rechte Hand auf ein kleines gläsernes Fenster zu legen. Stroboskopblitze flammten auf. Einen Moment später glitt die massive Stahlwand nach links.

Bei der NSA gab es nur einen Arbeitsbereich, der noch unzugänglicher war als die Cryptokuppel. Susan Fletcher hatte das Gefühl, dass sie im Begriff war, just diesen zu betreten.

Kapitel 109

Das Kommandozentrum der zentralen Datenbank der NSA sah aus wie eine etwas kleinere Ausgabe der Einsatzzentrale der Weltraumbehörde NASA. Von einem Dutzend Computerarbeitsplätzen blickte man auf eine neun mal zwölf Meter große Videowand am Ende des Raums, über die in schneller Folge Zahlen und Graphiken flimmerten, als ob sich jemand durch die unterschiedlichsten Programme zappen würde. Zwischen den Computerarbeitsplätzen rannten Techniker mit langen Schleppen aus Endlosbögen hin und her. Kommandos wurden gebrüllt. Es war das reine Chaos.

Susan nahm die eindrucksvolle Einrichtung in Augenschein. Man hatte gewaltige Erdmassen bewegt, um diesen Bunker zu schaffen. Er lag fast fünfundsechzig Meter unter der Erde, völlig immun gegen Angriffe mit Neutronen- oder Atombomben.

Auf einer Plattform in der Mitte des Raums stand Jabba an seinem Arbeitsplatz und brüllte Befehle wie ein Feldwebel. Auf dem Bildschirm leuchtete eine Meldung, die Susan nur zu gut kannte. Der plakatgroße Text hing unheilschwanger über Jabbas Kopf.

JETZT HILFT NUR NOCH DIE WAHRHEIT!
PRIVATE-KEY EINGEBEN: ______

Wie in einem surrealen Albtraum folgte Susan Fontaine zum Podium. Sie erlebte die Welt als ein schemenhaftes Geschehen in Zeitlupe.

Jabba sah die beiden kommen. Er fuhr herum wie ein wütender Stier. »Als ich den Gauntlet gebaut habe, habe ich mir etwas dabei gedacht!«, schrie er.

»Gauntlet war einmal«, gab Fontaine gleichmütig zurück.

»Schnee von gestern, Chef. Ich habe mich vorhin wegen der Druckwelle auf den Arsch gesetzt. Wo ist Strathmore?«

»Commander Strathmore ist tot.«

»Ausgleichende Gerechtigkeit, würde ich sagen.«

»Mäßigen Sie sich bitte!«, sagte Fontaine unwirsch. »Bringen Sie uns lieber auf den neuesten Stand. Wie schlimm ist dieser Virus?«

Jabba schaute seinen Direktor groß an, um dann unvermutet in schallendes Gelächter auszubrechen. »Dieser *Virus*, sagen Sie? Sie glauben wohl, es ist ein Virus?«

Fontaine ließ sich nicht aus der Ruhe bringen. Jabbas unverschämter Ton war weit überzogen, aber hier war weder die Zeit noch der Ort, sich damit zu beschäftigen. Hier unten kam Jabba noch vor dem lieben Gott. Computerprobleme kümmerten sich nun mal nicht um Rang und Namen.

»Es ist also *kein* Virus?«, rief Brinkerhoff hoffnungsvoll dazwischen.

»Viren haben Replikationsketten, mein Süßer«, schnaubte Jabba verächtlich, »aber die fehlen hier.«

Susan stand daneben und war nicht in der Lage, einen klaren Gedanken zu fassen.

»Und womit haben wir es dann zu tun?«, erkundigte sich Fontaine ungeduldig. »Ich war der Meinung, wir hätten einen Virus.«

Jabba holte tief Luft und senkte die Stimme. »Viren …«, sagte er und wischte sich den Schweiß vom Gesicht »Viren reproduzieren sich. Sie erzeugen Klone. Sie sind eitel und dumm – binäre Egomanen. Sie setzen schneller Nachwuchs in die Welt als die Karnickel. Und an dieser Stelle sind sie zu packen, wenn man sich auskennt. Man kann sie bis zur Unkenntlichkeit miteinander kreuzen. Aber leider hat dieses Programm kein Ego und keinen Drang zur Selbstreproduktion. Es weiß genau, was es will, und wird vermutlich sogar digitalen Selbstmord begehen, wenn es hier seinen Daseinszweck erfüllt hat.« Jabba reckte die Arme ehrfurchtsvoll der Schreckensbotschaft auf dem riesigen Bildschirm entgegen. »Meine Damen und Herren«, sagte er theatralisch, »ich möchte Ihnen den Kamikaze der Computerschädlinge vorstellen – den Wurm!«

»Den Wurm?«, stöhnte Brinkerhoff. Welch harmlose Bezeichnung für ein so heimtückisches Geschöpf!

»Den Wurm!«, bestätigte Jabba. Man merkte, dass er kochte. »Keine komplexen Strukturen, nichts als Instinkt – fressen, kacken, weiterkriechen. Mehr ist da nicht. Primitivität, tödliche Primitivität. Der Wurm macht stupide, worauf er programmiert ist, und dann gibt er den Löffel ab.«

Fontaine sah Jabba besorgt an. »Und worauf ist dieser Wurm programmiert?«

»Keine Ahnung. Zurzeit schwärmt er aus und hängt sich an unsere geheimen Daten an. Anschließend kann er Gott weiß was anstellen, zum Beispiel sämtliche Dateien löschen oder vielleicht auch nur auf bestimmte Protokolle aus dem Weißen Haus einen Smiley malen.«

»Können Sie ihn aufhalten?«, wollte Fontaine wissen. Seine Stimme war immer noch kühl und beherrscht.

Jabba schaute auf den Großbildschirm und ließ einen langen Seufzer los. »Dazu kann ich überhaupt nichts sagen. Es hängt davon ab, wie durchgeknallt sein Urheber ist.« Er deutete auf die Botschaft an der Wand. »Kann mir vielleicht mal jemand sagen, was zum Teufel das bedeuten soll?«

JETZT HILFT NUR NOCH DIE WAHRHEIT
PRIVATE-KEY EINGEBEN: ______

Jabba wartete auf eine Antwort, bekam aber keine. »Chef, ich habe den Eindruck, da erlaubt sich jemand ein Spielchen mit uns. Ich tippe auf Erpressung. Wenn es einen total aus der Luft gegriffenen Spruch gibt, dann diesen!«

»Er kommt von … Ensei Tankado.« Susans Stimme war ein schwaches hohles Geflüster.

Jabba drehte sich zu ihr um. Mit aufgerissenen Augen sah er sie an. »Von *Tankado?*«

Susan nickte matt. »Er wollte uns dazu zwingen, dass wir Farbe bekennen … mit dem TRANSLTR … aber es hat ihn das …«

»Farbe bekennen?«, fiel ihr Brinkerhoff ins Wort. »Tankado will von uns das Geständnis, dass wir den TRANSLTR haben? Ich würde sagen, dafür ist es jetzt ein bisschen zu spät!«

Susan wollte etwas sagen, aber Jabba kam ihr zuvor. »Sieht ganz danach aus, dass Tankado den Kill-Code hat«, meinte er und schaute hinauf zu der Botschaft auf dem Schirm.

Alle sahen ihn an.

»Kill-Code?«, erkundigte sich Brinkerhoff.

Jabba nickte. »Genau. Ein Code, der den Wurm schachmatt setzt. Wenn ich mal kurz zusammenfassen darf: Wir geben zu, dass wir den TRANSLTR haben, Tankado gibt uns den Kill-Code, wir tippen den Code ein, und unsere Datenbank ist gerettet. Willkommen im Reich der digitalen Teufelsaustreibung!«

Fontaine stand wie ein Fels in der Brandung. »Wie viel Zeit haben wir noch?«

»Ungefähr eine Stunde«, sagte Jabba. »Das reicht gerade, eine Pressekonferenz einzuberufen und die Hosen runterzulassen.«

»Was empfehlen Sie also zu tun?«, fragte Fontaine.

»Sie wollen von *mir* eine *Empfehlung?*«, blaffte Jabba. »Falls ich Ihnen etwas empfehlen darf, dann sollten Sie aufhören herumzulavieren! Das empfehle ich Ihnen!«

»Sachte!«, verwahrte sich Fontaine.

»Chef, im Moment bestimmt Ensei Tankado, was hier Sache ist!«, sagte Jabba ungehalten. »Egal, was er will, geben Sie es ihm! Wenn er will, dass die ganze Welt vom TRANSLTR erfährt, dann rufen Sie gefälligst CNN an, und machen Sie reinen Tisch! Der TRANSLTR ist sowieso nur noch ein qualmendes Loch in der Erde. Der kann Ihnen doch scheißegal sein!«

Es wurde still. Fontaine schien seine Möglichkeiten durchzugehen. Susan wollte sich zu Wort melden, aber Jabba kam ihr zuvor.

»Worauf warten Sie noch, Chef? Sehen Sie zu, dass Sie Tankado ans Telefon bekommen! Sagen Sie ihm, Sie seien bereit, nach seiner Pfeife zu tanzen! Wenn wir den Kill-Code nicht bekommen, ist unser ganzer Laden geliefert!«

Niemand rührte sich.

»Seid ihr denn alle bescheuert?«, schrie Jabba. »Wir müssen Tankado anrufen! Wir müssen ihm sagen, dass wir kleine Brötchen backen! Beschafft mir den Kill-Code, aber dalli! Ach, egal...« Jabba riss sein Handy aus der Gürteltasche und schaltete es an. »Geben Sie mir die Nummer, Chef! Ich rufe das kleine Arschloch selber an!«

»Die Mühe kannst du dir sparen«, flüsterte Susan. »Tankado ist tot.«

Jabba schaute einen Moment lang verdutzt aus der Wäsche, dann traf ihn die Erkenntnis wie ein Hieb in die Magengrube. Der massige Sys-Sec-Boss sah aus, als würde er gleich zusammenbrechen. »Tot? Aber dann... das bedeutet doch... dann können wir ja nicht...«

»Es bedeutet, dass wir jetzt anders vorgehen müssen«, stellte Fontaine nüchtern fest.

Jabba hatte sich von dem Schock noch immer nicht erholt, als sich im Hintergund aufgeregtes Geschrei erhob.

»Jabba, Jabba!«

Es war Soschi Kutta, seine Chef-Technikerin. Sie kam zum

Podium gerannt. Ein langer Ausdruck flatterte hinter ihr her. Das Entsetzen stand ihr ins Gesicht geschrieben.

»Jabba!«, keuchte sie, »der Wurm … ich habe gerade herausgefunden, worauf er programmiert ist!« Sie drückte Jabba den Papierwust in die Hand. »Wir haben die Befehlsstruktur des Wurmprogramms isolieren können und das Protokoll der Systemaktivität ausgedruckt. Hier, sieh es dir an!«

Jabba überflog den Ausdruck. Er musste sich am Geländer festhalten. »Oh, mein Gott!« stöhnte er. »Tankado … du … *du Mistkerl!*«

Kapitel 110

Jabba starrte mit ausdruckslosem Blick auf das Papier. Er war blass geworden. Er wischte sich mit dem Ärmel den Schweiß von der Stirn. »Chef, es bleibt uns keine andere Wahl. Wir müssen der Datenbank den Saft abdrehen.«

»Das kommt überhaupt nicht in Frage«, gab Fontaine zurück.

Für Jabba war klar, dass sein Chef nicht anders reagieren konnte. An diesem Datenspeicher hingen mehr als dreitausend externe Anschlüsse aus der ganzen Welt. Täglich riefen Militärs die neuesten Satellitenfotos mit dem letzten Stand feindlicher Truppenbewegungen ab. Die Entwicklungsingenieure von Lockheed luden sich nur ihnen zugängliche Baupläne mit neuester Waffentechnologie herunter. Agenten holten sich Updates ihrer Mission. Die NSA-Datenbank bildete das Rückgrat für Tausende von Operationen der amerikanischen Regierung. Das unangekündigte Abschalten dieses Informationsspeichers musste einen lebensbedrohlichen nachrichtendienstlichen Blackout auf dem ganzen Erdball zur Folge haben.

»Sir, ich bin mir über die Implikationen völlig im Klaren«, sagte Jabba, »aber wir haben keine andere Wahl.«

»Werden Sie bitte etwas deutlicher«, forderte Fontaine mit einem schnellen Seitenblick zu Susan, die geistesabwesend neben ihm auf dem Podium stand. Sie wirkte, als wäre sie meilenweit entfernt.

Jabba holte tief Luft und wischte sich schon wieder den

Schweiß. In seinem Gesicht stand geschrieben, dass seine Eröffnung bei den Zuhörern auf dem Podium wenig Gefallen finden würde.

»Dieser Wurm«, hob er an, »dieser Wurm ist keine Programmschleife, wie wir sie üblicherweise haben, sondern eine selektive Schleife. Mit anderen Worten, er hat ein konkretes Ziel.«

Brinkerhoff wollte etwas sagen, aber Fontaine winkte ab.

»Die meisten destruktiven Programme putzen den Speicher leer«, fuhr Jabba fort, »aber hier haben wir es mit einer etwas komplexeren Anwendung zu tun. Dieser Wurm löscht nur Dateien, die gewisse Parameter aufweisen.«

»Dann befällt er also nicht die *ganze* Datenbank?«, erkundigte sich Brinkerhoff hoffnungsfroh. »Das ist doch *gut*, oder?«

»Nein, gar nicht!«, entgegnete Jabba. »Es ist die größte Scheiße, die uns überhaupt passieren kann!«

»Bitte, mäßigen Sie sich!«, sagte Fontaine im Befehlston. »Auf welche Parameter spricht dieser Wurm denn an? Militärische Geheimnisse? Verdeckte Operationen?«

Jabba schüttelte den Kopf. Er sah Susan an, die immer noch abwesend wirkte, bevor er den Blick hob und Fontaine in die Augen schaute. »Sir, wie Sie wissen, muss jeder, der von außen auf unsere Datenbank zugreifen will, zuerst eine Reihe von Sicherheitsfiltern passieren, bevor seine Anfrage zugelassen wird.«

Fontaine nickte. Die Zugangshierarchie der Datenbank war brillant ausgetüftelt. Befugte Personen konnten sich zwar über das Internet einwählen, erhielten aber ausschließlich Zugang zu ihrem jeweiligen Informationssegment.

»Da wir nun mal am globalen Internet hängen«, erläuterte Jabba, »liegen Hacker, fremde Regierungen und die EFF Tag und Nacht wie die Haie vor unserer Datenbank auf der Lauer und versuchen einzubrechen.«

»Genau«, bestätigte Fontaine, »und die Filter unserer Firewall machen ihnen vierundzwanzig Stunden am Tag einen Strich durch die Rechnung. Worauf wollen Sie hinaus?«

Jabba betrachtete den Ausdruck. »Darauf, dass Tankado seinen Wurm nicht auf unsere Daten angesetzt hat …«, Jabba räusperte sich bedeutungsvoll, »sondern auf unsere Firewall.«

Fontaine erbleichte. Er hatte sofort begriffen. Der Wurm zerstörte die Schutzmauer, durch die das Material in der NSA-Datenbank überhaupt erst zu Geheimmaterial wurde. Ohne den Schutz dieser Filter waren sämtliche Informationen der Datenbank für jedermann frei verfügbar.

»Wir müssen abschalten«, wiederholte Jabba. »In ungefähr einer Stunde hat jeder Bengel mit einem Modem Zugriff auf das geheimste Datenmaterial der US-Regierung.«

Fontaine stand eine Weile wortlos da.

Jabba wartete ungeduldig auf Anweisungen, aber es kamen keine. »Soschi! VR! Lass knacken!«, rief er seiner Assistentin zu.

Soschi sauste davon.

Jabba arbeitete häufig mit VR. Für Computerfreaks hieß VR in der Regel *virtual reality,* aber bei der NSA war es das Kürzel für *Vis-Rep,* visuelle Repräsentation. In einer Welt, in der das technische Verständnis von Politikern den gegebenen Schwierigkeitsgraden oft meilenweit hinterherhinkte, waren graphische Darstellungen vielfach das einzige Mittel, um ein Problem transparent zu machen. Eine ins Bodenlose abstürzende Kurve weckte zehnmal mehr Aufmerksamkeit als Berge von Aktenordnern. Jabba konnte sich darauf verlassen, dass das Kritische der Situation anhand einer VR umgehend sinnfällig werden würde.

»VR kommt!«, rief Soschi von einem Terminal in der Ecke herüber.

Auf der Bildschirmwand leuchtete ein computergeneriertes Schaubild auf. Sämtliche Augen im Raum folgten Jabbas Blick auf den Großbildschirm. Susan, die dastand, als hätte sie mit dem wilden Getümmel ringsumher nichts zu tun, sah geistesabwesend hinauf.

Das Schaubild sah aus wie eine Art Zielscheibe. In der Mitte befand sich ein roter Kreis mit der Inschrift DATEN, umgeben von fünf konzentrischen Ringen unterschiedlicher Dicke und Farbe. Der äußerste Ring war verwaschen, fast schon durchsichtig.

»Wir haben eine aus fünf Schalen aufgebaute Firewall«, erläuterte Jabba. »Einen primären Bastion-Host, zwei Sätze Paketfilter für die FTP und X-Eleven-Übertragungsprotokolle, einen Tunnelblock und ein Identifikationsfenster für verschlüsselte E-Mails. Die äußerste Schale, die zurzeit in die Binsen geht, ist unser Bastion-Host. Er hat praktisch schon das Handtuch geworfen. Die nächsten Schutzschalen werden im Verlauf der nächsten Stunde eine nach der anderen in die Knie gehen. Anschließend können sich Hinz und Kunz in unserer Datenbank tummeln. Jedes Byte unserer NSA-Daten wird öffentlich verfügbar sein.«

Fontaine studierte das VR-Diagramm. In seinen Augen glühte es.

»Und dieser Wurm wird unsere Datenbank der ganzen Welt zugänglich machen?«, winselte Brinkerhoff kläglich.

»Für Tankado ein Kinderspiel«, schnauzte Jabba. »Gauntlet sollte unser Schutzschild sein, aber Strathmore hat uns gründlich die Tour vermasselt.«

»Das ist eine offene Kriegserklärung!«, zischte Fontaine leise.

»Ich glaube nicht, dass Tankado die Sache derart auf die Spitze treiben wollte«, sagte Jabba und schüttelte den Kopf. »Ich vermute, er wollte sich im Hintergrund bereithalten und gegebenenfalls die Notbremse ziehen.«

Fontaine beobachtete die endgültige Auflösung der ersten der fünf Schutzschalen.

»Erster Schutzschild zerstört!«, schrie ein Techniker im Hintergrund des Kontrollraums. »Zweiter Schutzschild unter Beschuss!«

»Wir müssen die Prozedur zum Herunterfahren einleiten«, drängte Jabba. »Nach der VR zu urteilen, bleiben uns noch ungefähr fünfundvierzig Minuten. Die Datenbank herunterzufahren ist kein Pappenstiel!«

Jabba wusste, wovon er sprach. Die Datenbank der NSA war in einer Weise aufgebaut, die sicherstellte, dass ihr niemals der Saft ausgehen konnte – sei es unbeabsichtigt oder durch einen gezielten Angriff. Vielfältige Sicherungssysteme für die Energie- und Nachrichtennetze waren in gepanzerten Betonbehältern tief im Erdboden vergraben. Zusätzlich zu den internen Einspeisungen aus dem NSA-Komplex gab es noch eine ganze Reihe von Einspeisungskanälen aus öffentlichen Netzen. Das Herunterfahren ließ sich nur unter Einhaltung einer Reihe von komplexen Protokoll- und Bestätigungsverfahren bewerkstelligen. Es war jedenfalls beträchtlich komplizierter als der unterseeische Abschuss einer Atomrakete von einem U-Boot.

»Wir haben im Moment noch keinen Zeitdruck«, sagte Jabba, »aber wir sollten uns trotzdem beeilen. Im Handbetrieb dürfte das Herunterfahren in gut dreißig Minuten zu schaffen sein.«

Fontaines Blick war immer noch nach oben auf den Bildschirm gerichtet. Er schien abzuwägen.

»Chef!«, drängte Jabba ungeduldig, »sobald diese Schalen Asche sind, darf sich jeder Computernutzer auf dem ganzen Erdball Geheimnisträger der obersten Sicherheitsstufe schimpfen! Dokumentationen von verdeckten Operationen! Namenslisten unserer Agenten in Übersee! Namen und Adressen, das ganze Zeugenschutzprogramm rauf und runter! Freigabecodes für den Abschuss von Atomraketen! Wir müssen den Hahn zudrehen, und zwar sofort!«

Der Behördenchef ließ sich nicht beeindrucken. »Es muss noch eine andere Möglichkeit geben.«

»Na klar gibt es die«, meinte Jabba sarkastisch. »Den Kill-Code. Aber der Einzige, der ihn kennt, weilt zufällig nicht mehr unter den Lebenden!«

»Und was ist mit einem Versuch nach der Brute-Force-Methode?«, ließ sich Brinkerhoff vernehmen. »Lässt sich der Kill-Code mit der Ratemethode bestimmen?«

»Ach du lieber Gott!« Jabba warf die Arme in die Luft. »Kill-Codes sind wie die Schlüssel von Chiffrierprogrammen – absolut willkürliche Zeichenreihen! Da gibt's nichts zu raten! Wenn Sie sich zutrauen, in den nächsten fünfundvierzig Minuten 600 Trillionen verschiedene Zeichenfolgen in meinen Rechner einzutippen, dann nichts wie los!«

»Der Kill-Code ist in Spanien«, meldete sich Susan zögernd zu Wort.

Sämtliche Köpfe auf dem Podium fuhren herum. Es waren Susans erste Worte seit langer Zeit.

Susan sah auf. Ihr Blick war trübe. »Aber Tankado hat den Kill-Code vor seinem Tod noch fortgegeben.«

Alle sahen sie ratlos an.

»Dieser Code …« Susan fröstelte. »Commander Strathmore hat jemand rübergeschickt, der ihn holen soll.«

»Und? Hat Strathmores Mann ihn gefunden?«, forschte Jabba.

»Ja«, schluchzte Susan und versuchte vergeblich, die Tränen zurückzuhalten. »Ich glaube schon.«

Kapitel 111

Ein schriller Aufschrei gellte durch den Kontrollraum. »Haie!« Es war Soschi.

Jabba fuhr herum zur Bildwand. Zwei dünne Linien hatten sich außen an die konzentrischen Ringe angelagert. Sie sahen aus wie Spermien, die in die Hülle einer widerspenstigen Eizelle einzudringen versuchten.

»Leute, jetzt ist Blut im Wasser!« Jabba wandte sich wieder seinem Chef zu. »Ich brauche sofort eine Entscheidung. Entweder wir fangen unverzüglich mit dem Herunterfahren an, oder es klappt nicht mehr. Diese beiden Eindringlinge werden jeden Moment merken, dass der Bastion-Host futsch ist.«

Fontaine war tief in Gedanken und antwortete nicht. Susan Fletchers Ankündigung, dass der Kill-Code in Spanien war, schien ihn zu beschäftigen. Susan hatte sich in den Hintergrund zurückgezogen. Fontaine bedachte sie mit einem schnellen Blick. Den Kopf in die Hände gestützt, hockte sie zusammengekauert auf ihrem Stuhl. Fontaine konnte sich den Grund für ihr Verhalten nicht zusammenreimen, aber was auch immer es war, er hatte jetzt keine Zeit, darauf einzugehen.

»Chef, Ihre Entscheidung bitte!«, forderte Jabba. »Und zwar sofort!«

Fontaine sah hoch. »Okay, da haben Sie meine Entscheidung«, sagte er ruhig. »Wir werden die Datenbank *nicht* herunterfahren. Wir werden abwarten.«

Jabbas Kiefer klappte nach unten. »*Wie bitte?* Aber das bedeutet …«

»Dass wir uns auf ein Pokerspiel einlassen«, vollendete Fontaine den Satz, »welches wir aber durchaus gewinnen können.« Er griff nach Jabbas Mobiltelefon und drückte ein paar Tasten. »Midge«, sagte er, »hier spricht Leland Fontaine. Hören Sie gut zu …«

Kapitel 112

»Hoffentlich wissen Sie, was Sie da tun, Chef«, zischte Jabba. »Unser Hebel zum Abschalten wird mit jeder Minute kürzer.«

Fontaine antwortete nicht.

Plötzlich ging hinten im Kontrollraum die Tür auf, und Midge stürzte herein. Atemlos erklomm sie das Podium. »Chef, die Vermittlung ist dabei durchzustellen!«

Fontaine wandte sich erwartungsvoll dem Bildschirm an der Stirnwand zu, der fünfzehn Sekunden darauf aktiv wurde. Das Bild war anfangs noch wackelig und verschneit, aber die digitale QuickTime Übertragung mit lediglich fünf Bildern pro Sekunde wurde schnell schärfer. Das Bild zeigte zwei Männer. Der eine war blass und hatte einen Bürstenhaarschnitt, der andere sah aus wie der Junge von nebenan. Sie saßen vor der Kamera wie zwei Nachrichtensprecher, die darauf warten, dass die Sendung losgeht.

»Was soll denn das nun wieder?«, wollte Jabba wissen.

»Warten Sie's gefälligst ab!«, wies ihn Fontaine zurecht.

Die beiden Männer saßen von einem Kabelgewirr umgeben in einer Art Kastenwagen. Knatternd baute sich die Audioverbindung auf. Hintergrundgeräusche wurden hörbar.

»Audiosignal kommt«, rief ein Techniker von unten herauf. »Noch fünf Sekunden bis zum Aufbau der Wechselsprechverbindung.«

»Wer ist das denn?«, erkundigte sich Brinkerhoff unbehaglich.

»Himmelsaugen«, beschied ihn Fontaine und schaute hinauf zu den beiden Männern. Er hatte sie für den Fall des Falles nach Spanien abkommandiert. Fast jeder Aspekt von Strathmores Plan hatte ihn zu überzeugen vermocht – die bedauerliche, aber unvermeidliche Ausschaltung von Ensei Tankado, das Umprogrammieren von Diabolus, das war alles hieb- und stichfest. Aber es gab eine Kleinigkeit, die ihn nervös gemacht hatte: Der Einsatz von Hulohot. Hulohot war kein schlechter Mann, aber er war ein Söldner. Er arbeitete für Geld. War er wirklich vertrauenswürdig? Was, wenn er sich den Schlüssel unter den Nagel riss? Fontaine hatte Hulohot beschatten lassen – nur zur Sicherheit und zu seiner eigenen Beruhigung.

Kapitel 113

Völlig ausgeschlossen!«, schrie der Mann mit dem Bürstenhaarschnitt in die Kamera. »Wir haben den strikten Befehl, nur Direktor Leland Fontaine persönlich zu berichten!«

»Sie scheinen mich nicht zu kennen«, sagte Fontaine amüsiert.

»Sie mögen sein, wer Sie wollen. Das ist mir völlig egal!«, verwahrte sich der Blonde entrüstet.

»Dann werde ich es Ihnen erklären«, sagte Fontaine. »Nur zur Klarstellung.«

Sekunden später waren die beiden Agenten rot angelaufen und bereit, dem Direktor der National Security Agency alles zu erzählen. »Herr Di … Di … Direktor, ich bin Agent Collander«, stotterte der Blonde. »Und das ist Agent Smith.«

»Ausgezeichnet«, sagte Fontaine knapp. »Berichten Sie.«

Susan Fletcher saß im Hintergrund. Eine lähmende Einsamkeit drückte sie nieder, auch wenn sie dagegen ankämpfte. Sie hatte die Augen geschlossen und weinte. Ihr Körper war gefühllos geworden. Das wilde Durcheinander des Kontrollraums erreichte sie nur als gedämpftes Murmeln.

Agent Smith begann seinen Bericht. Die auf dem Podium Versammelten hörten ihm unruhig zu.

»Auf Ihre Anordnung, Sir, halten wir uns seit zwei Tagen in Sevilla auf. Unser Auftrag lautet: Beschattung von Mr Hulohot.«

»Lassen Sie uns gleich zum Attentat kommen!«, sagte Fontaine ungeduldig.

Smith nickte. »Wir konnten es aus etwa fünfzig Metern Entfernung von unserem Fahrzeug aus beobachten. Es verlief absolut glatt. Hulohot ist offensichtlich ein Profi. Im weiteren Verlauf bekam er allerdings Schwierigkeiten, weil Passanten am Tatort aufgetaucht sind. Hulohot konnte den Gegenstand nicht an sich bringen.«

Fontaine nickte. Seine Agenten hatten ihn in Südamerika von den Problemen verständigt, worauf er seine Reise verkürzt hatte.

»Ihren neuerlichen Instruktionen gemäß sind wir an Hulohot drangeblieben«, übernahm Smith den Bericht. »Das Leichenschauhaus hat ihn allerdings überhaupt nicht interessiert. Dafür hat er sich einem Zivilisten an die Fersen geheftet. Der Mann sah nach einem Privatmann aus, mit Jackett und Krawatte.«

»Ein Privatmann?« Fontaine wurde nachdenklich. Das hörte sich sehr nach Strathmore an – die NSA immer schön außen vor halten.

»Die zweite Schutzschale gibt auf!«, rief ein Techniker in den Raum.

»Wir brauchen diesen Gegenstand«, drängte Fontaine. »Wo hält sich Hulohot derzeit auf?«

Smith schaute unsicher über seine Schulter. »Na ja … er ist hier bei uns, Sir.«

Fontaine atmete auf. Das war die beste Nachricht des Tages. »Und wo?«

Smith griff nach dem Objektiv der Kamera und hantierte daran herum. Die Kamera machte einen Schwenk durch den Kastenwagen und blieb an zwei gegen die Rückwand gelehnten schlaffen Körpern hängen. Der eine war ein großer Kerl mit einer verbogenen Nickelbrille, der andere ein junger Mann mit dunklem Haarschopf und blutverschmiertem Hemd.

»Der Linke ist Hulohot«, erläuterte Smith.

»Hulohot ist tot?«, wunderte sich Fontaine.

»Jawohl, Sir.«

Fontaine warf einen Blick auf das Schaubild mit den dünner werdenden Schutzschilden. Der Bericht über Hulohots Todesumstände mochte warten. »Agent Smith, lassen Sie uns jetzt zu dem Gegenstand kommen. Ich brauche ihn«, sagte er mit Nachdruck.

Smith sah ihn verlegen an. »Sir, wir haben bislang noch keine Ahnung, worum es sich bei diesem Gegenstand überhaupt handelt. Diesbezüglich herrscht bei uns noch Aufklärungsbedarf.«

Kapitel 114

Dann untersuchen Sie eben alles noch einmal!«, ordnete Fontaine an.

Tief beunruhigt betrachtete Fontaine das verwaschene Bild der beiden Agenten, die im Hintergrund die zwei schlaffen Gestalten nach einem Gegenstand mit einer zufälligen Zeichenfolge aus Zahlen und Buchstaben durchsuchten.

Jabba war blass geworden. »Oh mein Gott, wenn sie den Code nicht finden, sind wir im Eimer!«

»Der zweite Schild ist weg!«, schrie eine Stimme. »Der dritte Schutzschild liegt jetzt frei.« Eine neue Welle der Betriebsamkeit rauschte auf.

Auf dem Bildschirm sah man den Agenten mit dem Bürstenhaarschnitt. Er hob entschuldigend die Arme. »Sir, der Code kann nicht hier sein. Wir haben beide Männer sorgfältig durchsucht. Taschen, Kleidung, Brieftasche. Es war nichts zu finden. Hulohot führt einen Monocle-Computer mit sich, den wir ebenfalls überprüft haben. Er scheint damit aber nichts übertragen zu haben, was auch nur entfernt nach einem Zufallscode aussieht. Wir sind lediglich auf eine Liste seiner Auftragsmorde gestoßen.«

»Verdammt aber auch!«, zischte Fontaine. Seine stoische Fassade begann zu bröckeln. »Der Kill-Code *muss* einfach bei Ihnen irgendwo sein! Weitersuchen!«

Jabba hatte offenbar genug mitbekommen – Fontaine hatte

hoch gepokert und verloren. Als Sys-Sec-Leiter übernahm er das Ruder seines Schiffs. Wie ein Sturm aus dem Gebirge fuhr er von seinem Podium herunter und fiel Kommandos brüllend in die Armee seiner Techniker ein. »Peripherieaggregate herunterfahren! Stilllegungsprozedur einleiten! Los, Beeilung!«

»Das schaffen wir nie!«, jammerte Soschi. »Wir brauchen mindestens eine halbe Stunde. Wenn wir mit dem Herunterfahren fertig sind, ist es zu spät!«

Jabba öffnete den Mund, um zu antworten, doch ein gequälter Aufschrei aus dem Hintergrund ließ ihn verstummen.

Alles fuhr herum. Susan Fletcher, die zusammengekauert hinten auf dem Podium gehockt hatte, erhob sich bleich wie ein Gespenst und starrte gebannt auf die Standbild-Einstellung des gegen die Rückwand des Lieferwagens gelehnten David Becker.

»Ihr habt ihn umgebracht!«, stammelte sie. *»Ihr habt ihn umgebracht!«*

Fontaine begriff gar nichts mehr. »Sie kennen diesen Mann?«

Auf unsicheren Beinen wankte Susan vom Podium herab. Ein kleines Stück vor der Bildwand blieb sie stehen. Wie betäubt starrte sie fassungslos zu der riesigen Projektion hinauf und rief wieder und wieder den Namen des Mannes, den sie liebte.

»David, David!«

Kapitel 115

In David Beckers Kopf herrschte absolute Leere. *Du bist tot.* Aber da war dieser ferne Klang, der Klang einer Stimme.

»David!«

Das entsetzliche Brennen unter seinen Armen ließ ihn keinen klaren Gedanken fassen. Das Blut rollte wie Feuer durch seine Adern. *Das ist nicht dein Körper!* Aber er hörte diese Stimme, die nach ihm rief. Sie war dünn und fern, und doch war sie ein Teil von ihm. Es gab auch noch andere Stimmen, unvertraute und belanglose. Er bemühte sich, die anderen Stimmen auszublenden. Nur diese eine Stimme bedeutete ihm etwas. Sie wurde klarer und verschwamm wieder.

»David… was haben sie mit dir gemacht…«

Ein flackerndes Licht war zu sehen, ganz schwach nur, nicht mehr als ein hellgrauer Fleck. Becker wollte sich bewegen. Quälender Schmerz. Er versuchte, etwas zu sagen. Ohnmächtiges Schweigen. Und immer noch rief diese Stimme.

Jemand war zu ihm getreten, hob ihn hoch. Becker bewegte sich auf die Stimme zu – oder wurde er bewegt? Die Stimme rief. Becker glotzte ohne zu begreifen auf ein leuchtendes Viereck. Ein Bildschirm. Eine Frau war darauf zu erkennen, die aus einer anderen Welt zu ihm emporschaute. *Will sie zusehen, wie du stirbst?*

»David…«

Er kannte die Stimme. Es war die Stimme eines Engels.

Der Engel war gekommen. »David, ich liebe dich!«, sagte der Engel.

Und plötzlich war ihm alles wieder präsent.

Susan streckte die Arme nach der Bildwand aus. Vom Ansturm der Gefühle hin und her gerissen, lachte und weinte sie zugleich. »David! Ich … ich habe gedacht, du wärst …«

Feldagent Smith hatte David Becker auf den Klappstuhl vor dem kleinen Monitor gehievt. »Er ist noch ein bisschen neben der Spur, Ma'am. Geben Sie ihm noch ein paar Sekunden.«

»A … aber«, stammelte Susan, »ich habe doch die Meldung gesehen, dass er …«

Smith nickte. »Haben wir auch gesehen, aber Hulohot war wohl etwas voreilig.«

»Aber das Blut …«

»Nur eine Fleischwunde. Wir haben ihm einen Schnellverband angelegt.«

Susan rang nach Worten.

Agent Collander ließ sich aus dem Off vernehmen. »Wir mussten ihm eins mit der neuen J23 verpassen – ein lang wirkendes Betäubungsgeschoss. Das brennt vermutlich wie die Hölle, aber anders konnten wir ihn nicht aus dem Verkehr ziehen.«

»Keine Bange, Ma'am«, pflichtete Smith bei. »Er ist gleich wieder auf den Beinen.«

David Becker starrte auf den Monitor vor seiner Nase. Er war desorientiert und benommen. Der Bildschirm zeigte einen Raum. Einen Raum, in dem es drunter und drüber ging. Susan war auch da. Sie stand auf einer freien Bodenfläche und schaute gleichzeitig lachend und weinend zu ihm herauf.

»Oh David, Gott sei Dank! Ich habe gedacht, ich hätte dich für immer verloren!«

David rieb sich die Schläfen. Er rutschte näher an den Bildschirm heran und zog das Schwanenhals-Mikrofon dicht vor seinen Mund. »Susan?«

Susan konnte es nicht fassen. Davids kräftige Züge füllten die ganze Wand vor ihr. Seine Stimme dröhnte.

»Susan, ich muss dich unbedingt etwas fragen.« Die Klangfülle und die Lautstärke seiner Stimme brachten die Hektik in der Datenbank vorübergehend zum Erliegen. Die Leute ließen alles liegen und stehen und schauten auf den Bildschirm.

»Susan Fletcher«, dröhnte die Stimme, »willst du mich heiraten?«

Es wurde still im Raum. Ein Clipboard samt einem Becher mit Bleistiften schepperte auf den Boden. Keiner machte Anstalten, die Bescherung aufzuheben. Nur das leise Surren der Lüfter in den Terminals und David Beckers vom Mikrofon aufgefangener regelmäßiger Atem waren zu hören.

»Dav ... David«, stammelte Susan, die nicht merkte, dass siebenunddreißig Leute mit angehaltenem Atem hinter ihr standen und zuhörten. »Das hast du mich doch schon einmal gefragt, vor fünf Monaten. Ich habe damals Ja gesagt, weißt du das denn nicht mehr?«

»Oh doch.« David Becker lächelte. »Aber diesmal ...« Er streckte die linke Hand der Kamera entgegen. Am Ringfinger schimmerte ein goldener Reif. »Aber diesmal habe ich auch einen gravierten Ring!«

»Einen gravierten Ring? Mr Becker, bitte lesen Sie uns die Inschrift vor!«, verlangte Fontaine.

Jabba saß vor seiner Tastatur und schwitzte. »Ja«, bekräftigte er, »lesen Sie uns die vermaledeite Inschrift vor.«

Susan Fletcher stand mit weichen Knien und glühenden Wangen dabei. Kein Mensch kümmerte sich mehr um die Arbeit. Alle starrten hinauf zu der riesigen Projektion von David Becker, der den Ring abgezogen hatte und zwischen den Fingern drehte, um die Gravierung zu lesen.

»Und lesen Sie bitte fehlerfrei«, sagte Jabba. »Ein Fehler, und wir sind im Arsch!«

Fontaine sah Jabba missbilligend an. Wenn es etwas gab, womit der Direktor der NSA Erfahrung hatte, dann waren es Stresssituationen. Es war nie gut, zusätzlichen Druck zu machen. »Ganz ruhig, Mr Becker«, sagte er. »Wenn wir einen Fehler machen, geben wir den Code eben noch einmal ein, bis er stimmt.«

»Vergessen Sie diesen Rat, Mr Becker!«, fauchte Jabba, »und machen Sie es gefälligst gleich beim ersten Mal richtig. Kill-Codes reagieren auf Fehlversuche meist mit einer Strafe, damit man nicht mit Herumprobieren weiterkommt. Eine fehlerhafte Eingabe, und die Programmschleife läuft schneller. Zwei Fehler, und es heißt: Klappe zu, Affe tot!«

Fontaine runzelte die Stirn. Er wandte sich dem Bildschirm

zu. »Mein Fehler, Mr Becker. Lesen Sie also bitte sorgfältig – sehr, sehr sorgfältig.«

Becker nickte. Er studierte noch einmal die Inschrift und begann, ruhig und konzentriert von dem Ring abzulesen. »Q … U … I … S … Leerzeichen … C …«

Jabba und Susan fielen ihm gleichzeitig ins Wort. »*Leerzeichen*?« Jabba hatte aufgehört zu tippen. »Da gibt es einen Zwischenraum?«

Achselzuckend sah Becker noch einmal nach. »Ja, und es ist auch nicht der einzige.«

»Warum geht es nicht weiter?«, erkundigte sich Fontaine. »Bekomme ich hier etwas nicht mit?«

»Sir«, sagte Susan, der man die Verwunderung ansehen konnte, »es ist … es ist nur …«

»Ganz meine Meinung«, sagte Jabba. »Sehr merkwürdig. Passwörter haben niemals Zwischenräume.«

Brinkerhoff schluckte vernehmlich. »Und das heißt?«

»Jabba will sagen«, schaltete Susan sich ein, »dass das vielleicht gar nicht der Kill-Code ist.«

»Natürlich ist es der Kill-Code!«, trumpfte Brinkerhoff auf. »Was denn sonst? Wieso hätte Tankado den Ring denn sonst loswerden wollen? Wer zum Teufel lässt sich schon eine zufällige Folge von Buchstaben auf seinen Ring gravieren?«

Fontaine brachte Brinkerhoff mit einem strengen Blick zum Schweigen.

»Äh, Leute?«, ließ sich Becker vernehmen, der offenbar zögerte, sich einzumischen. »Hier ist immer von *einer zufälligen* Folge die Rede. Ich muss aber darauf hinweisen, dass … die Buchstabenfolge auf diesem Ring ist keineswegs zufällig.«

»Wie bitte?«, platzte es aus sämtlichen auf dem Podium Versammelten heraus.

Becker machte ein betretenes Gesicht. »Tut mir leid, aber das sind ganz klar einzelne Wörter. Zugegeben, sie stehen sehr eng beieinander und könnten einem auf den ersten Blick zufällig vorkommen, aber bei näherem Hinsehen kann man ganz klar erkennen, dass die Inschrift … na ja, sie ist Lateinisch.«

Jabba schnappte nach Luft. »Wollen Sie mich verarschen?«

Becker schüttelte den Kopf. »Nein, überhaupt nicht. Hier steht *Quis custodiet ipsos custodes*, und das heißt grob übersetzt …«

»Wer überwacht die Wächter?«, fiel ihm Susan ins Wort.

Becker war perplex. »Susan, ich wusste gar nicht, dass du …«

»Es war Tankados Leitsatz, ein Zitat aus den *Satiren* des Juvenal«, rief ihm Susan zu. »Wer überwacht die Wächter? Wer überwacht die NSA, während wir die Welt überwachen?«

»Ist es nun der Kill-Code, oder nicht?«, wollte Midge wissen.

»Es *muss* der Kill-Code sein«, erklärte Brinkerhoff.

»Ich weiß nicht, ob das der Code ist«, sagte Jabba. »Ich halte es für unwahrscheinlich, dass Tankado eine nicht zufällige Zeichenfolge benutzt haben sollte.«

»Dann lassen Sie doch einfach die Zwischenräume weg und tippen den verdammten Code endlich ein!«, schrie Brinkerhoff gereizt.

Fontaine stand reglos da und ließ sich die neue Lage durch den Kopf gehen. Er wandte sich an Susan. »Miss Fletcher, was halten *Sie* von der Sache?«

Susan dachte kurz nach. Sie konnte zwar nicht den Finger darauf legen, aber irgendetwas kam ihr komisch vor. Tankados Gedankenführung und seine Programmiermethoden waren stets kristallklar gewesen. Sie fand es merkwürdig, dass hier die Zwischenräume eliminiert werden sollten. Es war zwar nur eine Kleinigkeit, aber irgendwie ein Notbehelf und definitiv keine saubere Lösung. Den krönenden Abschluss von Tankados tödlichem Hieb hätte sie sich eleganter vorgestellt.

»Für mich ist das irgendwie nicht stimmig«, sagte sie schließlich. »Ich glaube nicht, dass wir hier den Kill-Code vor uns haben.«

Fontaine saugte nachdenklich die Luft ein. Seine dunklen

Augen ruhten prüfend auf Susan. »Miss Fletcher, wenn Sie das nicht für den Zugangscode halten, wie erklären Sie sich dann, dass Tankado den Ring fortgeben wollte? Wenn er gewusst hat, dass wir seine Mörder sind – meinen Sie nicht auch, dass er nur deshalb den Ring verschwinden lassen wollte, um uns eins auszuwischen?«

Eine neue Stimme mischte sich in das Gespräch. Es war Agent Collander in Sevilla. Über Beckers Schulter gelehnt, sprach er ins Mikrofon. »Äh, Herr Direktor, ich weiß nicht, ob das etwas zu bedeuten hat, aber meiner bescheidenen Meinung nach hat Tankado *nicht* mitbekommen, dass ein Attentat auf ihn verübt worden ist.«

»Wie das?«, erkundigte sich Fontaine.

»Hulohot war ein Profi, Sir. Wir haben das Attentat beobachtet, aus nur fünfzig Metern Entfernung. Alles deutet darauf hin, dass Tankado es nicht als gezielten Angriff empfunden hat.«

»Von wegen: ›Alles deutet darauf hin‹!«, meuterte Brinkerhoff. »Tankado hat seinen Ring fortgegeben. Das ist doch Beweis genug!«

Fontaine ergriff wieder das Wort. »Agent Smith, was veranlasst Sie zu dieser Einschätzung? Weshalb soll Tankado nicht gemerkt haben, dass es ein Attentat gewesen ist?«

Smith räusperte sich. »Hulohot hat ihn mit einem NTG erledigt – mit einem nichtinvasiven Traumageschoss. Das ist im Prinzip ein Gummiklumpen, der beim Aufprall auf das Ziel zerplatzt. Sehr geräuschlos. Sehr sauber. Mr Tankado hat vermutlich nur einen stechenden Schmerz gespürt, bevor ziemlich schnell der Herztod eingetreten ist.«

»Ein Traumageschoss«, sinnierte Becker. »Daher also die blauen Flecken auf Tankados Brust!«

»Man kann nicht davon ausgehen, dass Tankado aus dem Schmerz auf einen Attentäter geschlossen hat«, meinte Smith.

»Aber dennoch hat er den Ring weggegeben«, stellte Fontaine fest.

»Das stimmt, Sir. Aber er hat nicht nach dem Attentäter Ausschau gehalten. Wenn man angeschossen wird, hält man immer nach dem Schützen Ausschau, Sir. Das ist ein unwillkürlicher Reflex.«

Fontaine war konsterniert. »Und Sie sagen, Tankado hat sich nicht nach Hulohot umgesehen?«

»Nein, Sir, hat er nicht. Wir haben die Szene dokumentiert. Falls Sie es sich ansehen wollen ...«

»Die nächste Schale bricht zusammen«, rief ein Techniker. »Der Wurm hat es zur Häfte geschafft!«

»Scheiß auf die Dokumentation!«, schrie Brinkerhoff. »Nun gebt schon den verdammten Kill-Code ein, damit wir es hinter uns bringen!«

Jabba seufzte. Er war auf einmal ganz ruhig. »Chef, wenn wir den falschen Code eingeben ...«

»Wenn Tankado nicht mitbekommen hat, dass wir seine Mörder sind«, unterbrach Susan, »dann ergibt sich daraus eine ganze Reihe Fragen, auf die wir eine Antwort finden müssen.«

»Wie viel Zeit haben wir noch?«, erkundigte sich Fontaine.

Jabba hob den Blick zur VR. »Ungefähr zwanzig Minuten. Und ich möchte sehr darum bitten, diese Zeit sinnvoll zu nutzen.«

Fontaine blieb einen Moment lang stumm. »Also gut«, sagte er seufzend, »zeigen Sie uns die Dokumentation.«

Kapitel 117

Die Stimme von Agent Smith knisterte im Lautsprecher.

»Noch zehn Sekunden bis zum Beginn der Videoübertragung. Wir werden ein unbearbeitetes Bild ohne Ton und so nah wie möglich am Echtzeit-Verlauf senden.«

Auf dem Podium war jede Bewegung erstorben. Alles wartete gespannt. Jabba drückte ein paar Tasten und veränderte die Anordnung auf der Videowand. Tankados Botschaft stand nun ganz links:

JETZT
HILFT
NUR
NOCH
DIE
WAHRHEIT

Auf der rechten Seite der Videowand war ein Standbild vom Inneren des Lieferwagens mit Becker und den beiden Agenten zu sehen, die sich um die Kamera drängten. In der Mitte der Wand erschien ein verschwommener Rahmen. Er löste sich in Bildrauschen auf, aus dem sich eine Parkszenerie in Schwarzweiß entwickelte.

»Übertragung steht«, kam die Ansage von Agent Smith.

Die Bilder flimmerten und ruckten wie in einem alten Film –

eine Begleiterscheinung der geringen Bildfrequenz, wodurch die zu übertragende Informationsmenge erheblich reduziert wurde, was eine schnellere Übermittlung möglich machte.

Die Einstellung zeigte einen riesigen Promenadenplatz, der an seinem fernen Ende an eine halbkreisförmige prächtige Fassade stieß – den *Palacio de España*, der Ende der Zwanzigerjahre für die Ibero-Amerikanische Weltausstellung erbaut worden war. Im Vordergrund standen Bäume. Der Park war menschenleer.

»Dritte Schale weggefressen«, rief ein Techniker. »Unser Bösewicht hat Appetit!«

Smith begann die Bilder zu erläutern. Sein Kommentar hatte die kalte Distanz des langjährigen Agenten. »Das ist eine Einstellung aus dem Lieferwagen«, sagte er, »aus ungefähr fünfzig Metern Entfernung vom Tatort. Tankado nähert sich von rechts. Hulohot befindet sich links hinter den Bäumen.«

»Wir haben nur wenig Zeit«, sagte Fontaine ungeduldig. »Lassen Sie uns bitte gleich zum Kern des Geschehens kommen.«

Collander fummelte an ein paar Knöpfen herum. Der Bildablauf wurde schneller.

Mit Spannung sahen alle ihren früheren Mitarbeiter und Kollegen Tankado ins Bild kommen. Der Schnelllauf der Videoaufzeichnung verlieh dem Ganzen etwas Groteskes. Tankado stiefelte ruckhaft auf die Promenade los. Er schien von seiner Umgebung sehr angetan. Er beschirmte die Augen und schaute zu der turmgeschmückten hohen Fassade hinüber.

»Gleich kommt's«, kündigte Smith an. »Hulohot ist ein Profi. Er erledigt die Sache mit einem einzigen Schuss.«

Smith hatte nicht zu viel versprochen. Hinter den Bäumen links im Bild blitzte es auf. Im nächsten Moment griff sich Tankado taumelnd an die Brust. Die Kamera schwenkte auf ihn und zoomte ihn heran. Das wackelige Bild wurde unscharf und wieder scharf.

Smith setzte seine kühle Kommentierung des schnellen Bilddurchlaufs fort. »Wir können beobachten, dass es augenblicklich zu einer schweren Herzinsuffizienz kommt.«

Susan wurde von den Bildern übel. Tankado hatte die verkrüppelten Hände an die Brust gepresst. Verwirrung und Schrecken sprachen aus seinen Zügen.

»Wie Sie sehen, richtet sich Tankados Blick nach unten, auf ihn selbst«, kommentierte Smith. »Er hebt kein einziges Mal den Blick und schaut sich um.«

»Und darauf kommt es an?«, sagte Jabba in einer Mischung aus Frage und Feststellung.

»Ganz entscheidend«, bestätigte Smith. »Wenn Tankado auch nur den leisesten Verdacht einer Fremdeinwirkung gehabt hätte, würde sein Blick instinktiv die Umgebung abgesucht haben. Aber wie Sie sehen, tut er es nicht.«

Auf dem Bildschirm brach Tankado in die Knie, die Hände immer noch an die Brust gepresst. Sein Blick hob sich kein einziges Mal. Ensei Tankado war ein sich selbst überlassener Mann, der einsam und allein eines vermeintlich natürlichen Todes starb.

»Der rapide Eintritt des Todes ist ungewöhnlich«, sagte Smith leicht irritiert. »So schnell töten Traumageschosse normalerweise nicht. Bei größeren Zielen sind sie oft noch nicht einmal tödlich.«

»Er hatte einen Herzfehler«, bemerkte Fontaine ungerührt.

Smith hob beeindruckt die Brauen. »Dann war die Waffe ausgezeichnet gewählt.«

Susan sah Tankado aus dem Kniestand auf die Seite kippen, bis er schließlich auf dem Rücken lag. Die Hände an die Brust gepresst, starrte er nach oben. Plötzlich schwenkte die Kamera zurück zu der Baumgruppe. Ein Mann mit Nickelbrille kam ins Bild. Er trug einen etwas zu groß geratenen Aktenkoffer. Während er über die Promenade auf den sich windenden Tankado zuschritt, begannen seine Fingerspitzen in stummem Tanz gegeneinander zu trommeln.

»Er gibt jetzt in seinen Monocle-Computer die Meldung ein, dass Tankado ausgeschaltet ist«, erläuterte Smith. Er streifte Becker mit einem Seitenblick. »Mir scheint, Hulohot hatte die schlechte Gewohnheit, Vollzug zu melden, bevor das Opfer den letzten Atemzug getan hat.«

Collander ließ die Aufzeichnung noch etwas schneller laufen. Die Kamera verfolgte Hulohot auf dem Weg zu seinem Opfer. Plötzlich platzte aus einer nahe gelegenen Arkade ein älterer Herr heraus, lief zu Tankado und kniete sich neben ihm auf die Erde. Unmittelbar darauf traten aus der gleichen Arkade zwei weitere Personen – ein fettleibiger Mann und eine rothaarige Frau, die sich ebenfalls zu Tankado begaben.

»Ungünstige Wahl des Tatorts«, bemerkte Smith. »Hulohot hat fälschlich geglaubt, sein Opfer isoliert zu haben.«

Auf dem Bildschirm sah man Hulohot einen Moment innehalten, worauf er sich wieder hinter die Bäume zurückzog – offenbar, um abzuwarten.

»Jetzt kommt die Übergabe des Rings«, soufflierte Smith. »Wir haben es beim ersten Mal selbst nicht bemerkt.«

Susan schaute hinauf zu den schrecklichen Bildern. Nach Luft ringend, versuchte Tankado sich den neben ihm knienden barmherzigen Samaritern verständlich zu machen. Schließlich stieß er die linke Hand dem alten Herrn beinahe ins Gesicht und wedelte ihm mit seinen nach außen abstehenden missgebildeten Fingern verzweifelt vor der Nase herum. Die Kamera ging auf die drei deformierten Finger. An einem von ihnen glänzte in der spanischen Sonne unübersehbar ein goldener Ring. Tankado stieß erneut den Arm hoch. Der alte Mann prallte zurück. Tankado probierte es nun bei der Frau. Auch ihr hielt er beschwörend seine drei verkrüppelten Finger dicht vors Gesicht. Der Ring gleißte in der Sonne. Die Frau wandte den Blick ab. Tankado, inzwischen offenbar unfähig, einen Laut von sich zu geben, machte bei dem Fettleibigen einen letzten Versuch.

Der ältere Herr stand plötzlich auf und lief davon wie jemand, der Hilfe holen will. Tankado, dessen Kräfte rapide zu schwinden schienen, hielt dem Dicken immer noch den Ring vors Gesicht. Schließlich ergriff der Dicke stützend das emporgereckte Handgelenk des Sterbenden. Tankado starrte hinauf zu seinen Fingern, seinem Ring, und dann in die Augen des Dicken. Er nickte dem Dicken fast unmerklich wie zur Bestätigung zu. Es sah aus, als hätte der Dicke ihm einen letzten Wunsch erfüllt.

Dann fiel Ensei Tankado schlaff in sich zusammen.

Jabba stöhnte auf. »Gütiger Gott.«

Die Kamera schwenkte auf Hulohots Versteck. Der Attentäter war nicht mehr da. Ein Motorradpolizist kam die Avenida Firelli heraufgebraust. Die Kamera ging hastig zurück auf Tankado. Die Frau, die neben ihm kniete, schaute sich nervös um. Sie hatte offenbar die Polizeisirene gehört. Sie sprang auf und zerrte an ihrem fettleibigen Begleiter, um ihn zum Gehen zu bewegen, worauf die beiden sich eilends entfernten.

Die Kamera holte Tankado groß ins Bild. Seine Hände lagen gefaltet auf der leblosen Brust.

Der Ring war fort.

Kapitel 118

»Da haben wir den Beweis«, sagte Fontaine mit Nachdruck. »Tankado wollte den Ring loswerden. Der Ring sollte verschwinden – damit wir ihn nicht finden können.«

»Aber, Sir, das ergibt doch keinen Sinn«, wandte Susan ein. »Wozu hätte Tankado den Kill-Code verschwinden lassen sollen, wenn er nicht mitbekommen hat, dass er das Opfer eines Mordanschlags war?«

»Ganz meine Meinung«, sagte Jabba. »Er war ein Rebell, aber ein Rebell mit Grundsätzen. Uns zu zwingen, dass wir mit der Wahrheit über den TRANSLTR herausrücken, ist eine Sache – aber unsere streng geheime zentrale Datenbank zum öffentlichen Jahrmarkt zu machen ist eine andere.«

Fontaine starrte wenig überzeugt vor sich hin. »Sie glauben doch nicht etwa, dass Tankado daran gelegen war, diesen Wurm aufzuhalten? In seiner Todesstunde soll sein letzter Gedanke der armen NSA gegolten haben?«

»Vierte Schale verliert an Wirkung«, schrie ein Techniker. »In maximal fünfzehn Minuten sind wir allseits verwundbar!«

Fontaine nahm das Heft in die Hand. »Ich will Ihnen einmal etwas sagen«, erklärte er. »In fünfzehn Minuten wird sich jeder Schurkenstaat dieser Erde informieren können, wie man eine Atomrakete baut! Falls jemand in diesem Raum einen besseren Kandidaten für den Kill-Code vorzuschlagen hat als diesen Ring, bin ich ganz Ohr.« Er machte eine abwartende Pause, doch keiner sagte ein Wort. Fontaine blickte Jabba fest in die Augen. »Jabba, Tankado hat diesen Ring nicht ohne Grund verschwinden lassen. Ob er ihn aus dem Verkehr ziehen wollte, oder ob er gedacht hat, dass der Dicke zur nächsten Telefonzelle rennt und uns anruft, ist mir herzlich egal. Mein Entschluss steht jedenfalls fest. Wir werden dieses Zitat eingeben, und zwar sofort!«

Jabba holte tief Luft. Natürlich hatte Fontaine Recht – eine aussichtsreichere Alternative gab es ja nicht. Außerdem wurde die Zeit allmählich knapp. Jabba setzte sich und rollte mit seinem Stuhl zur Tastatur. »Mr Becker, bitte die Inschrift! Aber langsam und deutlich.«

David Becker las von dem Ring ab, und Jabba tippte. Am Ende überprüften sie noch einmal, ob alles richtig geschrieben war, und löschten sämtliche Wortzwischenräume. Am oberen Rand des zentralen Segments der Bildwand standen nun die Buchstaben:

QUISCUSTODIETIPSOSCUSTODES

»Mir gefällt das nicht«, murmelte Susan. »Es ist einfach nicht stimmig.«

Jabba zögerte. Sein Finger schwebte über der Enter-Taste.

»Nun machen Sie schon«, drängte Fontaine.

Jabba hieb auf die Taste.

Schon in der nächsten Sekunde hatte auch der Letzte im Raum begriffen, dass es ein Fehler gewesen war.

Kapitel 119

»Es war der falsche Code!«, schrie Soschi hinten im Raum, während alles vor Schreck verstummte. »Der Wurm legt Tempo zu!«

Vor ihnen auf der Bildwand prangte die Fehlermeldung:

FALSCHE EINGABE
NUR ZIFFERN ZULÄSSIG

»Oh, verdammt, nur Ziffern!«, kreischte Jabba. »Wir müssen eine Zahl suchen! Dieser ganze Spruch war Scheiße! Wir sind geliefert!«

»Der Wurm hat sein Tempo verdoppelt!«, schrie Soschi. »Wir müssen zur Strafe eine Extrarunde drehen!«

In der Bildmitte, genau unter der Fehlermeldung, zeichnete die VR ein Furcht erregendes Bild. Beim Zusammenbruch der dritten Schale schoss das halbe Dutzend kurzer schwarzer Linien, die die marodierenden Hacker repräsentierten, gierig dem Kern entgegen. Mit jedem Augenblick tauchten neue Linien auf.

»Sie schwärmen aus!«, schrie Soschi.

»Wir registrieren Einwahlen aus aller Welt!«, rief ein anderer Techniker. »Die Neuigkeit macht die Runde!«

Susans Blick glitt von der zusammenbrechenden Firewall zum rechten Rand der Bildwand, wo das Attentat als Endlosschleife lief. Immer wieder dasselbe: Tankado greift sich an die Brust, stürzt, ein paar nichts ahnende Touristen rennen herbei, Tankado drängt ihnen mit Panik im Blick seinen Ring auf. *Das ergibt einfach keinen Sinn,* räsonierte sie. *Er hat doch nicht gewusst, dass wir dahinter stecken …* Ihre Gedanken liefen im Kreis. *Wir müssen etwas übersehen haben.*

Auf der Bildwand hatte sich die Zahl der gegen die Schutzwälle anstürmenden Hacker in den letzten Minuten verdoppelt. Von jetzt an schnellte ihre Anzahl exponentiell in die Höhe. Hacker waren wie die Hyänen eine große Sippschaft, stets eifrig darauf bedacht, unter ihren Artgenossen die Kunde zu verbreiten, wo es etwas zu plündern gab.

Leland Fontaine hatte genug gesehen. »Herunterfahren!«, befahl er. »Fahren Sie die verdammte Anlage herunter!«

Jabba blickte stur geradeaus wie der Kapitän eines sinkenden Schiffs.

»Zu spät, Sir. Wir saufen ab.«

Der Sys-Sec-Abteilungsleiter stand bewegungslos da. Er hatte die Hände auf dem kahlen Kopf verschränkt und bot das Bild von vierhundert Pfund Fassungslosigkeit. Er hatte inzwischen Anweisung zum Abschalten der Stromzufuhr gegeben, aber der Befehl kam gut zwanzig Minuten zu spät. Bis die Maßnahme griff, konnte jeder Hacker mit einem Hochgeschwindigkeits-Modem atemberaubende Mengen von streng geheimem Material aus dem Datenspeicher herunterladen.

Soschi riss Jabba aus seinem Albtraum. Sie kam mit einem neuen Ausdruck zum Podium gerannt. »Jabba, ich habe etwas entdeckt!«, sprudelte sie aufgeregt hervor. »Im Quellcode sind jede Menge Kommentarzeilen! Überall Vierer-Buchstabengruppen!«

Jabba war wenig beeindruckt. »Wir sind auf der Suche nach einer Zahl, verdammt nochmal! Keine Buchstaben, der Kill-Code ist eine Zahl!«

»Aber da sind nun mal diese Kommentarzeilen! Tankado ist zu gut, um überflüssige Zeichen zu hinterlassen, und schon gar nicht so viele!«

Diese überflüssigen Zeichen hatten für die Funktion des Programms keinerlei Bedeutung. Sie steuerten nichts, bezogen sich auf nichts, führten zu nichts und wurden normalerweise im abschließenden Funktionsprüfungs- und Kompilierungsprozess gelöscht.

Jabba nahm den Ausdruck zur Hand und studierte ihn. Fontaine stand schweigend dabei.

Susan lugte über Jabbas Schulter auf den Ausdruck. Tatsächlich, nach jeweils ungefähr zwanzig Programmzeilen folgten vier zusammenhangslose Buchstaben. Sie überflog die Gruppen.

```
PRER
UARE
RSRO
```

»Vierer-Buchstabengruppen?«, rätselte sie. »Eindeutig keine Bestandteile des Programms.«

»Vergessen Sie's«, grollte Jabba. »Sie greifen nach einem Strohhalm.«

»Vielleicht auch nicht«, gab Susan zurück. »Es gibt zahllose Kodierungsverfahren, die mit Vierergruppen arbeiten. Das könnte ein Code sein.«

»Oh ja«, grunzte Jabba, »und ich weiß auch, was da steht: ›Ätsch, ihr seid im Arsch!‹« Er blickte hoch zur VR. »In ungefähr zehn Minuten ist es so weit.«

Susan achtete nicht auf Jabbas Kommentar. »Wie viele Buchstabengruppen haben wir denn?«, fragte sie Soschi.

Soschi zuckte die Achseln, aber dann machte sie sich an Jabbas Terminal breit und tippte alle Buchstabengruppen ab. Als sie fertig war und sich mit ihrem Bürostuhl vom Tisch abstieß, betrachteten alle verständnislos die Zeichen auf der Bildwand:

```
PRER UARE RSRO NKBL ICFS DILE MHUC NVIM
UIEH AECE NERI GRHN TDHM ADET EDIA SENE
```

Susan wer die Einzige, die lächelte. »Das kommt mir bekannt vor«, sagte sie. »Viererblöcke – wie bei der Enigma.«

Fontaine nickte knapp. Die Enigma, die zwölf Tonnen schwere monströse Chiffriermachine der Nazis im Zweiten Weltkrieg, war der berühmteste mechanische Verschlüsselungsapparat aller Zeiten. »Großartig«, stöhnte er. »Hat hier vielleicht jemand zufällig eine Enigma dabei?«

»Das ist nicht der Punkt«, sagte Susan, die auf einmal aktiv wurde. Jetzt ging es um ihr Spezialgebiet. »Der Punkt ist, dass wir es mit einem Code zu tun haben. Tankado hat uns einen Fingerzeig hinterlassen! Er spielt mit uns, fordert uns auf, den Kill-Code auszuknobeln. Er hat Spuren gelegt, wir können sie nur noch nicht richtig lesen.«

»Ach was!«, schnauzte Jabba. »Tankado hat uns nur einen einzigen Ausweg gelassen – zuzugeben, dass wir den TRANSLTR haben. Das wär's gewesen. Das war unsere Chance. Aber die haben wir uns selber versaut!«

»Da muss ich Jabba leider Recht geben«, sagte Fontaine. »Ich bezweifle, dass Tankado gewillt war, uns mit dem Ausstreuen von Hinweisen auf seinen Kill-Code aus der Patsche zu helfen.«

Susan nickte diffus. Sie erinnerte sich an Tankados Anagramm mit NDAKOTA. Sie betrachtete die Buchstaben auf dem Bildschirm. War das vielleicht wieder eines von seinen Wortspielen?

»Vierte Schale zur Hälfte abgestürzt«, rief ein Techniker.

Auf dem Bildschirm fraß sich die Masse der schwarzen Maden tiefer in die letzten beiden verbliebenen Schutzringe hinein.

David hatte ruhig dagesessen und auf dem Monitor die Entwicklung des Dramas mitverfolgt. »Susan«, meldete er sich, »mir ist ein Gedanke gekommen. Besteht dieser Text vielleicht aus sechzehn Vierergruppen?«

»Oh, mein Gott«, schniefte Jabba, »jetzt wollen auf einmal alle ihren Senf dazugeben.«

Susan achtete nicht auf ihn. Sie zählte die Gruppen durch. »Ja, es sind sechzehn.«

»Du musst die Zwischenräume eliminieren«, sagte Becker bestimmt.

»David«, sagte Susan etwas pikiert, »ich glaube nicht, dass du verstehst, worum es hier geht. Diese Vierergruppen sind …«

»Zwischenräume löschen«, beharrte David.

Susan zögerte, doch dann nickte sie Soschi zu, die behände alle Zwischenräume eliminierte. Das Ergebnis war allerdings auch nicht erhellender als zuvor.

PRERUARERSRONKBLICFSDILEMHUCNVIMUIEHAECENERIGRHNTDHMADETEDIASENE

Jabba fuhr aus der Haut. »Jetzt reicht's mir aber! Schluss mit der Spielerei! Der Wurm wühlt mit doppeltem Tempo. Wir haben vielleicht noch acht Minuten! Wir sind auf der Suche nach einer *Zahl* und nicht nach irgendwelchen schlauen Sprüchen!«

»Sechzehn mal vier«, sagte Becker ruhig. »Susan, rechne das mal aus.«

Susan schaute hinauf zu David auf dem Bildschirm. *Rechne das mal aus!* Er kann doch überhaupt nicht rechnen. Vokabeln und Konjugationen – ja, die konnte er reproduzieren wie ein Fotokopierer, aber rechnen?

»Denk an eine Multiplikationstabelle«, sagte David.

Jetzt auch noch eine Multiplikationstabelle!, staunte Susan. *Was geht in ihm vor?*

»Sechzehn mal vier«, sagte Susan leichthin, »ergibt vierundsechzig – na, und?«

David beugte sich vor zur Kamera. Sein Gesicht füllte die ganze Bildwand. »Vierundsechzig Buchstaben …«

Susan nickte. »Klar, aber sie sind …« Sie erstarrte.

»Vierundsechzig Buchstaben«, wiederholte David.

Susan schnappte nach Luft. »Oh, mein Gott, David! Du bist ein Genie!«

KAPITEL 121

Noch sieben Minuten!«, schrie ein Techniker.

»Acht Säulen zu je acht Buchstaben!«, rief Susan aufgeregt.

Soschi begann zu tippen. Fontaine sah ihr schweigend zu. Der vorletzte Schutzschild wurde immer dünner.

»Vierundsechzig Buchstaben!« Susan war wieder ganz da. »Das ergibt ein Quadrat!«

»Na, und?«, fuhr Jabba dazwischen.

Zehn Sekunden darauf hatte Soschi den Buchstabensalat in ein Quadrat einsortiert. Auf dem Bildschirm standen nun acht Säulen zu je acht Buchstaben. Jabba betrachtete das neue Bild. Verzweifelt warf er die Arme in die Luft. Das jetzige Layout gab für ihn auch nicht mehr her als das ursprüngliche:

```
P R E R U A R E
R S R O N K B L
I C F S D I L E
M H U C N V I M
U I E H A E C E
N E R I G R H N
T D H M A D E T
E D I A S E N E
```

»Klar wie Kloßbrühe«, stöhnte Jabba.

»Miss Fletcher, bitte klären Sie uns auf!«, verlangte Fontaine.

Alle Köpfe wandten sich Susan zu, die den Buchstabenblock studierte. Ein Lächeln stahl sich auf ihre Lippen und wurde immer breiter. »Mensch, David!«

Alle sahen einander ratlos an.

David zwinkerte auf seinem kleinen Monitor Susan zu. »Vierundsechzig Buchstaben! Julius Caesar hat wieder einmal zugeschlagen.«

Midge verstand gar nichts mehr. »Wovon ist hier eigentlich die Rede?«

»Caesars Code! Von oben nach unten zu lesen«, erwiderte Susan. »Tankado will uns etwas mitteilen.«

KAPITEL 122

»*Noch sechs Minuten*«, ertönte der Ruf eines Technikers.

»Von oben nach unten abtippen!«, ordnete Susan an. »Nicht quer, von oben nach unten!«

Soschi machte sich an die Neuordnung des Texts. Wie wild hieb sie auf die Tastatur ein.

»Julius Caesar hat nach diesem Schema Geheimbotschaften verschickt«, platzte Susan heraus. »Die Anzahl der Buchstaben muss immer ein Quadrat ergeben.«

»Fertig!«, verkündete Soschi.

Alle starrten auf die neue Textzeile, die von der Bildschirmwand herunterleuchtete.

»Immer noch Buchstabenmüll!«, höhnte Jabba verächtlich. »Seht es euch doch an! Ein krauses Durcheinander von ...« Der Rest des Satzes blieb ihm im Hals stecken. Er bekam Augen wie Untertassen. »Ach ... ach du Scheiße ...«

»Kann man wohl sagen«, flöteten Brinkerhoff und Midge im Chor.

Auch Fontaine war bereits auf den Trichter gekommen. Erkennbar beeindruckt wölbte er die Brauen.

Die vierundsechzig Buchstaben lasen sich jetzt so:

PRIMUNTERSCHIEDDERFUERHIROSCHIMA
UNDNAGASAKIVERDERBLICHENELEMENTE

»Soschi, fügen Sie die Wortzwischenräume ein«, sagte Susan. »Wir müssen jetzt ein Rätsel lösen.«

Kapitel 123

Ein aschfahler Techniker kam zum Podium gerannt. »Die vorletzte Schale ist so gut wie hin!«

Jabba sah hinauf zur VR. Die Angreifer waren im Vormarsch. Sie hatten sich bis auf Haaresbreite an die fünfte und letzte Schutzschale herangearbeitet. Die Uhr der Datenbank war so gut wie abgelaufen.

Susan verdrängte das Chaos um sie herum. Wieder und wieder las sie den inzwischen erstellten Klartext von Tankados Botschaft:

PRIMUNTERSCHIED DER FUER HIROSCHIMA
UND NAGASAKI VERDERBLICHEN ELEMENTE

»Das ist ja noch nicht einmal eine Frage!«, jammerte Brinkerhoff. »Wie soll man da eine Antwort finden?«

»Leute, wir brauchen eine Zahl«, mahnte Jabba. »Der Kill-Code ist *numerisch.*«

»Ruhe!«, befahl Fontaine und wandte sich an Susan. »Miss Fletcher, nachdem Sie uns bis hierher gebracht haben, hängt jetzt alles von Ihnen ab.«

Susan holte tief Luft. »Das Eingabefeld für den Kill-Code akzeptiert *nur* eine Zahleneingabe. Ich gehe deshalb davon aus, dass wir hier einen Hinweis auf die Codezahl vor uns haben. Der Text erwähnt Hiroschima und Nagasaki – die beiden Städte, die durch eine Atombombe verwüstet worden sind. Vielleicht ergibt sich der Kill-Code aus der Zahl der Opfer oder aus der errechneten Schadensumme…« Susan hielt inne und überlas noch einmal die Textzeilen. »Es ist hier von einem ›Primunterschied‹ die Rede. Ich verstehe das als Frage nach dem primären, dem *Hauptunterschied* zwischen Hiroschima und Nagasaki… Tankado war offenbar der Meinung, dass zwischen diesen beiden Ereignissen irgendein grundsätzlicher Unterschied bestand.«

Fontaine verzog zwar keine Miene, aber auch so war klar, dass seine Hoffnung zusehends sank. Der gesamte politische Hintergrund der beiden schlimmsten Bombenexplosionen der Menschheitsgeschichte schien analysiert, verglichen und in eine geheimnisvolle Zahl umgesetzt werden zu müssen – und das innerhalb der nächsten fünf Minuten.

Kapitel 124

»Letzter Schutzschild steht unter Beschuss!«

In der graphischen Darstellung der VR setzte die Erosion des letzten Schutzwalls ein. Schwarze, gierige Linien bohrten sich wie Maden in den schützenden Ring, um sich langsam zum Kern vorzufressen.

Hacker aus der ganzen Welt gaben sich inzwischen ein Stelldichein. Fast mit jeder Minute verdoppelte sich ihre Zahl. Binnen kurzem würde jeder ausländische Spion, jeder Staatsfeind und jeder Terrorist, überhaupt jeder, der einen Computer hatte, ungehinderten Zugang zum gesamten Geheimmaterial der US-Regierung haben.

Während sich die Techniker erfolglos mühten, der Datenbank den Saft abzudrehen, studierten die auf dem Podium Versammelten Tankados Botschaft. Selbst David und die beiden Agenten versuchten, von ihrem Lieferwagen in Spanien aus das Rätsel zu knacken.

PRIMUNTERSCHIED DER FUER HIROSCHIMA
UND NAGASAKI VERDERBLICHEN ELEMENTE

»Die für Hiroschima und Nagasaki verderblichen Elemente ...«, dachte Soschi laut vor sich hin. »Vielleicht weil Kaiser Hirohito sich geweigert hat ...«

»Wir brauchen eine *Zahl*«, erinnerte Jabba, »und keine politischen Theorien! Hier geht es um Mathematik, nicht um Geschichte!«

Soschi verstummte.

»Susan, was ist mit den Zahlen der Opfer, den Schadensummen?«, warf Brinkerhoff ein.

»Wir brauchen eine genau definierte Zahl«, überlegte Susan. »Aber solche Schätzungen macht man notwendigerweise mehr oder weniger über den Daumen.« Sie betrachtete wieder den Text. »Hm … die verderblichen Elemente …«

Fünftausend Kilometer entfernt riss David Becker die Augen auf. »Elemente!«, rief er. »Es geht hier um Naturwissenschaft, nicht um Geschichte!«

Aller Augen flogen zum eingeklinkten Bild der Satellitenübertragung.

»Tankado hat wieder einmal zu einem Wortspiel gegriffen«, meldete sich David ungestüm. »Das Wort ›Elemente‹ hat mehrere Bedeutungen.«

»Nun spucken Sie's schon aus!«, drängte Fontaine.

»Tankado redet hier von gefährlichen *chemischen* Elementen, nicht von verderblichen Elementen der Geschichte!«

Beckers Satz traf auf verständnislose Gesichter.

»Die Elemente!«, half er nach, »Chemie! Das periodische System! Hat denn niemand den Film über das Manhattan-Projekt gesehen, über die beiden Atombomben *Fat Man* und *Big Boy*? Die beiden Bomben waren nicht identisch. Sie hatten unterschiedliche Atomsprengsätze – aus unterschiedlichen *Elementen!*«

Soschi klatschte in die Hände. »Ja, das stimmt, ich habe so was gelesen! Bei den beiden Bomben wurde nicht der gleiche Atomsprengstoff verwendet. Bei der einen war es Uran, bei der anderen Plutonium – zwei *unterschiedliche* Elemente!«

Es wurde still im Raum.

»Uran und Plutonium!«, rief Jabba aus, in dem plötzlich wieder Hoffnung aufkeimte. »Unser Rätsel fragt nach dem *Unterschied* dieser beiden Elemente! Weiß hier jemand, worin sich Uran und Plutonium unterscheiden?«, schrie er mit einem fragenden Blick in die Runde.

Ratlose Blicke ringsum

»Das gibt's doch nicht!«, stöhnte Jabba. »Ihr seid doch alle aufs College gegangen! Kennt sich denn keiner mehr in Chemie aus? Nur ein bisschen?«

Keine Antwort.

Susan stupste Soschi an. »Ich muss ins Internet. Habt ihr hier am Terminal einen Browser?«

Soschi nickte. »Wir haben Netscape. Erste Sahne.«

Susan nickte Soschi aufmunternd zu. »Dann wollen wir mal surfen.«

Kapitel 125

»Wie viel Zeit bleibt uns noch?«, erkundigte sich Jabba vom Podium herunter.

Die Techniker im Hintergrund, die wie gebannt zum Schaubild auf der Bildwand hinaufstarrten, blieben die Antwort schuldig.

Susan und Soschi betrachteten die ersten Ergebnisse ihrer Internetrecherche. »Outlaw Labs?«, wunderte sich Susan. »Wer ist denn das?«

Soschi zuckte die Achseln. »Soll ich draufklicken?«

»Was denn sonst?«, sagte Susan. Es kamen sechshundertsiebenundvierzig Verweise auf Textstellen über Uran, Plutonium und Atombomben. »Hier ist jede Menge Material zu finden«, meinte sie.

Soschi öffnete den Link. Eine Warnung erschien.

Die in dieser Datei enthaltenen Informationen sind ausschließlich zum wissenschaftlichen Gebrauch bestimmt. Versuche von Nichtfachleuten, die im Folgenden beschriebenen Apparaturen nachzubauen, können zur Verstrahlung und/oder Selbstdetonation führen!

»Selbstdetonation?«, sagte Soschi besorgt. »Mein Gott!«

»Nun fangen Sie schon an zu suchen!«, rief Fontaine ärgerlich über die Schulter. »Mal sehen, was alles kommt.«

Soschi ließ das Dokument langsam durchlaufen. Sie stieß auf eine Anleitung zur Herstellung von Harnstoffnitrat – ein zehnmal stärkerer Sprengstoff als Dynamit, aber der Text las sich wie ein Backrezept für Schokoladeplätzchen mit Rum.

»Uran und Plutonium«, wiederholte Jabba. »Darauf müssen wir uns konzentrieren.«

»Gehen wir zum Anfang zurück«, sagte Susan. »Das Dokument ist viel zu groß. Wir müssen uns das Inhaltsverzeichnis ansehen.«

Soschi navigierte zurück ins Inhaltsverzeichnis. Dort fand sie das Gesuchte:

I. Schematischer Aufbau einer Atombombe
A) Höhenmesser
B) Luftdruckgesteuerter Zünder
C) Sprengköpfe
D) Nuklearsprengladungen
E) Neutronenschild
F) Uran oder Plutonium
G) Bleiabschirmung
H) Zündladungen

II. Kernspaltung/Kernfusion
A) Kernspaltung (Atombombe) und Kernfusion (Wasserstoffbombe)
B) U-235, U-238 und Plutonium

III. Geschichte der Atomwaffen
A) Entwicklung (Manhattan-Projekt)
B) Abwürfe
1) Hiroschima
2) Nagasaki
3) Begleiterscheinungen von Kernexplosionen
4) Explosionsareale

»Römisch zwei, Abschnitt B«, rief Susan. »Uran und Plutonium. Los!«

Alles wartete gespannt, bis Soschi die richtige Stelle gefunden hatte. »Hier ist es«, sagte sie. »Wartet mal.« Schnell überflog sie die Angaben. »Hier gibt es jede Menge Informationen, mit Tabellen und allem. Aber wissen wir überhaupt, welchen primären Unterschied wir suchen? Manche Unterschiede bestehen von Natur aus, andere sind künstlich. Die Entdeckung des Plutoniums ...«

»*Eine Zahl!*«, mahnte Jabba. »Denkt dran, wir suchen eine Zahl!«

Susan überlas noch einmal Tankados Botschaft. *Primunterschied der Elemente ... der Unterschied ... eine Differenz ... ausgedrückt in einer Zahl ...* »Halt«, rief sie, »das Wort Unterschied hat auch mehrere Bedeutungen. Wir brauchen eine *Zahl*, also geht es um Rechnen. Das ist bestimmt wieder so ein Wortspiel von Tankado. Er meint *Differenz*, also müssen wir zwei Zahlen voneinander abziehen.«

»Ja, das ist es«, stimmte Becker von der Bildwand herab zu. »Vielleicht haben die beiden Elemente eine unterschiedliche Anzahl von Protonen oder so etwas. Wenn man die voneinander abzieht ...«

»Recht hat er!«, meinte Jabba und wandte sich an Soschi. »Gibt es in deinen Tabellen irgendwelche *Zahlen*? Die Protonenzahl oder sonst etwas, das wir voneinander abziehen können?«

»*Drei Minuten!*«, rief ein Techniker.

»Was ist mit den kritischen Massen?«, schlug Soschi vor. »Hier steht, die kritische Masse von Plutonium ist 15,966 Kilogramm.«

»Ja!« Jabba lebte auf. »Und jetzt schau nach bei Uran!«

»49,895 Kilo«, sagte Soschi nach kurzer Suche.

»Neunundvierzig Komma sowieso?« Jabba schien plötzlich wieder Hoffnung zu schöpfen. »Wie viel ist 49,895 minus 15,966?«

»Dreiunddreißig Komma neun zwei neun!«, sagte Susan wie aus der Pistole geschossen, »aber ich glaube nicht …«

»Platz da!«, kommandierte Jabba und strebte zu seiner Tastatur. »Das muss der Kill-Code sein! Der Unterschied der kritischen Massen, dreiunddreißig Komma neun zwo neun.«

»Langsam!«, sagte Susan, die Soschi über die Schulter geschaut hatte. »Hier gibt es noch mehr Zahlen. Atomgewichte, Anzahl der Neutronen, Halbwertszeiten.« Sie sah die Tabellen durch. »Uran zerfällt in Barium und Krypton, bei Plutonium ist es wieder anders. Uran hat zweiundneunzig Protonen und einhundertsechsundvierzig Neutronen, während …«

»Wir müssen den Unterschied nehmen, der am meisten ins Auge fällt«, meldete sich Midge zu Wort. »In unserer Suchanweisung steht: der Primunterschied …«

»Mann oh Mann!«, fluchte Jabba, »woher sollen wir denn wissen, was Tankado unter dem Prim …«

»Moment mal!«, schaltete David sich ein, »der *Prim*unterschied …«

Susan sah aus wie vom Blitz getroffen. »*Prim!*«, rief sie plötzlich aus. Sie fuhr herum zu Jabba. »Der Kill-Code ist eine *Primzahl!* Das passt wie die Faust aufs Auge!«

Jabba begriff sofort, dass Susan ins Schwarze getroffen hatte. Ensei Tankados ganze Karriere war auf Primzahlen aufgebaut. Primzahlen bildeten die Grundbausteine der Algorithmen. Primzahlen waren einmalige Zahlenwerte, durch keine andere Zahl teilbar außer durch eins oder sich selbst. Sie eigneten sich hervorragend für die Verschlüsselung, da ihnen mit computergestützten Rateverfahren und dem üblichen Aufdröseln von Zahlenbäumen nicht beizukommen war.

»Ja, das ist es!«, begeisterte sich Soschi. »Primzahlen spielen in der japanischen Kultur eine grundlegende Rolle. In der Dichtkunst des Haiku zum Beispiel: *Drei Zeilen* und eine Silbenfolge von *fünf,* dann *sieben,* und wieder *fünf.* Alles Primzahlen! Und die Tempel von Kyoto haben alle …«

»Ist ja gut!«, sagte Jabba barsch. »Nun wissen wir also, dass der Kill-Code eine Primzahl ist. Und wie weiter? Die Möglichkeiten sind unendlich!«

Jabba hatte natürlich Recht. Da die Reihe der vorstellbaren Zahlen unendlich war, konnte man an jedem beliebigen Punkt der Zahlenreihe stets noch ein Stück weiter gehen und wieder eine neue Primzahl entdecken. Allein zwischen Null und einer Million gab es über siebzigtausend davon.

Alles hing entscheidend davon ab, wie groß die Primzahl war, die Tankado benutzt hatte. Je größer sie war, umso größer war die Schwierigkeit, sie zu erraten.

»Sie ist bestimmt riesengroß«, stöhnte Jabba. »Ich bin sicher, Tankado hat sich eine Monsterzahl ausgedacht.«

»*Warnung, noch zwei Minuten!*«, tönte es aus dem Hintergrund des Raums.

Jabba schaute geschlagen zur Bildschirmwand hinauf. Der letzte Schutzring begann zu bröckeln. Die Techniker rannten wild durcheinander.

Susan hatte das Gefühl, dass die Lösung zum Greifen nah war. »Wir schaffen es!«, verkündete sie. »Ich bin sicher, dass sich von allen diesen Unterschieden zwischen Uran und Plutonium nur einer in eine Primzahl fassen lässt. Das ist unsere letzte Hürde. Wir müssen diese Primzahl finden!«

Jabba betrachtete die Uran/Plutonium-Tabelle auf dem Bildschirm. Er warf hilflos die Arme in die Luft. Seine Verzweiflung war ihm deutlich anzusehen. »Das wimmelt ja nur so von Einträgen. Wie sollen wir die alle voneinander abziehen und überprüfen, ob das Ergebnis eine Primzahl ist?«

»Aber viele Einträge sind doch überhaupt nicht numerisch!«, versuchte ihm Susan Mut zu machen. »Uran ist ein natürliches Element, Plutonium ein künstliches. Uran wird durch Aufeinanderschießen gezündet, Plutonium durch eine Implosion. Das sind alles keine Zahlen, darum brauchen wir uns überhaupt nicht zu kümmern!«

»Fangen Sie schon an!«, befahl Fontaine. Der letzte Schutzring der Graphik auf der Bildwand war extrem dünn geworden.

Jabba wischte sich den Schweiß von der Stirn. »Also gut, dann mal los mit dem Subtrahieren. Ich nehme das obere Viertel der Tabelle, Susan das zweite. Mit dem Rest befassen sich gefälligst alle anderen hier im Raum. Wir suchen eine Differenz, die sich in einer Primzahl ausdrückt!«

Die Aufgabe erwies sich sehr schnell als unlösbar. Die Zahlen waren zum Teil riesig, andere passten überhaupt nicht zusammen.

»Wir vergleichen hier Äpfel mit Birnen, verdammt nochmal«, sagte Jabba, »Gammastrahlen mit der elektomagnetischen Feldfrequenz, spaltbares Material mit unspaltbarem. Manchmal sind die Angaben in absoluten Zahlen, manchmal in Prozenten. Ein einziges Wirrwarr!«

»Unsere Zahl *muss* hier irgendwo versteckt sein«, sagte Susan fest. »Wir müssen nachdenken. Es muss einen Unterschied zwischen Uran und Plutonium geben, der uns bislang entgangen ist. Etwas ganz Einfaches!«

»Ah… Leute«, ließ sich Soschi vernehmen. Sie hatte ein zweites Bildschirmfenster geöffnet, in dem sie den Rest der Outlaw-Datei durchging.

»Was gibt's?«, erkundigte sich Fontaine. »Was gefunden?«

»Irgendwie schon«, meinte Soschi betreten. »Ich habe vorhin doch gesagt, die Bombe von Nagasaki sei eine Plutoniumbombe gewesen.«

»Ja, klar«, riefen alle im Chor.

»Also…«, Soschi holte tief Luft. »Es sieht so aus, als hätte ich da Quatsch erzählt.«

»Was?«, keuchte Jabba. »Unsere Suche geht in die falsche Richtung?«

Soschi deutete auf die Bildwand:

… ein gängiges Missverständnis, dass es sich bei der Bombe von Nagasaki um eine Plutoniumbombe gehandelt habe. In Wirklichkeit wurde auch in diesem Aggregat Uran verwendet wie bei der Schwesterbombe von Hiroschima.

»Aber wenn es in beiden Fällen Uran war«, stöhnte Susan auf, »wo liegt dann der Unterschied, den wir feststellen sollen?«

»Vielleicht hat sich Tankado geirrt«, meinte Fontaine. »Er hat vielleicht nicht gewusst, dass es jedes Mal die gleiche Bombe war.«

»Wohl kaum«, seufzte Susan. »Diese Bomben haben ihn zum Krüppel gemacht. Er kannte die Fakten im Schlaf.«

Kapitel 126

Noch eine Minute!«

Jabba betrachtete die Bildwand. »Der letzte Schild geht in die Binsen! Unsere letzte Verteidigungslinie. Und draußen stehen sie schon Schlange!«

»Bleiben Sie bei der Sache!«, sagte Fontaine tadelnd.

Soschi saß vor dem Internet-Browser. Sie las vor:

Bei der Bombe von Nagasaki kam kein Plutonium zur Verwendung, sondern ein künstliches neutronengesättigtes Isotop des Uran 238.

»Verdammt«, schimpfte Brinkerhoff. »In beiden Bomben hat man Uran verwendet. Das für Hiroschima und Nagasaki verderbliche Element war in beiden Fällen Uran. Wo bleibt da unser Unterschied?«

»Leute, das war's dann«, stellte Midge fest.

»Halt!«, sagte Susan. »Soschi, lies doch nochmal den letzten Abschnitt!«

»... künstliches neutronengesättigtes Isotop des Uran 238«, wiederholte Soschi.

»238?«, rief Susan aus. »Haben wir nicht eben eine Textstelle gehabt, wo steht, dass für die Hiroschimabombe ein anderes Uranisotop benutzt worden ist?«

Verwunderte Blicke wurden getauscht. Soschi ging hektisch

im Text zurück, bis sie die Stelle gefunden hatte. »Ja, hier steht's. In Hiroschima wurde ein anderes Isotop verwendet.«

Midge schnappte überrascht nach Luft. »In beiden Fällen Uran, aber trotzdem ein Unterschied?«

»In beiden Fällen Uran!«, mischte Jabba sich sarkastisch ein. »Der Storch hat zwei Beine, besonders das rechte. Na, prima!«

»Worin besteht denn der Unterschied«, verlangte Fontaine zu wissen. »Er müsste eigentlich ziemlich simpel sein.«

Soschi ging wieder auf Suche. »Moment … ich hab's gleich … okay …«

Noch fünfundvierzig Sekunden!«, schrie jemand.

Susan sah hinauf zur Graphik. Der letzte Schutzwall war fast nicht mehr zu sehen.

»Da ist es!«, rief Soschi.

»Lies schon vor!« Jabba schwitzte. »Es muss doch einen Unterschied geben!«

»Gibt es auch!« Soschi deutete auf den Text auf der Bildwand. Alle lasen mit:

> *… den beiden Bomben verschiedene Kernsprengstoffe zur Anwendung … U-235 und U-238 … chemisch identische Merkmale … durch chemische Separierungsmethoden nicht voneinander zu trennen … von einem minimalen Unterschied des Atomgewichts abgesehen absolut identisch.*

»Das Atomgewicht«, rief Jabba aufgeregt, »der einzige Unterschied ist das Atomgewicht! Das muss es sein! Das ist unser Schlüssel. Los, sag mir schnell die Atomgewichte an, ich zieh sie voneinander ab!«

»Moment!«, rief Soschi und blätterte im Text, »ich hab's gleich. Ja, hier!«

Wieder starrte alles auf den Text.

... sehr geringer Unterschied des Atomgewichts
... Trennung nur als Gasdiffusion möglich ...
*390,626 x 10^{-27} im Vergleich zu 386,721 x 10^{-27} **

»Da hätten wir es ja!«, kreischte Jabba, »das ist es! Das sind die Atomgewichte!«

»Noch dreißig Sekunden!«

»Legen Sie los!«, flüsterte Fontaine. »Voneinander abziehen! Schnell!«

Jabba hatte schon den Taschenrechner in der Hand und tippte die Zahlen ein.

»Was bedeutet das Sternchen?«, wunderte sich Susan. »Hinter den Zahlen steht ein Sternchen.«

Jabba, der hektisch auf seinen Taschenrechner eintippte, achtete nicht auf sie.

»Langsam, keine Fehler«, mahnte Soschi. »Wir brauchen eine ganz genaue Zahl!«

»Was ist mit dem Sternchen?«, beharrte Susan. »Verweist es vielleicht auf eine Fußnote?«

Soschi sah am Seitenende nach.

Eine Fußnote. Susan las und erbleichte. »Oh, mein Gott!«

Jabba blickte auf. »Was ist?«

Alle lehnten sich vor und blickten auf den Bildschirm. Ein Seufzer der Verzweiflung löste sich aus der Runde. Die Fußnote lautete:

* Die Angaben variieren von Labor zu Labor.
Fehlermarge 1,2 Promille.

Kapitel 127

Über das Podium senkte sich jäh eine ehrfürchtige Stille. Es war, als wären die dort Versammelten Zeugen einer Sonnenfinsternis oder eines Vulkanausbruchs geworden – Zeugen einer unglaublichen und ihrem Einfluss völlig entzogenen Kette von Ereignissen. Die Zeit hatte sich zum Schneckentempo verlangsamt.

»Wir gehen baden!«, schrie ein Techniker. »Wir werden angezapft. Auf allen Kanälen!«

In der linken Ecke des Großbildschirms sah man David Becker und die Agenten Smith und Collander ausdruckslos in die Kamera starren. Von der letzten Schale der Firewall war in der graphischen Darstellung der VR nur noch ein Hauch zu erkennen, um den eine dichte schwarze Masse herumquirlte – die bildliche Wiedergabe der Hundertschaften von Hackern, die darauf lauerten, sich endlich einloggen zu können. Rechts davon lief die flackernde Endlosschleife von Tankados letzten Augenblicken. Verzweiflung sprach aus seinem Gesicht und der Geste der ausgestreckten Finger. An einem davon blitzte der Ring in der Sonne.

Susan betrachtete die scharf und wieder unscharf werdenden Einstellungen. Sie betrachtete Ensei Tankados Augen, in denen sie ein tiefes Bedauern wahrzunehmen glaubte. *Er hat nie gewollt, dass es so weit kommt,* sagte sie zu sich selbst. *Er wollte uns einen Rettungsring zuwerfen.* Und doch, immer wieder streckte

Tankado die Finger aus, um seinen Helfern den Ring vor die Nase zu halten. Man sah, dass er etwas sagen wollte, aber nicht konnte. Und immer wieder ruckten seine Finger hoch.

David Becker wendete immer noch das Problem in seinem Kopf von rechts nach links. *»Wie war das nochmal mit diesen Isotopen«*, fragte er sich. *»U-238 und U-…?«* Er seufzte. Ach, egal. Er war Philologe und kein Physiker.

»Die ankommenden Verbindungen sind praktisch schon authentifiziert!«

»Scheiße!«, schrie Jabba frustriert, »wo liegt denn bloß der verdammte Unterschied von diesen verfluchten Isotopen? Weiß denn keiner, worin sie sich unterscheiden?« Niemand gab eine Antwort. Der ganze Raum war voll von Technikern, die hilflos zur Graphik hinaufschauten. »Wenn man einmal im Leben einen Kernphysiker braucht, ist natürlich keiner da!«, fluchte Jabba.

Auch für Susan war die Sache gelaufen. Sie betrachtete immer noch die Endlosschleife auf der Bildwand. Mal um Mal sah sie Tankado in Zeitlupe sterben. Er versuchte etwas zu sagen, brachte kein Wort heraus, hielt die deformierte Hand hoch… versuchte verzeifelt, sich verständlich zu machen. *Er wollte unsere Datenbank retten*, sinnierte sie, *aber wir werden nie erfahren, wie.*

»Sie hämmern an unsere Tür!«

Jabba starrte auf die Bildwand. »Das war's dann.« Schweiß lief ihm übers Gesicht.

Im zentralen Bildsegment war der letzte Rest der Firewall so gut wie verschwunden. Eine halb durchsichtige pulsierende Masse von schwarzen Linien wimmelte um den Kern herum. Midge wandte sich ab. Fontaine stand stocksteif da, den Blick stur geradeaus gerichtet. Brinkerhoff sah aus, als müsste er sich gleich übergeben.

»Noch zehn Sekunden!«

Susans Blick wich nicht von Tankado. Diese Verzweiflung, dieses Bedauern! Er streckte die Hand aus, wieder und wieder, der Ring blitzte auf, drei deformierte Finger krümmten sich vor dem Gesicht fremder Leute. *Er will ihnen etwas begreiflich machen! Aber was?*

David war tief in Gedanken. *Der Unterschied,* sagte er sich immer wieder, *der Unterschied von U-238 und U-235. Etwas ganz Einfaches muss es sein!*

Der Countdown eines Technikers drang aus dem Lautsprecher. »*Fünf! Vier! Drei ...*«

Das Wörtchen drang bis nach Spanien. Es brauchte dafür nur knapp eine zehntel Sekunde. *Drei ... drei!*

David Becker kam sich vor, als hätte ihn schon wieder ein Betäubungsgeschoss getroffen. Um ihn herum blieb alles stehen. *Drei ... drei ... drei – 238 minus 235! Der Unterschied ist* drei! Wie in Zeitlupe griff er zum Mikrofon.

Im gleichen Augenblick starrte Susan auf Tankados Hand. Der Ring, der gravierte Goldreif glitt für sie plötzlich aus dem Brennpunkt. Sie sah das Fleisch darunter, die Finger ... die *drei* Finger. Es ging gar nicht um den Ring, sondern um die Finger! Tankado konnte nicht mehr sprechen, also benutzte er die Zeichensprache! Er zeigte sein Geheimnis, offenbarte den Kill-Code! Er flehte darum, verstanden zu werden, betete darum, dass sein Geheimnis beizeiten den Weg zur NSA finden möge!

»Drei!«, flüsterte Susan fassungslos.

»*Drei!*«, kreischte Beckers Stimme in Spanien.

In all dem Chaos schien es niemand zu hören.

»*Wir sind geliefert!*«, schrie ein Techniker.

Die Graphik begann unkontrolliert zu flackern. Der Kern verschwand in einer Woge von Schwarz. Sirenengeheul setzte ein.

»*Feindliche Downloads!*«

»*Hochgeschwindigkeits-Downloads auf allen Sektoren!*«

Wie in Trance flog Susan zu Jabbas Tastatur. Ihr Blick traf den Blick ihres Verlobten. Wieder platzte seine Stimme aus den Lautsprechern.

»Drei! Der Unterschied zwischen 238 und 235 ist drei!«

Sämtliche Köpfe fuhren hoch.

»Drei«, schrie Susan in die Kakophonie des Sirenengeheuls und des Geschreis der Techniker. Sie zeigte auf die Bildwand. Alle Blicke folgten ihrem ausgestreckten Zeigefinger, der auf Tankados hochgereckte Hand mit den drei verzweifelt in der Sonne von Sevilla wedelnden Fingern wies.

Jabba erstarrte. »Oh mein Gott!« Schlagartig begriff er. Die verkrüppelten Finger hatten ihnen schon die ganze Zeit die Antwort gezeigt!

»Drei ist eine Primzahl!«, rief Susan, »eine *Primzahl*!«

Fontaine war völlig verblüfft. »So einfach war das?«

»Illegale Downloads!«, schrie ein Techniker. *»Umfang rasch zunehmend!«*

Alle hechteten gleichzeitig zur Tastatur. Es war ein Wald von ausgestreckten Händen. Aber Susan war wie ein geschickter Verteidiger am schnellsten am Ball. Sie tippte auf die Taste mit der Drei. Alle Köpfe fuhren hoch zur Bildwand. In all dem Chaos stand dort oben ganz schlicht:

BITTE DEN CODE EINGEBEN: 3

»Jawohl!«, befahl Fontaine. »Tun Sie's!«

Mit angehaltenem Atem ließ Susan den Finger auf die Enter-Taste sinken. Das Terminal gab einen Pieps von sich.

Keiner bewegte sich.

Drei entsetzliche Sekunden lang geschah gar nichts.

Die Sirenen heulten weiter. Fünf Sekunden … sechs Sekunden …

»Downloads!«

»Keine Veränderung!«

Plötzlich deutete Midge wild gestikulierend auf die Bildwand. »Da!« Eine Meldung leuchtete auf.

CODE BESTÄTIGT

»Firewall neu laden!«, schrie Jabba.

Aber Soschi war ihm um eine Nasenlänge voraus. Sie hatte den Befehl bereits eingetippt.

»Downloads gestoppt!«, schrie ein Techniker.

»Einwahlen unterbrochen!«

Auf der Bildwand baute sich die erste der fünf Schutzschalen langsam wieder auf. Die den Kern annagenden schwarzen Linien wurden augenblicklich gekappt.

»Sie installiert sich wieder«, schrie Jabba. »Die verdammte Firewall installiert sich wieder!«

Ein spannungsgeladener Moment der Ungewissheit verstrich, als hätte jeder Angst, dass immer noch alles in die Brüche gehen könnte. Aber dann baute sich auch die zweite Schale auf… und die dritte. Kurz darauf wurde der komplette Satz von Filtern wieder auf der Bildwand angezeigt.

Die Datenbank war gerettet.

Der Raum explodierte förmlich. Die Hölle brach los. Die Techniker fielen sich um den Hals und warfen ihre Ausdrucke in die Luft. Das Sirenengeheul verstummte. Brinkerhoff riss Midge in die Arme und wollte sie nicht mehr loslassen. Soschi fing an zu heulen.

Fontaine war immer noch besorgt. »Jabba, wie viel haben die Hacker gekriegt?«, wollte er wissen.

»Nichts Nennenswertes, Sir«, beruhigte ihn Jabba, »und nichts, was vollständig wäre.«

Fontaine nickte bedächtig. Ein Lächeln stahl sich auf seine Lippen. Sein Blick suchte Susan Fletcher, aber sie war schon nach vorne zur Bildwand unterwegs. David Beckers Gesicht füllte wieder den ganzen Schirm.

»David?«

»Hallo, Schatz.«

»Komm nach Hause«, sagte Susan. »Komm wieder nach Hause, jetzt gleich.«

»Wollen wir uns in Stone Manor treffen?«, fragte er.

Sie nickte. Tränen rollten über ihre Wangen. »Abgemacht.«

»Agent Smith!«, rief Fontaine.

Smith erschien hinter Becker im Bild. »Ja, Sir?«

»Ich habe den Eindruck, Mr Becker hat eine Verabredung. Sorgen Sie bitte dafür, dass er umgehend nach Hause kommt.«

Smith nickte. »Unser Jet steht in Malaga.« Er klopfte Becker auf die Schulter. »Professor, Sie dürfen sich auf was Feines freuen! Sind Sie schon mal mit einem Learjet 60 geflogen?«

»Seit gestern eigentlich nicht mehr«, schmunzelte Becker.

Kapitel 128

Als Susan erwachte, schien die Sonne. Sanfte Strahlen stahlen sich durch die Vorhänge und krochen über das Daunenfederbett. Immer noch liefen ihr Schauer über den ganzen Körper. Erschöpft und benommen von den Ereignissen der vergangenen Nacht, blieb sie bewegungslos liegen. *Ist es ein Traum?* Sie streckte den Arm aus nach David.

»David?«, murmelte sie.

Die Antwort blieb aus. Sie schlug die Augen auf. Der Platz neben ihr war kalt. David war nicht da.

Das ist ein Traum, dachte Susan. Sie setzte sich auf. Sie befand sich in einem viktorianisch eingerichteten Raum voll antiker Möbel und Spitzendeckchen – dem besten Zimmer von Stone Manor. Die Tasche mit den Sachen für die Übernachtung stand achtlos mitten auf dem Dielenfußboden … ihre Nachtwäsche hing über der Lehne eines Queen-Anne-Stuhls neben dem Bett.

War David überhaupt gekommen? Sie hatte gewisse Erinnerungen – die sanften Küsse, mit denen er sie geweckt hatte, sein Körper, der sich gegen den ihren presste. Hatte sie das alles geträumt? Sie schaute zum Nachttischchen hinüber. Eine leere Champagnerflasche mit zwei Gläsern stand dort … daneben lag ein Zettel.

Susan rieb sich den Schlaf aus den Augen, zog die Steppdecke wärmend um ihren nackten Körper und las.

Allerliebste Susan,
ich liebe dich.
Ohne Wachs, David.

Sie drückte den Zettel an die Brust und strahlte. David war also da. *Ohne Wachs…*, der einzige Code, den sie noch nicht geknackt hatte!

In der Ecke bewegte sich etwas. Susan sah hoch. In einen dicken Bademantel gewickelt, hatte David Becker es sich auf einem üppigen Diwan bequem gemacht. Still saß er da und betrachtete sie. Sie streckte den Arm aus und winkte ihn mit dem Finger herbei.

»Ohne Wachs?«, schnurrte sie, als sie ihn in die Arme nahm.

»Ohne Wachs.« Er lächelte.

Sie küsste ihn hingebungsvoll. »Bitte sag mir, was das bedeutet.«

»Nie im Leben!« Er lachte. »Ein Paar muss auch Geheimnisse voreinander haben, damit es spannend bleibt.«

Susan lächelte ihn schelmisch an. »Aber bitte nicht spannender als letzte Nacht, sonst breche ich noch zusammen!«

David schloss sie in die Arme. Er fühlte sich schwerelos. Gestern wäre er fast ein toter Mann gewesen, und nun war er hier und fühlte sich so lebendig wie nie zuvor.

Susan hatte den Kopf an seine Brust gelegt und lauschte seinem Herzschlag – vor kurzem hatte sie noch fest geglaubt, er sei ihr endgültig genommen worden!

»David«, quengelte sie mit einem Blick auf das Zettelchen neben dem Bett. »Sag mir, was bedeutet ›ohne Wachs‹? Du weißt doch, dass mich ein nicht entschlüsselter Code unglücklich macht!«

David schwieg.

»Sag's mir«, schmollte sie, »oder du darfst nie mehr mit mir schlafen.«

»Lügnerin!«

Susan schlug ihm das Kissen auf den Kopf. »Sag's mir! Jetzt sofort!«

Aber David wusste, dass er das Geheimnis nie preisgeben würde. Es war einfach zu süß. Sein Ursprung reichte weit zurück. In der Renaissancezeit pflegten die Bildhauer in Spanien kleine Fehler ihrer Werke aus teurem Marmor mit Wachs – spanisch *cera* – zu kaschieren. Eine makellose Skulptur ohne jegliche Wachsausbesserung hatte das Qualitätsmerkmal »ohne Wachs« – *sin cera.* Aus dem spanischen *sin cera* entwickelte sich das englische Wort »sincere«, die Floskel, mit der man im Englischen Briefe unterzeichnet: »Sincerely Yours«. Davids Geheimcode war gar nicht so geheim. Er hatte seine Mitteilungen einfach nur mit dem üblichen »Sincerely, David« unterschrieben. Irgendwie hatte er das Gefühl, dass es Susan nicht vom Hocker reißen würde, wenn er es ihr verriet.

»Es wird dich bestimmt freuen zu hören«, sagte er, um das Thema zu wechseln, »dass ich auf dem Heimflug den Rektor meiner Universität angerufen habe.«

Susan sah ihn hoffnungsfroh an. »Sag bloß, du hast deinen Verwaltungsjob drangegeben!«

David nickte. »Im nächsten Semester stehe ich wieder im Hörsaal vor meinen Studenten.«

Susan seufzte erleichtert. »... wo du von Anfang an hingehört hast!«

David lächelte verlegen. »Ja, ich glaube, in Spanien ist mir klar geworden, worauf es ankommt.«

»Dann wirst du jetzt also wieder deinen Studentinnen den Kopf verdrehen!« Susan gab ihm einen Kuss auf die Wange. »Aber immerhin hast du dann auch Zeit, mir bei der Korrektur meines Manuskripts zu helfen.«

»Was für ein Manuskript?«

»Ich habe mir überlegt, dass ich es doch veröffentlichen werde.«

»Veröffentlichen?« David sah sie ratlos an. »*Was* willst du veröffentlichen?«

»Ein paar Gedanken, die ich mir über variable Filterprotokolle und quadratische Teilungsreste gemacht habe.«

David stöhnte auf. »Das wird bestimmt der Bestseller des Jahrhunderts.«

Susan lachte. »Du wirst dich noch wundern!«

David fummelte in der Tasche seines Bademantels herum. »Augen zu! Ich hab was für dich.« Er zog einen kleinen Gegenstand heraus.

Susan gehorchte. »Lass mich raten – es ist ein kitschiger goldener Ring mit einer lateinischen Inschrift.«

David lachte leise. »Nein. Ich habe Fontaine gebeten, den Ring an Ensei Tankados Nachlass zurückzugeben.« Er nahm Susans Hand und steckte ihr etwas an den Finger.

»Du Schwindler«, erwiderte Susan mit einem Lächeln. »Ich weiß doch …« Sie öffnete die Augen und schnappte nach Luft. An ihrem Finger steckte keineswegs Tankados Ring. Ein in Platin gefasster Brillant funkelte sie an.

David blickte Susan in die Augen. »Möchtest du mich heiraten?«

Susan blieben die Worte im Halse stecken. Tränen quollen ihr in die Augen. »Oh David! Ich weiß gar nicht, was ich sagen soll!«

»Sag einfach nur Ja!«

Susan wandte sich wortlos ab.

David sah sie erwartungsvoll an. »Susan Fletcher, ich liebe dich! Du sollst mich heiraten!«

Susan hob den Kopf. Ihre Augen schwammen in Tränen. »David, es tut mir leid, aber … ich kann's einfach nicht.«

Bestürzt forschte David in ihren Augen nach dem schelmischen Glitzern, das er dort zu entdecken hoffte, aber da war nichts. »Su … Susan«, stotterte er, »ich … jetzt verstehe ich gar nichts mehr.«

»Ich kann dich nicht heiraten!«, wiederholte sie. Sie wandte sich wieder ab und barg das Gesicht in den Händen. Ihre Schultern begannen zu beben.

David war völlig perplex. »Aber Susan …, ich habe gedacht …« Er umschlang ihre bebenden Schultern und presste sie an sich. Da begriff er. Susan war keineswegs in Tränen aufgelöst – sie kämpfte mit einem Lachanfall!

»Ich kann dich nicht heiraten«, prustete sie und ging wieder mit dem Kissen auf ihn los. »Jedenfalls nicht, solange du mir nicht verrätst, was es mit dem ›ohne Wachs‹ auf sich hat. Ich werde sonst wahnsinnig!«

Epilog

Es heißt, dass sich im Tode alles klärt. Tokugen Numataka wusste jetzt, dass die Redensart stimmte. Er stand im Zollamt von Osaka neben dem Sarg und empfand eine bittere Klarheit wie nie zuvor. Seine Religion lehrte den Kreislauf aller Dinge, die innere Verbundenheit alles Lebendigen, aber für die Religion hatte Numataka nie Zeit gehabt.

Der Zollbeamte hatte ihm einen Umschlag mit Adoptionsdokumenten und einer Geburtsurkunde ausgehändigt. »Sie sind der einzige lebende Verwandte von diesem jungen Mann«, hatte er gesagt. »Wir hatten große Schwierigkeiten, Sie ausfindig zu machen.«

Numatakas Erinnerung raste zweiunddreißig Jahre zurück zu jener regnerischen Nacht, zu jenem Kreißsaal, wo er sein missgebildetes Kind und seine mit dem Tode ringende Ehefrau ihrem Schicksal überlassen hatte. Er hatte es im Namen von *menboku* – der Ehre – getan. Doch davon war nur noch ein sinnentleerter Schatten übrig.

Den Dokumenten war ein goldener Ring beigelegt. Worte, die Numataka nicht verstand, waren darauf eingraviert. Es war ihm gleichgültig. Worte hatten für ihn keine Bedeutung mehr. Er hatte seinen einzigen Sohn im Stich gelassen – und nun hatte ein grausames Schicksal sie wieder vereint.

Mein Geschenk ist die Zukunft. Mein Geschenk ist die Erlösung. Mein Geschenk ist Inferno

Dan Brown
INFERNO
Thriller
Robert Langdon, Bd. 4
Aus dem amerikanischen Englisch von Axel Merz, Rainer Schumacher
688 Seiten
ISBN 978-3-7857-2480-4

Robert Langdon ist zurück ... und hat sein wohl größtes Abenteuer zu bestehen. Dante Alighieris »Inferno«, Teil seiner »Göttlichen Komödie«, gehört zu den geheimnisvollsten Schriften der Weltliteratur. Ein Text, der vielen Lesern noch heute Rätsel aufgibt. Um dieses Mysterium weiß auch Robert Langdon, der Symbolforscher aus Harvard. Doch niemals hätte er geahnt, was in diesem siebenhundert Jahre alten Text schlummert. Und erst auf seiner Jagd durch halb Europa, verfolgt von finsteren Mächten und skrupellosen Gegnern, wird ihm klar: Dantes Werk ist keine Fiktion. Es ist eine Prophezeiung. Eine Prophezeiung, die uns alle betrifft. Die Leben bringt. Oder den Tod.

Bastei Lübbe

Atemlos, verstörend, hochspannend

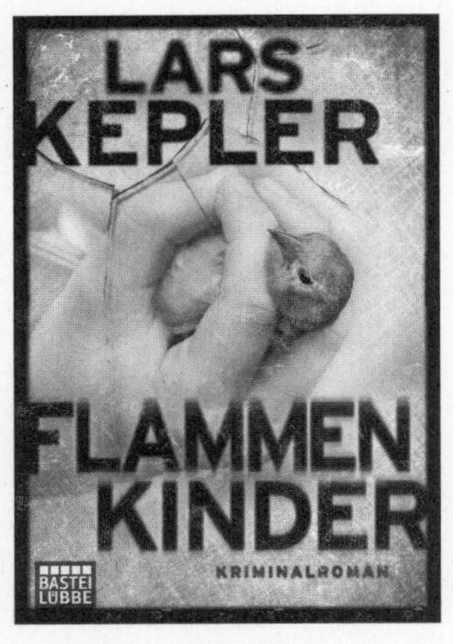

Lars Kepler
FLAMMENKINDER
Kriminalroman
Joona Linna, Bd. 3
Aus dem Schwedischen
von Paul Berf
624 Seiten
ISBN 978-3-404-16966-5

Sundsvall: In einer Einrichtung für schwer erziehbare Jugendliche werden ein Mädchen und eine Betreuerin brutal ermordet. Als entdeckt wird, dass ein anderes Mädchen verschwunden ist, scheint klar, dass sie die Morde verübt hat. Was rätselhaft ist: Niemand will etwas gesehen haben. Da meldet sich eine verzweifelte Frau: Ihr Auto wurde gestohlen, wahrscheinlich von dem geflohenen Mädchen – und auf dem Rücksitz saß ihr vierjähriger Sohn! Kommissar Joona Linna ermittelt unter Hochdruck …
Der Nummer-1-Bestseller aus Schweden

Bastei Lübbe

Krieg und Frieden im 20. Jahrhundert

Ken Follett
WINTER DER WELT
Die Jahrhundert-Saga
Roman
Aus dem Englischen
von Dietmar Schmidt,
Rainer Schumacher
1.040 Seiten
ISBN 978-3-404-16999-3

Es ist eine Zeit des Umbruchs, eine Zeit der Finsternis. Aber auch der Hoffnung, die selbst das tiefste Dunkel erfüllt.
Während sich die Lage in Europa gefährlich zuspitzt, versuchen drei junge Menschen heldenhaft ihr Schicksal zu meistern: Der Engländer Lloyd Williams wird Zeuge der Machtergreifung Hitlers und entschließt sich gegen den Faschismus zu kämpfen. Die deutsche Adelige Carla von Ulrich ist entsetzt über das Unrecht, das im Namen des Volkes geschieht, und geht in den Widerstand, während die lebenshungrige Amerikanerin Daisy nur vom sozialen Aufstieg träumt – und eine bitterböse Überraschung erlebt!

Bastei Lübbe

Werde Teil der Bastei Lübbe Welt
You Tube
www.luebbe.de
Lesen, rezensieren, Bücher gewinnen
Lerne Autoren, Verlagsmitarbeiter und andere Leser kennen

BASTEI LÜBBE
www.luebbe.de